"现代农业产业技术体系"专项（CARS-24）资助出版

聚焦三农：农业与农村经济发展系列研究（典藏版）

中国食用菌产业经济发展研究

张俊飚 等 ◎著

科学出版社

北 京

内 容 简 介

食用菌产业是现代农业产业发展中的朝阳产业。在当今中国农业资源日益稀缺、食物压力不断增加的背景下，系统研究与分析食用菌产业经济发展问题，对促进资源节约型、环境友好型和循环农业意义重大。本书围绕食用菌产业发展中的生产、市场消费、出口贸易、资源环境等一些关键问题，从宏观与微观的角度展开了较为系统的分析研究工作，也得出了许多有价值的研究结论和建议。这些结论与建议，对政府相关部门制定食用菌产业政策具有重要的参考价值，对从事食用菌产业技术研究的相关学者在宏观思维拓展方面具有一定的启发意义，对从事经济问题尤其是农业产业经济问题研究的专家学者具有较大的借鉴作用，对从事食用菌产业发展实践的企业家与生产者则具有一定的理论指导作用。

本书可供农业经济管理相关专业研究人员、政府相关部门、高等院校相关专业师生及农产品生产企业及从业人员参考。

图书在版编目（CIP）数据

中国食用菌产业经济发展研究／张俊飚等著. —北京：科学出版社，2013（2017.3 重印）

（聚焦三农：农业与农村经济发展系列研究：典藏版）

ISBN 978-7-03-036729-7

Ⅰ.①中… Ⅱ.①张… Ⅲ.①食用菌类–作物经济–经济发展–研究–中国 Ⅳ.①F326.13

中国版本图书馆 CIP 数据核字（2013）第 031901 号

责任编辑：林 剑／责任校对：郑金红

责任印制：钱玉芬／封面设计：耕者工作室

科学出版社 出版

北京东黄城根北街 16 号

邮政编码：100717

http://www.sciencep.com

北京京华虎彩印刷有限公司 印刷

科学出版社发行 各地新华书店经销

*

2013 年 3 月第 一 版 开本：B5（720×1000）

2013 年 3 月第一次印刷 印张：22

2017 年 3 月印 刷 字数：430 000

定价：128.00 元

（如有印装质量问题，我社负责调换）

总　　序

　　农业是国民经济中最重要的产业部门，其经济管理问题错综复杂。农业经济管理学科肩负着研究农业经济管理发展规律并寻求解决方略的责任和使命，在众多的学科中具有相对独立而特殊的作用和地位。

　　华中农业大学农业经济管理学科是国家重点学科，挂靠在华中农业大学经济管理学院和土地管理学院。长期以来，学科点坚持以学科建设为龙头，以人才培养为根本，以科学研究和服务于农业经济发展为己任，紧紧围绕农民、农业和农村发展中出现的重点、热点和难点问题开展理论与实践研究；21世纪以来，先后承担完成国家自然科学基金项目23项，国家哲学社会科学基金项目23项，产出了一大批优秀的研究成果，获得省部级以上优秀科研成果奖励35项，丰富了我国农业经济理论，并为农业和农村经济发展作出了贡献。

　　近年来，学科点加大了资源整合力度，进一步凝练了学科方向，集中围绕"农业经济理论与政策"、"农产品贸易与营销"、"土地资源与经济"和"农业产业与农村发展"等研究领域开展了系统和深入的研究，尤其是将农业经济理论与农民、农业和农村实际紧密联系，开展跨学科交叉研究。依托挂靠在经济管理学院和土地管理学院的国家现代农业柑橘产业技术体系产业经济功能研究室、国家现代农业油菜产业技术体系产业经济功能研究室、国家现代农业大宗蔬菜产业技术体系产业经济功能研究室和国家现代农业食用菌产业技术体系产业经济功能研究室等四个国家现代农业产业技术体系产业经济功能研究室，形成了较为稳定的产业经济研究团队和研究特色。

　　为了更好地总结和展示我们在农业经济管理领域的研究成果，出版了这套农业经济管理国家重点学科《农业与农村经济发展系列研究》丛书。丛书当中既包含宏观经济政策分析的研究，也包含产业、企业、市场和区域等微观层面的研究。其中，一部分是国家自然科学基金和国家哲学社会科学基金项目的结题成果，一部分是区域经济或产业经济发展的研究报告，还有一部分是青年学者的理论探索，每一本著作都倾注了作者的心血。

　　本丛书的出版，一是希望能为本学科的发展奉献一份绵薄之力；二是希望求教于农业经济管理学科同行，以使本学科的研究更加规范；三是对作者辛勤工作的肯定，同时也是对关心和支持本学科发展的各级领导和同行的感谢。

李崇光

2010 年 4 月

前　言

　　食用菌产业作为"高产、优质、高效、生态、安全"的重要农业产业，对建设资源节约型和环境友好型农业，促进农村产业结构调整，确保农业增效、农民增收和农村环境友好具有重要影响。大力发展食用菌产业，不仅"不与农争时，不与人争粮，不与粮争地，不与地争肥"，而且"占地少、用水少、投资小、见效快"，能把大量废弃的农作物秸秆及畜禽排泄废弃物等资源转化成为可供人类食用的优质蛋白与健康食品，是延长农业产业链和发展循环农业的重要组成部分，对实现"经济、生态、社会"三大效益的有机统一，具有非常重要的意义。食用菌在我国种植历史悠久，尤其是在改革开放后的30多年里，食用菌产业有了突飞猛进地发展，我国也成为世界食用菌生产、消费和出口大国。2011年全国食用菌栽培规模超过300亿袋，消化农林副产品3125万吨左右，总产量超过2500万吨，食用菌的市值已超过棉花，占种植业总值的5%，已成为粮、油、果、菜之后第五大农作物，为促进中国农业发展、农民增收和改善人民生活作出了重要贡献。

　　与此同时，食用菌产业作为农业领域中的一个重要产业，在农业增效、农民增收及农业产业结构调整与节能、节水、环境保护、废弃物转化，以及循环经济发展等多方面发挥着日益重要的作用，与党和政府提出的建设"两型社会"保持了高度的一致，成为集高效、循环、低碳与可持续特征于一体的现代农业产业，也是经济、社会和生态效益较为显著的新兴产业，担负着转化农林牧废弃物资源、增加蛋白质供给和增强食物安全保障能力的重要任务。可以说，大力发展食用菌产业，是实现农业增效和农民增收的重要举措，是延长农业产业链和发展循环农业的重要组成部分，也是完善现代农业产业体系和推进农村经济快速发展的重要内容。

　　为了进一步创新农业科研体系、推动农业产业发展，我国农业部与财政部共同启动了现代农业产业技术体系建设。食用菌是国家现代农业产业技术体系建设中的50个农产品之一，由21个岗位科学家和20个综合试验站组成。本人作为食用菌产业经济研究室的负责人和产业经济岗位科学家，承担了食用菌产业经济的研究工作，在农业部和体系首席科学家及办公室的领导和指导下，以及食用菌产业技术体系团队成员的大力帮助下，与产业经济研究团队成员一起，围绕食用菌产业发展的经济规律、产业布局及区域比较优势、价格与市场、贸易出口和竞争力、农户食用菌经营及影响因素、食用菌标准、产业可持续发展等方面，开展了较为深入的研究工作。

研究成果每年以年度研究报告的形式编辑成册报送至相关部门决策参考并供食用菌产业技术体系内其他技术专家及相关人员参阅。尽管我们精诚竭力、永不懈怠、专心致志地研究食用菌产业经济与产业发展，但对于食用菌这样一个高速增长和具有较大潜力的产业来说，在其快速发展过程中往往会出现大量新的问题需要关注，需要有更多的专家与学者从不同的角度切入其中，思考并研究其发展过程中出现的各种问题。鉴于此，为了让大家能够充分了解食用菌产业经济当前发展的情况，对食用菌产业有一个较为全面的认知，进而引起公众对食用菌"小品种大产业"的高度关注，特将食用菌产业经济研究室近年来所取得的一些研究成果分门别类地集结起来，编辑出版，给正在专注或者今后有志于从事食用菌产业经济研究的专家学者及产业实践工作者以思路借鉴和理论参考。

本书能够顺利出版和面世，我们非常感谢农业部科技教育司刘艳副司长和张国良处长及对现代农业产业技术体系给予大量支持的相关领导，他们为我们的研究提供了条件并创造了平台，同时也给予了许多亲切的指导；十分感谢食用菌产业技术体系内的技术专家和试验站站长，尤其是首席科学家张金霞研究员、中国工程院院士李玉教授，他们在我们的日常研究中提供了许多有价值的建议，对我们的思路拓展起到了重要帮助作用；感谢食用菌产业经济研究室的各位同仁，他们不辞劳苦，深入农村、企业进行调研，相互配合并通力协作，使得食用菌产业经济的研究工作得以有序开展，并取得些许的成效。

食用菌产业经济研究室主任　张俊飚
2012 年 11 月

目　　录

1 产业思考

1.1 对食用菌产业发展中几个问题的经济学思考

一个产业在成长的过程中，基于经济发展的内在规律，经常会遇到影响产业发展的多种问题，有些问题是产业本身内生的，有些则是具有高度关联的外部问题。正确认识和处理好这些问题，对推进产业健康发展具有重要意义。就食用菌产业来看，目前乃至中长期需要关注的问题主要集中在以下几个方面：第一是产业发展的规模问题；第二是产业发展的结构问题；第三是产业发展中的市场拓展问题；第四是产业体系链条问题；第五是产业运行规律问题；第六是产业发展与环境之间的关系问题。

1.1.1 关于食用菌产业发展规模问题

产业发展规模是指一个产业的产出水平所达到的数量状态，可以有两种表现方式，即物质产出数量和价值产出数量。通常情况下，两者之间能够统一起来，但是在市场经济条件下，也往往存在相互背离的情况，出现物质产出增加，而价值产出却有所下降，即所谓"增产不增收"的状况。在食用菌产业发展中，一些地区的菇农也经常遇到这类情况。这就需要认真地分析与判断食用菌产业规模到底应该保持在一个什么样的水平，才能确保产业发展不至于大起大落和波动无常。

事实上，任何一个产业的发展都不是毫无止境地始终处于规模扩张状态，而是与人们的消费水平、市场的空间大小、后续产业的链条长短等存在一定的关联。在人们需求及市场空间等既定的情况下，产业发展必须保持适度规模，才能获得良好的经济产出，实现物质产出与价值产出的高度统一。否则，所形成的物质产出将会成为一个无效的或者低效的价值产出，出现使用价值与价值的相互背离。

近年来，我国食用菌产业的产品产出呈现出快速增长态势，无论是从栽培的面积，还是从物质的产出水平，都表现出异常活跃的状态。2010年，我国食用

菌产量由 2001 年的 781. 9 万吨增加 2201. 2 万吨，产量在 10 年之间增长了
181. 5%。与此同时，单位食用菌的产值也增长了 59. 5%，由 2001 年的 4025 元/
吨增加到 2010 年的 6420 元/吨。从表面看，价值产出的增长比较可观。但同时
我们还必须考虑生产资料价格上涨的因素，才能识别出是否实现了物质产出与价
值产出的统一。2001～2010 年，全国农业生产资料价格指数为 160. 8。这意味
着，扣除物价上涨因素，即假定生产资料价格保持不变，2010 年的单位食用菌
产品的价格水平与 2001 年相比，下降了 1. 3 个百分点。说明物质产出增加了，
价值的产出却略有下降，究其原因，是供需双方供求关系的变动所形成的结果。
尽管目前看来，规模快速扩张和供给迅速增长所产生的代价还较小，但我们要警
惕这种下降趋势是否会长期延伸下去。

此外，从需求来看，在 2010 年的 2201. 2 万吨的产量中，扣除 152. 1 万吨的
出口数量，按照 13. 4 亿的人口总数，平均每人每年占有食用菌产品 15. 3 千克。
按照目前全国城乡人均年消费蔬菜 154. 5 千克的水平，假定食用菌产销均衡，则
意味着食用菌的消费量占蔬菜消费总量的 9. 9%。而事实上，在现实生活中，这
样高的比例显然不具有较高的可信度。从而也就意味着食用菌供大于求情况的客
观存在。在经济学领域，供大于求的必然结果是价格的下降，在农产品具有鲜活
特征的情况下，由于储藏保存和加工能力的限制，往往容易造成农产品的腐烂变
质而失去使用价值和价值，由此也就造成了大量的资源浪费。这是今后食用菌生
产规模规划中需要充分注意的问题。

从政策层面来看，由于市场的开放性，一个地区的食用菌产业发展规模不能仅
仅从本地区出发和寻找依据，而是应该放大范围和放开视野，进行宏观的、统筹的
考虑与规划，避免由于生产的无序和完全盲目的扩张而导致"菇贱伤农"的情况
发生。此外，在现有的食用菌产业发展中，必须不断完善和规范产业组织，切实改
变一家一户的生产方式，通过实现产业发展的适度集中，形成对技术力量、基辅材
料利用、社会服务及后续环节处理等相关资源要素的有效整合而提高效率。

总体而言，在食用菌产业规模方面，必须全面地科学规划，不断调整规范，
逐步提高层次，实现稳步有序推进，不可盲目快速扩张。

1.1.2 关于食用菌产业结构问题

食用菌产业结构是指不同食用菌品种在食用菌总体中所占据的份额或比重，
或者不同地区的食用菌产品在全国食用菌产品中的份额或比重。前者是指食用菌

的品种结构，后者则是指食用菌的地区布局结构。由于结构的比例关系及其演进
具有动态变化的特征，因此，结构的合理化事实上就是指各个要素单元在整体中
所占份额变化的过程，越来越有利于资源利用效率的提高和产业整体效益的增
加。一个产业发展结构的合理与否，对该产业的市场适应性及资源利用的整体效
用具有重大的影响。

从另外一个方面看，结构的合理化所形成的动态演化也具有促使结构从简单
到复杂、由单一到多元的过程特性，即在结构系统中，不断引入和追加新的要
素，逐渐实现产业结构的复杂化。因为越复杂的结构越有利于结构的稳定，而稳
定的结构对产业的发展容易产生内在的凝聚力，进而实现外部的扩张，最终积累
有利于推动产业可持续性发展的动能，实现产业的健康发展。

从食用菌产业看，品种结构的复杂化要求尽可能开发和研制更多的新品种，
丰富食用菌栽培种类，促使食用菌栽培品种的多样化，扩大菇农和企业可选择的
空间，同时也有利于在市场细分的过程中，生产经营主体找到自己的位置，消费
者获得自己的所需。对于品种本身而言，引入和追加新的要素，既可以通过收集
和驯化野生资源，实现人工栽培的方式，也可以通过研发产量更高和质量更优的
新品种，实现资源转化效率的最大化。

在地区结构方面，由于受到资源条件、栽培历史与技术基础、地方产业政策
及出口等多因素的影响，有些地方适合于某一类或者某几类的食用菌生产，如东
北地区的吉林和黑龙江的黑木耳栽培就非常集中，其产量占全国总量的59.3%；
辽宁的滑子菇产量占全国的51%；福建漳州、浙江丽水、湖北随州、河南信阳
及陕西汉中等6个地区香菇的总量占到全国总量的69.5%。在其他地区的其他品
种上，也有类似的情形存在。面对这种情况，促使地区结构的合理化，必须首先
依靠现有的资源状况和生产基础条件，以优势栽培品种的生产为主，通过适度集
中的方式在现有的生产基地进行适度规模扩张（前提条件是有序化、规范化和标
准化），促使生产基地优势的进一步强化，尽量避免生产结构在地区层次上表现
出同质化、相似化和归一化等不利于推进产业空间结构向复杂化方向演进的情况
出现。

1.1.3 关于食用菌产业市场开发问题

在现代经济发展中，任何脱离了市场或者不是按照市场导向来定位产业发展
的做法都是一种传统思维指导下的短视行为。现代食用菌产业的发展必须按照市

场经济的思维来定位产业的发展路径、发展政策和发展空间,必须认真做好市场的空间开发和深度开发工作,实现产业发展层次的不断提升。

任何产业在任何情况下从事市场开发的工作,都不能孤立地确定或者运用某一种策略,而应该将其作为一个系统性的工程来对待。由于市场空间的关联性和市场主体的多样性,使得市场运行具有极度的复杂性,而单一角度或者单一层次的来认识市场,并依此来判断市场运行规律,无疑存在以一概全的风险。如果将之作为市场决策的依据,则难免出现偏离市场自身运行规律的情况。尤其是在国内外市场日趋一体化的背景下,更需要注意市场开发的空间和层次。

就食用菌产业发展来看,在市场开发方面,目前迫切需要开展的工作就是要统筹兼顾,将国内外市场整合起来,制定和确立整体性和立体化的开发战略。当前一些企业在市场开发中总是自觉不自觉地将国外市场定位为自己的开发战略,而忽视了国内市场的拓展。甚至在开发国际市场的过程中,出现了一些不顾国家整体利益的恶性竞争,相互低价竞争,不但导致企业之间两败俱伤,还往往引起出口国的反倾销调查,或提高技术壁垒以防止大量产品的进入。近年来多次出现的日本对包括食用菌在内的我国农产品的品质调查就是一个明显的例证。所以,在进入国外市场的过程中,食用菌企业一定要站在行业乃至国家整体利益的高度,将国内行业资源有效地组织并充分地整合起来,依据对外部市场的消费潜力和消费结构的分析与预测,确立对外部市场的整体开发策略,包括市场的分布、品种结构的安排等。因为食用菌的消费更多的是以烧菜为主导的熟食品,在东方地区较为适宜,因此消费市场也大多分布在东方国家或者地区。如 2008 年出口日本的新鲜松茸占到全国松茸出口总量的 95.5%,出口日本的新鲜香菇约占新鲜香菇出口总量的一半(干香菇出口日本、韩国和中国香港的数量占干香菇出口总量的 51.1%),出口中国香港的草菇占草菇出口总量的 99.9%,出口中国香港的新鲜金针菇占鲜金针菇出口总量的 91.6%。这些数据反映了我国食用菌出口地区的集中度较高,也说明如果没有一个相对统一的规划,必然容易造成由于对方进口政策的调整而给我国食用菌出口形成较大的市场压力与风险。

为此,食用菌市场的开发需要充分认识和重视国内市场的开发,因为 13.4 亿人的庞大市场是任何从事市场研究的人都十分垂涎和羡慕的。何况这样的一个市场近在身边,对人们的消费偏好和消费观念十分熟悉,又是一个具有强大的潜在购买能力和现实消费需求的市场。因此,企业在市场定位时,一定要立足于国内,加强市场诱导,树立产品品牌,强化企业形象,最大限度地激发和发掘人们的消费潜力,将国内市场开发做足做好。从近期来看,要立足于对食用菌的消费方法、营养宣传和价值内涵扩展等进行深入研究，要站在更高的起点上，将食用菌的文化底蕴开发出来，为未来的市场潜能释放奠定良好基础。

1.1.4 关于食用菌产业体系及链条问题

一个产业的健康发展必然依赖于一个庞大的产业体系支撑和一个完整的产业链条协力，而绝对不是几个孤立的、散乱的生产主体或者企业组织所能够主导的。因此，在食用菌产业发展上，绝对不能定位于食用菌的生产环节，而必须围绕食用菌生产这一中心，将与其相关联的包含产前和产后等多个环节的相关主体要素联结起来，通过组装配套和有机整合，最终形成一个相对完整的产业链条和产业体系，构建起有利于产业可持续发展的内在环境。

从目前来看，关于产业链条的追加和延伸工作应该集中于产前和产后。产前的工作主要指食用菌种质资源的收集与驯化、品种的开发与研制、基辅材料的配制与生产、生产机械与设备的制造、其他生产资料（菌袋包装材料、棚架材料和生物农药等）的研发与生产及与这些要素相关联的销售服务体系。产后的工作主要指食用菌产品的加工、储藏、包装运输、废弃物的回收与处理（有机肥生产）等。在产前的环节中，一些具有基础性和公共产品性质的工作需要政府的投资，如资源收集、品种研发等具有科研性质的环节，政府将成为重要的主体，这对支撑产业发展具有重要的影响。而一些能够市场化的环节则交由市场主体去做，以便于提高产业运行效率。在产后环节中，需要根据市场的细分，将产品加工的环节做好做细。这就要求不断运用新的加工技术，开发新的加工产品，切实改变以原始产品和初级产品销售与消费为主的格局。这一方面是鉴于初级的加工存在着产品单一的状况，不能有效延伸产业链条，也不能给人们创造更多的消费选择空间。另一方面是因为加工产品越多，意味着产业链条的延伸越长，而产业链条的长短决定了产业系统复杂性程度的高低。系统越复杂，则系统的稳定性程度越好。延伸产业链条，深化产品加工，就是要让食用菌产业的系统越来越复杂，最终建立起有利于产业系统稳定运行的内在机制。

此外，在后续的产业链条延伸过程中，还需要将废弃物的加工与处理纳入到整体产业的健康发展中，这不仅对产业整体健康发展具有重大影响，而且对实现农业废弃物资源向食用菌资源方向转化，最终达到最大化开发利用农业资源的目标具有积极影响，同时也对细化食用菌产业发展链条，深化循环农业发展内涵，构建资源节约型和环境友好型农业模式具有积极意义。

1.1.5 关于食用菌产业运行规律问题

经济发展具有循环向上的周期性波动规律，这一现象在生物世界里被称为"生命周期"，在经济社会里被称为经济周期规律。在开放的经济与社会环境条件下，深化对这个规律的认识，有利于在遵循该规律运行轨迹的同时，建立起不断延长产业寿命的内在机制。

基于产业经济内在运行规律，在食用菌产业的发展规划和政策制定过程中，必须时刻保持对该规律的清醒认识，想方设法地延长产业寿命，延缓产业的"夕阳"来临时间，从而实现产业发展的循环上升与层次提高。这就需要不断引入新的要素，改变原有要素的结构，以增强产业肌体的活力。从具体措施来看，就是要强化食用菌产业的技术创新和管理创新，推动食用菌产业发展不断进入新的平台，或者通过产业的空间转移、结构调整、质量提升等方式，使得整体产业在更大的范围和更高的层次上，将生命周期不断延长。如从世界的食用菌产业来看，欧洲、日本等国家或地区的食用菌产业就出现了萎缩，但我国却又承接了这个产业在空间上的转移，顺利延长了食用菌产业在世界范围的生命周期。与此同时，如果东部地区由于资源和环境容量等方面的原因而出现食用菌产业萎缩的时候，通过向中西部地区的生产基地转移，也有利于实现产业生命周期的延长。

在产业发展的一个周期内，由于无形的市场因素和"看不见的手"的作用，产业发展的波动性经常出现，并成为产业生命周期中的一个重要组成部分。研究和分析这种波动规律，对实现产业健康发展也具有十分重要的影响。

在农业经济运行中，存在着一种由产品的价格波动而引起产品的生产规模波动，或者由产品的生产规模波动而引起产品的价格波动的现象，被称之为"蛛网理论"，也即产量与价格在年份之间所表现出来的一种关系。这一理论所表述的是：由于农产品从生产到上市都需要较长的生产周期，而且生产规模一旦确定，在生产过程未完成前，不能中途改变，因此市场价格的变动只能影响下一周期的产量。同时认为：本期的生产规模决策是依据上一周期的产品市场价格，而本期的价格又决定了下一生产周期的生产规模和产品产量。

在缺乏订单和良好预期的情况下，散乱的个体农户只能依据简单的上期价格来决策自己当期的生产行为。于是就出现了如果去年价格高，今年的生产规模就会扩大；相反，如果今年价格低，就会减少和降低明年的生产规模，从而也就造成食用菌产业的生产规模经常会在年份之间出现波动。这种波动如果过大或者过于剧烈，则往往会对菇农形成沉重的打击。如 2009 年的春季，一些地方曾经出现的由于上年个别食用菌品种价格极度下降而得不偿失，菇农便将投资建好的菇棚设施流泪拆毁的现象。

虽然"价格波动"是一个无法规避的产业经济运行规律，但是充分的研究和分析，对有效规避这类风险和减轻风险损失具有重要影响。其基本的方法是：政府建立有效和顺畅的信息网络，将食用菌的生产、加工和销售等相关的产业信息收集并公布出来，对影响食用菌产业发展的各种因素进行分析，对可能出现的问题进行归纳，对未来的趋势进行预测，并形成相应的对策建议，供食用菌产业的生产经营主体进行决策参考。同时，面对目前较为散乱的农户生产情况，通过建立各种类型的农民专业合作组织，将他们有效地组织起来，形成有利于抗击市场风险的有机整体，以确保菇农生产利益的较好实现。

1.1.6 关于产业发展与环境之间的关系问题

在资源与环境约束日益加剧的背景下，任何产业的发展必须正确地处理好与环境之间的关系。建立起与环境之间良性互动的内在机制，才能实现本产业的健康和可持续发展。食用菌产业是在利用和转化动植物废弃物的过程中来形成自己的产品，满足人们的消费需求，具有很强的特殊性。同时，由于菌株的特殊性和十分脆弱的生命力，又使得其对环境条件的要求非常严格。因此，建立有利于食用菌产业健康发展的环境条件，便显得十分必要。

从目前来看，在食用菌产业发展的过程中，妥善处理好与环境之间的关系主要集中在以下几个方面：第一是在产品生产过程中，可能需要的外部添加物，如果来源于非自然产品的物质，则严格按照最小化的原则进行处置，以最大限度的保持食用菌在自然状态下的生长，使之成为绿色的、生态的、环保的、具有内在价值和高档次的产品。第二是最大限度地实现对动植物废弃物的转化，尽可能地降低能量损耗，增加产品产出率。这就需要活性较强的优良品种和科学的基料配方。第三是生产过程中的废弃物回收与处理。如外部包装袋、采摘完毕后的菌包、防病治虫之后的药品瓶（袋）等，正确回收和处理这些生产废弃物，有利于建立一个无污染或者少污染的食用菌生产环境。第四是在产品再加工的过程中，必须避免二次污染，严格按照减量化、无污染的标准进行。这是食用菌产品进入市场之前需要充分重视的最后一个环节。

（张俊飚）

1.2 对我国食用菌产业健康发展的政策思考

食用菌产业在推动我国农业与农村经济发展、增加农民收入、衍生新的食品种类和保障人民健康等方面作出了重要贡献。自 20 世纪 90 年代末以来，由于国际食用菌产业发展的空间转移和我国本身所具有的得天独厚的自然条件，中国食用菌产业获得了迅猛发展，现已成为世界上第一食用菌生产大国。但是，高速发展过程中所隐藏的产业系统的不稳定性及产业化程度偏低、市场发育不完善、产品质量不高等问题，对我国食用菌产业的健康发展一直形成制约性的影响。因此，分析我国食用菌产业发展特征，准确把握食用菌产业发展面临的突出问题，确立我国食用菌产业健康发展的基本路径，具有重要意义。

1.2.1 食用菌产业发展的基本特征

1.2.1.1 食用菌产量发展变化特征分析

改革开放以来，我国食用菌产业得到了蓬勃发展。据相关部门统计，1978年我国食用菌产量仅 6 万吨，占世界总产量的 5.66%；1990 年则突破 100 万吨，达 108.3 万吨；1994 年，食用菌产量快速增长到 260 万吨，占世界总产量的52.96%；而 2002 年我国食用菌总产量已达 865 万吨，占世界总产量的 70.6%；2010 年我国食用菌产量则突破 2000 万吨，达 2020.6 万吨，约为 1978 年的 336倍，年均增长 20.4%。2010 年全国总产量最高的省份为山东省，全年总产量249.8 万吨。最高的主产县为福建省的古田县，全年总产量 53.5 万吨。从各时期全国食用菌总产量的增长来看，1978～1986 年年均增长 32.96%，"八五"时期年均增长 25.22%，"九五"时期年均增长 17.19%；"十五"时期年均增长15.02%，"十一五"时期年均增长 10.93%（表 1-1，图 1-1）。我国食用菌产量经历从快速增长期到了稳定增长期（图 1-2）。从占世界总产量的比重来看，1978～1994 年，我国食用菌产量比重增长较快，从 5.66% 上升到 52.96%，超过世界总产量的一半。1995～2001 年，我国食用菌所占比重处于缓慢上升时期，比重在 60%～70% 平稳上升。2002～2010 我国食用菌占世界总产量比重稳定在70%～80%，在世界食用菌生产中占据绝对优势。从世界位次来看，1980 年我国食用菌产量居世界第五位，1984 年上升到第三位，自 1986 年以来，一直居于首位。从食用菌产业规模来看，据中国食用菌商务网市场部对全国 2009 年食用菌主产地产业发展情况调查显示，现全国以食用菌为主要产业的主产县（含县级市、区）已达 634 个，较 2008 年增加 80 个。全国生产加工企业近 3000 个，其中工厂化生产企业已达 300 个，较 2008 年新增 136 个。

表 1-1 我国食用菌产量、增幅、占世界总产量比重

时期	年份	食用菌产量/万吨	增幅/%	占世界比重/%
快速增长期 （32.96%）	1978	6.00	—	5.66
	1982	15.00	—	
	1983	17.45	16.33	12.01
	1986	58.60	—	26.93%
"八五" 时期 （25.22%）	1991	122.10	12.77	36.0
	1993	154.00	—	
	1994	260.00	68.83	52.96
	1995	300.00	15.38	—
"九五" 时期 （17.19%）	1996	350.00	16.67	—
	1997	391.83	11.95	63.63
	1998	435.00	11.02	60~70
	1999	538.59	23.81	60~70
	2000	663.00	23.10	60~70
"十五" 时期 （15.02%）	2001	781.87	17.93	60~70
	2002	876.49	12.10	70.60
	2003	1 038.69	18.51	70~80
	2004	1 160.36	11.71	70~80
	2005	1 334.60	15.02	70~80
"十一五" 时期 （10.54%）	2006	1 474.10	10.45	70~80
	2007	1 682.22	14.12	70~80
	2008	1 827.22	8.62	70~80
	2009	2 020.60	10.58	70~80
	2010	2 201.16	8.94	70~80

1.2.1.2 食用菌品种生产结构特征分析

从生产结构来看，我国食用菌品种众多，不仅有香菇、平菇、双孢蘑菇、金针菇、草菇、黑木耳、毛木耳等大宗品种，而且还有银耳、滑子菇、猴头菇、鸡

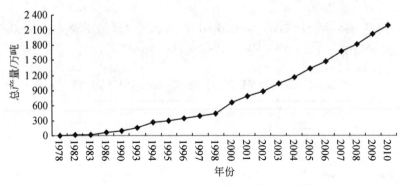

图 1-1　1978～2009 年我国食用菌总产量变化图

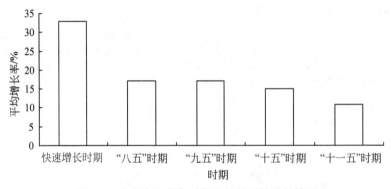

图 1-2　我国食用菌各时期产量的平均增长情况

腿菇、白灵菇、杏鲍菇、茶树菇、小平菇、姬菇、袖珍菇、灰树花、竹荪、姬松茸、凤尾菇、银丝草菇、皱环球盖菇、长根菇、鸡腿蘑、真姬菇等珍稀品种，此外，还发展了以灵芝、天麻、冬虫夏草、茯苓等为代表的药用菌产业和以松茸、牛肝菌、块菌、羊肚菌等为代表的野生食用菌产业。在如此众多的品种中，又以平菇、香菇、蘑菇、毛木耳、黑木耳、金针菇、姬菇、草菇、鸡腿菇、银耳、滑子菇、茶树菇等为主，其产量均位居前列，尤其是平菇、香菇、双孢蘑菇、黑木耳、毛木耳、金针菇一直位居前六强，且产量不断增长（表 1-2）。其中毛木耳的产量增加最为明显，2010 年毛木耳产量与上年相比增加了 41.4%。排在前六位的 6 个品种总产量占 2010 年全国总产量的 82.16%，与上年相比增加了约 5 个百分点。

表1-2 2001~2010年我国产量位居前10强的主要食用菌品种 （单位：吨）

排名	1	2	3	4	5	6	7	8	9	10
2001	平菇	香菇	双孢蘑菇	毛木耳	黑木耳	金针菇	姬菇	草菇	银耳	滑子菇
	2 594 398	2 072 194	743 404	699 409	424 969	389 262	119 932	115 988	114 476	51 516
2002	平菇	香菇	双孢蘑菇	毛木耳	黑木耳	金针菇	小平菇	鸡腿菇	草菇	银耳
	2 646 626	2 214 444	923 058	715 972	525 552	505 543	189 647	156 843	151 002	138 025
2003	平菇	香菇	双孢蘑菇	毛木耳	黑木耳	金针菇	小平菇	草菇	银耳	滑子菇
	2 487 708	2 227 623	1 330 407	984 646	670 165	557 681	242 546	197 435	183 345	171 480
2004	平菇	香菇	双孢蘑菇	毛木耳	黑木耳	金针菇	草菇	鸡腿菇	姬菇	银耳
	2 986 407	2 468 941	1 563 987	909 008	774 226	727 420	228 318	226 634	222 909	174 070
2005	平菇	香菇	双孢蘑菇	毛木耳	黑木耳	金针菇	姬菇	鸡腿菇	草菇	滑子菇
	3 705 937	2 424 845	1 524 669	1 124 845	975 584	838 517	346 426	285 100	274 338	203 746
2006	平菇	香菇	双孢蘑菇	毛木耳	黑木耳	金针菇	姬菇	鸡腿菇	草菇	茶树菇
	3 975 985	2 477 008	1 686 937	1 290 381	1 076 711	938 059	406 630	382 525	361 093	221 980
2007	平菇	香菇	黑木耳	金针菇	毛木耳	鸡腿菇	姬菇	滑子菇	茶树菇	杏鲍菇
	4 145 662	2 884 769	1 441 047	1 177 962	1 113 012	441 869	421 406	259 175	232 868	202 302
2008	平菇	香菇	双孢蘑菇	黑木耳	金针菇	毛木耳	草菇	鸡腿菇	姬菇	茶树菇
	4 341 427	3 091 115	2 375 837	1 905 002	1 356 275	984 535	513 093	411 660	399 221	327 881
2009	平菇	香菇	黑木耳	双孢蘑菇	金针菇	毛木耳	姬菇	鸡腿菇	茶树菇	草菇
	4 928 662	3 435 447	2 697 316	2 181 053	1 567 748	889 988	442 325	440 714	416 360	401 901
2010	平菇	香菇	黑木耳	双孢蘑菇	金针菇	毛木耳	滑子菇	姬菇	杏鲍菇	茶树菇
	5 599 438	4 276 530	2 895 899	2 206 616	1 848 481	1 258 482	582 095	537 150	425 552	40 694

资料来源：根据2001~2010年《中国农产品加工业统计年鉴》及《中国食用菌年鉴》及协会上报相关数据整理而得。

然而，尽管我国食用菌品种众多，但到目前为止，仍以木腐菌生产为主，草腐菌所占比重较小，如我国产量最大的10个品种中，平菇、香菇、木耳、金针菇、银耳、姬菇、茶树菇、滑子菇等都属于木腐菌。这些木腐食用菌的生长必须依靠木质植物，并且大多是木质植物中的阔叶林树种，而阔叶林正好是维护生态环境的最佳场所和生物物种多样性的摇篮（兰良程，2009）。因此，如果未来一段时间内仍不改变这种以木腐食用菌为主的生产结构，势必要消耗大量的森林资源，并进一步危机到生态环境。

1.2.1.3 食用菌生产区域特征分析

从全国食用菌产量分布情况看，2010 年排在前六位的省份分别是：山东省（249.8 万吨）、河南省（241.9 万吨）、黑龙江省（210.4 万吨）、福建省（203.6 万吨）、河北省（190.8 万吨）、江苏省（178.7 万吨）。从全国食用菌产值分布情况看，2010 年产值超过 50 亿元的省份有山东、河南、四川、河北、福建、广东、黑龙江、江苏、浙江、湖北、吉林、辽宁、广西等 13 个省（自治区），比上年增加了 4 个。从 2001～2010 年我国产量位居前十强的省份排名来看，河南、山东一直稳居产量前三名，2010 年，黑龙江由 2009 年的第五位跃居第三位。山东从 2001～2007 年的保持第三位上升为 2008～2009 年的保持第二位，2010 年位居第一位。河南自 2003 年总产量超过福建以来，2003～2009 年一直处于稳居产量第一名的位次，2010 年跌落至第二位。福建从 2001～2002 年第一位，下滑到 2003～2007 年的第二位，2008～2009 年跌落到第三位，2010 年跌落至第四位。江苏则保持在第 4～6 名的位次。但是总体来看，食用菌主产省相对位次较为稳定，说明各省食用菌生产处于稳步增长。从产值来看，河南、山东产值优势明显，与产量基本保持一致优势。山东 2009～2010 年保持第一位，但是从以往年份看，山东产值排名较产量排名相比略有后移。河北、广东、四川产值与产量相比排名略有前移，湖北、黑龙江产值与产量排名相比略有后移。从各品种产量的省域排名来看，10 个主要品种产量排名处于前 3 位的省（自治区）分别为：平菇（山东、河北、河南）、香菇（湖北、河南、辽宁）、黑木耳（黑龙江、吉林、河南）、双孢蘑菇（江苏、广西、福建）、金针菇（江苏、山东、广东）、毛木耳（四川、河南、福建）、姬菇（河北、四川、湖南）、鸡腿菇（山东、河南、广东）、茶树菇（福建、江西、山东）、草菇（广东、河南、山东），如表 1-3～表 1-5 所示。

表 1-3 2001～2010 年我国食用菌产量位居前十强的省份排名

排名	1	2	3	4	5	6	7	8	9	10
2001	福建	河南	山东	江苏	浙江	重庆	黑龙江	湖北	江西	河北
2002	福建	河南	山东	江苏	浙江	黑龙江	四川	河北	湖北	湖南
2003	河南	福建	山东	江苏	浙江	河北	四川	黑龙江	湖北	陕西
2004	河南	福建	江苏	山东	河北	浙江	四川	湖北	陕西	湖南
2005	河南	福建	山东	江苏	河北	四川	浙江	湖北	湖南	黑龙江
2006	河南	福建	山东	江苏	河北	四川	湖北	浙江	湖南	广东
2007	河南	福建	山东	河北	江苏	四川	湖北	浙江	黑龙江	湖南
2008	河南	山东	福建	江苏	河北	黑龙江	湖北	浙江	四川	湖南
2009	河南	山东	福建	河北	黑龙江	江苏	浙江	四川	吉林	湖北
2010	山东	河南	黑龙江	福建	河北	江苏	吉林	湖北	辽宁	浙江

表 1-4　2001～2010 年我国食用菌产值位居前十强的省份排名

排名	1	2	3	4	5	6	7	8	9	10
2001	河南	福建	山东	湖南	云南	浙江	江苏	重庆	湖北	河北
2002	黑龙江	河南	福建	浙江	山东	河北	湖南	江苏	湖北	四川
2003	河南	福建	山东	浙江	河北	湖南	陕西	江苏	黑龙江	湖北
2004	河南	福建	山东	浙江	河北	湖南	江苏	四川	黑龙江	湖北
2005	河南	福建	山东	广东	河北	浙江	湖南	四川	黑龙江	湖北
2006	河南	福建	广东	山东	河北	浙江	江苏	湖南	四川	湖北
2007	河南	福建	山东	河北	广东	江苏	浙江	湖南	四川	黑龙江
2008	河南	福建	山东	河北	广东	浙江	黑龙江	江苏	湖南	湖北
2009	山东	河南	河北	福建	广东	黑龙江	江苏	浙江	吉林	广西
2010	山东	河南	四川	河北	江苏	福建	浙江	黑龙江	广东	湖北

表 1-5　2010 年分品种产量位居前十强的省份排名

排名	1	2	3	4	5	6	7	8	9	10
平菇	山东	河北	河南	江苏	吉林	辽宁	四川	江西	广东	湖南
香菇	湖北	河南	辽宁	浙江	福建	河北	陕西	山东	湖南	黑龙江
黑木耳	黑龙江	吉林	河南	浙江	山东	陕西	湖北	江西	广西	四川
双孢蘑菇	江苏	广西	福建	山东	河南	江西	四川	湖南	浙江	河北
金针菇	江苏	山东	广东	浙江	湖南	河南	四川	黑龙江	江西	福建
毛木耳	四川	河南	福建	河北	江苏	江西	广西	湖南	山东	广东
姬菇	河北	四川	湖南	山东	湖北	浙江	江苏	上海	辽宁	广东
鸡腿菇	山东	河南	广东	江苏	河北	福建	四川	浙江	江西	广西
茶树菇	福建	江西	山东	浙江	广东	湖南	湖北	广西	北京	贵州
草菇	广东	河南	山东	江苏	福建	江西	广西	上海	湖南	浙江
杏鲍菇	山西	浙江	广东	福建	湖南	河北	山东	江西	河南	江苏
银耳	福建	山东	湖南	河北	河南	江苏	四川	湖北	辽宁	山西
滑子菇	辽宁	黑龙江	河北	福建	吉林	山东	陕西	山西	湖北	贵州
茯苓	湖南	湖北	广西	河南	浙江	福建	广东	江西	陕西	天津
秀珍菇	福建	浙江	广西	湖南	上海	广东	湖北	山东	江西	河北
白灵菇	山西	河南	河北	天津	山东	浙江	新疆	北京	湖南	广东
小平菇	湖南	浙江	山西	山东	江西	河北	上海	贵州	黑龙江	陕西
猴头菇	黑龙江	福建	广东	山东	浙江	湖南	江西	重庆	吉林	山西
灵芝	广东	山东	浙江	湖南	河南	江西	湖北	吉林	福建	广西

1.2.1.4 食用菌出口特征分析

1) 食用菌出口总量分析

近年来我国食用菌产业取得了长足发展，已成为世界食用菌生产和出口大国，食用菌产品已成为我国出口创汇农产品中的重要一员。尤其是 2002 年以来，我国食用菌出口呈现出快速增长的势头，出口量从 2002 年的约 33 万吨增长至 2010 年约 1.5 亿吨，增长了 3.66 倍。出口金额从 2001 年的约 4.6 亿美元增长至 2008 年的约 12 亿美元，增长了 3.89 倍，如表 1-6 所示。

表 1-6 2000~2010 年我国食用菌出口总量值一览表

年份	出口量/千克	比 2000 年变化/%	出口金额/万美元	比 2000 年变化/%
2000	362 441 457	—	50 828.8	—
2001	337 320 939	-6.93	46 125.8	-9.25
2002	326 653 695	-9.87	46 894.5	-7.74
2003	424 171 836	17.03	61 602.9	21.20
2004	456 013 116	25.82	75 819.0	49.17
2005	475 052 767	31.07	79 632.7	56.67
2006	432 178 889	19.24	92 328.5	81.65
2007	523 270 489	44.37	116 949.9	130.09
2008	539 693 108	48.90	120 316.1	136.71
2009	1 078 375 000	197.5	144 249.0	183.8
2010	1 520 693 000	319.6	225 881.0	344.4

资料来源：根据《中国海关统计年鉴》（2000~2010 年）相关数据得出。

仅从 2000~2010 年食用菌出口金额的变化情况来看，出口额除 2000~2002 年有所下滑外，其他各年份总体呈现稳定增长态势，从 2002 年的 46894.5 万美元增长至 2010 年的 225 881 万美元，此期间以 2008~2009 年出口值增幅最大，如图 1-3 所示。

综合以上分析，2000~2010 年间我国食用菌出口无论是总量还是出口金额都有大幅度增长，但此期间，出口量出现了两次较大的波动，下降幅度较大。一次是 2001~2002 年，另一次是 2005~2006 年，这两次波动均与主要进口国实施技术性贸易壁垒有关。相比出口量而言，出口金额的波动较小，这说明食用菌产品品质在不断提高，产业的抗风险能力也在逐渐增强。

2) 食用菌出口地区分析

一直以来，日本、东南亚、欧盟及北美是我国食用菌的主要输出市场；但受

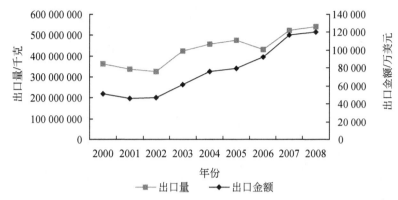

图 1-3 2000~2008 年我国食用菌出口量和出口金额变化情况

资料来源：根据《中国海关统计年鉴》（2000~2008 年）相关数据得出。

2008 年全球经济危机等诸多不利因素影响，2009 年我国食用菌罐头出口整体下滑，2010 年后有所恢复。据海关统计，2010 年我国累计出口各类食用菌罐头（小白蘑菇罐头、其他伞菌属蘑菇罐头、其他蘑菇罐头）32.96 万吨，创汇 4.6 亿美元，相比 2009 年分别增加 12% 和 24%。食用菌罐头的主销市场是欧盟、美国、俄罗斯、日本、东盟和加拿大等国家和地区，其中欧盟是我国食用菌罐头的最大进口地区。小白蘑菇罐头和其他伞菌属蘑菇罐头的主销市场并不完全相同，前者以欧盟、美国和俄罗斯为主，后者则集中在日本和东盟。2010 年我国小白蘑菇罐头出口数量和金额分别为 26.51 万吨和 3.55 亿美元，相比 2009 年分别上升 15% 和 44%。此外，其他伞菌属蘑菇罐头 2010 年的出口数量和金额相比 2009 分别上升 17% 和 31%。从 2001~2008 年的小白蘑菇罐头主要出口地区出口量变化情况来看（表 1-7、表 1-8），东北亚、东南亚、西亚、欧洲、北美洲、大洋洲年均出口量增长率分别为 0.05%、12.29%、10.31%、4.04%、17.55%、4.84%，其中出口北美洲的增长最为明显，东北亚则出现先增长后减少的变动态势。

表 1-7 2008 年我国小白蘑菇罐头主要出口输往地一览表

地区	输往地	出口量/千克	占该品种出口总量的比重/%	出口金额/万美元	占该品种出口总额的比重/%	单价/（美元/千克）
	中国香港	4 432 453	1.32	479.9	1.14	1.08
东北亚	韩国	8 572 694	2.55	867.4	2.05	1.01
	日本	11 940 800	3.55	1 937.2	4.59	1.62

续表

地区	输往地	出口量 /千克	占该品种出口 总量的比重/%	出口金额 /万美元	占该品种出口 总额的比重/%	单价 /(美元/千克)
东南亚	马来西亚	19 052 887	5.66	2 150.4	5.09	1.13
	菲律宾	9 225 532	2.74	1 049.2	2.48	1.14
	印度尼西亚	1 931 210	0.57	218.4	0.52	1.13
西亚	黎巴嫩	5 259 801	1.56	618.6	1.46	1.18
	阿联酋	5 157 834	1.53	581.3	1.38	1.13
欧洲	德国	22 475 836	6.68	3247.3	7.69	1.44
	荷兰	16 645 701	4.95	2 413.0	5.71	1.45
	挪威	2 015 162	0.60	236.8	0.56	1.18
	罗马尼亚	3 001 224	0.89	323.2	0.77	1.08
	瑞典	2 747 850	0.82	317.7	0.75	1.16
	爱沙尼亚	4 590 808	1.36	467.3	1.11	1.02
	俄罗斯	39 025 002	11.60	4 190.1	9.92	1.07
	捷克	2 472 251	0.74	253.8	0.60	1.03
北美洲	墨西哥	3 358 171	1.00	385.4	0.91	1.15
	加拿大	20 697 385	6.15	2 674.3	6.33	1.29
	美国	56 211 803	16.71	8 544.2	20.23	1.52
大洋洲	澳大利亚	5 541 386	1.65	702.6	1.66	1.27
合计		244 355 790	72.65	31 658.1	74.97	1.26

资料来源：根据《中国海关统计年鉴》（2008 年）相关数据得出。

表 1-8　我国小白蘑菇罐头主要出口地区出口量变化情况

地区	出口量/千克							年均 增长率/%
	2001 年	2003 年	2004 年	2005 年	2006 年	2007 年	2008 年	
东北亚	24 855 010	40 398 455	33 687 207	32 150 989	26 415 457	28 319 467	24 945 947	0.05
东南亚	13 422 580	21 762 742	23 640 566	25 002 841	18 515 374	25 457 339	30 209 629	12.29
西亚	5 242 389	7 008 178	7 982 944	8 470 617	7 725 868	10 224 016	10 417 635	10.31
欧洲	70 459 069	76 265 198	93 430 281	101 935 046	105 250 004	114 784 715	92 973 834	4.04
北美洲	25 875 042	42 883 498	63 691 258	62 154 605	49 359 896	70 751 300	80 267 359	17.55
大洋洲	3 981 651	5 434 011	4 772 271	4 276 351	3 997 739	4 683 928	5 541 386	4.84
合计	143 835 741	193 752 082	227 204 527	233 990 449	211 264 338	254 220 765	244 355 790	7.86

资料来源：根据《中国海关统计年鉴》（2008 年）相关数据得出。

　　2008 年我国干香菇出口（表 1-9），依旧是日本和中国香港占据着近半数的出口市场份额，分别占该品种出口总量的 32.43% 和 12.38%，其次为东南亚、北美、欧洲地区。鲜或冷藏的其他蘑菇主要是一些稀有品种，这些品种具有独特的风味和营养价值，深受欧美国家的欢迎，2008 年该类食用菌的出口主要集中在美国、荷兰、泰国、日本、马来西亚、德国、法国这 7 个国家，其中以出口美国最为集中，其比重占到了该品种出口总量的 57.87%，出口额占到了该品种出口总额的 73.71%。而作为第二大出口市场的荷兰，则数量不足美国的 5%，金额不足美国的 6%。这反映了鲜或冷藏的其他蘑菇出口市场的单一化程度比干香菇更高（表 1-10、表 1-11）。

表 1-9　2008 年我国干香菇出口主要输往地一览表

地区	输往地	出口量/千克	占该品种出口总量的比重/%	出口金额/万美元	占该品种出口总额的比重/%	单价/（美元/千克）
东北亚	朝鲜	546 924	3.38	459.3	2.92	8.40
	中国香港	2 001 623	12.38	1 675.5	10.63	8.37
	日本	5 244 074	32.43	5 394.7	34.24	10.29
	韩国	1 568 350	9.70	976.2	6.20	6.22
东南亚	马来西亚	841 163	5.20	578.5	3.67	6.88
	新加坡	1 100 533	6.81	1 177.8	7.48	10.70
	泰国	1 027 934	6.36	1 105.4	7.02	10.75
	越南	628 032	3.88	909.4	5.77	14.48
欧洲	德国	168 767	1.04	216.9	1.38	12.85
	意大利	138 600	0.86	134.5	0.85	9.70
	荷兰	314 530	1.95	310.9	1.97	9.88
北美	加拿大	101 371	0.63	98.4	0.62	9.71
	美国	1 451 868	8.98	1 706.8	10.83	11.76
大洋洲	澳大利亚	107 065	0.66	103.7	0.66	9.69
合计		15 240 834	94.25	14 848.0	94.24	—

资料来源：根据《中国海关统计年鉴》（2008 年）相关数据得出。

表 1-10　2008 年我国鲜或冷藏的其他蘑菇出口主要输往地一览表

地区	输往地	出口量/千克	占该品种出口总量的比重/%	出口金额/万美元	占该品种出口总额的比重/%	单价/（美元/千克）
东北亚	日本	28 369	0.84	10.4	1.53	3.67
东南亚	马来西亚	500	0.01	0.1	0.01	2.00
	泰国	48 852	1.45	18.8	2.77	3.85

续表

地区	输往地	出口量/千克	占该品种出口总量的比重/%	出口金额/万美元	占该品种出口总额的比重/%	单价/(美元/千克)
欧洲	德国	13 924	0.41	4.5	0.66	3.23
	法国	12 289	0.36	4.3	0.63	3.50
	荷兰	93 177	2.76	25.5	3.76	2.74
北美	美国	1 950 193	57.87	499.8	73.71	2.56
	合计	2 147 304	63.72	563.4	83.09	—

资料来源：根据《中国海关统计年鉴》（2008 年）相关数据得出。

表 1-11　2008 年我国盐水小白蘑菇主要出口输往地一览表

地区	输往地	出口量/千克	占该品种出口总量的比重/%	出口金额/万美元	占该品种出口总额的比重/%	单价/(美元/千克)
东北亚	日本	1 837 070	12.46	317.5	14.42	1.73
	中国台湾	4 729 040	32.07	649.6	29.50	1.37
东南亚	泰国	501 840	3.40	85.2	3.87	1.70
	越南	282 000	1.91	33.0	1.50	1.17
西亚	叙利亚	2 894 467	19.63	409.4	18.59	1.41
欧洲	德国	656 728	4.45	119.3	5.42	1.82
	荷兰	580 000	3.93	102.7	4.66	1.77
	希腊	69 028	0.47	12.2	0.55	1.77
	西班牙	164 000	1.11	21.8	0.99	1.33
	保加利亚	150 990	1.02	18.0	0.82	1.19
	乌克兰	409 000	2.77	64.6	2.93	1.58
	合计	12 274 163	83.25	1 833.3	83.26	—

资料来源：根据《中国海关统计年鉴》（2008 年）相关数据得出。

1.2.2　食用菌产业发展中的主要问题

1.2.2.1　小规模分散生产经营，影响了食用菌产业竞争力提升

目前我国食用菌产业基本上还处于劳动密集型产业阶段，食用菌生产单位是家庭，生产方式是手工，消耗最多的是廉价的劳动力，内含最低的是科技，这种千家万户作坊式的小农生产，分散无序，使得抵御风险的能力较差。以香菇为例，一户

菇农的生产规模一般在5000～10 000袋，双孢蘑菇则在2000～3000平方尺①，这种规模只相当发达国家一户菇农的十分之一，甚至只有几十分之一。严重分散的生产格局导致生产技术不易规范，产品质量较难控制。同时，在这种生产力水平基础上建立起来的产业结构，广大菇农只能是生产的主体，而不能成为市场主体，因为分散的菇农无法直接参与市场竞争，更无能力去抵御市场风险。这些年来，"卖菇难"和"增产不增收"的现象常有发生，在不少地区出现了菇农增收缓慢，总体经济效益下降的趋势，严重地挫伤了广大菇农的积极性，特别是在一些贫困地区，靠种菇摘下贫困帽子的广大菇农，在从脱贫到奔向小康道路上还有较长的路要走，如果不重视这些问题，食用菌产业整体效益的提升可能缓慢，甚至还会有下滑的风险存在，最终使以食用菌生产为主要收入来源的菇农在奔小康的道路上步履艰难。

1.2.2.2 食用菌市场价格波动较大，市场供需矛盾较为突出

2009年以来，我国食用菌价格同比呈现上涨态势。其中地栽秋耳价格比2008年同期每千克高出8～10元，地栽香菇（鲜）价格每千克高出1～2元。以鲜品香菇市场价格为例，2010年10月份平均价格全国各地区差异较大，最低为辽宁大连金发地批发市场的6.5元/千克，最高为江苏凌家塘和新疆克拉玛依批发市场的14.5元/千克，最高价为最低价的2.23倍。从同一批发市场特定食用菌产品短期波动来看，2010年第3季度北京市大洋路农副产品批发市场鲜品香菇平均价格最高为13.5元/千克，最低为8元/千克，短期价格波动非常明显（图1-4）。从价格的变异系数来看，近年来全国典型的食用菌批发市场食用菌的价格的

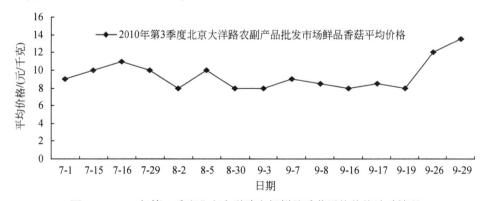

图1-4 2010年第3季度北京大洋路市场鲜品香菇平均价格波动情况

---

① 1平方米=9平方尺。

变异系数较高，价格波动较大，供需不稳定性较为突出。其中，唐山市遵化果菜市场金针菇价格变异达67.76%，价格波动幅度非常明显，如表1-12所示。

表1-12 2004～2010年各地批发市场分品种价格的变异系数

市场	香菇/%	平菇/%	金针菇/%	双孢菇/%
大连市新发地批发市场	23.59	38.38	33.90	69.75
北京市大洋路农副产品批发市场	34.30	39.24	38.33	41.22
广州市白云山农产品综合批发市场	18.45	9.44	16.57	—
唐山市遵化果菜市场	27.99	47.67	67.76	16.89
浙江省金华农产品批发市场	42.46	—	24.11	—
浙江省绍兴市蔬菜果品批发交易市场	25.95	32.21	22.91	33.24
上海市农产品中心批发中心	33.49	29.61	36.65	32.13
江苏省凌家塘农副产品批发市场	36.94	28.09	19.69	34.01
西安市胡家庙蔬菜批发市场	32.75	—	27.09	30.22
陕西省汉中皇冠过街楼蔬菜批发市场	33.46	30.68	13.47	—
武汉市白沙洲农产品批发市场	34.03	37.47	34.74	—
成都市农产品中心批发市场	30.40	34.20	32.49	—
郑州市农产品物流配送中心	20.48	24.44	12.24	34.89

1.2.2.3 生产方式较为粗放，资源消耗和环境污染现象较为严重

我国食用菌产业的发展，有效地改善了人们的膳食结构，推进了农村经济的较快发展。但随着食用菌产业的快速发展，食用菌废弃物也随之增多，这些废弃物的随意排放，加重了生态环境的污染。与此同时，以木腐菌为主的生产品种结构，也造成了对森林资源的消耗，并由此而形成对生态环境的影响。据测算，每生产1吨椴木香菇约消耗70立方米阔叶树。即使近年来发展起来的袋料栽培，也需要消耗较大的木材资源。长此以往，则会对森林资源造成严重破坏，尤其是在以椴木栽培方式为主的地区，更是如此，并由此而影响到食用菌产业的可持续发展。

1.2.2.4 食用菌市场流通体系健全程度较低，制约了我国食用菌产业化发展进程

近几年随着食用菌生产能力的提高，食用菌市场空前繁荣，形成了以批发市场、集贸市场为载体，以农民经纪人、运销商贩、中介组织、加工企业为主体，以产品集散、现货交易为基本流通模式，以原产品和初加工产品为营销客体的基

本流通格局。然而，深入分析，不难发现，在现有的市场流通过程中，严格的市场规则尚未建立，市场行为不很规范，短期行为较为严重。这种状况必然会影响到生产主体和消费者的利益，还会对我国食用菌产业的国际竞争力产生重要影响。由于缺乏准确、快速覆盖全国的市场信息网络及相关的市场预警系统，导致生产盲目性大，有些地方在尚未了解市场方向和市场空间的情况下，大量进行产品生产，甚至把追求数量作为主要目标，隐藏了较大的市场风险。

1.2.2.5　食用菌加工产业发展缓慢，产业链条较短

我国食用菌加工以盐渍、烘干、罐头等粗加工为主要方式，加工链条较短，经济效益较差。虽然近几年来食用菌加工业有所发展，但其产量和规模较小，难以承担所在地食用菌的加工和销售，产业带动效应较弱；此外，生产加工的标准化体系不健全，加工包装混乱，产品质量较难保证；科技投入不足，科研推广难以满足生产发展要求。现有食用菌加工企业设备简单落后，科技含量低，产品缺乏市场竞争力，导致食用菌产业的可持续发展能力较弱。

1.2.3　主要政策建议

1.2.3.1　进一步加大政府扶持力度，推进食用菌产业健康发展

首先，在指导思想上政府部门要从积极稳妥发展食用菌产业的角度出发，科学论证，统一规划，实行有序发展的行业管理与指导体系，在构建产业经营良性利益机制的同时，积极调动并协调有关部门做好各项服务工作的积极性，创造食用菌产业发展的良好氛围。其次，要研究出台和落实各种优惠政策。例如，国家应该将食用菌产业纳入到农业良种补贴和农机补贴的范畴；联合有关金融机构，给提供菇农贴息贷款或低息贷款，有条件的地区还可以向菇农发放生产补助。最后，政府应该依据不同食用菌种类的特点，加快制定和发布统一的生产标准和质量标准，促使标准体系的不断完善，如可以考虑绿色产品的质量标准和生产技术操作规范来制定食用菌产品的相关生产规程；各省可以结合本地特殊情况，发布地方性的生产和质量标准，尤其是在主要原辅材料和生产环境的标准上，加大质量标准的制定与实施力度，为食用菌产业的健康发展保驾护航。

1.2.3.2　不断调整食用菌生产结构，逐步扩大草腐菌生产规模

由于以木材为原料的木腐菌需要消耗大量的阔叶林等森林资源，因此在利用

人工造林方法建设菌用原料林的同时，还应积极开展食用菌替代原料和草腐菌品种的研发工作，以减少对林木资源的依赖与消耗。例如，在替代原料上，可充分挖掘稻草、麦草、蔗渣、玉米秆（芯）、豆秆、豆壳、花生藤、番薯藤、油菜秆、茅草、油茶壳、笋壳等农作物的茎秆和藤蔓等农业秸秆资源；在木腐菌品种上，可发展草菇、鸡腿菇、姬松茸、双孢蘑菇等以稻草为主要原料的品种，或杏鲍菇、茶树菇、秀珍菇等以棉籽壳为主要原料的品种。总之，在资源有限的条件下，各地应依据当地资源优势，就地或就近取材，发展不同食用菌品种。例如，林木资源确实丰富的地方，可以发展一些传统的优势品种，如蚕桑区利用桑枝条发展香菇、木耳等；相反，在农作物秸秆丰富的地区，则应大力发展草腐菌，从而实现由以香菇为主的品种结构向以草菇、双孢蘑菇为主的多菌并举的品种结构转变，由以木腐菌品种为主向以草腐等非木腐菌品种为主转变。这样，不仅可以增加农民收入，也有利于实现资源的循环利用，减少环境污染，增加土壤的有机质和营养成分。

1.2.3.3　调整食用菌产业布局，促进食用菌生产的专业化

食用菌生产虽不像其他农作物一样具有明显的区域性，但是该产业发展必须依赖于农林生产的下脚料。因此，应立足资源、气候、环境等比较优势，树立生态经济理念，按照科学发展原则，根据生态环境和资源分布，调整食用菌产业布局，促使该产业向优势生产区域集中，以利于集中相对优势投入，改善生产基础设施和装备水平，促进优势生产区域率先实现现代化，以增强食用菌产业的国际竞争力。同时，在优化产业布局的同时，还应重视品种选择，以能最大限度地发挥当地自然资源和社会经济优势。例如，在稻草、麦秆、玉米芯、棉籽壳等农作物秸秆皮壳较为丰富的地区可选种草菇、双孢蘑菇等，这样既可以提高食用菌产业的整体素质和效益，又可促进食用菌标准化、规模化、专业化生产，同时还可带动加工、运输、销售等相关产业的发展，拓展食用菌生产领域，延长产业链条。

1.2.3.4　适当控制发展速度，实现适度规模经营

据有关专家预测，随着人们生活水平的提高，我国食用菌消费量以每年7%的速度持续增长，而且拥有3亿多家庭，每个家庭每天消费300克，年消费量就达3285万吨，发展空间巨大。然而，据有关实际调查数据显示，我国人均年消费食用菌鲜品仅7.5千克，只相当于蔬菜消费量的十五分之一，远低于专家假设

数据。这就意味着目前的发展规模已经达到了较高的水平，必须充分注意对现有发展速度的适度控制。因为食用菌的终端是消费，只有消费市场与生产发展相匹配，食用菌产业才能稳步健康发展。因此，一方面需要调查与了解市场信息，及时了解与掌握产品产量、品种等市场变化，按照市场需求变化趋势进行品种生产；另一方面，必须结合当地经济发展和资源环境的实际情况，逐步有序地控制发展速度，寻找适度规模。因为，从市场来看，任何产品并非越多越好，多了必然使价格下降，导致经济受损。此外，可以通过加强协会或合作组织发展、建立价格预警系统、市场信息发布平台等措施，有效组织生产和调控市场，以保证价格稳定，确保产业的经济效益。

1.2.3.5 提高加工技术层次，发展精深加工业

食用菌加工产业对促进国民经济发展，农业和农民增产增收，扩大出口创汇都有重要作用。因此，首先加大加工技术研发和应用。增加对食用菌精深技术、储藏保鲜技术、药用功能因子等系列产品研究开发与投入力度，不断提高食用菌企业的加工技术水平，延伸食用菌产业链。其次，建立食用菌精深加工产业园区，大力引进和培育高品质冻干产品、干片产品、罐头食品、速冻产品、方便食品、即食食品和调味品加工的龙头企业，形成食用菌精深加工产业集群。再次，政府应加大对龙头企业的扶持，尽快形成一批在国内外有实力的大公司，使其适应国际化的需要，应对国际市场激烈的竞争。最后，加大标准化体系建设和完善力度，规范企业加工、包装、运输中的行为，确保食用菌产品质量，提升食用菌产品市场竞争力。

1.2.3.6 健全和完善市场流通体系，推进食用菌市场的繁荣与活跃

在市场经济条件下，食用菌商品的流通体系是我国食用菌产业结构中的最重要组成部分，也是目前最薄弱的一个环节。政府必须加强对食用菌市场体系建设的统一规划与指导，在基础设施建设、市场主体的培育等方面加大政策和资金投入力度，为食用菌流通提供信息等社会综合服务，从而通过积极培育市场流通体系、大力发展食用菌现代物流方式，促进农业生产经营由目前"分散的小生产+无序的小流通"向"小生产+大流通""大生产+大流通"转变，进而实现传统农业向市场化农业生产经营方式的转变。为此，当前和今后一段时期，要立足于食用菌发展的需要和食用菌市场体系的发展现状，以传统市场的改造升级和产地优质食用菌专营批发市场建设为重点，建设高效的食用菌集散和网络化的市场体

系。以培育食用菌龙头企业，发展食用菌行业协会为重点，壮大产业化的大生产、大流通的组织规模。以大力发展农村食用菌经纪人队伍为重点，提高农民营销能力和参与流通领域利润分配的份额。以创建外地食用菌展销窗口和展览展销为重点，发展食用菌会展经济，宣传推介优势产品，着力提升市场知名度。

1.2.3.7 进一步规范食用菌生产经营方式，切实保护生态环境

在资源与环境约束日益加剧的背景下，任何产业的发展都必须正确地处理好与环境之间的关系，建立起与环境之间良性互动的内在机制，才能实现本产业的健康和可持续发展。按照"总量控制、合理布局"的原则，严格食用菌生产经营准入条件，控制食用菌生产规模、区域，严格原材料的采伐和管理。加强食用菌替代材料的开发和利用，有针对性的限制椴木食用菌生产，不断减少对林木资源的消耗，同时，要将保护天然阔叶林和规范食用菌生产的目标管理责任制延伸到基层，实行多级政府联动，强化层层落实，采取有效措施规范菇农生产。加强林业、农业、工商执法部门之间的协作和监管执法力度，对破坏阔叶林资源、违法生产经营菌种、菌棒的行为进行立案查处。

1.2.3.8 加强科学研究和技术改进，注重资源的集约开发与可持续利用

科学技术是第一生产力，降低现有资源消耗、培育新型原料资源，是我国食用菌健康发展的必由之路。为此，首先，应对如何提高当前食用菌栽培过程中林木与农作物秸秆等原料的利用效率，以降低耗材量、提高食用菌的生物转化率；其次，应对食用菌栽培后产生的废弃物再分解与再利用进行研究，推进食用菌产业向"清洁生产"方式转变，减少生态环境污染；再次，加强对现有森林资源的保护，以"造用结合，动态平衡"为原则，建立确保资源增长的总量调控机制，严格按照新增林木保有量审批用材指标，以真正实现造林与用林挂钩和森林生态社会功能的不断提高，为木腐食用菌的可持续发展提供充足的原料和良好的生态环境。

（张俊飚　李　波）

1.3 我国食用菌产业布局及区域比较优势分析

十多年来，我国食用菌产业带动农民增收的效果明显，各地因此而掀起了

"建基地、扩规模"的食用菌生产热潮，从而促使了我国食用菌产量的迅速增长，2007年达到了1682万吨，呈现一派欣欣向荣的景象。然而2008年金融风暴使得全球经济景气指数下滑，食用菌产业也受到一定影响，出口数量减少，库存出现积压，价格趋于下降，产业陷入了发展困境。这种状况的出现与食用菌产业的生产布局有着密切的联系，因此，要实现食用菌产业的良性发展，就必须合理规划食用菌产业的生产布局。我们依据目前公开的相关数据（分析数据主要来源于《中国农产品加工年鉴》、《中国农业年鉴》和《中国统计年鉴》），利用资源禀赋系数方法分析各地区生产食用菌的比较优势，为优化我国食用菌生产地区布局和各地区食用菌生产结构调整提供依据。

1.3.1 食用菌区域比较优势分析的理论基础

资源禀赋系数通常用于反映一个国家或者一个地区某种资源相对丰富程度的指标，一国或一地区i资源在世界或全国的份额，与该国家或该地区国民生产总值在世界或全国国民生产总值中的份额之比。

资源禀赋系数计算公式为

$$\text{EF} = (V_i/V_{wi})/(Y/Y_w) \tag{1-1}$$

式中，V_i为某一国或某一地区拥有的i资源；V_{wi}为世界或全国拥有的i资源；Y为该国或该地区国民生产总值；Y_w为世界或全国国民生产总值。

如果$\text{EF}>1$，则某国或某一地区i资源拥有比较优势；反之则不具有比较优势。在此，V_i表示我国各地区食用菌产品i的产量，V_{wi}表示全国拥有的食用菌产品i的产量；Y表示该地区农业总产值，Y_w表示全国农业总产值。

1.3.2 食用菌区域比较优势测算

2001~2010年，我国食用菌资源禀赋系数都大于1的地区包括福建、河南、浙江和黑龙江四个省份，其中，福建是生产食用菌最有比较优势的地区，十年中其资源禀赋系数都在2.9以上；河南、浙江、黑龙江、陕西、江西、江苏、山东、四川、辽宁、河北、湖北、北京、上海、广西和吉林等省份也是食用菌生产具有比较优势的地区，其资源禀赋系数至少有一年大于1；在不具备食用菌生产比较优势的地区中，可以分为两类地区：一是湖南省，其食用菌资源禀赋系数接近1，因此在一定程度上可以认为是生产食用菌具有潜在比较优势的地区，二是天津、山西、内蒙古、安徽、广东、重庆、贵州、云南、宁夏和新疆等省份，其食用菌资源禀赋系数都远小于1，因此是不具备食用菌生产比较优势的区域（表1-13）。鉴于此，将我国食用菌生产比较优势区域分成较强比较优势地区、一般比较优势地区、潜在比较优势地区和无比较优势地区等四大类（表1-14）。

表 1-13　2001～2010 年我国食用菌资源禀赋系数表

年份 省份	2001	2002	2003	2004	2005	2006	2007	2008	2009	2010
福建	6.26	6.36	4.63	5.06	4.59	4.21	3.97	3.85	4.36	2.92
河南	1.95	1.83	2.14	1.76	1.65	1.56	1.47	1.41	1.46	0.96
浙江	1.68	1.95	1.73	1.64	1.39	1.35	1.51	1.60	1.98	1.42
黑龙江	1.53	1.44	1.42	1.12	1.12	1.02	1.13	1.39	2.49	2.15
陕西	1.64	1.18	1.99	1.91	1.46	0.93	1.04	0.95	1.03	0.69
江西	1.43	1.27	0.87	0.74	1.21	1.18	1.18	1.22	1.50	1.21
江苏	0.80	0.99	1.44	1.44	1.14	1.28	1.25	1.39	1.48	1.14
山东	0.95	0.94	0.90	0.90	0.96	1.02	1.03	1.02	1.17	0.95
四川	0.97	0.86	0.91	0.93	0.96	1.09	1.12	0.77	0.95	0.40
辽宁	0.70	0.90	1.23	1.17	1.15	1.03	0.93	1.15	1.38	1.31
河北	0.63	0.74	0.78	0.99	1.01	1.18	1.20	1.34	1.81	1.08
湖北	0.90	0.93	0.92	0.97	0.96	0.97	1.04	0.94	1.05	0.80
吉林	0.31	0.28	0.46	0.99	1.15	1.17	1.20	1.24	2.20	1.80
湖南	0.84	0.90	0.88	0.86	0.90	0.89	0.80	0.73	0.74	0.49
北京	0.47	0.45	0.46	0.57	0.53	0.88	0.00	1.65	1.83	1.47
天津	0.13	0.12	0.10	0.82	0.85	0.76	0.71	0.80	0.74	0.86
山西	0.44	0.34	0.93	0.28	0.29	0.27	0.43	0.52	0.32	0.31
内蒙古	0.22	0.19	0.16	0.14	0.00	0.00	0.00	0.00	0.00	0.00
上海	0.45	0.62	0.60	0.72	0.82	0.80	0.89	0.95	1.09	0.81
安徽	0.24	0.68	0.38	0.36	0.57	0.58	0.72	0.66	0.89	0
广东	0.27	0.14	0.26	0.34	0.60	0.67	0.66	0.68	0.83	0.58
广西	0.50	0.44	0.47	0.42	0.71	0.79	0.81	0.90	1.22	0.86
重庆	0.12	0.20	0.18	0.24	0.24	0.26	0.18	0.16	0.18	0.13
贵州	0.18	0.16	0.14	0.13	0.00	0.17	0.09	0.06	0.11	0.08
云南	0.66	0.07	0.11	0.13	0.15	0.15	0.17	0.17	0.15	0.16
宁夏	0.18	0.19	0.15	0.13	0.26	0.32	0.19	0.21	0.20	0
新疆	0.05	0.05	0.03	0.04	0.04	0.07	0.07	0.07	0.07	0.05

資料来源：表 1-13～表 1-36 均根据《中国农产品加工业年鉴》（2002～2009 年）；《中国农业年鉴》（2002～2009 年）；《中国农业年鉴》（2010～2011 年）；食用菌产业经济研究室数据库相关数据得出。

表 1-14   我国食用菌生产区域优势分类表

区域优势分类	主要省份
较强比较优势地区	福建
一般比较优势地区	河南、浙江、黑龙江、陕西、江西、江苏、山东、四川、北京、上海、广西、辽宁、河北、湖北、吉林
潜在比较优势地区	湖南
无比较优势地区	天津、山西、内蒙古、安徽、广东、重庆、贵州、云南、宁夏、新疆

1.3.3   主要食用菌品种区域比较优势分析

1.3.3.1   香菇

2001~2010 年，福建和浙江两个省份香菇资源禀赋系数基本都大于 4，福建仍是香菇生产最有比较优势的地区，十年中其资源禀赋系数基本都在 5.0 以上；湖北、河南、辽宁、陕西和江西五个省份，十年中香菇资源禀赋系数基本都大于 1，也是具有比较优势的地区；其余地区香菇资源禀赋系数都远小于 1，因此是不具备香菇生产比较优势的区域（表 1-15）。鉴于此，将我国香菇生产比较优势区域分成较强比较优势地区、一般比较优势地区和无比较优势地区等三大类（表1-16）。

表 1-15   2001~2010 年我国香菇资源禀赋系数表

年份 省份	2001	2002	2003	2004	2005	2006	2007	2008	2009	2010
福建	9.67	9.41	6.14	6.09	5.48	5.56	5.75	5.04	5.41	2.89
浙江	4.95	4.79	4.99	4.59	4.08	4.27	4.41	4.24	5.02	3.11
湖北	1.80	1.88	2.01	2.03	1.88	2.39	2.88	2.59	3.12	2.92
河南	1.36	1.51	1.98	1.56	1.51	1.49	1.31	1.42	1.58	1.11
辽宁	0.58	1.06	1.66	1.61	1.70	1.20	1.28	2.09	3.65	2.91
陕西	2.99	1.93	5.49	5.43	4.30	1.59	0.00	2.37	2.60	1.85
江西	1.89	1.76	0.87	0.75	2.23	2.27	1.38	1.50	1.70	0.87
北京	0.17	0.23	0.20	0.22	0.27	0.93	2.38	2.76	3.27	3.03
湖南	0.68	0.69	0.13	0.61	0.73	0.82	0.80	0.93	0.92	0.54

续表

年份 省份	2001	2002	2003	2004	2005	2006	2007	2008	2009	2010
天津	0.06	0.05	0.05	0.02	0.50	0.33	0.44	1.07	1.00	1.50
河北	0.26	0.34	0.43	0.70	0.69	1.10	1.17	1.12	1.91	1.14
山西	1.13	0.92	0.54	0.08	0.10	0.10	0.12	0.15	0.10	0.08
内蒙古	0.09	0.08	0.08	0.07	0.00	0.00	0.00	0.00	0.00	0.00
吉林	0.02	0.02	0.11	0.45	0.63	0.68	0.40	0.36	0.28	0.21
黑龙江	0.33	0.35	0.40	0.31	0.15	0.14	0.12	0.16	0.73	0.51
上海	0.35	0.45	0.28	0.62	0.48	0.62	0.50	0.34	0.41	0.22
江苏	0.13	0.05	0.10	0.08	0.11	0.15	0.18	0.36	0.37	0.29
安徽	0.28	0.30	0.22	0.20	0.31	0.28	0.35	0.33	0.42	0.29
山东	0.50	0.63	0.59	0.58	0.62	0.68	0.63	0.54	0.50	0.41
广东	0.28	0.10	0.06	0.12	0.25	0.28	0.18	0.14	0.17	0.10
广西	0.16	0.16	0.22	0.60	0.54	0.58	0.61	0.74	0.89	0.50
四川	0.04	0.34	0.34	0.32	0.31	0.41	0.37	0.40	0.45	0.27
重庆	0.02	0.07	0.07	0.42	0.60	0.57	0.21	0.18	0.16	0.10
贵州	0.07	0.07	0.07	0.07	0.00	0.16	0.03	0.03	0.10	0.11
云南	0.11	0.01	0.01	0.10	0.12	0.14	0.14	0.01	0.06	0.00
宁夏	0.09	0.10	0.09	0.07	0.00	0.05	0.68	0.07	0.13	0.00
新疆	0.01	0.01	0.00	0.00	0.00	0.02	0.02	0.02	0.02	0.02

表1-16　我国香菇生产区域优势分类表

区域优势分类	主要省份
较强比较优势地区	福建、浙江
一般比较优势地区	湖北、河南、辽宁、陕西、江西
无比较优势地区	北京、湖南、天津、河北、山西、内蒙古、吉林、黑龙江、上海、江苏、安徽、山东、广西、广东、四川、重庆、贵州、云南、宁夏、新疆

1.3.3.2 平菇

2001～2010年，我国平菇资源禀赋系数基本上都大于1的地区包括河南、福建、江苏、山东、陕西、黑龙江、辽宁、北京、河北、天津、江西和吉林等12个省（直辖市），这些地区是平菇生产具有比较优势的地区；从资源禀赋系数和近年系数变化趋势看，浙江和山西应属于具有潜在比较优势的地区；其余地区平菇资源禀赋系数都远小于1，因此是不具备平菇生产比较优势的区域（表1-17）。鉴于此，将我国平菇生产比较优势区域分成一般比较优势地区、潜在比较优势地区和无比较优势地区等三大类（表1-18）。

表1-17　2001~2010年我国平菇资源禀赋系数表

年份\省份	2001	2002	2003	2004	2005	2006	2007	2008	2009	2010
河南	2.13	2.13	2.87	2.09	1.86	1.83	1.93	1.68	2.03	1.16
福建	2.83	3.17	0.56	1.71	1.29	1.10	1.16	0.38	0.50	0.25
江苏	1.58	1.90	2.44	2.42	2.13	1.80	1.90	2.52	2.41	1.78
山东	1.51	1.33	1.59	1.33	1.38	1.33	1.36	1.39	1.66	1.90
陕西	1.62	1.25	2.08	1.72	1.66	1.21	1.14	1.17	1.13	0.52
黑龙江	1.55	1.80	1.78	1.60	1.10	1.03	0.67	0.09	0.54	0.43
辽宁	0.84	0.94	1.41	1.30	1.60	1.67	1.56	1.85	1.69	1.25
北京	0.93	0.91	1.10	1.27	0.85	1.18	1.64	1.69	2.57	1.69
河北	0.90	0.75	0.91	1.32	1.42	1.80	1.78	1.99	3.09	1.74
天津	0.19	0.20	0.20	2.55	1.63	1.80	1.38	1.26	1.17	0.85
江西	0.55	0.54	0.93	0.74	1.76	1.76	1.36	1.40	1.75	1.33
吉林	0.27	0.27	0.16	0.01	0.96	1.13	1.22	1.34	1.74	1.65
浙江	0.00	0.00	0.00	1.02	0.81	0.68	1.58	0.79	0.94	0.58
山西	8.19	6.98	0.96	0.59	0.54	0.51	1.32	1.58	0.96	0.77
内蒙古	0.37	0.35	0.36	0.30	0.00	0.00	0.00	0.00	0.00	0.00
上海	0.09	0.16	0.36	0.30	0.38	0.48	0.30	0.33	0.20	0.21
安徽	0.24	0.17	0.64	0.23	0.57	0.89	0.55	0.51	1.01	0.00
湖北	0.83	0.82	0.94	0.83	0.79	0.63	0.55	0.58	0.56	0.37
湖南	0.54	0.57	0.36	0.70	0.61	0.69	0.73	0.74	0.65	0.37
广东	0.12	0.13	0.21	0.27	0.51	0.52	0.57	0.75	0.89	0.59
广西	0.13	0.13	0.20	0.08	0.18	0.15	0.15	0.19	0.52	0.38
四川	5.66	0.54	0.63	0.56	0.51	0.56	0.57	0.61	0.75	0.54
重庆	0.11	0.18	0.20	0.18	0.16	0.18	0.15	0.21	0.27	0.18
贵州	0.30	0.30	0.33	0.29	0.00	0.15	0.07	0.07	0.11	0.07
云南	0.14	0.03	0.03	0.05	0.07	0.17	0.20	0.19	0.20	0.00
宁夏	0.28	0.32	0.33	0.26	0.48	0.71	0.27	0.40	0.36	0.00
新疆	0.05	0.05	0.04	0.05	0.04	0.15	0.15	0.17	0.17	0.10

表1-18 我国平菇生产区域优势分类表

区域优势分类	主要省份
一般比较优势地区	河南、福建、江苏、山东、陕西、黑龙江、江西、吉林、辽宁、北京、河北、天津
潜在比较优势地区	浙江、山西
无比较优势地区	内蒙古、上海、安徽、湖北、湖南、广西、广东、云南、宁夏、新疆、四川、重庆、贵州

1.3.3.3 双孢蘑菇

2001～2010 年，福建双孢蘑菇资源禀赋系数都在 2.5 以上，是双孢蘑菇生产具有较强比较优势的地区；从资源禀赋系数和近年系数变化趋势看，广西、江苏、上海、山东、河南和四川双孢蘑菇生产资源禀赋系数基本都大于 1，也是具有比较优势的地区；其余地区双孢蘑菇资源禀赋系数都远小于 1，因此是不具备双孢蘑菇生产比较优势的区域（表1-19）。鉴于此，将我国双孢蘑菇生产比较优势区域分成强比较优势地区、一般比较优势地区和无比较优势地区等三大类（表1-20）。

表1-19 2001～2010 年我国双孢蘑菇资源禀赋系数表

年份 \ 省份	2001	2002	2003	2004	2005	2006	2007	2008	2009	2010
福建	8.98	10.20	7.47	7.42	7.25	6.90	2.70	4.81	6.28	4.81
广西	3.98	3.13	2.79	1.43	3.85	4.22	1.80	3.77	6.43	4.65
江苏	0.62	1.37	2.25	3.54	1.87	1.83	1.27	3.25	4.25	2.88
上海	2.30	2.66	1.76	1.53	1.72	1.64	0.63	1.26	2.17	1.51
山东	1.80	1.76	1.59	1.40	1.66	1.56	0.76	1.32	1.29	0.98
河南	1.04	0.54	1.25	1.17	1.01	0.94	0.60	1.39	1.33	0.93
四川	0.90	0.87	1.48	1.62	1.20	1.40	0.56	0.75	0.77	0.58
北京	0.11	0.15	0.12	0.11	0.13	0.83	0.49	1.04	0.44	0.17
天津	0.13	0.11	0.08	0.00	0.00	0.00	0.04	0.14	0.14	0.21
河北	0.43	0.63	0.49	0.13	0.40	0.32	0.20	0.52	0.66	0.21
山西	0.02	0.01	0.45	0.11	0.14	0.13	0.08	0.22	0.16	0.13
内蒙古	0.21	0.16	0.11	0.09	0.00	0.00	0.00	0.00	0.00	0.00

续表

年份\省份	2001	2002	2003	2004	2005	2006	2007	2008	2009	2010
辽宁	1.01	0.45	0.24	0.27	0.11	0.14	0.06	0.23	0.22	0.29
吉林	0.01	0.01	0.03	0.03	0.06	0.06	19.49	0.00	0.00	0.00
黑龙江	0.00	0.00	0.00	0.00	0.00	0.00	0.00	0.01	0.00	0.00
浙江	1.88	1.42	1.04	0.59	0.63	0.54	0.27	0.58	0.77	0.54
安徽	0.37	0.70	0.36	0.42	1.09	0.75	0.32	0.67	0.44	0.00
江西	0.24	0.19	0.17	0.14	0.11	0.22	0.96	2.21	2.32	2.33
湖北	0.35	0.32	0.32	0.40	0.52	0.70	0.28	0.41	0.38	0.22
湖南	0.73	0.66	0.50	0.54	0.71	0.67	0.22	0.37	0.47	0.35
广东	0.02	0.01	0.06	0.11	0.15	0.19	0.07	0.06	0.08	0.06
重庆	0.24	0.50	0.40	0.36	0.41	0.38	0.12	0.26	0.27	0.21
贵州	0.14	0.12	0.08	0.07	0.00	0.25	0.02	0.02	0.04	0.03
云南	0.14	0.16	0.11	0.21	0.11	0.08	0.03	0.07	0.10	0.00
陕西	0.00	0.00	0.07	0.05	0.18	0.36	0.08	0.17	0.17	0.12
宁夏	0.32	0.31	0.19	0.15	0.92	0.99	0.00	0.49	0.51	0.00
新疆	0.08	0.07	0.04	0.03	0.04	0.04	0.02	0.04	0.04	0.03

表 1-20　我国双孢蘑菇生产区域优势分类表

区域优势分类	主要省份
较强比较优势地区	福建
一般比较优势地区	广西、江苏、上海、山东、河南、四川
无比较优势地区	北京、天津、河北、山西、内蒙古、辽宁、吉林、浙江、安徽、湖北、湖南、广东、重庆、贵州、云南、陕西、宁夏、新疆、江西、黑龙江

1.3.3.4　金针菇

2001～2010 年，我国金针菇资源禀赋系数基本上都大于 2 的地区主要是浙江和江苏两省，他们是金针菇生产具有较强比较优势的地区；从资源禀赋系数和近年系数变化趋势看，上海、河北、福建、山东、广东、湖南、河南、北京和四川金针菇生产资源禀赋系数基本都大于 1，是具有比较优势的地区；其余地区金针菇资源禀赋系数都远小于 1，因此是不具备金针菇生产比较优势的区域（表1-21）。鉴于此，将我国金针菇生产比较优势区域分成较强比较优势地区、一般比较优势地区和无比较优势地区等三大类（表 1-22）。

表 1-21 2001~2010 年我国金针菇资源禀赋系数表

年份 省份	2001	2002	2003	2004	2005	2006	2007	2008	2009	2010
浙江	2.55	3.85	3.66	3.79	3.57	3.22	3.70	3.56	3.75	2.53
江苏	1.72	2.40	2.61	2.78	2.47	2.98	2.59	2.56	3.13	2.72
上海	1.18	1.31	1.36	1.85	2.77	2.12	3.69	3.50	4.30	2.83
河北	1.03	1.32	1.28	2.47	2.06	1.36	1.70	2.17	2.38	1.10
福建	3.00	2.66	1.49	1.55	1.66	1.18	0.99	1.04	1.35	0.87
山东	1.06	0.92	1.23	0.98	1.10	1.11	1.84	1.73	1.99	1.60
广东	0.68	0.37	0.80	0.85	1.74	1.89	2.22	2.27	2.64	1.70
湖南	1.95	1.68	1.79	1.20	1.11	1.23	0.92	1.02	1.39	0.83
河南	1.06	0.88	1.33	1.01	0.80	1.04	0.61	0.63	0.66	0.41
北京	0.58	0.83	1.05	1.31	1.58	1.41	1.70	0.17	2.55	1.86
四川	1.61	1.20	1.05	0.88	0.86	0.90	0.73	0.84	1.02	0.65
天津	0.09	0.07	0.06	0.00	0.00	0.87	0.89	0.04	0.73	1.48
黑龙江	0.99	1.21	0.53	1.01	0.75	0.67	0.48	0.03	0.15	0.94
山西	0.80	0.53	2.14	0.31	0.30	0.27	0.17	0.19	0.12	0.13
辽宁	0.22	0.27	0.02	0.01	0.04	0.07	0.07	0.24	0.33	0.38
吉林	0.02	0.01	0.07	0.10	0.16	0.17	0.00	0.14	0.21	0.38
安徽	0.81	0.59	0.26	0.48	0.62	0.28	0.28	0.24	1.11	0.00
江西	1.83	1.40	0.69	0.51	0.32	0.33	0.27	0.30	0.66	1.08
湖北	0.56	0.48	0.56	0.63	0.73	0.70	0.53	0.47	0.52	0.24
广西	0.00	0.00	0.00	0.05	0.35	0.55	0.48	0.40	0.34	0.23
重庆	0.65	0.89	0.86	0.36	0.29	0.59	0.20	0.32	0.34	0.22
贵州	0.13	0.11	0.10	0.08	0.00	0.29	0.02	0.01	0.02	0.01
云南	0.26	0.04	0.04	0.04	0.04	0.07	0.07	0.16	0.17	0.00
陕西	0.00	0.17	0.05	0.03	0.02	0.07	0.05	0.04	0.06	0.02
宁夏	0.47	0.39	0.30	0.21	0.70	0.00	0.00	0.00	0.00	0.00
新疆	0.07	0.05	0.03	0.11	0.00	0.13	0.15	0.15	0.14	0.10

表 1-22 我国金针菇生产区域优势分类表

区域优势分类	主要省份
较强比较优势地区	浙江、江苏
一般比较优势地区	上海、河北、福建、山东、广东、湖南、河南、北京、四川
无比较优势地区	天津、黑龙江、山西、辽宁、吉林、安徽、江西、湖北、贵州、 云南、陕西、宁夏、新疆、广西、重庆

1.3.3.5 草菇

2001～2010 年，我国草菇资源禀赋系数基本上都大于 2 的地区包括广东、福建、上海和山东，这些地区是草菇生产具有较强比较优势的地区；从资源禀赋系数和近年系数变化趋势看，吉林、江西和江苏草菇生产资源禀赋系数呈现不稳定变化趋势，但有些年份系数大于 1，是具有潜在比较优势的地区；其余地区草菇资源禀赋系数都远小于 1，因此是不具备草菇生产比较优势的区域（表 1-23）。鉴于此，将我国草菇生产比较优势区域分成较强比较优势地区、一般比较优势地区和无比较优势地区等三大类（表 1-24）。

表 1-23　2001～2010 年我国草菇资源禀赋系数表

年份 省份	2001	2002	2003	2004	2005	2006	2007	2008	2009	2010
广东	4.57	2.82	5.31	6.49	8.02	5.86	6.06	5.21	9.00	8.45
福建	6.33	5.56	4.03	4.09	3.93	2.59	1.39	1.29	2.97	2.38
上海	2.21	2.75	2.44	2.10	2.96	1.75	2.15	2.45	3.62	3.69
山东	0.00	1.83	2.41	2.15	2.20	3.99	3.53	2.86	2.66	0.73
吉林	0.00	0.00	0.00	0.00	0.00	0.00	28.13	0.00	0.00	0.00
江西	12.29	9.38	2.36	1.94	0.77	0.64	0.54	0.47	1.13	0.81
江苏	0.32	1.16	1.18	0.78	0.84	0.70	0.83	1.01	1.93	1.07
北京	0.49	0.25	0.47	0.68	0.63	0.56	0.78	0.01	0.58	0.36
天津	0.03	0.02	0.02	0.00	0.00	0.00	0.00	0.00	0.00	0.00
河北	0.42	0.00	0.00	0.23	0.20	0.19	0.24	0.49	0.33	0.10
山西	0.12	0.08	1.51	0.05	0.05	0.04	0.05	0.06	0.06	0.05
内蒙古	0.00	0.00	0.00	0.00	0.00	0.08	0.00	0.00	0.00	0.00
辽宁	0.00	0.00	0.75	0.56	0.00	0.28	0.00	0.00	0.00	0.03
黑龙江	0.00	0.00	0.00	0.00	0.00	0.00	0.00	0.00	0.00	0.00
浙江	0.00	0.01	0.01	0.40	0.33	0.25	0.31	0.00	0.42	0.36
安徽	0.18	0.02	0.03	1.42	0.00	0.07	0.05	0.05	0.04	0.00
河南	0.19	0.35	0.85	0.59	0.60	0.47	1.52	2.69	2.01	1.50
湖北	0.03	0.02	0.02	0.01	0.02	0.06	0.02	0.01	0.01	0.01
湖南	2.25	1.78	0.56	0.36	0.32	0.24	0.18	0.27	0.30	0.27
广西	0.00	0.21	0.20	0.25	0.29	0.14	0.10	0.12	0.27	0.46
四川	0.10	0.08	0.06	0.00	0.00	0.00	0.00	0.00	0.00	0.00
陕西	0.00	0.00	0.00	0.00	0.02	0.00	0.02	0.00	0.00	0.01
宁夏	0.01	0.00	0.00	0.00	0.00	0.00	0.00	0.00	0.00	0.00

表 1-24　我国草菇生产区域优势分类表

区域优势分类	主要省份
较强比较优势地区	广东、福建、上海、山东
潜在比较优势地区	吉林、江西、江苏
无比较优势地区	北京、天津、河北、山西、内蒙古、辽宁、黑龙江、浙江、湖北、湖南、广西、四川、陕西、宁夏、安徽、河南

1.3.3.6　黑木耳

2001～2010 年，黑龙江黑木耳资源禀赋系数都大于 8，是黑木耳生产具有较强比较优势的地区；从资源禀赋系数和近年系数变化趋势看，吉林、湖北、陕西和内蒙古黑木耳生产资源禀赋系数基本都大于 1，是具有比较优势的地区；其余地区黑木耳资源禀赋系数都远小于 1，因此是不具备黑木耳生产比较优势的区域（表 1-25）。鉴于此，将我国黑木耳生产比较优势区域分成较强比较优势地区、一般比较优势地区和无比较优势地区等三大类（表 1-26）。

表 1-25　2001～2010 年我国黑木耳资源禀赋系数表

年份 省份	2001	2002	2003	2004	2005	2006	2007	2008	2009	2010
黑龙江	15.11	12.24	11.03	8.33	9.79	0.00	9.41	11.57	14.10	11.83
吉林	1.68	1.35	5.06	9.15	8.65	0.00	0.00	6.88	12.07	9.34
湖北	1.65	1.76	1.88	2.36	2.41	0.01	2.41	1.77	1.32	0.15
陕西	3.51	2.24	1.60	1.98	1.72	0.00	1.24	1.21	1.17	0.71
内蒙古	1.85	1.43	1.11	0.95	0.00	0.00	0.00	0.00	0.00	0.00
河南	0.90	0.86	0.62	0.87	0.79	4.22	1.23	0.83	1.01	0.59
福建	0.39	0.00	0.81	0.95	0.99	6.88	1.03	0.87	0.52	0.09
北京	0.01	0.00	0.01	0.02	0.09	0.00	0.30	0.04	0.47	0.35
天津	0.00	0.00	0.00	0.00	0.00	0.00	0.03	0.00	0.07	0.06
河北	0.00	0.00	0.00	0.10	0.25	0.26	0.00	0.00	0.41	0.06
山西	5.43	3.82	0.44	0.25	0.29	0.00	0.11	0.10	0.05	0.24
辽宁	0.24	0.21	0.14	0.08	0.05	0.00	0.12	0.16	0.15	0.15
江苏	0.00	0.10	0.00	0.12	0.10	0.11	0.06	0.03	0.03	0.01
浙江	0.66	4.65	3.83	0.47	0.61	0.07	0.70	1.03	1.09	0.92
安徽	0.99	0.58	0.20	0.53	0.40	1.42	0.03	0.00	0.10	0.00
江西	0.00	0.00	1.73	1.43	0.20	0.25	0.14	0.13	0.15	0.36
山东	0.00	0.25	0.34	0.32	0.31	0.03	0.42	0.40	0.49	0.22
湖南	0.51	0.38	0.07	0.06	0.05	0.26	0.04	0.06	0.07	0.07

续表

年份 省份	2001	2002	2003	2004	2005	2006	2007	2008	2009	2010
广东	0.00	0.00	0.00	0.00	0.00	0.81	0.00	0.00	0.00	0.00
广西	0.00	0.06	0.05	0.88	0.38	0.14	0.39	0.59	0.23	0.16
四川	0.08	0.06	0.05	0.06	0.07	4.90	0.00	0.00	0.00	0.09
重庆	0.00	0.00	0.00	0.21	0.26	0.00	0.57	0.12	0.10	0.07
贵州	0.36	0.31	0.24	0.22	0.00	0.00	0.00	0.00	0.00	0.00
云南	0.16	0.05	0.04	0.04	0.02	0.05	0.03	0.00	0.01	0.00
宁夏	0.01	0.01	0.00	0.00	0.05	0.00	0.00	0.00	0.00	0.00
新疆	0.00	0.00	0.00	0.01	0.00	0.04	0.00	0.00	0.00	0.00

表1-26 我国黑木耳生产区域优势分类表

区域优势分类	主要省份
较强比较优势地区	黑龙江
一般比较优势地区	吉林、湖北、陕西、内蒙古
无比较优势地区	河南、福建、北京、天津、河北、山西、辽宁、江苏、浙江、安徽、江西、山东、湖南、广东、广西、四川、重庆、贵州、云南、宁夏、新疆

1.3.3.7 银耳

2001～2010年，福建银耳资源禀赋系数都大于29，该地区是银耳生产具有较强比较优势的地区；从资源禀赋系数和近年系数变化趋势看，江苏银耳生产资源禀赋系数基本都大于1，是具有比较优势的地区；山西银耳资源禀赋系数大于0.6且有一年大于1，因此是具有潜在比较优势的地区；其余地区银耳资源禀赋系数都远小于1，因此是不具备银耳生产比较优势的区域（表1-27）。鉴于此，将我国银耳生产比较优势区域分成较强比较优势地区、一般比较优势地区、潜在比较优势地区和无比较优势地区等四大类（表1-28）。

表1-27 2001～2010年我国银耳资源禀赋系数表

年份 省份	2001	2002	2003	2004	2005	2006	2007	2008	2009	2010
福建	32.08	29.22	30.58	29.96	30.07	30.64	32.92	33.29	41.56	29.03
江苏	0.00	1.02	0.00	1.11	1.13	0.90	0.81	0.59	0.69	0.05
山西	1.18	0.85	0.00	0.71	0.77	0.61	0.00	0.00	0.00	0.00
河北	0.00	0.00	0.00	0.01	0.13	0.07	0.00	0.00	0.00	0.22
吉林	0.00	0.00	0.00	0.00	0.00	0.00	2.29	0.00	0.00	0.00

续表

年份 省份	2001	2002	2003	2004	2005	2006	2007	2008	2009	2010
浙江	0.00	0.00	0.00	0.02	0.02	0.01	0.00	0.00	0.00	0.00
安徽	0.00	0.35	0.08	0.38	0.01	0.00	0.00	0.00	0.01	0.00
山东	0.00	0.00	0.24	0.10	0.01	0.01	0.01	0.04	0.08	0.20
河南	0.15	0.17	0.07	0.07	0.23	0.27	0.26	0.45	0.15	0.09
湖北	0.06	0.00	0.00	0.00	0.01	0.01	0.00	0.01	0.02	0.00
湖南	0.15	0.13	0.12	0.15	0.17	0.16	0.18	0.22	0.31	0.30
广西	0.00	0.00	0.00	0.02	0.00	0.00	0.00	0.00	0.00	0.00

表 1-28   我国银耳生产区域优势分类表

区域优势分类	主要省份
较强比较优势地区	福建
一般比较优势地区	江苏
潜在比较优势地区	山西
无比较优势地区	河北、吉林、浙江、安徽、山东、河南、湖北、湖南、广西

1.3.3.8　滑子菇

2001～2010 年，我国滑子菇资源禀赋系数基本上都大于 2 的地区是辽宁和河北，这些地区是滑子菇生产具有较强比较优势的地区；从资源禀赋系数和近年系数变化趋势看，黑龙江滑子菇生产资源禀赋系数基本都大于 1，是具有比较优势的地区；其余地区滑子菇资源禀赋系数都远小于 1，因此是不具备滑子菇生产比较优势的区域（表 1-29）。鉴于此，将我国滑子菇生产比较优势区域分成较强比较优势地区、一般比较优势地区和无比较优势地区等三大类（表 1-30）。

表 1-29   2001～2010 年我国滑子菇资源禀赋系数表

年份 省份	2001	2002	2003	2004	2005	2006	2007	2008	2009	2010
辽宁	21.76	19.62	16.86	19.82	19.44	17.79	0.00	17.43	19.72	10.96
河北	1.56	2.41	2.08	3.77	4.03	4.42	4.15	5.40	0.06	2.93
黑龙江	2.81	3.62	8.62	1.77	1.54	1.66	3.58	0.65	13.48	7.21
山西	0.00	0.00	0.00	0.00	0.00	0.07	0.00	0.00	0.00	0.00
吉林	0.69	0.42	0.10	0.64	0.99	1.33	0.00	1.11	1.53	0.61
福建	0.65	0.40	0.00	0.48	0.61	0.72	0.43	0.99	1.26	0.57
江西	0.00	0.00	0.00	0.00	0.00	0.02	0.00	0.00	0.00	0.00

续表

年份 省份	2001	2002	2003	2004	2005	2006	2007	2008	2009	2010
山东	0.00	0.00	0.02	0.03	0.04	0.03	0.02	0.20	0.09	0.02
河南	0.00	0.00	0.00	0.00	0.00	0.00	0.01	0.00	0.00	0.00
湖北	0.00	0.00	0.00	0.00	0.00	0.00	0.01	0.00	0.00	0.00
贵州	0.00	0.00	0.00	0.00	0.00	0.00	0.01	0.00	0.01	0.00
安徽	0.00	0.00	0.00	0.01	0.00	0.00	0.00	0.00	0.00	0.00
云南	0.65	0.00	0.00	0.00	0.00	0.00	0.00	0.00	0.02	0.00

表 1-30　我国滑子菇生产区域优势分类表

区域优势分类	主要省份
较强比较优势地区	辽宁、河北
一般比较优势地区	黑龙江
无比较优势地区	山西、吉林、福建、江西、山东、河南、湖北、贵州、安徽、云南

1.3.3.9　鸡腿菇

从资源禀赋系数和系数变化趋势看，河北、河南、江苏、山东、江西、福建和广东鸡腿菇生产资源禀赋系数基本都大于1，是具有比较优势的地区；宁夏和湖南鸡腿菇资源禀赋系数都有2年大于1，因此是具有潜在比较优势的地区；其余地区鸡腿菇资源禀赋系数都远小于1，因此是不具备鸡腿菇生产比较优势的区域（表1-31）。鉴于此，将我国鸡腿菇生产比较优势区域分成一般比较优势地区、潜在比较优势地区和无比较优势地区等三大类（表1-32）。

表 1-31　2001～2010 年我国鸡腿菇资源禀赋系数表

年份 省份	2001	2002	2003	2004	2005	2006	2007	2008	2009	2010
河北	0.00	2.98	4.28	2.10	1.98	1.77	1.69	1.37	1.90	0.92
河南	2.34	1.88	2.28	1.93	2.14	2.59	3.08	3.53	3.21	1.61
江苏	0.00	2.23	0.07	2.77	2.06	1.57	1.29	0.15	1.55	1.03
山东	7.96	2.15	2.26	2.85	2.93	3.13	0.32	2.88	3.26	2.58
江西	0.00	0.00	1.09	0.81	1.48	1.16	0.99	1.18	1.49	1.48
福建	0.00	0.64	3.22	1.93	2.10	2.09	0.64	2.12	2.67	2.14
广东	0.00	0.00	0.12	0.30	0.71	1.14	1.01	1.25	1.54	1.34
宁夏	1.20	0.38	0.54	0.00	1.45	0.00	0.00	0.00	0.00	0.00
湖南	0.00	1.71	1.24	0.31	0.30	0.25	0.26	0.37	0.22	0.22

续表

年份\省份	2001	2002	2003	2004	2005	2006	2007	2008	2009	2010
北京	0.00	0.11	0.12	0.12	0.13	0.24	0.84	0.02	0.80	0.46
天津	0.00	0.00	0.00	0.00	0.11	0.00	0.00	0.00	0.00	0.00
山西	0.00	0.00	3.35	0.00	0.02	0.02	0.02	0.02	0.02	0.16
辽宁	0.00	3.53	0.00	0.27	0.31	0.18	0.19	0.31	0.28	0.10
吉林	0.01	0.00	0.02	0.03	0.12	0.10	0.04	0.14	0.19	0.06
黑龙江	0.00	0.00	0.02	0.00	0.00	0.00	0.17	0.18	0.00	0.22
上海	0.26	0.06	0.17	0.37	0.49	0.38	0.66	0.05	0.00	0.00
浙江	0.00	0.27	0.25	0.27	0.21	0.32	0.38	0.84	1.43	1.24
安徽	0.16	0.31	0.19	0.82	0.17	0.22	0.20	0.22	0.04	0.00
湖北	0.00	0.17	0.17	0.19	0.19	0.05	0.01	0.01	0.01	0.00
广西	0.00	0.00	0.01	0.00	0.13	0.30	0.14	0.28	0.76	0.65
四川	0.00	0.00	0.10	0.20	0.33	0.03	0.38	0.57	0.86	0.84
重庆	0.00	0.16	0.19	0.19	0.02	0.00	0.00	0.00	0.40	0.38
贵州	0.00	0.00	0.00	0.00	0.00	0.00	0.05	0.04	0.08	0.07
云南	0.00	0.18	0.39	0.31	0.25	0.00	0.00	0.00	0.01	0.00
陕西	0.00	0.00	0.08	0.11	0.27	0.00	0.21	0.21	0.05	0.04
新疆	0.00	0.00	0.04	0.25	0.00	0.04	0.00	0.07	0.06	0.00

表1-32 我国鸡腿菇生产区域优势分类表

区域优势分类	主要省份
一般比较优势地区	河北、河南、江苏、山东、江西、福建、广东
潜在比较优势地区	宁夏、湖南
无比较优势地区	北京、天津、山西、辽宁、吉林、黑龙江、上海、浙江、安徽、广西、四川、重庆、贵州、云南、陕西、新疆、湖北

1.3.3.10 白灵菇

2001～2010年，我国白灵菇资源禀赋系数基本上都大于2的地区是天津、北京和河南，这些地区是白灵菇生产具有较强比较优势的地区；从资源禀赋系数和近年系数变化趋势看，河北、山西和山东白灵菇生产资源禀赋系数基本都大于1，是具有比较优势的地区；其余地区白灵菇资源禀赋系数都远小于1，因此是不具备白灵菇生产比较优势的区域（表1-33）。鉴于此，将我国白灵菇生产比较优势区域分成较强比较优势地区、一般比较优势地区和无比较优势地区等三大类（表1-34）。

表 1-33　2001～2010 年我国白灵菇资源禀赋系数表

年份\省份	2001	2002	2003	2004	2005	2006	2007	2008	2009	2010
天津	15.90	3.54	2.26	20.93	17.47	11.45	12.70	0.42	15.22	9.49
北京	0.00	5.90	6.30	5.55	4.73	6.48	10.47	0.24	6.78	3.02
河南	2.87	4.87	2.54	5.84	6.26	0.67	4.72	4.29	5.07	1.97
河北	0.00	4.97	7.13	1.54	0.70	1.47	1.51	2.74	3.70	0.02
山西	0.00	0.00	5.71	1.53	0.93	1.28	1.64	1.79	1.35	21.16
山东	0.00	0.12	0.19	0.73	1.33	3.84	2.14	1.99	2.56	0.31
新疆	23.71	5.04	2.71	1.55	0.72	0.76	0.63	0.00	0.72	0.48
辽宁	0.00	0.00	0.00	0.21	0.15	0.27	0.03	0.06	0.14	0.00
吉林	0.00	0.00	0.03	0.03	0.20	0.23	0.02	0.14	0.12	0.01
黑龙江	0.00	0.01	0.06	0.00	0.00	0.00	0.00	0.00	0.00	0.00
上海	0.00	0.00	0.32	2.03	0.61	0.00	0.54	0.19	0.24	0.00
江苏	0.00	0.14	0.01	0.02	0.01	0.05	0.05	0.15	0.00	0.00
浙江	0.00	0.00	0.00	0.00	0.35	0.64	0.74	0.80	1.03	0.73
安徽	0.00	0.07	0.21	0.21	0.53	0.50	0.39	0.33	0.06	0.00
福建	0.00	0.98	0.10	0.12	0.19	0.03	0.00	0.00	0.02	0.00
江西	0.00	0.00	0.15	0.09	0.00	8.65	0.00	0.00	0.00	0.00
湖北	0.00	0.01	0.12	0.48	0.37	0.53	0.25	0.17	0.16	0.02
湖南	0.00	0.33	1.27	0.81	0.55	0.12	0.52	0.39	0.26	0.11
广东	1.20	0.00	0.00	0.00	0.00	0.00	0.11	0.14	0.18	0.09
贵州	0.00	0.00	0.00	0.00	0.00	0.00	0.01	0.00	0.01	0.00
云南	0.00	0.06	0.16	0.00	0.02	0.00	0.00	0.00	0.03	0.00
陕西	0.00	0.00	0.03	0.19	0.03	0.04	0.06	0.05	0.05	0.01

表 1-34　我国白灵菇生产区域优势分类表

区域优势分类	主要省份
较强比较优势地区	天津、北京、河南
一般比较优势地区	河北、山西、山东
无比较优势地区	新疆、辽宁、吉林、黑龙江、上海、江苏、浙江、安徽、湖南、广东、贵州、云南、陕西、福建、江西、湖北

1.3.3.11　杏鲍菇

2001～2010 年，我国杏鲍菇资源禀赋系数基本上都大于 2 的地区是福建、浙江和河北，这些地区是杏鲍菇生产具有较强比较优势的地区；从资源禀赋系数和近年系数变化趋势看，北京、山西、湖南、天津、上海、江西、山东和广东杏鲍菇生产资源禀赋系数基本都大于1，是具有比较优势的地区；其余地区杏鲍菇资源禀赋系数都远小于1，因此是不具备杏鲍菇生产比较优势的区域（表1-35）。鉴于此，将我国杏鲍菇生产比较优势区域分成较强比较优势地区、一般比较优势地区和无比较优势地区等三大类（表1-36）。

表1-35 2001～2010 年我国杏鲍菇资源禀赋系数表

年份 省份	2001	2002	2003	2004	2005	2006	2007	2008	2009	2010
福建	31.76	13.93	13.12	10.01	0.00	3.64	3.83	5.47	6.69	3.28
浙江	0.00	3.77	2.51	0.00	3.30	2.99	3.31	5.57	6.52	4.17
河北	0.00	3.20	2.99	2.49	1.37	2.27	3.44	2.72	1.78	0.97
北京	0.00	1.49	1.45	3.02	2.16	1.98	2.41	0.12	5.20	3.90
山西	0.00	0.00	5.22	3.07	1.64	1.54	0.76	0.80	0.48	11.27
湖南	0.00	3.10	2.13	1.80	0.00	1.03	0.79	1.14	2.88	1.24
天津	1.59	0.48	0.30	0.00	0.04	2.70	3.11	0.07	2.21	2.15
上海	0.38	0.48	1.00	1.63	0.69	0.85	1.41	1.22	2.25	2.19
江西	0.00	0.00	0.10	0.18	1.41	1.53	9.81	1.31	3.14	2.33
山东	0.00	0.05	0.10	0.68	1.52	2.02	2.01	1.68	2.25	0.53
广东	0.00	0.00	0.67	1.75	0.00	3.16	3.15	2.79	0.05	1.88
辽宁	0.00	0.60	0.00	0.31	0.17	0.28	0.26	0.17	0.25	0.10
吉林	0.00	0.00	0.01	0.04	0.15	0.12	0.02	0.15	0.12	0.01
黑龙江	0.02	0.01	0.03	0.01	0.01	0.00	0.01	0.01	0.07	0.05
江苏	0.00	0.17	0.24	1.06	0.87	0.04	0.07	0.21	0.46	0.30
安徽	0.00	0.13	0.15	0.24	0.89	0.47	0.36	0.29	0.42	0.00
河南	0.39	0.60	0.38	1.33	1.16	0.84	0.40	0.20	0.58	0.34
湖北	0.00	0.00	0.00	0.00	0.00	0.01	3.52	0.01	0.07	0.07
广西	0.00	0.00	0.01	0.04	0.00	0.04	0.56	0.06	0.00	0.04
贵州	0.00	0.00	0.00	0.00	0.00	0.00	0.03	0.01	0.00	0.00
云南	0.00	0.00	0.00	0.06	0.00	0.00	0.01	0.00	0.04	0.00
陕西	0.00	0.00	0.00	0.02	0.00	0.00	0.08	0.05	0.00	0.06
新疆	0.00	0.00	0.00	0.29	0.00	0.03	0.02	0.02	0.02	0.00

表1-36 我国杏鲍菇生产区域优势分类表

区域优势分类	主要省份
较强比较优势地区	福建、浙江、河北
一般比较优势地区	北京、山西、湖南、天津、上海、江西、山东、广东
无比较优势地区	辽宁、吉林、黑龙江、江苏、安徽、河南、陕西、新疆、湖北、广西、贵州、云南

1.3.4 食用菌生产区域比较优势分析结论和合理布局的政策建议

测算得出的资源禀赋系数反映了我国2001～2010年各个省份食用菌生产的比较优势差异。根据测算结果，得到适合我国不同地区发展的食用菌品种。各地在布局食用菌及选择适宜品种的过程中，必须充分考虑自身资源与技术条件，以便提高资源配置效率，避免造成资源浪费和产业损失。为此，针对不同省份，特提出相关建议。

福建：该地区是食用菌生产最有比较优势的地区，其资源禀赋系数在2.9以上，且该地区在香菇、双孢蘑菇、草菇、银耳和杏鲍菇等品种的生产上都具有较强的比较优势，尤其是在银耳的生产上比较优势较为明显，十年来其资源禀赋系数都在29以上，远远高于具有一般比较优势的江苏（其银耳资源禀赋系数仅在1左右）；在平菇、金针菇和鸡腿菇的生产上具有一般的比较优势。

陕西：该地区具有食用菌生产的比较优势；在香菇、平菇和黑木耳生产上具有一般的比较优势。

江苏：该地区具有食用菌生产的比较优势；且在金针菇生产上具有较强的比较优势；在双孢蘑菇、平菇、银耳和鸡腿菇生产上具有一般的比较优势；在草菇生产上则具有潜在的比较优势。

辽宁：该地区具有食用菌生产的比较优势；在滑子菇生产上具有非常强的比较优势，十年来其资源禀赋系数在10以上；在香菇和平菇生产上具有一般的比较优势。

河北：该地区具有食用菌生产的比较优势；在滑子菇和杏鲍菇生产上具有较强的比较优势；在平菇、金针菇、白灵菇和鸡腿菇生产上具有一般的比较优势。

吉林：该地区具有食用菌生产的比较优势；在平菇和黑木耳生产上具有一般的比较优势；在草菇生产上则具有潜在的比较优势。

浙江：该地区具有食用菌生产的比较优势；在香菇、金针菇和杏鲍菇生产上具有较强的比较优势；在平菇生产上则具有潜在的比较优势。

河南：该地区具有食用菌生产的比较优势；在白灵菇生产上具有较强的比较优势；在香菇、双孢蘑菇、平菇、金针菇和鸡腿菇生产上则具有一般的比较优势。

江西：该地区具有食用菌生产的比较优势；在香菇、平菇、鸡腿菇和杏鲍菇生产上具有一般的比较优势；在草菇生产上则具有潜在的比较优势。

黑龙江：该地区具有食用菌生产的比较优势；在黑木耳生产上具有非常强的比较优势，十年来其资源禀赋系数在8以上；在平菇和滑子菇生产上具有一般的比较优势。

山东：该地区具有食用菌生产的比较优势；在草菇生产上具有较强的比较优势；在平菇、双孢蘑菇、金针菇、白灵菇、鸡腿菇和杏鲍菇生产上具有一般的比较优势。

湖北：该地区具有食用菌生产的比较优势；在香菇和黑木耳生产上具有一般的比较优势。

四川：该地区具有食用菌生产的比较优势；在双孢蘑菇和金针菇生产上具有一般的比较优势。

上海：该地区具备食用菌生产的比较优势，在草菇生产上具有较强的比较优势；在双孢蘑菇、金针菇和杏鲍菇生产上则具有一般的比较优势。

广西：该地区具备食用菌生产的比较优势，在双孢蘑菇生产上具有一般的比较优势。

湖南：该地区具有食用菌生产的潜在比较优势；在金针菇和杏鲍菇生产上具有一般的比较优势；在鸡腿菇生产上具有潜在的比较优势。

天津：该地区不具备食用菌生产的比较优势，但在白灵菇生产上具有较强的比较优势；在平菇和杏鲍菇生产上则具有一般的比较优势。

广东：该地区不具备食用菌生产的比较优势，但在草菇生产上具有较强的比较优势；在金针菇、杏鲍菇和鸡腿菇生产上则具有一般的比较优势。

北京：该地区不具备食用菌生产的比较优势，但在白灵菇生产上具有较强的比较优势；在平菇、金针菇和杏鲍菇生产上则具有一般的比较优势。

山西：该地区不具备食用菌生产的比较优势，但在白灵菇和杏鲍菇生产上具有一般的比较优势；在平菇和银耳的生产上则具有潜在的比较优势。

宁夏：该地区不具备食用菌生产比较优势，但在鸡腿菇生产上具有潜在的比较优势。

内蒙古：该地区不具备食用菌生产的比较优势，但在黑木耳生产上具有一般的比较优势。

安徽、重庆、云南、贵州和新疆在任何种类食用菌生产上都不具有比较优势。但云南作为我国野生菌类资源最为丰富的地区，可适当转换思路，从野生菌发展的角度，选择适合自身发展的道路。

为稳定国内食用菌市场，避免食用菌市场价格剧烈波动，我国有必要采取相应的政策措施。建议政府在农民自主决策和保证资源配置效率的情况下，积极引导各地区生产自身具有比较优势尤其是较强比较优势的食用菌品种，引导具有潜在优势的地区进一步加强本地区该类食用菌的生产，尽量做到全国整体上的考虑，科学规划，合理布局，避免盲目"建基地、扩规模和重复生产"。

（王宏杰　张俊飚）

1.4　我国食用菌产业发展的时空差异及对策和建议

食用菌产业在我国种植业经济中仅次于粮、棉、油、菜、果，居于第6位。近年来，随着国家食用菌产业技术体系平台的建立和市场建设的不断完善，我国食用菌产业规模日益壮大，增收效果日益显著，产业的生态效益、经济效益和社会效益日益凸显。但同时，由于区域间资源禀赋、经济结构水平、基础设施和政策等存在差异，我国食用菌产业发展呈现出了不平衡性，地区间食用菌产业规模和发展速度均存在一定差异。为此，深入分析我国食用菌产业发展的时空差异特征，掌握我国食用菌产业发展演变趋势，对优化我国食用菌产业布局，推动食用菌产业协调可持续发展无疑具有重要的理论与现实意义。

1.4.1　研究方法与数据来源

1.4.1.1　研究方法

本书基于区域经济差异研究的方法模型，以我国食用菌主产区为研究对象，拟运用变异系数、泰尔指数等方法综合对我国24个省（自治区、直辖市）食用菌产业时空差异的总体特征及变化作定量研究。变异系数为标准差与平均数的比值，表示经济总量在总和中所占比重的差异，具有广泛的可比性，因而可以采用变异系数见式（1-2）测算食用菌产业相对差异的总体变化情况。泰尔指数可以对整体差异按产业结构或地域结构进行多层次分解，不受所考察对象单元的个数影响，因而可以比较不同区域系统内的经济差异。该指数能够分解为地区内和地区间差异两个部分, 是衡量区域经济差异的重要指标。首先, 基于地理和行政区划划分方法, 将我国24个食用菌主产省份分为东部、中部、西部和东北部四类地区。其中, 东部包括北京、河北、上海、江苏、浙江、福建、山东和广东8个省份; 中部包括山西、安徽、江西、河南、湖北和湖南6个省; 西部包括广西、四川、贵州、云南、陕西、宁夏和新疆7个省份; 东北部则包括辽宁、吉林和黑龙江3个省。在此基础上, 以2001~2010年的各省份食用菌产值为反映食用菌产业发展的指标, 并选用各省份GDP指标, 将我国食用菌产业发展差异分为总体差异 [式 (1-3)]、地区内 (东、中、西和东北内部) 差异 [式 (1-4)] 和地区间 (东、中、西和东北之间) 差异 [式 (1-5)] 进行研究。

$$C_v = \frac{1}{V_t} \sqrt{\sum (V_{ij} - V_t)^2 / n} \qquad (1\text{-}2)$$

$$T = \sum_i \sum_j \frac{V_{ij}}{V} \mathrm{Ln} \frac{V_{ij}/V}{G_{ij}/G} \qquad (1\text{-}3)$$

$$T_w = \sum_j \frac{V_{ij}}{V_i} \mathrm{Ln} \frac{V_{ij}/V_i}{G_{ij}/G_i} \qquad (1\text{-}4)$$

$$T_b = \sum_i \frac{V_i}{V} \mathrm{Ln} \frac{V_i/V}{G_i/G} \qquad (1\text{-}5)$$

式中, V_{ij} 为第 t 年第 j 省份的食用菌产值, n 为省份的数量, V_t 为第 t 年各省份的食用菌平均产值; T、T_w、T_b 分别为我国24个省份之间的食用菌产业发展总差异、地区内省份间的食用菌产业差异、四个地区之间 (东、中、西、东北) 的食用菌产业差异; V_i、G_i 分别为 i 地区的食用菌产值总额和GDP值, V_{ij}、G_{ij} 分别为 i 地区的第 j 省份食用菌产值和GDP值; V、G 分别为食用菌产值总额和GDP总额。

为了研究地区间差异和地区内差异对我国食用菌产业差异的贡献大小, 本书定义组间贡献率和组内贡献率:

组间贡献率=组间差异 (T_b) /总差异 (T) ×100%

组内贡献率=组内差异 (T_w) /总差异 (T) ×100%

1.4.1.2 数据说明

在考虑数据可获得性和地区间可比较性基础上, 本书选取2001~2010年我国食用菌总产量、总产值, 24个主产省份的产量、产值数据及GDP数据作为分析我国食用菌产业发展时空差异特征的衡量指标。上述数据主要来源于《中国统计年鉴》、《中国农产品加工年鉴》及各省（自治区、直辖市）年鉴。

1.4.2 我国食用菌产业发展时空差异特征

1.4.2.1 食用菌产业整体发展迅速，总体差异呈缩小趋势

变异系数和泰尔指数两种方法的测度结果显示，我国食用菌产业发展较快，总体差异不断减小，变化趋势一致（表1-37、图1-5）。变异系数和泰尔指数分别从2001年的1.15、0.42下降为2010年的0.78、0.17。其中，2001~2003年两者都出现较大幅度下降，此后历年，虽略有波动，但总体仍呈现较为明显的下降趋势。变异系数与泰尔指数变化基本一致则表明2001~2003年我国食用菌产业发展总体差异日益缩小，但地区间发展不平衡性仍较为突出；2003~2010年间我国食用菌产业发展总体差异呈现长期缩小趋势，但幅度不大。总体而言，我国食用菌产业整体发展迅速，总体差异逐渐缩小，缩小速度呈现"快—慢—稳"形态，产业发展相对稳定。

表1-37 我国食用菌产业的总体差异（2001~2010年）

年份	变异系数	泰尔指数						贡献率	
		东部	中部	西部	东北	地带间	总差异	组间贡献率	组内贡献率
2001	1.15	0.447	0.356	0.215	0.071	0.068	0.42	0.160	0.839
2002	1.04	0.449	0.264	0.118	0.100	0.034	0.36	0.095	0.905
2003	0.85	0.369	0.124	0.172	0.099	0.041	0.28	0.148	0.852
2004	0.84	0.334	0.149	0.144	0.040	0.022	0.25	0.088	0.912
2005	0.80	0.284	0.124	0.116	0.080	0.028	0.22	0.129	0.871
2006	0.84	0.218	0.133	0.074	0.097	0.021	0.18	0.115	0.885
2007	0.81	0.211	0.197	0.091	0.097	0.016	0.19	0.082	0.918
2008	0.77	0.203	0.181	0.144	0.095	0.020	0.19	0.101	0.899
2009	0.74	0.193	0.122	0.131	0.155	0.020	0.19	0.110	0.890
2010	0.78	0.175	0.125	0.139	0.092	0.026	0.17	0.152	0.848

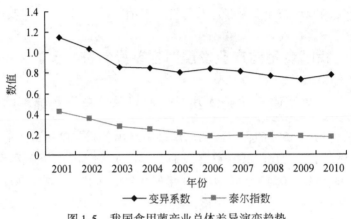

图 1-5 我国食用菌产业总体差异演变趋势

1.4.2.2 食用菌产业发展地区间差异变化不大，地区内差异逐步缩小

2001 ~ 2010 年食用菌产业发展地区间差异由 0.068 下降为 0.026，下降速度先快后慢，总体变化平稳。东部、中部、西部和东北部地区内差异和总体差异的变化趋势基本一致（图 1-6），2001 ~ 2003 年快速缩小，其后保持平稳，小幅递减。东部地区泰尔指数大幅下降，由 2002 年的 0.449 降为 2006 年的 0.218，其后小幅缓降，表明 2002 ~ 2006 年东部地区食用菌产业整体发展迅速，地区内差异持续缩小；中部地区食用菌产业前期快速发展，中期发展失衡，地区内差异震荡中逐渐缩小，表现为泰尔指数 2001 ~ 2003 年明显下降，2003 ~ 2007 年小幅攀升，呈现大"V"型变化趋势；西部地区泰尔指数变化呈现"双波谷"形态，2001 ~ 2003 年间先降后升，其后又平稳下降，从 0.172 降至 0.074，表明西部地区食用菌产业发展相对滞后，趋势不稳定；东北地区泰尔指数变化幅度较小，最小值为 2004 年的 0.04，最大值为 2009 年的 0.155，地区内食用菌产业发展整体均衡。

1.4.2.3 食用菌产业发展差异的组内贡献率大，组间贡献率较小，二者比例波动不大

我国食用菌产业发展组内贡献率均高于组间贡献率（表 1-37、图 1-7）。组内贡献率都在 80% 以上，组间贡献率最高不到 20%，最低为 9%。由此表明，我国食用菌产业发展差异主要是由地区内差距造成，即各食用菌主产省份之间发展不平衡程度较大，而地区间发展差异相对较小。

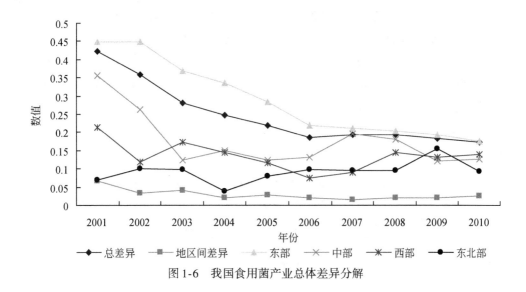

图1-6 我国食用菌产业总体差异分解

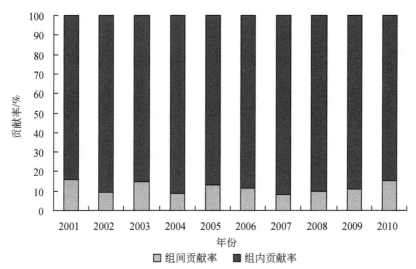

图1-7 我国食用菌产业总体差异的组间与组内贡献率演变趋势

1.4.2.4 食用菌产业优势区域已具雏形，集中在我国中部偏南和东南沿海

河南、福建两省食用菌产值远高于全国的平均水平，2001 年河南食用菌产值是全国平均水平的近 5 倍，而福建则为 3 倍多，2001 年以后逐步下降，但比值

依然很高。另外，山东、江苏和浙江三省食用菌产值为全国平均水平的 1~2 倍。江西、吉林和黑龙江等其他省份的产值虽然均有不同程度的上升，但食用菌产业规模仍然无法与河南、福建相比（表1-38）。2010 年河南、山东两省食用菌产值高于全国平均水平的 5 倍多，最低的宁夏则只相当于全国平均水平的1%。2010 年最大差值为山东和宁夏两地，差值为 2.66，相对于 2001 年明显减小。数据显示，省份之间食用菌产业发展差距缓慢缩小，但高低梯队省份之间的食用菌产值跨度仍然较大。

表1-38　2001~2010 年我国各省份食用菌产值与全国平均水平的比值

省份	比值										平均增长率
	2001 年	2002 年	2003 年	2004 年	2005 年	2006 年	2007 年	2008 年	2009 年	2010 年	
北京	0.10	0.11	0.09	0.09	0.10	0.14	0.19	0.20	0.21	0.21	0.082
河北	0.94	1.85	1.66	1.76	1.68	1.69	1.81	2.03	2.19	1.93	0.083
上海	0.11	0.16	0.13	0.18	0.18	0.17	0.19	0.21	0.17	0.15	0.029
江苏	1.30	1.44	1.17	1.44	0.96	1.37	1.52	1.29	1.42	1.82	0.038
浙江	1.38	2.26	1.77	1.91	1.55	1.43	1.51	1.53	1.42	1.59	0.016
福建	3.69	3.56	2.98	2.91	2.64	2.52	2.43	2.20	1.89	1.72	-0.081
山东	2.20	1.90	2.10	2.25	2.23	2.18	2.26	2.13	2.70	2.67	0.022
广东	0.77	0.46	0.86	0.87	1.71	2.25	1.75	1.72	1.48	1.18	0.048
山西	0.19	0.19	0.66	0.19	0.17	0.14	0.13	0.16	0.12	0.17	-0.010
安徽	0.26	0.40	0.28	0.36	0.49	0.60	0.17	0.16	0.44	0.34	0.030
江西	0.09	0.09	0.61	0.55	0.61	0.55	0.53	0.54	0.46	0.42	0.190
河南	4.86	3.83	3.29	3.03	3.07	3.26	3.09	2.89	2.47	2.35	-0.078
湖北	0.98	1.09	1.04	1.04	1.00	0.92	0.99	1.04	0.85	1.16	0.018
湖南	1.60	1.76	1.55	1.51	1.43	1.30	1.30	1.21	0.85	0.76	-0.079
广西	0.38	0.37	0.42	0.38	0.53	0.61	0.72	0.80	0.92	0.86	0.095
四川	1.05	1.06	1.03	1.08	1.11	1.05	1.23	1.01	0.92	2.00	0.074
贵州	0.52	0.50	0.37	0.34	0.28	0.21	0.14	0.06	0.62	0.05	-0.234
云南	1.54	0.52	0.56	0.62	0.61	0.60	0.58	0.83	0.76	0.37	-0.147
陕西	0.68	0.73	1.19	1.02	0.96	0.52	0.70	0.70	0.61	0.56	-0.022
宁夏	0.01	0.02	0.01	0.01	0.02	0.02	0.01	0.02	0.02	0.01	-0.009
新疆	0.06	0.06	0.05	0.05	0.04	0.07	0.07	0.07	0.05	0.05	-0.029
辽宁	0.73	0.90	0.70	0.78	0.74	0.64	0.72	0.86	0.75	1.03	0.039
吉林	0.09	0.08	0.31	0.55	0.86	0.87	0.96	0.98	1.21	1.10	0.326
黑龙江	0.47	0.68	1.16	1.06	1.06	0.88	1.01	1.35	1.46	1.50	0.139

河南、福建和山东的食用菌产业发展居领先地位，产值规模较大，江苏、浙江、湖南和四川次之，居于第二梯队。因此，我国食用菌产业发展中心凸显，东部沿海地区以福建为核心，中部内陆则以河南为核心，东北部地区黑龙江发展迅速。整体来看，我国东、中、西、东北四地区的食用菌产业发展都呈明显增长趋势，但由于东部沿海地区食用菌产业规模基数大，中部地区借力产业结构内移优势，西部地区食用菌产业比例相对略有下降，增速不及东部和中部地区。

1.4.2.5 食用菌产业区域发展较为协调，产业规模持续稳定发展

由于各地食用菌产业基础和发展速度存在差异，我国食用菌产业差异不断变化，同时，各省份食用菌产业发展水平与全国平均水平的差距不断变化。东北地区食用菌产业发展相对较快，尤其是吉林和黑龙江两省均明显增长，年平均增长率都在10%以上（表1-38）。东部地区各省份食用菌产业发展速度较快，其中，河北食用菌产值与全国平均水平的比值从2001年的0.94上升至2010年的1.93，年均增长超过8%，成为东部地区中发展最快的省。中部地区江西省食用菌产业发展较为迅速。对历年食用菌产值排序，可以看出2001~2010年，福建、河南和山东规模最靠前；江苏、浙江、湖南和四川位于第二梯队，与第一梯队相比差距较大，但有逐渐缩小趋势；东北地区发展势头强劲，而西部地区增速相对滞后。

1.4.3 主要结论与对策建议

基于前文研究结果与相关分析，可以得出以下结论。

（1）我国食用菌产业发展中的总体差异呈现减小趋势，但实现地区间均衡发展仍需要很长过程。我国东部、中部、西部和东北四个地区食用菌产业发展波动变化，有升有降。

（2）地区间食用菌产业发展差异存在，但地区内差异相对更大。中部地区食用菌产业发展增速较快，东北地区势头强劲，呈现"南菇北移"现象。西部地区食用菌产业规模不断扩大，但其增速相对滞后，与其他地区的梯度差异仍然存在，长期内呈缓慢缩小趋势。

为了进一步推进食用菌产业持续发展，我们认为应从以下两个方面着手：第一，加强食用菌基础理论和应用技术研究。依靠科技进步，鼓励创新发展，促进在资源利用、品种选育、技术研究、病虫害防治、产品保鲜与深加工技术等方面的进步与创新，解决生产中的重点、难点问题，确保产品品质和质量安全。推动餐桌经

济，扩大内需，将食用菌文化与中国饮食文化相结合，促进食用菌产业的市场体系不断完善。第二，科学规划，因地制宜发展食用菌产业。结合地区资源禀赋和经济社会发展水平，加强食用菌产业发展规划，注重发挥产品比较优势，提高产品竞争力，促进地区食用菌产业可持续发展。食用菌产业发达地区应重视产业辐射作用，影响和带动欠发达地区产业发展，实现食用菌产业区域经济协同发展。

（严文高　陈前江　张俊飚）

1.5 对我国食用菌产业标准化建设的分析与思考

我国自 2005 年至今的中央一号文件中均明确指出了要推进农业标准化。胡锦涛同志也强调，实施农业标准化是建设现代农业的重要抓手，是增强我国农业市场竞争力的重要举措，是保障食品安全的基础条件。目前，我国是世界上最大的食用菌生产国和出口国，食用菌产业理应责无旁贷的充当标准化建设的排头兵。当前国内市场对优质健康食用菌产品的需求已越来越高，早已跳出了短缺经济条件下一味追求数量的圈子，并且在国际贸易中，绿色壁垒已成为阻碍我国农产品出口的主要技术措施。因此，建立以市场为导向的标准体系，用标准来规范食用菌产业，提高食用菌产品质量安全，对产业发展来说实属当务之急，实施标准化和加快产业化发展势在必行。

1.5.1 食用菌产业标准化建设现状分析

1.5.1.1 标准体系概况

我国食用菌标准体系主要由国家标准、行业标准、地方标准和企业标准组成。国家标准和行业标准是全国范围内和行业范围内统一的技术要求，又分为强制和推荐执行两种。本书主要分析具有普遍指导性的国家标准和行业标准。据统计，我国现行国家标准有 28 项（表 1-39）；现行行业标准有 62 项（表 1-40）；地方标准有 163 项（未列出）。现行行业标准中农业行业标准（NY）31 项，进出口商品检验行业标准（SN）7 项，轻工行业标准（QB）7 项，林业行业标准（LY）7 项，国家军用标准（GJB）5 项，商业行业标准（SB）2 项，供给行业标准（GH）1 项，机械行业标准（JB）1 项，产品质量监督抽查实施规范（CCGF）1 项。以上统计不包含已作废和被替代的标准。

表 1-39　现行国家标准

编号	国家标准	名称	编号	国家标准	名称
1	GB/T 18525.5-2001	干香菇辐照杀虫防霉工艺	15	GB/T19087-2008	地理标志产品　庆元香菇
2	GB 19169-2003	黑木耳菌种	16	GB 6192-2008	黑木耳
3	GB 19170-2003	香菇菌种	17	GB/T 23188-2008	松茸
4	GB 19171-2003	双孢蘑菇菌种	18	GB/T 23189-2008	平菇
5	GB 19172-2003	平菇菌种	19	GB/T 23190-2008	双孢蘑菇
6	GB 11675-2003	银耳卫生标准	20	GB/T 23191-2008	牛肝菌 美味牛肝菌
7	GB 7098-2003	食用菌罐头卫生标准	21	GB/T 23202-2008	食用菌中 440 种农药及相关化学品残留量的测定 液相色谱-串联质谱法
8	GB/T5009.189-2003	银耳中米酵菌酸的测定	22	GB/T 23216-2008	食用菌中 503 种农药及相关化学品残留量的测定 气相色谱-质谱法
9	GB 7096-2003	食用菌卫生标准	23	GB/T 23395-2009	地理标志产品 卢氏黑木耳
10	GB/T 12728-2006	食用菌术语	24	GB/T 23599-2009	草菇菌种
11	GB/T 14151-2006	蘑菇罐头	25	GB/T 23775-2009	压缩食用菌
12	GB/T 21125-2007	食用菌品种选育技术规范	26	GB/T 15672-2009	食用菌总糖含量测定方法
13	GB/T 12532-2008	食用菌灰分测定	27	GB/T 15673-2009	食用菌粗蛋白含量测定方法
14	GB/T 12533-2008	食用菌杂质测定	28	GB/T 15674-2009	食用菌粗脂肪含量测定方法

表 1-40　现行行业标准

编号	行业标准	名称	编号	行业标准	名称
1	NY/T 445-2001	口蘑	4	NY 5099-2002	无公害食品 食用菌栽培基质安全技术要求
2	NY/T 446-2001	灰树花	5	NY 5187-2002	无公害食品 罐装金针菇
3	NY/T 528-2002	食用菌菌种生产技术规程	6	NY 5186-2002	无公害食品 干制金针菇

编号	行业标准	名称	编号	行业标准	名称
7	NY/T 695-2003	毛木耳	23	NY 5358-2007	无公害食品 食用菌产地环境条件
8	NY/T 749-2003	绿色食品 食用菌	24	NY/T 1283-2007	香菇中甲醛含量的测定
9	NY 5246-2004	无公害食品 鸡腿菇	25	NY/T 1284-2007	食用菌菌种中杂菌及害虫的检验
10	NY 5247-2004	无公害食品 茶树菇	26	NY/T 1373-2007	食用菌中亚硫酸盐的测定方法 冲氮蒸馏分光光度计法
11	NY 862-2004	杏鲍菇和白灵菇菌种	27	NY/T 1676-2008	食用菌中粗多糖含量的测定
12	NY/T 833-2004	草菇	28	NY/T 1730-2009	食用菌菌种真实性鉴定 ISSR 法
13	NY/T 834-2004	银耳	29	NY/T 1731-2009	食用菌菌种良好作业规范
14	NY/T 836-2004	竹荪	30	NY/T 1742-2009	食用菌菌种通用技术要求
15	NY/T 224-2006	双孢蘑菇	31	NY/T 1743-2009	食用菌菌种真实性鉴定 RAPD 法
16	NY 5095-2006	无公害食品 食用菌	32	SN/T 0626.7-1997	出口速冻蔬菜检验规程 食用菌
17	NY/T 1097-2006	食用菌菌种真实性鉴定 酯酶同工酶电泳法	33	SN/T 0631-1997	出口脱水蘑菇检验规程
18	NY/T 1098-2006	食用菌品种描述技术规范	34	SN/T 0632-1997	出口干香菇检验规程
19	NY/T 5333-2006	无公害食品 食用菌生产技术规范	35	SN/T 0633-1997	出口盐渍食用菌检验规程
20	NY/T 1204-2006	食用菌热风脱水加工技术规范	36	SN/T 0860-2000	出口蘑菇罐头中硒的测定方法 荧光分光光度法
21	NY/T 1257-2006	食用菌中荧光物质的检测	37	SN/T 1004-2001	出口蘑菇罐头中尿素残留量检验方法
22	NY/T 1061-2006	香菇等级规格	38	SN/T 2074-2008	主要食用菌中转基因成分定性 PCR 检测方法

续表

编号	行业标准	名称	编号	行业标准	名称
39	QB 1357-1991	香菇猪脚腿罐头	51	LY/T 1651-2005	松口蘑采收及保鲜技术规程
40	QB 1397-1991	猴头菇罐头	52	LY/T 1696-2007	姬松茸
41	QB 1398-1991	金针菇罐头	53	LY/T 1207-2007	黑木耳块
42	QB 1399-1991	香菇罐头	54	LY/T 1826-2009	木灵芝干品质量
43	QB/T 3601-1999	香菇肉酱罐头	55	LY/T 1577-2009	食用菌、山野菜干制品压缩块
44	QB/T 3615-1999	草菇罐头	56	JB/T 10177-2000	箱式热风食用菌干燥机
45	QB/T 3619-1999	滑子蘑罐头	57	CCGF 108.3-2008	食用菌
46	SB/T 10038-1992	草菇	58	GJB 1857.17-1994	军需罐头 蘑菇酱肉
47	SB/T 10484-2008	菇精调味料	59	GJB 1857.30-1994	军需罐头 香菇炖鸡
48	GH/T 1013-1998	香菇	60	GJB 1857.50-1994	军需罐头 鲜蘑菇
49	LY/T 1208-1997	段木栽培黑木耳技术	61	GJB 1857.51-1994	军需罐头 碎片蘑菇
50	LY/T 1649-2005	保鲜黑木耳	62	GJB 1857.82-1994	军需罐头 桔子银耳羹

　　近年来我国食用菌国家标准和农业行业标准建设速度空前加快，新标准的出台和对原有标准的代替十分迅捷，特别是当2002年前后一段时间我国食用菌出口频遭各种贸易壁垒阻拦后，加快标准建设的趋势尤为明显。到目前为止全部28项现行国家标准中，有27项是2003年及其以后出台的，其中10项是对原有旧标准的代替，18项是新制定的，而且仅2008年一年出台的就有10项，达到了历史之最，2009年出台的标准截止到11月底也已有6项。31项农业行业标准已占全部行业标准的一半之多，全部是从2001年及其后出台的，其中2004年、2006年、2007年、2009年四年共出台22项，在标准体系建设中具有举足轻重的作用。为应对一些剽窃品种的投机性贸易壁垒，我国于2003年6月4日出台黑木耳菌种、香菇菌种、双孢蘑菇菌种和平菇菌种4个国家标准，2004年出台农业标准杏鲍菇和白灵菇菌种，2009年又出台国家标准草菇菌种，至此大宗食用菌产品的菌种标准基本都已出台。与此同时，国家和行业标准中，菌种的鉴定等技术规程不断受到重视，特别是农业部于2009年5月一次性实施了4项关于菌种鉴定、通用技术要求与作业规范的标准，至此关于食用菌菌种技术规程、鉴定和检验的国家和行业标准已达9项，如NY/T 1098-2006《食用菌品种描述技术规

范》、NY/T 1284-2007《食用菌菌种中杂菌及害虫的检验》、GB/T 21125-2007《食用菌品种选育技术规范》、NY/T 1730-2009《食用菌菌种真实性鉴定 ISSR 法》等。加强菌种标准制定，对确保食用菌生产有一个良好的菌种品质起到了很好的支撑作用，说明从源头保证菌类产品质量的食用菌标准体系工作思路十分明晰。由于 NY 5330-2006、NY 5095-2002、NY 5096-2002、NY 5097-2002、NY 5098-2002 这 5 项无公害标准，内容重复较多，且限量指标基本相同，NY 5095-2006《无公害食品食用菌》的出台一举替代了它们并做了统一，且 NY 5095-2006《无公害食品食用菌》和 NY 5099-2002《无公害食品食用菌栽培基质安全技术要求》、NY/T 5333-2006《无公害食品食用菌生产技术规范》、NY 5358-2007《无公害食品食用菌产地环境条件》形成了一个完整的无公害食用菌体系，另外还有 NY/T 749-2003《绿色食品食用菌》与之相互协调，并且检测检验、卫生类标准已有 17 项，为绿色食品食用菌、有机食品食用菌的产地环境、产品标准、生产、加工技术规程系列标准的跟进奠定了基础。

1.5.1.2 标准化在基层的推广运用现状

从整体来看，我国食用菌标准化工作实施的层次还很低。通过对 163 家企业的调查发现，了解国内标准的企业只有寥寥 26 家，其中大多也是知之不详；自身制定有企业标准的更是凤毛麟角，对国际标准就更是了解甚少。近年来，食用菌企业的技术、规模、机械化程度等硬件条件有所好转，使其生产状况有所改善，但距集约化、工厂化生产尚有一定距离。大部分企业的产品都是以鲜品和盐渍、烘干、保鲜等粗加工产品为主，精深加工偏少，技术含量偏低，技术、资金、设备成为其发展的主要制约因素，这些企业普遍认识到自身的不足及产品质量和技术含量的重要性，并期望通过标准化提高自身竞争力来适应市场变化。

由于家庭联产承包责任制的原因，千家万户小规模分散生产食用菌的现状还十分普遍。家庭式分散经营的结果是生产力比较低下，受信息、技术、生产资料等条件所限，农户难以实行现代化管理及实现规模化和集约化生产。对具有一定规模的食用菌企业而言尚且陌生的标准，对个体菇农而言就更是力不从心。从菇农的销售渠道中便可看出农户的组织化程度（图 1-8），其中通过食用菌商贩出售自家产品的菇农占到了 91% 之多，通过其他协会、公司订单、批发市场等占到的比例很小，可见农户与外界的联系非常少，其市场地位和产品的质量令人担忧。由于主要是靠商贩上门收购，有 67% 的菇农明确反映如果商贩减少会对其食用菌销售产生很大影响（图 1-9），菇农的销售能力十分脆弱。在调查的 616

户农户中，明确表示以往与企业或协会签订过收购协议的只有115户，其比重不足19%，其余农户从未执行过订单交易，并且616户农户中加入了协会和产销合作社的农户数为278，比例为45%，仍有多半农户处于散户状态，分散经营严重制约着标准化实施。

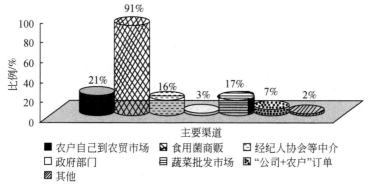

图1-8 农户出售食用菌的主要渠道

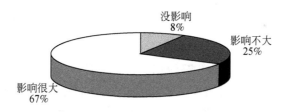

图1-9 商贩数量减少对农户销售食用菌的影响程度

1.5.2 食用菌产业标准化建设存在的问题

产业的标准化建设是庞大的系统工程，其涉及面和影响因素错综复杂，食用菌行业也不例外。我国标准化工作的任务是制定标准、组织实施标准和对标准的实施进行监督。因此要统筹兼顾均衡发展，在加强标准建设的同时，决不能忽视标准的实施和监督。就标准化任务来看，食用菌产业标准化建设中明显存在以下三个方面问题。

1.5.2.1 现有标准体系的健全程度较低

（1）标准中农药残留、重金属等指标衔接不紧。农药指标种类偏少，不同标准的农药残留、重金属等有害物质指标不一、限量不同，甚至在危害因素和关键参数上的差异较大，相互矛盾，缺乏统一性。例如，符合 NY/T 749-2003《绿色食品食用菌》和 GB 7096-2003《食用菌卫生标准》的产品，却有可能不符合 GB 2762-2005《食品中污染物限量》，在此情况下，不合格的"食用菌"却变成了合格的"无公害食用菌"，导致在质量检测中无法对其品质进行判定（张丙春等，2008）。

（2）缺少相应的物流标准。食用菌产品的质量受木桶短板效应的限制，制种、种植、加工、包装、运输、储存等任何一个环节的不规范操作都会影响产品的最终质量安全，制标工作需要各个环节全面共同展开才可有效利用标准来保证产品质量安全水平。不同于其他农产品，食用菌产品在储存和运输过程中易受微生物污染。目前食用菌标准体系内尚无独立的物流标准，食用菌产品的包装、储存和运输的要求只是在个别的产品标准中的最后部分或详或略作了阐述，如双孢蘑菇、竹荪、银耳、黑木耳等。另外，食用菌罐头制品可以依照 QB/T 3600-1999《罐头食品包装、标志、运输和贮存》来执行。然而，大部分非罐头食用菌产品是无产品标准的，这些产品则无物流标准可依。NY 5095-2006《无公害食用菌》里虽有涉及物流规范，但是相对于种类繁多的食用菌产品来说仍显得捉襟见肘。

（3）部分产品标准缺失。例如，地理标志产品和野生菌的相关标准太少，目前国家标准中地理标志产品标准只有 2008 年更新过的 GB/T 19087-2008《地理标志产品 庆元香菇》和 GB/T 23395-2009《地理标志产品 卢氏黑木耳》两项，相对于我国丰富的特色品种资源来说还太少。我国野生菌在国外具有较强的市场竞争力，而国家标准中野生菌只有 GB/T 23191-2008《牛肝菌 美味牛肝菌》这一项，块菌、鸡油菌、羊肚菌等很多野生菌没有任何标准，每年发生多起野生食用菌中毒事件，有很大负面影响，因此急需予以规范。

1.5.2.2　标准的实施存在障碍

标准是先进科学和实用技术的一种承载，进行标准化建设是推动产业现代化发展的必由之路。而标准的执行率低是目前我国食用菌标准化的最大瓶颈。据分析，标准无法实施有三种情况：标准不切实际，不可依；信息、技术等水平达不到，不能依；成本高，收益小，不愿依。

标准不可依的主要原因是标准不符合产业的发展现况，有些标准的标龄过长，随着产业多年的发展变化，当时的标准所述内容已与当前的实际情况大相径庭，无法满足现实需要；也有部分原因是所制定的标准规格过高，与我国产业发展现况难以吻合等。

标准实施主体包括菇农、加工企业、检测部门、市场部门等，其中菇农是实施标准的最大主体，却不是实施标准的微观载体。生产领域的千家万户作坊式分散生产的现状是标准不能依和不愿依的最主要原因。一是单个农户对标准文本的获取、解读和转换实施都存在困难，并且家庭式分散经营生产力水平比较低下，难以实行现代化管理及实现规模化和集约化生产，信息、技术和机械等能够快速提高生产率的可共享要素的单位成本过高，不能形成实施标准化的客观基础；二是个体菇农由于销售渠道的局限性、流动性和不稳定性，以及在市场中处于弱势地位而缺乏议价能力，很难实现优质优价，往往不能获得足以使其按照标准化生产的收益，即质量安全措施消耗的生产成本不能通过价格获得补偿（钱永忠等，2008），因此菇农缺少实施标准化的主观积极性。

1.5.2.3 标准的实施缺少可以问责的监管机制

最理想的监管机制是建立起全过程可追溯和可监控的产销履历制度，这是充分发挥检验检测体系和认证认可体系作用的前提。对产品追根溯源可以使责任明确化，充分发挥市场优胜劣汰的选择功能，让市场对质量的选择力量成为标准化的动力。

然而，从我国现阶段的实施情况看，检测和监管处于混乱局面。食用菌产品根据不同质量级别大致可划分为准入级、优质级和出口级，要对这些产品尤其是占绝大多数的准入级产品实行可追溯和可监控的产销履历制度还不现实。一是从源头到餐桌这之间往往经历的实体数量众多，类型多元化，信息的格式、内容、流程不统一，造成追溯信息不能有效流通、交换和共享，成为追溯的障碍。二是产品的销售经过很多中间环节，往往必须通过经纪人、产地批发市场、运输商、销地批发市场、零售商等，调查数据显示，其产品流通五次及以上次数到达消费者的农户数量占全部比例的32.6%。目前我国很多地方的检测机构数量少，检测设备能力低下，检测成本高，检验检测体系很不完善，这样的流转使得本就吃紧的检测机构更加无能为力。三是现行的一些监管部门职责交叉严重，存在于部门利益下的多头监管使得在风险规避型的部门之间存在相互依赖或者推诿，造成很大部分力量被消耗掉。最终结果就是，多次的转手不仅增加了产品被污染的几率，也使得追溯和履历监控成了空谈。试想多种来源渠道、不同批次的普通包装干制黑木耳成品一并经过多重中间商，并在多次装车、卸车、运输、搬运和储藏等操作后可能经历了不同的温度、湿度、卫生等环境，最终到达消费者，当出现质量问题后再对其进行追溯，如何知道问题出在哪，追溯有何意义？因此很难问责。很多农产品的事实已经证明，企图通过传统农产品市场和渠道达到可追溯是极其困难的。

1.5.3　推进食用菌产业标准化建设的对策建议

1.5.3.1　完善标准体系，调整和建立相关标准

首先，要解决标准间的相互矛盾，加快对国外先进标准的引进和转化。2008 年我国成为国际标准化组织的常任理事国成员，对于食用菌标准化工作来说既是机遇也是挑战。因此要制定适合我国食用菌生产实际的农残限量等有害物质的指标，同时也要加快国外采标步伐，把握先进标准动向，对其加以有效转化，使标准体系更加完善，提高贸易主动权。其次，建立统一的物流标准。对食用菌产品安全造成危害的各个环节中，流通环节是不容忽视的，需要对食用菌及其制品、食用菌鲜品、干品、盐渍品单独制定统一的物流标准来予以规范，保证已符合质量安全的食用菌产品能够安全地流通和运达消费者手中；再次，继续制定菌种标准，对缺失品种进行补充，扩大其覆盖面，夯实其地位；最后，对缺失的产品标准进行制定，尤其是加强地理标志产品和野生菌产品相关标准的制定。要充分利用食用菌的地理标志战略，来促进其在原产地的产业化（刘桂娟，贾身茂，2007）。

1.5.3.2　制订标准部门相互协调，严格遵守制标程序

对于标准不可依问题，应认识到这是一项持续性的工作。制订标准部门应避免政出多门而出现的标准不一，严格按照工作程序，形成标准立项、起草、征求社会意见、审查、编号、批准发布和复审这样一个良性的循环周期。新标准的制定要按照充分调查、研究分析、实验验证的步骤进行，这是保证标准可操作性的有效措施。在标准制定和实施了一段时间后，根据实际情况予以复审便极为关键，周期一般为五年左右（孙晓康，2009），对其不适应实际情况的内容进行调整，保持标准的适用性和动态性，避免政府实现了"有标可依"而实践中却"无标可循"的尴尬局面。

1.5.3.3　培育标准化实施载体，大力扶持食用菌专业合作社发展

对于标准不能依和不愿依的状况，要培育实施标准的微观载体。一是要解决好利益分配问题，真正使菇农和菇农组织之间互相促进，建立稳定的利益共同

体，让菇农参与到标准化后额外的利益分配之中，因为菇农利益是一切工作顺利开展的根本前提；二是要能有效发挥组织对菇农的控制、监管和宣传指导作用，引导菇农在栽培环境、菌种、原料、栽培、加工、储藏及运输等方面的质量控制，并促进新方法、新技术和新品种的引进与推广。建议大力扶持发展食用菌专业合作社，将菇农组织起来，构建"企业+合作社+标准+农户"或者"合作社+标准+农户"的组织形式。从标准化角度来说，"企业+农户"不是有效的标准化载体，它是现代农业企业组织初级形式，在这种组织形式下，两个主体之间实行的是准市场契约，缺少有效的约束机制和利益协调机制，企业的监督成本和交易成本过高。企业化管理的公司处于正式制度环境下，对众多农户的监管及对标准执行的控制存在很大困难，而且单个农户在面对强势的企业时也不能充分获得标准化带来的额外收益，这为标准的实施构成了隐患。相对于企业，作为新生事物的农民专业合作社更符合现实发展需要，是农业企业组织演进的必然结果。它是农民自己的组织，对内实行的是完全的企业契约，而对外实行市场契约（关付新，2009）。一方面处于非正式制度环境下的农户之间更习惯于通过相互监督和自律来规范行为，监督成本低且约束性强，合作社作为法人以个体形象面对市场，交易成本低且市场地位高；另一方面合作社的利润主要根据社员入股份额和交易权股份分配，其生产标准化质量高，生产食用菌产品的积极性可以得到保证。

1.5.3.4　通过建设标准化专营市场和培育流通企业来强化标准实施的监管

虽然目前可追溯和可监控的履历制度实行难度比较大，但这是标准化实施的必然趋势。除了完善检验认证体系、相关法律法规，强化政府主管部门监管力度和市场准入以外，一是建设标准化食用菌的专营市场，并分级销售，使其与标准化生产相配套，满足标准化食用菌产品的销售和市场需要；二是培育大中型农产品流通企业，尽可能缩短中间环节，进而构建"农民组织+流通企业+标准化专营市场"的联结形式，使"农户+批发市场"的"弱—弱"联合转为"强—强"联合。这样不仅便于固定检测和认证对象，强化监管监督，而且降低追溯的难度和成本，使在短期内建立起可以问责的监管机制变得可能，这将为标准化建设的推进起到强有力的支撑作用。国内已有相关的支持政策和试点正在进行（胡定寰等，2009）。例如，2009年中央1号文件强调"支持大型连锁超市和农产品流通企业开展农超对接"。目前处于试验阶段的"农超对接"，就是将农民专业合作社、龙头企业或生产基地等与超市对接，免去中间环节，已初步显示出其对农民增收、监督和提高农产品质量所发挥的巨大作用。超市对农产品准入要求较高，订单及其数额较固定，随着连年的扩张其销售额迅速增长，它已逐渐成为农产品主要销售渠道，从而为标准化专营市场的建设提供了一定的参考。

（关小亮　张俊飚）

2 生 产 发 展

2.1 我国食用菌生产效率的地区差异分析

2009 年我国食用菌产量达到 2020 万吨，产值超过 1100 多亿元，在推进我国农业结构调整和农民脱贫致富方面起到了重要作用，食用菌产业也由此成为我国重要的农业支柱产业。然而，随着发达国家食用菌生产技术的快速发展和世界各国对食用菌品质要求的不断提高，我国食用菌生产目前正面临着严峻的挑战，单纯依靠增加要素投入提高产出的模式已很难维持这一产业的持续发展，必须寻求技术上的支撑，实现由外延式发展向内涵式发展的转变，这就需要对我国食用菌的生产效率展开深入系统的分析，通过发挥食用菌生产的地区比较优势来提高食用菌的生产效率和综合生产能力。由于各食用菌产区气候、地理环境的差异，尤其是经济条件和生产投入的不同，使得食用菌的生产效率存在着一定的差别。本书主要从食用菌生产的微观层面入手，来研究我国各食用菌主产省份之间的生产效率差异，进一步分析其差异存在的具体原因，并提出改善效率的相应措施，这对降低食用菌生产成本，提高食用菌生产过程中的资源配置效率及增加食用菌生产者收入均具有一定的现实意义。

目前，关于中国农产品生产率的研究已经取得了比较丰富的成果。张冬平和冯继红（2005）利用数据包络分析法（date envelopment analysis，DEA）和莫氏（Malmquist）指数方法分析了 20 世纪 90 年代以来我国小麦生产全要素生产率及其构成的变化趋势及特点，对我国小麦生产效率下降的原因及提高的途径进行了探讨。顾海和王艾敏（2007）基于 Malmquist 指数法，利用 1994 ~ 2005 年的苹果生产成本与收益数据，对河南苹果产区生产效率的变化进行了实证分析。陈晓东等（2008）运用传统的 DEA 模型，综合考虑经济效益、社会效益和生态效益三个方面的指标，对 1990 ~ 2005 年我国水稻生产的投入产出进行效率分析。张越杰（2008）以吉林省为例，利用 1991 ~ 2005 年玉米生产投入产出面板数据，采用非参数的汤氏（Tornqvist）指数方法、HMB 指数方法和 DEA 方法对吉林省玉米生产效率进行实证分析。高露华和刘大明（2008）基于非参数方法双产出模型，将大豆生产资源配置效率分解为规模效率、纯技术效率和要素可处置度，在分析转型期中国大豆生产资源配置效率的基础上进一步研究其结构优化策略。田伟和谭朵朵（2009）采用非参数的 Malmquist 指数方法对花生生产的效率变动进行分解分析，并运用 DEA 方法对如何提高全国花生生产综合技术效率提供了改进方案。李勤志等（2009）采用 DEA 方法，对马铃薯生产效率进行分析，从宏观和微观两个层面探讨 1998～2005 年马铃薯生产效率发展的趋势及原因。综上可以看出，DEA 方法已被广泛应用于对农产品生产效率的研究和综合评价，但这些研究大多是针对大类农产品的生产效率进行的分析。

与以往研究相比，本书的选题更具有针对性，专注于食用菌这一产业，以往的研究大多是专注于整个农业领域或是大类农产品如水稻、小麦等；另外，由于数据获取困难，目前对食用菌生产问题的研究，基本还停留在定性分析和描述阶段，缺乏从定量角度对食用菌产业生产率的研究。本书尝试从定量的角度，通过问卷调查获得较翔实的一手数据，运用规模报酬可变 DEA 模型和超效率 DEA 模型对食用菌主产省份农户的生产效率进行比较分析，并且将研究的范围扩展到全国，得出的结论具有较强的说服力和参考价值。

2.1.1 理论分析模型

DEA 模型是一种常用的非参数前沿效率分析方法，已被广泛应用于生产实践中的各种效率的测算，其基本思想是通过基于生产可能性集的多项投入和产出指标，利用线性规划的方法构造表示生产可能性边界的技术前沿面，以此对具有可比性的同类型决策单元（decision making units，DMU）进行相对有效性评价。DEA 模型主要分为两类：一是由 Charnes 等（1978）提出的规模报酬不变的 DEA 模型（又叫 CCR 模型），主要用于测算含规模效率的综合技术效率；二是由 Banker 等（1984）提出的规模报酬可变的 DEA 模型（又叫 BCC 模型），可以排除规模效率的影响，测算纯技术效率。效率的高低可分别在投入导向和产出导向两种假设情况下测算，投入导向指在不改变产出数量的前提下，如何降低投入比例；产出导向指在不改变投入比例的前提下，如何提高产出数量。考虑到食用菌生产的实际情况，本书在投入导向型假设下运用 BCC 模型对 10 个食用菌主产省份农户的生产效率进行评估分析。具体模型如下：

$$
\text{BCC 模型}\begin{cases}
\min \theta = V_D \\
\sum_{j=1}^{n} X_j \lambda_j - S^- \leqslant \theta X_o \\
\sum_{j=1}^{n} Y_j \lambda_j - S^+ \geqslant Y_o \\
\lambda_j \geqslant 0, \ j = 1, \ 2, \ \cdots, \ n \\
S^- \geqslant 0, \ S^+ \geqslant 0
\end{cases} \tag{2-1}
$$

在模型 (2-1) 中 X_j、Y_j 分别为第 j 个主产省的投入和产出要素集合，λ_j 为通过线性组合重新构造一个有效的 DMU_j 时，第 j 个决策单元的组合比例。θ 表示 DMU_j 离有效前沿面的径向优化量或距离，θ 越接近 1 表示越有效。S^-、S^+ 为松弛变量，非零的 S^-、S^+ 使无效 DMU_j 沿水平或者垂直方向延伸达到有效前沿面。模型运算结果中，若 $\theta=1$ 且 $S^-=S^+=0$ 时，则该 DMU_j 为 DEA 有效；若 $\theta=1$ 且 $S^- \neq 0$ 或者 $S^+ \neq 0$ 时，则该 DMU_j 为 DEA 弱有效；若 $\theta<1$，则该 DMU_j 为 DEA 无效。

若 DMU_j 为 DEA 有效，则处于规模报酬不变阶段。若 DMU_j 为 DEA 非有效，则有如下测算方法：如果 $\sum_{j=1}^{n} \lambda_j/\theta <1$，则规模报酬不变，$DMU_j$ 处于规模有效状态；如果 $\sum_{j=1}^{n} \lambda_j/\theta <1$，则处于规模报酬递增阶段；如果 $\sum_{j=1}^{n} \lambda_j/\theta >1$，则处于规模报酬递减阶段。

DEA 方法巧妙地构造了目标函数，无需将指标的量纲统一，也无需事先给定投入和产出指标之间的权重分布，并将分式规划问题转化为线性规划问题，通过最优化过程来确定权重，从而使对决策单元的评价更为客观。但是，用 DEA 方法评价决策单元的相对效率时，最后的结果很可能出现多个单元同时相对有效，传统的 DEA 模型对这些有效单元无法作出进一步的评价与比较。为了弥补这一缺陷，1993 年 Andersen 和 Petersen 提出了一种 DEA 的超效率模型（super-efficiency date envelopment analysis，SE-DEA），使有效决策单元之间也能进行效率高低的比较。其基本思路反映在模型上，有以下线性规划模型：

$$\text{SE-DEA 模型}\begin{cases} \min\theta = V_{\text{D}} \\ \sum\limits_{i=1,\,j\neq k}^{n} X_j \lambda_j - S^- \leqslant \theta X_k \\ \sum\limits_{i=1,\,j\neq k}^{n} Y_j \lambda_j - S^+ \geqslant Y_k \\ \lambda_j \geqslant 0,\ j = 1,\ 2,\ \cdots,\ n \\ S^- \geqslant 0,\ S^+ \geqslant 0 \end{cases} \qquad (2\text{-}2)$$

SE-DEA 模型的基本思想是在进行第 k 个决策单元效率评价时，使第 k 个决策单元的投入和产出被其他所有的决策单元投入和产出的线性组合替代，而将第 k 个决策单元排除在外。一个有效的决策单元可以使其投入按比例的增加，而效率值保持不变，其投入增加比例即为其超效率评价值（王开荣，徐广，2009）。

2.1.2　指标选择及数据处理

2.1.2.1　指标选择

运用 DEA 模型进行生产效率测量时，指标体系是决定测度结果是否科学的基础。构建科学的食用菌生产效率测度指标体系，首先必须保证指标项可以全面反映食用菌生产过程中的各项投入和产出，满足系统性的要求；其次应确保投入产出的口径具有一致性；最后要考虑指标数据的可得性和准确性。

在投入指标选择方面，一般用生产成本来表示。生产成本是指直接生产过程中为生产该产品而投入的各项资金（包括实物和现金）和劳动力的成本，反映了为生产该产品而发生的除土地以外的各种资源的耗费状况。食用菌的生产成本主要包括直接费用和劳动用工两个部分，直接费用包括菌种费、农家肥费、化肥费、石膏石灰费、营养液费、农药费、农膜费、棚架材料费及其他费用；劳动用工是指食用菌生产过程中的各项劳动用工支出，以用工数量乘以劳动日工价计算得出。在充分考虑食用菌生产过程中生产要素相对重要性的基础上，最终确立了5 项投入指标：菌种费用、肥料费用（包括农家肥费、化肥费、营养液费）、基料费用（包括麦秆费、稻草费、锯末费及石膏石灰费）、其他费用（包括农药费、农膜费、棚架费、技术培训、咨询、辅导费等其他直接费用）、劳动力费用。

在产出指标方面，由于食用菌各种品种的产出单位不一致，无法进行产量累加，因此产出指标选用食用菌的年产值来表示。以上投入产出指标均以元作为统计计量单位，并在问卷调查中均有所涉及。

此外，由于使用的投入指标数据及指标含义是根据实际情况确定的，所以还需要做进一步的说明：劳动用工是按地区工价汇总计算，因为各地的劳动力价格不同，如果按统一工价汇总就不能准确反映单位用工差异；此外，这里物质费用的数据统计没有考虑间接生产费用。

2.1.2.2 数据来源及处理

数据来源于食用菌产业技术体系于2009年4~7月对全国食用菌主产省区农户进行的实地调查，调查内容主要涉及2008年我国16个省（自治区、直辖市）的食用菌投入产出和农户技术需求情况。调查采取调查员入户调查方式，每个主产省份选择几个有代表性的主产区，每个产区不定量随机选取农户。

由于投入产出角度的效率评价注重生产者可以人为控制的因素，因此在数据处理过程中应忽略一些不能较好控制的变量，目的是在投入不变的情况下提高产出（或者在产出不变的情况下节约投入要素的费用）。问卷调查中涉及北京市、上海市、天津市的数据较少，根据其各自地理位置的特征，分别将北京市、天津市的数据纳入河北省计算，上海市的数据纳入江苏省计算；西北地区的新疆、甘肃、陕西则由于数据较少，加总后在数量上相对于其他主产省仍有较大差距，因此为了降低误差，特对西北地区不予考虑，故最终选取问卷调查中涉及湖北、山东、河北、河南、江苏、浙江、福建、吉林、黑龙江、辽宁10个食用菌主产省份的农户投入产出情况作为研究样本。通过对问卷进行集中检验，共获得有效调查问卷627份。

2.1.3 实证分析

首先，基于农户调查数据，采用BCC模型，运用DEAP 2.1软件，对我国2008年各食用菌主产省农户的综合技术效率、纯技术效率及规模效率进行测算并对影响各主产省生产技术效率差异的原因进行分析；其次，根据DEA模型的结果为非有效决策单元提出效率改进的方案；最后，采用SE-DEA模型，运用EMS Version1.3软件将有效单元进行再次排序，通过对传统DEA模型的进一步扩展改善，得出更加具有操作性的政策建议。

2.1.3.1 运用BCC模型测算的DEA分析结果

通过对2008年10个主产省份食用菌农户的投入和产出数据进行数据包络分

析，得出分析结果如表 2-1 所示。

表 2-1　按产区规模效率排序的 DEA 分析结果

省份	综合效率	纯技术效率	规模效率	规模报酬阶段
湖北	1.000	1.000	1.000	不变
福建	1.000	1.000	1.000	不变
浙江	1.000	1.000	1.000	不变
吉林	1.000	1.000	1.000	不变
黑龙江	1.000	1.000	1.000	不变
辽宁	1.000	1.000	1.000	不变
河南	0.903	1.000	0.903	递增
河北	0.712	0.804	0.885	递增
江苏	0.845	1.000	0.845	递增
山东	0.817	1.000	0.817	递增
平均	0.928	0.980	0.945	—

从总体上看，这 10 个食用菌主产省份利用现有技术的能力较强，技术效率较高，其改进途径主要在于适当调整现有的生产规模，实现食用菌的规模化生产。

根据技术效率和规模效率的差异，大致可把 10 个食用菌主产省份的发展状态划分成三类：①效率和规模最优类省份：纯技术效率和规模效率均等于 1，说明这些省份的食用菌生产技术潜力得到了较充分的发挥，并且达到了生产规模的最佳状态，处于规模报酬不变阶段，这些主产省份应保持目前的规模水平。属于此类的有湖北、福建、浙江、吉林、黑龙江、辽宁 6 省。②效率和规模次优类省份：纯技术效率和规模效率介于 0.8~1。依 Norman 和 Barry（1991）对整体效率值强度的分类方法，此类属于边缘非效率单位，短期内对投入产出量稍作调整，即很容易达到最优效率和规模（李勤志等，2009）。由表 2-1 可知，河北省即是典型的边缘非效率单位。③规模较小类省份：这里是指相对于技术效率来说，规模效率偏小的省份，其特点是技术效率高，规模效率较小，规模报酬处于递增状态。典型代表为河南省、江苏省和山东省。这类省份通过适度扩大生产规模可以提高食用菌产出效率。另外模型结果显示，4 个非最佳规模类省份均处于规模报酬递增状态，说明这些省份的生产规模较小，规模效率还有上升的空间，提高食用菌生产效率的途径主要在于扩大食用菌的生产规模。

2.1.3.2　非有效决策单元的改进方案

相对于其他绩效评估方法，DEA 模型的优点还体现在它能够对非有效决策单元的具体投入产出量进行调整和改进，通过测算出相对无效决策单元的产出不足与投入冗余，从而使得该类决策单元的管理者能够明确其在资源配置方面应发展的方向及所需改善的幅度。提高食用菌农户生产综合效率的具体方案可以从两个方面入手：一是提高技术效率，二是提高规模效率。

1）技术效率的提高

技术效率的提高分为两步：一是射影调整，即将决策单元移至其在生产前沿面上的投影点。二是松弛量的调整。如果某投入要素存在松弛，说明投入存在冗余，应将投入减去相应的松弛量；如果产出存在松弛，说明产出存在不足，应将产出加上松弛量。

2）规模效率的提高

借鉴张冬平等学者的研究成果，根据规模效率的大小，调整方案可以分为以下两种情况。

一是对规模效率较高地区的调整。对于这类地区，可以仅考虑提高其技术效率，在提高技术效率的同时，规模效率会得到一定程度的改善。根据各地区所处规模报酬阶段，有两种方案可供选择：方案一是对处于规模报酬递增阶段的地区，如果增加投入可以降低单位成本，因此应保持现有投入不变，将产出扩大；方案二是对处于规模报酬递减阶段的地区，如果继续增加投入会提高单位成本，因此应保持现有产出不变，减少投入。

二是对规模效率较低地区的调整。对于这类地区，应同时提高规模效率与技术效率。具体分为两步：第一步：提高规模效率，达到规模经济。如果处于规模报酬递增阶段，则将其投入、产出值按比例提高，反之则将投入产出值按比例降低，直到达到规模报酬不变阶段。第二步：以第一步推算的投入产出值进行 DEA分析，得到一个新的技术效率值，再通过射影调整和松弛量调整提高技术效率。

统计结果表明：除河北省以外的其他 9 省，其调整项目栏的数值均为 0，表示其技术效率为 1，不需要调整其投入产出量。河北省属于规模效率较高地区，且处于规模报酬递增阶段，应采用产出最大，投入不变方案。第一步，射影调整。河北省基于投入最小化的技术效率为 0.804，为了确定产出扩大的比例，还应进行基于产出最大化的 DEA 分析，得到河北省的技术效率为 0.718，规模效率为 0.992，所以应将原产出值增加 28.2%，原投入保持不变，此时模拟结果为：

技术效率提高到 1，规模效率仍为 0.992。第二步：松弛量调整。将菌种费、基料费和其他费用相应的松弛量减去。该方案的目标值为产出提高 28.2%，菌种费减少 3.75%，基料费和其他费用减少较多，分别为 38.19% 和 22.18%。此时模拟的结果为：技术效率为 1，规模效率提高到 0.999。具体调整方案如表 2-2 所示。

表 2-2　河北省食用菌的生产效率改进参考方案

投入产出	项目名称	初始值/元	射影调整量/元	松弛调整量/元	目标值/元	总改进比例/%
产出	食用菌收入	31 724.64	9 263.595	0	40 988.23	28.20
投入	菌种费	5 030.56	0	−188.68	4 841.88	−3.75
	肥料费	2 237.29	0	0	2 237.29	0
	基料费	10 172.24	0	−3 884.73	6 287.51	−38.19
	其他费用	11 557.22	0	−2 563.53	8 993.69	−22.18
	劳动用工	8 389.45	0	0	8 389.45	0

2.1.3.3　DEA 模型的改进扩展——SE-DEA 模型

上述结果表明，在运用规模报酬可变的 DEA 模型（BCC）对 10 个食用菌主产省份进行效率评价时，对于同时具有规模收益不变和技术效率最佳的湖北、福建、浙江、吉林、黑龙江、辽宁这 6 个省份不能做进一步的效率差异区分。为克服这点不足，下面应用 SE-DEA 模型对其做进一步评价，将表 2-1 结果中效率值均为 1 的 6 个省份对应的投入、产出数据代入 SE-DEA 模型，借助 EMS Version1.3 软件，得到的结果如表 2-3 所示。

表 2-3　食用菌生产最佳决策单元的超效率排序

产区	福建	辽宁	浙江	吉林	黑龙江	湖北
超效率	2.36	1.86	1.32	1.28	1.12	1.11

借助 SE-DEA 模型，我们可以对同时具有规模收益不变和技术效率最佳的湖北、福建、浙江、吉林、黑龙江、辽宁这 6 个省份做进一步的评价。由表 2-3 可知，在 BCC 模型评价结果中表现为 DEA 有效的 6 个省份在食用菌生产效率上的排名依次为福建、辽宁、浙江、吉林、黑龙江、湖北。这说明即便是在效率值显示为最优的情况下，这 6 个省份在食用菌生产中仍然存在较大差距，尚存在需要改进的地方。

2.1.4　结论与政策启示

2.1.4.1　基本结论

2008 年我国 10 个食用菌主产省份农户的食用菌生产在总体上利用现有技术的能力较强，技术效率较高，其改进途径主要在于适当调整现有的生产规模，实现食用菌的规模化生产。其中，湖北、福建、浙江、吉林、黑龙江、辽宁这 6 个省份在 BCC 模型测算结果中的效率值均达到 1，表明这些省份的食用菌生产技术潜力得到了较充分的发挥，并且达到了生产规模的最佳状态，处于规模报酬不变阶段，这些产区应保持目前的规模水平。但应用 SE-DEA 模型做进一步评价发现，即便是在效率值显示为最优的情况下，这 6 个省份在食用菌生产中仍然存在较大差距，尚存在需要改进的地方。河南、河北、山东、江苏这 4 省的综合效率偏低，主要由于规模效率较低，且处于规模递增阶段，可通过适度扩大生产规模提高效率。其中，河北省由于技术效率偏低，除了需要扩大规模外，还需通过调整投入产出量来改善其资源配置效率。需要说明的是，由于数据上的限制，仅采用了各个主产省份食用菌农户的微观截面数据，缺少对生产率与技术进步的动态分析，因此在实证分析结果上，可能与实际中的真正原因及影响因素存在一定的偏差。

但研究结论的政策含义非常明显。食用菌目前已成为各主产省份农户家庭经营收入的主要来源，在现有技术水平和要素投入下，通过改善资源配置、提高要素配置市场化程度、增加技术投入是实现适度规模经营，不断提高促进食用菌农户生产效率的关键。

2.1.4.2　政策建议

1）积极引导和鼓励中介组织的发展，推进产销之间的有效对接

食用菌行业协会及食用菌专业合作社是把菇农小规模的经营连接起来形成社会化规模生产的纽带。因此，应加强省级和主产区食用菌行业协会的建设，不断健全食用菌行业协会网络，交流产销经验，协调产品结构，提供科技与市场信息，开展技术培训和科普宣传等方面的服务工作。在食用菌主产区，应建立股份制的食用菌专业合作社，赋予其一定的功能，使之成为主产区食用菌产供销一体化专业服务组织。通过发挥这些中介组织技术引进的专业化优势及生产要素采购的市场化优势，提高生产经营整体的专业化和市场化水平，从而使得小规模菇农

也能获得同样的市场竞争力。

2) 建立健全"抱团"机制，走联合发展之路

通过组建大型集团公司，把组织生产、信息传递、对内对外贸易、科技开发与引进、精深产品加工、利益分配等相关环节有机地融为一体，实行以科学技术为先导，以专业户规模化生产基地为基础，以大型加工销售企业为龙头、合作经济为依托，实现产、购、销一条龙，科、贸、农、工一体化。建立起"公司+基地+农户"、"合作社+农户"、"协会+合作社+农户"等联合模式，调动广大菇农的积极性，带动千家万户种植食用菌，切实做大做强食用菌产业。

3) 逐步扩大农户的经营规模，实现规模化经营

制约食用菌规模效率的主要障碍之一就是农户经营规模小且极度分散。目前一家一户的小农经营方式，生产规模小，农户投资能力较弱。因此，政府可通过市场选择培育一批核心菇农，通过制定一系列促进生产发展的政策和鼓励措施给予支持，如在资金方面，完善农村金融市场服务的功能，提高菇农信用支持的可得性；在税收方面，采取"先予后取，放水养鱼，适度放宽"的优惠政策；在技术信息方面，加强农村信息化建设的力度，提高菇农信息的可得性和获取能力，降低技术扩散的成本，特别是信息传播中的交易成本，使核心菇农不断扩大生产规模，形成食用菌栽培大户。

（袁燕华　张俊飚）

2.2　不同规模农户生产双孢蘑菇的经济效率分析

2.2.1　菇农适度规模经营的内涵

在对不同规模菇农的生产经济效率进行分析和比较之前，应该从理论上对菇农的生产规模进行界定，并理清生产规模与平均生产成本之间的关系。

2.2.1.1　规模的内涵及划分依据

一般意义上的规模是指事物在空间范围内的集聚程度，应用在双孢蘑菇生产领域，规模是指菇农的投入量和产出量在一定空间范围内的集聚程度。界定菇农的生产规模主要有三种方式：第一种是以生产要素投入量来衡量菇农生产规模；第二种是以栽培面积来衡量菇农生产规模；第三种是以双孢蘑菇产量来衡量菇农生产规模。生产规模的界定方式不同，在研究方法、研究内容和研究结论上也会

有所差异。在我国，一般以土地经营面积作为划分农户规模的标准，理由是：第一，土地是农业生产中最为稀缺的资源，特别是在人多地少的我国，必须要充分发挥土地的生产潜能，采用土地经营面积作为规模划分的标准具有一定现实意义；第二，大量学者如张忠根（2001）、夏永祥（2002）、卫新（2003）、胡初枝（2007）和李然（2010）等均以土地经营面积为规模划分依据研究了农户适度规模经营问题，从实证角度证实了以土地面积作为划分依据的合理性。

2.2.1.2 菇农适度规模经营的理论依据

农业适度规模经营的理论基础是规模经济理论。该理论阐述了菇农生产规模与平均生产成本之间的关系：起初菇农在较小规模上从事生产活动，平均生产成本较高；随后生产规模不断扩大，平均生产成本也不断下降；当生产规模扩大到某一点后，平均生产成本开始上升。由图2-1可知，在 E 点的左方，随着菇农生产规模不断扩大，菇农的平均生产成本也不断下降，处于规模经济阶段；在 E 点的右方，菇农生产规模继续扩大，但平均生产成本呈递增趋势，菇农处于规模不经济阶段，在 E 点上，菇农的平均生产成本最低，达到了最佳经济规模点。

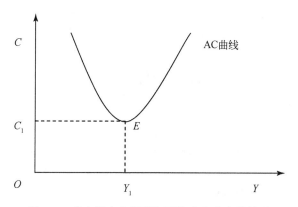

图2-1　菇农的生产规模与平均生产成本的关系

菇农生产规模与平均生产成本间的关系，是由内在经济、内在不经济、外在经济和外在不经济共同决定的。内在经济是指随着菇农生产规模的扩大，由内部资源整合引起的平均成本降低和收益增加的现象，一般可以通过使用先进设备、实行专业化分工、提高管理效率、加强副产品综合利用、降低生产资料购买价格等途径实现；然而生产规模的扩大又会伴随着内部资源配置不合理、资源闲置过多、信息交流不畅等现象产生，从而引起收益减少，产生内在不经济。外在经济是指由于菇农生产规模扩大，引起生产经营的外部环境改善，继而引起菇农收益增加的现象，如伴随菇农生产规模扩大，菇农可以在生产资料供给、市场销售、技术培训等方面得到更为廉价优质的服务；然而菇农生产规模扩大也会引起竞争加剧、运输紧张、销售不畅等一系列问题，给菇农带来利益损失，引发外在不经济。

2.2.2　不同规模菇农的生产经营现状

在对不同规模菇农的生产经济效率及影响因素进行分析之前，有必要深入探析不同规模菇农的生产经营现状，主要包括不同规模菇农的分布情况、投入产出比例和单要素生产率等方面，为分析不同规模菇农的经济效率奠定基础。

2.2.2.1　不同规模菇农的分布情况

基于对湖北、福建、山东、江苏和河南 5 个省份菇农微观数据的整理统计，得出样本菇农平均栽种面积为 4811.18 平方米，其中河南、江苏和山东 3 省菇农的生产规模相对较大，平均种植面积超过 5000 平方米。本书也以种植面积为规模划分依据，将样本菇农分为三种类型：第一类为种植面积小于 1000 平方米的小规模菇农，第二类为种植面积在 1000~5000 平方米的中等规模菇农，第三类为种植面积大于 5000 平方米的大规模菇农。

由表 2-4 可知不同规模菇农的分布情况，栽种面积在 1000~5000 平方米的菇农最多，有 184 户，占样本总量的 43.86%；栽种面积在 1000 平方米以下的菇农有 156 户，占样本总量的 37.34%；栽种面积在 5000 平方米以上的菇农有 79户，占样本总量的 18.80%。其中湖北和福建两省的小规模菇农比例较高，分别为 54.12% 和 50.94%，山东、江苏和河南 3 省的中等规模菇农比例较高，分别为 47.06%、48.39% 和 48.00%。

表 2-4　不同规模菇农的分布情况　　　　（单位:%）

省份	户均种植面积/平方米	<1000 平方米	1000~5000 平方米	>5000 平方米
湖北	1 477.02	54.12	40.00	5.88
福建	2 787.17	50.94	35.85	13.21
山东	5 509.13	34.12	47.06	18.82
江苏	7 413.90	21.51	48.39	30.10
河南	8 742.60	26.00	48.00	26.00
平均	4 811.18	37.34	43.86	18.80

2.2.2.2 不同规模菇农的生产经营情况

通过对调查数据的整理分析发现,不同规模菇农在总投入、菌种投入、劳动力投入、薄膜投入、总收入等方面均有所差异。总体上反映出如下趋势:中等规模菇农的投入产出比最高,大规模菇农的投入产出比次之,小规模菇农的投入产出比最低。

由表2-5可知,不同规模菇农的生产总投入的平均水平是:小规模菇农每平方米的总投入为18.84元,中等规模菇农每平方米的总投入为15.48元,大规模菇农每平方米的总投入为17.95元,其中小规模菇农的每平方米总投入最多,比中等规模菇农的高出21.7%。在湖北、山东和河南3个样本省份,中等规模菇农每平方米的总投入最低;江苏省大规模菇农每平方米的总投入最低,但大规模菇农与中等规模菇农之间每平方米的总投入差距较小,仅为0.71元;福建省小规模菇农每平方米的总投入最低,但中等规模菇农与小规模菇农之间每平方米的总投入相差较小,仅为0.64元。基本上,不同规模菇农在总投入方面体现出如下特征:中等规模菇农的单位总投入最少,大规模菇农次之,小规模菇农的单位总投入最多。

表2-5 不同规模菇农的总投入情况　　　（单位：元/平方米）

省份	<1000 平方米	1000~5000 平方米	>5000 平方米
湖北	18.10	11.73	16.60
福建	19.19	19.83	20.90
山东	17.98	12.78	16.36
江苏	20.19	17.25	16.54
河南	18.72	15.82	19.34
平均	18.84	15.48	17.95

由表2-6可知不同规模菇农的收入情况,从样本总体来看,小规模菇农每平方米的总收入为14.84元,中等规模菇农每平方米的总收入为25.27元,大规模菇农每平方米的总收入为21.61元。不同规模菇农的每平方米总收入差别较大,中等规模菇农每平方米的总收入较小规模菇农的高出70.3%。样本省份之间横向比较显示:湖北、福建、山东和河南4省中等规模菇农每平方米的总收入最高,分别为22.71元、28.29元、28.09元和29.13元;江苏省大规模菇农每平方米的总收入最高,为20.26元。基本上,不同规模菇农在收入方面呈现如下特征:

中等规模菇农每平方米的收入最高，大规模菇农次之，小规模菇农收入最低，且不同规模菇农的收入差别较大。

表 2-6　不同规模菇农的总收入情况　　（单位：元/平方米）

省份	<1000 平方米	1000~5000 平方米	>5000 平方米
湖北	14.96	22.71	17.69
福建	14.52	28.29	20.30
山东	14.89	28.09	24.35
江苏	14.52	18.14	20.26
河南	15.32	29.13	25.46
平均	14.84	25.27	21.61

　　用每平方米总收入除以每平方米总投入，能够得到菇农生产双孢蘑菇的投入产出比（其中以投入为1），该指标代表投入价值1元的生产要素能够产生的经济效益（表2-7）。从样本总体来看，不同规模菇农之间的投入产出比差别较大，小规模菇农的投入产出比为0.7880，中等规模菇农的投入产出比为1.6324，大规模菇农的投入产出比为1.2041，其中中等规模菇农的投入产出比与小规模菇农的相比，高出107.2%。在本书中，投入产出比等于每平方米总收入和每平方米总投入之间的比值，由于不同规模菇农之间的每平方米总投入差别较小，因此每平方米总收入差异较大是造成不同规模菇农投入产出比差别较大的直接原因。在5个样本省份中，湖北、福建、山东和河南4省中等规模菇农的投入产出比最高，分别为1.9361、1.4266、2.1980和1.8413；江苏省大规模菇农的投入产出比最高，为1.2249。不同规模菇农的投入产出比基本上呈现如下特征：中等规模菇农的投入产出比最高，即投入1元的生产要素能够产生的经济效益最大；大规模菇农次之，小规模菇农投入1元所产生的经济效益最少，且不同规模菇农的投入产出比差别较大。

表 2-7　不同规模菇农的投入产出比例（以投入为1）

省份	<1000 平方米	1000~5000 平方米	>5000 平方米
湖北	0.826 5	1.936 1	1.065 7
福建	0.756 6	1.426 6	0.971 3
山东	0.828 1	2.198 0	1.488 4
江苏	0.719 2	1.051 6	1.224 9
河南	0.818 4	1.841 3	1.316 4
平均	0.788 0	1.632 4	1.204 1

由表2-8可知不同规模菇农的菌种投入情况，从样本总体来看，中等规模菇农每平方米的菌种投入最高，为6.48元，小规模菇农每平方米的菌种投入为6.14元，大规模菇农每平方米的菌种投入最低，为5.97元。样本省份横向对比显示：湖北、江苏、河南3省小规模菇农每平方米的菌种投入最低，分别为5.14元、5.89元和6.97元；福建和山东两省大规模菇农每平方米的菌种投入最低，分别为5.45元和5.38元。综合来看，不同规模菇农在菌种投入方面呈现如下特征：中等规模菇农每平方米的菌种投入较高，大规模菇农和小规模菇农每平方米的菌种投入相对较低，但是不同规模菇农在菌种投入方面的差异不大。

表2-8　不同规模菇农的菌种投入情况　（单位：元/平方米）

省份	<1000 平方米	1000~5000 平方米	>5000 平方米
湖北	5.14	5.59	5.81
福建	5.96	7.18	5.45
山东	6.74	5.60	5.38
江苏	5.89	6.73	6.07
河南	6.97	7.29	7.15
平均	6.14	6.48	5.97

由表2-9可知不同规模菇农的薄膜投入情况，从样本总体来看，中等规模菇农和小规模菇农每平方米的薄膜投入较高，均为0.37元，大规模菇农每平方米的薄膜投入为0.36元，但不同规模菇农之间的薄膜投入差别不大。可能的原因在于各地区双孢蘑菇生产技术相似，尤其在搭架环节的薄膜用料上相差不多。样本省份横向对比显示，福建、江苏、河南3省中等规模菇农每平方米的薄膜投入最低，分别为0.35元、0.37元和0.35元；湖北和山东两省大规模菇农每平方米的薄膜投入最低，分别为0.32元和0.33元。综合而言，双孢蘑菇生产的薄膜投入呈现如下特征：中等规模菇农和小规模菇农每平方米的薄膜投入较高，大规模菇农则相对较低，但不同规模之间的薄膜投入差别非常微小。

表2-9　不同规模菇农的薄膜投入情况　（单位：元/平方米）

省份	<1000 平方米	1000~5000 平方米	>5000 平方米
湖北	0.36	0.41	0.32
福建	0.36	0.35	0.36
山东	0.39	0.37	0.33
江苏	0.37	0.37	0.38
河南	0.39	0.35	0.41
平均	0.37	0.37	0.36

由表 2-10 可知不同规模菇农的劳动力投入情况，从样本总体来看，小规模菇农每平方米的劳动力投入最高，为 12.32 元；中等规模菇农每平方米的劳动力投入最低，为 8.63 元；大规模菇农每平方米的劳动力投入为 11.61 元。不同规模菇农之间的劳动力投入差别较大，其中小规模菇农每平方米的劳动力投入较中等规模菇农的高出 42.8%。省份间横向比较显示，湖北、福建、山东和河南 4 省中等规模菇农每平方米的劳动力投入最低，分别为 5.73 元、12.30 元、6.81 元和 8.19 元，江苏省大规模菇农每平方米的劳动力投入最低，为 10.08 元。综合而言，不同规模菇农的劳动力投入呈现如下特征：中等规模菇农每平方米的劳动力投入最少，且不同规模菇农之间的投入差异较大。

表 2-10 不同规模菇农的劳动力投入情况 （单位：元/平方米）

省份	<1000 平方米	1000~5000 平方米	>5000 平方米
湖北	12.61	5.73	10.47
福建	12.86	12.30	15.09
山东	10.84	6.81	10.64
江苏	13.93	10.14	10.08
河南	11.36	8.19	11.78
平均	12.32	8.63	11.61

2.2.3 不同规模菇农的单要素生产率分析

在双孢蘑菇生产中，土地、劳动力、菌种和薄膜均是重要的投入要素，在对不同规模菇农的技术效率和配置效率进行测度之前，有必要对各种投入要素的生产率进行测算，以形成对不同规模菇农生产经济效率的初步判断。

土地是双孢蘑菇生长的重要载体，耕地的稀缺性意味着需要通过提高土地利用效率来提升双孢蘑菇的生产率，本书中的土地生产率是指在 1 平方米土地上产出的双孢蘑菇产量。由表 2-11 可知不同规模菇农的土地生产率情况，从样本总体来看，小规模菇农的土地生产率为 5.20，表示在 1 平方米的栽培面积上能够生产出 5.20 千克的鲜双孢蘑菇，中等规模菇农的土地生产率为 7.89，大规模菇农的土地生产率为 7.46。不同规模菇农之间的土地生产率差别较大，其中中等规模菇农的土地生产率较小规模菇农的高出 51.7%。样本省份横向比较显示，湖北、福建、山东和江苏 4 省中等规模菇农的土地生产率最高，分别为 8.13、7.51、

8.06 和 7.85；河南省大规模菇农的土地生产率最高，为 8.37。综合而言，不同规模菇农的土地生产率基本上呈现如下特征：中等规模菇农的土地生产率最高，且不同规模菇农之间的土地生产率差别比较明显。

表 2-11   不同规模菇农的土地生产率 (单位：千克/平方米)

省份	<1000 平方米	1000~5000 平方米	>5000 平方米
湖北	5.12	8.13	6.65
福建	5.18	7.51	6.62
山东	5.29	8.06	7.90
江苏	5.22	7.85	7.74
河南	5.20	7.90	8.37
平均	5.20	7.89	7.46

劳动力也是双孢蘑菇生产中的重要投入要素。目前我国的双孢蘑菇生产基本上还是以手工操作为主，劳动强度较大，劳动力投入较多，在此也有必要对菇农的劳动生产率进行测度。菇农的劳动生产率是指 1 单位的劳动投入（通常指 1 个工作日）所能生产的鲜菇产量。

由表 2-12 可知，不同规模菇农的劳动生产率情况，从样本总体来看，小规模菇农的劳动生产率为 23.20，意味着 1 个工作日的劳动力投入可以产出 23.20 千克的鲜菇，中等规模菇农的劳动生产率为 45.44，大规模菇农的劳动生产率为 35.49。不同规模菇农的劳动生产率差别较大，其中中等规模菇农的劳动生产率较小规模菇农的高出 95.9%。样本省份横向比较显示，湖北、福建、山东和江苏 4 省中等规模菇农的劳动生产率最高，分别为 55.11、41.86、48.70 和 47.37；河南省大规模菇农的劳动生产率最高，为 40.45。综合而言，不同规模菇农的劳动生产率基本上呈现如下特征：中等规模菇农的劳动生产率最高，大规模菇农次之，小规模菇农的劳动生产率较低，且不同规模菇农的劳动生产率差别比较明显。

表 2-12   不同规模菇农的劳动生产率 (单位：千克/工作日)

省份	<1000 平方米	1000~5000 平方米	>5000 平方米
湖北	23.67	55.11	30.55
福建	23.54	41.86	29.95
山东	22.77	48.70	37.10
江苏	22.47	47.37	39.39
河南	23.55	34.16	40.45
平均	23.20	45.44	35.49

　　双孢蘑菇生长对温度、湿度、光照和通风等自然条件的要求较高，农户经常通过搭建菇棚来控制双孢蘑菇的生长条件。薄膜是菇棚搭建中重要的投入要素，覆盖在菇棚上的薄膜一般可以正常使用 2 ~ 3 年，为了减少计算误差，本书以 2.5 年为折旧期，按照直线折旧法对薄膜投入进行分摊，以计算出菇农每年使用的薄膜面积和金额。薄膜的使用效率可以用薄膜生产率来表示，菇农的薄膜生产率较指使用每千克薄膜能够生产出的鲜双孢蘑菇产量。由表 2-13 可知不同规模菇农的薄膜生产率，从样本总体来看，小规模菇农的薄膜生产率为 185.16，即使用每千克薄膜能够生产出 185.16 千克的鲜菇，中等规模菇农的薄膜生产率为 280.32，大规模菇农的薄膜生产率为 266.14。不同规模菇农之间的薄膜生产率差别较大，其中中等规模菇农薄膜生产率较小规模菇农的高出 51.4%。省份之间横向比较显示，湖北、福建、江苏 3 省中等规模菇农的薄膜生产率最高，分别为 271.99、289.23 和 272.63；山东和河南两省大规模菇农的薄膜生产率最高，分别为 304.69 和 272.28。综合而言，不同规模菇农的薄膜生产率基本呈现如下特征：中等规模菇农的劳动生产率最高，大规模菇农次之，小规模菇农的劳动生产率最低，且不同规模菇农之间的薄膜生产率差别较大。

表 2-13　不同规模菇农的薄膜生产率　　（单位：千克/千克）

省份	<1000 平方米	1000 ~ 5000 平方米	>5000 平方米
湖北	191.37	271.99	258.06
福建	184.27	289.23	230.52
山东	181.95	299.72	304.69
江苏	183.23	272.63	265.16
河南	184.96	268.03	272.28
平均	185.16	280.32	266.14

　　菌种对双孢蘑菇生产的意义重大，菌种的品质和投入量直接影响着双孢蘑菇的产量和品质，因此在分析单要素生产率时，应该重点测度菌种生产率。菌种生产率是指使用 1 单位菌种（通常用 1 瓶表示，统一按 1 瓶 = 500 毫升折算）所能生产的鲜双孢蘑菇产量。由表 2-14 可知不同规模菇农的菌种生产率，从样本总体来看，小规模菇农的菌种生产率为 4.37，即投入 1 瓶菌种可以生产出 4.37 千克的鲜菇，中等规模菇农的菌种生产率为 6.43，"大规模菇农"的菌种生产率为 5.90。不同规模菇农的菌种生产率差别较大，其中中等规模菇农的菌种生产率较小规模菇农的高出 47.1%。样本省份之间横向比较显示，湖北、福建、山东和江

苏4省中等规模菇农的菌种生产率最高，分别为7.86、5.60、7.34和5.66，河南省大规模菇农的菌种生产率最高，为5.96。综合而言，不同规模菇农的菌种生产率呈现如下特点：中等规模菇农的菌种生产率最高，大规模菇农次之，小规模菇农的菌种生产率最低，且不同规模菇农的菌种生产率差别较大。

表 2-14　不同规模菇农的菌种生产率　　（单位：千克/瓶）

省份	<1000 平方米	1000~5000 平方米	>5000 平方米
湖北	4.81	7.86	5.76
福建	5.24	5.60	5.35
山东	4.08	7.34	6.79
江苏	4.04	5.66	5.66
河南	3.66	5.68	5.96
平均	4.37	6.43	5.90

总体而言，从不同规模菇农的土地生产率、劳动生产率、菌种生产率和薄膜生产率的分析中可以发现，中等规模菇农的单要素生产率要高于大规模菇农和小规模菇农的单要素生产率。这说明，一部分样本菇农的双孢蘑菇生产处于规模效率上升期，另一部分菇农则处于规模效率下降期，在现有的生产条件和技术水平下，合理安排菇农的生产规模，提高菇农的专业化和标准化水平，对于节约生产要素投入、降低菇农的生产成本、提高双孢蘑菇产量和品质、增加菇农收入、提升双孢蘑菇产业竞争力都有着重要的推动作用。

2.2.4　不同规模菇农生产的技术效率分析

在分析菇农单要素生产率的基础上，本书分别对小规模菇农、中等规模菇农和大规模菇农的技术效率进行测度，并采用随机前沿分析（stochastic frontier analysis，SFA）方法对影响不同规模菇农技术效率的主要因素进行实证分析。

2.2.4.1　模型选择与数据特征

本书仍然沿用 Battese 和 Coelli（1993）提出的同时估计随机前沿生产函数和技术效率函数的方法，随机前沿生产函数模型为

$$Y_i = X_i b + V_i - U_i \tag{2-3}$$

式中，Y_i 为第 i 个菇农的双孢蘑菇产量（或产量的对数值）；X_i 为第 i 个菇农对应的 n 种投入要素的数量（或其对数）；b 为待估计的投入要素参数；V_i 是随机误

差项，假设服从独立同一分布且 $V_i \sim N$（0，σ_v^2）；U_i 为技术非效率项，且假设服从均值为 m_i，方差为 σ_u^2 的半正态分布，即 $U_i \sim N$（m_i，σ_u^2）。$m_i = z_i d$ 为效率损失指数，z_i 为影响第 i 个菇农技术效率水平的变量向量；d 为待估计参数，反映变量对菇农生产技术效率的影响方向和程度。同时，令 $\sigma^2 = \sigma_u^2 + \sigma_v^2$，$\gamma = \sigma_u^2 / (\sigma_u^2 + \sigma_v^2)$ 应用非线性估计方法，得到所有待估参数的最大似然估计量。经过似然比检验，认为本部分更适宜采用柯布—道格拉斯函数形式进行分析。

一般来说，对菇农的规模进行细致的划分，有助于准确分析菇农生产规模与经济效率之间的关系，但是受限于样本总量较少、解释变量个数较多的分析条件，对菇农分组过多将会影响模型估计结果的可信性。基于此，本书以栽培面积为划分依据将样本菇农分为三种类型：小规模菇农（小于 1000 平方米）、中等规模菇农（1000~5000 平方米）和大规模菇农（大于 5000 平方米）。此外，为了控制解释变量个数，本书并未将地区虚拟变量纳入生产函数。影响菇农技术效率的潜在因素如下：户主年龄（Z_1）、户主受教育程度（Z_2）、蘑菇经营收入占家庭总收入比重（Z_3）、菇农核算生产成本情况（Z_4）、菇农与企业签订购销协议情况（Z_5）、政府开展蘑菇生产技术培训情况（Z_6）、当地是否有蘑菇行业组织（Z_7）和家庭附近的公路等级（Z_8），如表 2-15 所示。

表 2-15　解释变量的统计特征

变量	变量含义	<1000 平方米	1000~5000 m²	>5000 平方米
Z_1	户主年龄	44.403 7	44.192 3	44.567 3
Z_2	户主受教育程度	2.055 9	1.994 5	2.086 0
Z_3	蘑菇经营收入占家庭总收入比重	0.628 5	0.736 0	0.789 1
Z_4	菇农核算生产成本情况	0.844 7	0.928 6	1.081 4
Z_5	菇农与企业签订购销协议情况	0.124 2	0.214 3	0.229 4
Z_6	政府开展蘑菇生产技术培训情况	0.484 5	0.533 0	0.684 7
Z_7	当地是否有蘑菇行业组织	0.323 0	0.434 1	0.644 9
Z_8	家庭附近的公路等级	3.205 0	3.016 5	3.593 8

由表 2-15 可知解释变量的统计特征，从菇农的平均年龄来看，不同规模菇农的平均年龄相差不大，均在 44~45 岁，年富力强。从户主的受教育程度来看，不同规模菇农的户主受教育程度均达到初中水平，户主能够读懂简单的科普读物，并具备掌握双孢蘑菇常规栽培技术的能力。从蘑菇经营收入占家庭总收入的比重来看，整体而言，蘑菇经营收入为样本菇农家庭经济收入的主要来源，随着

菇农栽培规模的扩大,蘑菇经营收入占家庭总收入的比重也在逐步提高。从菇农核算生产成本情况来看,不同规模菇农大多只是粗略核算过生产成本。从菇农与企业签订购销协议情况来看,不同规模菇农与企业签订购销协议的比例均较低,但是随着种植规模的扩大,菇农与企业签订协议的比例有逐步上升的趋势。从政府开展蘑菇生产技术培训情况来看,菇农的种植规模越大,接受政府技术培训的机会越多,由表2-15可知,大规模菇农接受过政府技术培训的比例达68.47%,而小规模菇农接受政府技术培训的比例仅为48.45%,随着菇农生产规模的扩大,双孢蘑菇生产的外部环境得到了明显改善。从当地是否有蘑菇行业组织来看,在大规模菇农集中的双孢蘑菇产区,当地的蘑菇行业组织数量较多,小规模菇农集聚区的蘑菇行业组织较少。从家庭附近的公路等级来看,大规模菇农集聚区的路况条件更好。

2.2.4.2 模型结果

利用 Frontier 4.1 软件对柯布-道格拉斯生产函数进行估计,模型估计结果如表2-16所示。似然比检验表明模型的设定形式比较合理,γ 值显著异于零,表明不同规模菇农在双孢蘑菇生产中均存在着明显的技术效率损失。

1) 投入要素的产出弹性分析

由表2-16可知,不同规模菇农的投入产出弹性有所差异。在统计意义上,菌种投入对不同规模菇农的产量没有显著影响,增加薄膜和劳动力的投入可以显著地增加双孢蘑菇产量。对于小规模菇农来说,在其他投入要素不变的情况下,每增加1单位的薄膜投入,可以增加0.5520单位的双孢蘑菇产量;对于中等规模菇农来说,每增加1单位的薄膜投入,可以增加0.3049单位的鲜菇产量;对于大规模菇农来说,每增加1单位的薄膜投入,可以增加0.7602单位的蘑菇产量。在现实生产中,可以通过两种方式增加薄膜投入:一是提高薄膜的使用量;二是加快薄膜的折旧速度。我国菇农的菇棚搭建方法基本与之类似,每平方米的薄膜使用量基本相同,这也决定着只要菇棚搭建完毕,将无法再增加薄膜的使用量,因此只能利用第二种方式来增加薄膜投入。加速薄膜的折旧速度,缩短薄膜的使用年限,具有一定的合理性,因为我国薄膜生产企业的规模大小不一,薄膜质量参差不齐,劣质薄膜大量充斥市场,很多薄膜的正常使用寿命往往低于标签使用寿命,如果按照标签寿命使用薄膜,很可能会影响菇棚温度、湿度、光照、通风等条件的控制,不利于双孢蘑菇生长,造成蘑菇的产量和品质降低。

在3个随机前沿生产函数中,劳动力的投入产出弹性为正,意味着在其他投入要素不变的前提下，增加劳动力投入，能够在一定程度上提高双孢蘑菇产量。对于小规模菇农来说，每增加 1 单位的劳动力投入，可以提高 0.1649 单位的双孢蘑菇产量；对于中等规模菇农来说，每增加 1 单位的劳动力投入，可以提高 0.1342 单位的双孢蘑菇产量；对于大规模菇农来说，每增加 1 单位的劳动力投入，可以提高 0.1825 单位的双孢蘑菇产量。双孢蘑菇生产是一项劳动密集型的农业活动，在生产中需要投入大量的劳动力，很多菇农在将自家全部劳动力投入到双孢蘑菇生产后，仍然存在较大的用工缺口，需要雇佣外部劳动力以满足生产需要。双孢蘑菇生产提供了大量的就业机会，这为农村剩余劳动力的就地转移提供了方便渠道，同时也为外出打工者回乡创业提供了良好的致富平台。此外，菌种投入对不同规模菇农的产量影响在统计上并不显著，但是增加菌种投入对蘑菇产量的影响方向仍然具有一定的正向性。

表 2-16　不同规模菇农的随机前沿生产函数参数估计结果

变量	<1000 平方米	1000～5000 平方米	>5000 平方米
$\ln S$	0.101 5	0.105 2	0.030 2
$\ln F$	0.552 0 ***	0.304 9 **	0.760 2 ***
$\ln L$	0.164 9 ***	0.134 2 **	0.182 5 ***
Z_1	0.001 3	−0.014 4	0.040 2 *
Z_2	−0.146 1	−0.065 2 **	0.924 5
Z_3	−0.956 2 **	−2.046 8	0.311 2
Z_4	0.251 6	−0.071 0	−0.471 4 **
Z_5	−0.302 6 ***	0.354 5	0.676 7
Z_6	0.013 6	−0.421 7 **	−0.134 9 ***
Z_7	−0.323 4 ***	−0.081 7 *	0.506 1
Z_8	−0.011 2	−0.184 5 **	−0.648 1 ***
σ^2	0.380 9 ***	1.124 5	2.444 1
γ	0.029 5 **	0.561 6	0.924 1

***、** 和 * 分别表示在 1%、5% 和 10% 的水平下显著。

2）不同规模菇农技术效率的影响因素分析

由表 2-16 可知，各个影响因素对不同规模菇农技术效率的影响程度和影响方向有着明显差异。在小规模菇农生产函数中，蘑菇经营收入占家庭总收入比重、菇农与企业签订购销协议情况和当地是否有蘑菇行业组织 3 个解释变量对减少菇农效率损失、提高技术效率有着显著的正向影响：①蘑菇经营收入占家庭总收入的比重越高，则小规模菇农的技术效率越高。如果蘑菇经营收入占家庭总收入的比重较高，意味着蘑菇生产是家庭经济收入的主要来源，菇农会增强对双孢蘑菇生产的重视程度，通过采用节约资源的生产方式，应用高产的生产技术，改善菇房的卫生条件等措施来提高蘑菇产量，继而增加蘑菇经营收入。②对比未与企业签订购销协议的菇农，签订了购销协议的小规模菇农的技术效率更高。菇农在与企业签订蘑菇购销协议时，一般会设定蘑菇的品质等级和销售价格等款项。在销售价格既定的情况下，菇农如想增加蘑菇的经营收入，必须从生产环节入手、节约生产成本、增加蘑菇产量，这必然会刺激菇农采取相应措施来提高生产技术效率。③对比没有蘑菇行业组织的种植区，行业组织集中地区的小规模菇农的技术效率更高。众所周知，现阶段我国农村行业组织在农业发展、农民增收、农村民主建设等方面发挥出了积极有效的作用，特别是在农用物资采购、农产品生产、初加工、储存、流通、销售、信息和技术交流等方面体现出了较强的组织功能和带动作用。同样地，双孢蘑菇行业组织对于菇农技术水平和经营管理水平的提高也有着不可忽略的作用，在行业组织运行较好的种植区，菇农的生产技术效率也相对较高。

在中等规模菇农生产函数中，户主受教育程度、政府开展蘑菇生产技术培训情况、当地是否有蘑菇行业组织和家庭附近的公路等级对提高菇农的生产技术效率有显著的正向效应：①户主受教育程度越高，中等规模菇农生产双孢蘑菇的技术效率更高。与粮食作物和一般经济作物相比，双孢蘑菇生产要求农民具有更高的文化素质和技术水平。在当前政府农业技术推广工作辐射面较窄、相关部门和主体对双孢蘑菇重视程度不足的情况下，菇农很难从政府、企业、媒体等渠道接受到双孢蘑菇生产技术，很多菇农依靠自学、邻里经验交流等方式获得栽培技术。此时菇农的受教育程度便起着关键作用，如果受教育程度较高，菇农便能够更容易地掌握相关生产技术，并将这些技术应用到实际生产中，从而推动双孢蘑菇生产技术效率的提升。②在政府技术培训开展较好的种植区，中等规模菇农的技术效率较高。由于双孢蘑菇种植区域零星而分散，很多分布于山区和丘陵等交通不便地带，同时基层政府技术推广人员较少、业务能力参差不齐、农业技术推广经费有限等原因致使菇农很难从政府农技推广渠道中获知双孢蘑菇生产技术。此时政府技术培训工作处于边际报酬递增阶段，即政府稍微加强双孢蘑菇的技术培训力度，就能收获良好的培训效果，会在很大程度上提高菇农的技术水平和管理水平，推动技术效率的提升。③在公路交通发达的双孢蘑菇种植区内，中等规模菇农的技术效率更高。在20世纪末，"要致富、先修路"的农业发展思路得到了人们的广泛认同，经过几十年的实践证明，良好的交通基础设施对信息传递、物资和产品运输、农产品销售、技术交流等方面有着强大的推动作用，特别是对于技术要求较强和商品化率较高的双孢蘑菇产业来说，交通便利地区的菇农更容易获得科学的生产技术和质优价廉的生产资料，这对双孢蘑菇生产技术效率的提高会产生积极的正向效应。④与小规模菇农的情况类似，在行业组织数量较多的种植区内，中等规模菇农的技术效率也更高。

在大规模菇农生产函数中，户主年龄、菇农核算生产成本情况、政府开展蘑菇生产技术培训情况和家庭附近的公路等级4个变量对菇农的生产技术效率有显著的正向影响：①户主年龄较大的双孢蘑菇生产户的技术效率要高于户主年龄较小的蘑菇生产户。双孢蘑菇种植对生产者的技术水平和管理水平要求较高，随着户主年龄的增大，种植双孢蘑菇年限的增加，菇农能够掌握更多的生产技术，拥有更为丰富的管理经验，这些独具优势的"软实力"，将会推动菇农生产技术效率的提升。②在菇农核算生产成本方面，能够精确核算双孢蘑菇生产成本的菇农有着更高的技术效率。经常对生产成本进行核算，本身就代表着菇农具备较高的生产水平和经营管理水平。与中等规模菇农和小规模菇农相比，大规模菇农精准核算生产成本对抑制效率损失、提高鲜菇产量有着更为重要的意义。③与中等规模菇农的情况类似，在政府蘑菇技术培训开展较好的蘑菇生产区，该区域内大规模菇农的生产技术效率较高；在公路等级较高的双孢蘑菇种植区，该区域内大规模菇农的生产技术效率更高。

3) 样本省份不同规模菇农的技术效率分析

由表2-17可知样本省份不同规模菇农的生产技术效率情况，总体上来看，样本省份中等规模菇农的生产技术效率最高，平均效率值为0.5234，大规模菇农的平均技术效率值为0.4558，小规模菇农的技术效率最低，仅为0.2999，小规模作坊式生产的效率损失已经非常明显。此外，由于普通菇农掌握的设备、资金、技术、信息等比较有限，远远不能满足大规模生产的要求，大规模菇农的技术效率也比较低。对比大规模生产和小规模生产，栽种面积为1000~5000平方米的中等规模生产的技术效率更高，也更适宜样本省区的生产条件。

从各省份来看，福建、湖北、江苏、山东4省中等规模菇农的技术效率最高，依次分别为0.6308、0.5404、0.5040和0.4912；河南省大规模菇农的生产技术效率最高，效率值为0.4745。样本省份不同规模菇农的技术效率差异也带给我们一些启示：虽然双孢蘑菇产业是一种经济效益、社会效益、生态效益显著的朝阳产业，对于农民收入增加、农村剩余劳动力转移和农村废弃物的循环利用有着明显的推动作用。但是这并不意味着生产规模越大越好，实证分析表明适度规模的双孢蘑菇生产在经济上才是最有效率的。因此建议地方政府要根据当地的生产条件、政策环境和市场成熟度等方面统筹考虑，衡定适于当地的生产规模，合理引导双孢蘑菇产业发展。反之，盲目地"一窝蜂上马"、"一窝蜂下马"不但阻碍双孢蘑菇产业的持续健康发展，更挫伤了菇农的生产积极性，给菇农带来不可挽回的损失。

表 2-17　样本省份不同规模菇农的技术效率

省份	<1000 平方米	1000~5000 平方米	>5000 平方米
福建	0.308 4	0.630 8	0.555 8
河南	0.304 1	0.450 6	0.474 5
湖北	0.317 3	0.540 4	0.440 1
江苏	0.296 8	0.504 0	0.420 4
山东	0.272 7	0.491 2	0.388 1
平均值	0.299 9	0.523 4	0.455 8

2.2.5　不同规模菇农生产的配置效率分析

在对不同规模菇农的生产配置效率进行分析时，首先引入成本最小化的假设，将菇农的生产经济效率设定为成本效率；然后依据成本效率与技术效率之间的数量关系，计算出不同规模菇农的生产配置效率。通过运算柯布—道格拉斯型成本函数，得到参数估计结果（表 2-18）。其中 p_{1j}、p_{2j}、p_{3j} 分别为第 j 个菇农投入的菌种价格（元/瓶）、薄膜价格（元/千克）和劳动力价格（元/工作日），q_j 是第 j 个菇农的双孢蘑菇产量（千克）。

2.2.5.1　不同规模菇农的随机前沿成本函数估计结果

运用 Frontier 4.1 软件对柯布-道格拉斯型随机前沿成本函数进行估计（通过似然比检验选定成本函数形式），γ 值显著不为零，表明不同规模菇农在生产中均存在着明显的成本效率损失。

在小规模菇农的随机前沿成本函数中，双孢蘑菇产量（q_i）、菌种价格（p_{1i}）和劳动力价格（p_{3i}）对双孢蘑菇的生产成本有显著影响。具体而言，双孢蘑菇产量对双孢蘑菇生产成本有显著的正向影响，产量每增加 1 个单位，生产成本增加 0.5073 个单位；菌种价格对双孢蘑菇生产成本有显著的正向影响，菌种价格每增加 1 个百分点，生产成本增加 0.670 4 个百分点；劳动力价格对双孢蘑菇生产成本有显著的正向影响，劳动力价格每增加 1 个百分点，生产成本增加 0.5111 个百分点。

在中等规模菇农成本函数中，双孢蘑菇产量（q_i）和菌种价格（p_{1i}）对生产成本存在显著影响。具体而言，双孢蘑菇产量对生产成本有显著的正向影响，产量每增加 1 个百分点，生产成本增加 0.2386 个百分点；菌种价格对生产成本有显著的正效应，菌种价格每增加 1 个单位，生产成本增加 0.5535 个单位。

根据大规模菇农成本函数的参数估计结果，可以看出双孢蘑菇产量（q_i）和菌种价格（p_{1i}）对菇农生产成本的影响在统计意义上显著。具体而言，双孢蘑菇产量（q_i）对生产成本有显著的正向影响，产量每增加 1 个百分点，生产成本增加 0.4305 个百分点；菌种价格（p_{1i}）对生产成本有显著的正向效应，菌种价格每增加 1 个百分点，生产成本增加 0.7099 个百分点。

表 2-18 不同规模菇农的随机前沿成本函数参数估计结果

变量	<1000 平方米	1000~5000 平方米	>5000 平方米
$\ln q_i$	0.507 3 ***	0.238 6 ***	0.430 5 ***
$\ln p_{1i}$	0.670 4 ***	0.553 5 ***	0.709 9 **
$\ln p_{2i}$	−0.184 1	0.226 2	0.727 6
$\ln p_{3i}$	0.511 1 ***	0.141 6	−0.155 1
σ^2	1.213 4 ***	1.144 7 ***	1.083 5 **
γ	0.866 8 ***	0.779 5 ***	0.276 7 *

*** 、 ** 和 * 分别表示在 1%、5% 和 10% 的水平下显著。

2.2.5.2 不同规模菇农的配置效率比较

根据成本效率和技术效率之间的数量关系，可以得到不同规模菇农的生产配置效率。由表 2-19 可知，与不同规模菇农技术效率值的差异类似，不同规模菇农的生产配置效率基本上体现出中等规模菇农配置效率最高、大规模菇农配置效率次之，小规模菇农配置效率最低的特征，并且不同规模菇农之间的生产配置效率差距比较明显。其中小规模菇农的配置效率为 0.3687，中等规模菇农的配置效率为 0.5291，大规模菇农的配置效率为 0.4385。

样本省份之间横向比较发现，福建、河南、湖北、江苏、山东 5 省中等规模菇农的配置效率最高，效率值分别为 0.6254、0.4387、0.5011、0.5591 和

0.5214。实地调查还发现，大规模菇农和中等规模菇农的头脑比较灵活、市场观念和成本意识较强、对生产要素投入价格波动较为敏感、生产经验比较丰富、技术水平和管理水平较高。但是大规模菇农所掌握的技术、信息和资金等依然有限，对扶持政策、市场行情和金融支持的需求非常强烈，现有生产条件远远不能满足大规模生产的需要，这也是造成大规模菇农配置效率低于中等规模菇农配置效率的原因之一。不同省份中等规模菇农之间的配置效率差别较大，效率最高的福建和效率最低的河南之间相差了18.67个百分点；小规模菇农之间的配置效率差别也比较大，效率最高的湖北和效率最低的河南之间相差了18.10个百分点；大规模菇农之间的配置效率也有一定差别，效率最高的江苏和效率最低的山东之间相差8.86个百分点。

表 2-19　样本省份不同规模菇农的配置效率

省份	<1000 平方米	1000~5000 平方米	>5000 平方米
福建	0.384 4	0.625 4	0.472 2
河南	0.258 1	0.438 7	0.430 7
湖北	0.439 1	0.501 1	0.400 8
江苏	0.378 2	0.559 1	0.488 8
山东	0.383 6	0.521 4	0.400 2
平均值	0.368 7	0.529 1	0.438 5

不同样本省份之间配置效率差别较大，也反映了各个省份在双孢蘑菇产业发展基础和外部环境方面有所不同。以配置效率较高的福建和江苏两省为例分析，福建是我国发展双孢蘑菇产业较早的省份，福建的温度、湿度等自然条件为双孢蘑菇生长提供了良好的自然环境，福建的菇农勤劳吃苦、头脑灵活，为双孢蘑菇产业发展提供了较好智力条件，同时福建的双孢蘑菇产业在技术研发、产品加工、国际贸易等领域均处于国内领先水平，这些有利因素都为菇农配置效率提升奠定了良好的基础。江苏是我国市场经济比较发达的省份，菇农在成熟的市场经济环境熏陶下，成本意识和价格观念较强，获取市场信息和分析市场行情的能力更强，这在一定程度上也推动着江苏双孢蘑菇生产配置效率的提升。

2.2.5.3　不同规模菇农的配置效率影响因素分析

在对不同规模菇农配置效率的主要影响因素进行分析时，按照 Tobit 回归模型，利用 Eviews 6.0 软件对模型参数进行估计，回归模型的被解释变量为菇农的生产配置效率，解释变量为户主年龄（Z_1）、户主受教育程度（Z_2）、蘑菇经营收入占家庭总收入比重（Z_3）、菇农核算生产成本情况（Z_4）、菇农与企业签订购销协议情况（Z_5）、政府开展蘑菇生产技术培训情况（Z_6）、当地是否有蘑菇行业组织（Z_7）和家庭附近的公路等级（Z_8）。被解释变量的参数估计结果如表2-20所示。

1）小规模菇农配置效率的影响因素

Tobit回归模型估计结果显示，在双孢蘑菇生产中，影响小规模菇农生产配置效率的主要因素为户主年龄（Z_1）、户主受教育程度（Z_2）、蘑菇经营收入占家庭总收入比重（Z_3）、菇农核算生产成本情况（Z_4）、政府开展蘑菇生产技术培训情况（Z_6）和家庭附近的公路等级（Z_8）。

具体而言，户主年龄对小规模菇农的生产配置效率有显著的正向影响。在小规模菇农样本中，户主的年龄越大，小规模菇农的生产配置效率越高。在双孢蘑菇主产区，年龄较大的户主，可能从事双孢蘑菇生产的时间也较长，掌握的生产管理经验较多，菇农的技术水平、成本意识、价格观念较强，菇农配置投入资源的能力更高，这些有利条件均会减少生产效率损失，推动配置效率提升。

表2-20　Tobit回归模型参数估计结果

变量	变量含义	<1000平方米	1000~5000平方米	>5000平方米
Z_1	户主年龄	0.004 1 ***	0.008 9 ***	0.003 9 *
Z_2	户主受教育程度	0.072 2 ***	0.039 2 *	0.073 2 *
Z_3	蘑菇经营收入占家庭总收入比重	0.047 3 *	−0.072 7	−0.022 6
Z_4	菇农核算生产成本情况	0.057 7 *	−0.006 2	0.003 2
Z_5	菇农与企业签订购销协议情况	−0.044 8	0.002 2 ***	0.091 8 **
Z_6	政府开展蘑菇生产技术培训情况	0.063 9 *	−0.083 4	−0.000 1
Z_7	当地是否有蘑菇行业组织	−0.024 8	−0.011 1	0.002 1 ***
Z_8	家庭附近的公路等级	0.027 2 *	0.014 5 **	0.008 3

*** 、** 和 * 分别表示在1%、5%和10%的水平下显著。

户主受教育程度对小规模菇农的配置效率有显著的正向影响，户主受教育程度越高，小规模菇农的生产配置效率越高。一般来说，户主受教育程度较高，其阅读理解能力更强，获取技术信息和市场信息的能力更强，能够更为顺畅地与技术人员、行业组织、蘑菇加工企业和政府部门等相关主体进行交流沟通。在给定生产投入要素价格的情况下，受教育程度较高的菇农也能够更有效地配置资源，减少效率损失。

蘑菇经营收入占家庭总收入比重对小规模菇农的生产配置效率有显著的正向影响，双孢蘑菇经营收入占家庭总收入的比重越高，小规模菇农在生产中的配置效率也会越高。如果一个家庭的蘑菇经营收入占总收入的比例较高，表明双孢蘑菇生产是家庭经济收入的主要来源，也是家庭生产支出和家庭人员消费的主要来源，菇农自然会增强对双孢蘑菇生产的重视程度，努力实现蘑菇经营收入最大化。在当前生产资料价格较高、双孢蘑菇产品价格波动剧烈、小规模菇农参与市场能力较弱的情况下，要提高蘑菇经营收入，更需要从生产环节着手，降低双孢蘑菇的资源消耗和生产成本，提高双孢蘑菇产量，提升蘑菇生产的技术效率和配置效率。

菇农核算生产成本情况对小规模菇农的生产配置效率有显著的正向影响，如果小规模菇农在日常生产中能够精确地核算生产成本，则会提高双孢蘑菇生产的配置效率。菇农的经营目标是以最小化的投入获得最大化的经济效益，反映在生产环节，就是要以最小化的投入量获得最大化的产出量。在技术水平和投入要素价格不变的前提下，要实现这一目标，就必须合理配置资源，调整生产要素的投入结构，在最大限度上节约资源和降低生产成本。能够精确核算生产成本的菇农，一般来说技术水平和管理水平较高，成本意识和价格观念较强，这些有利因素均会推动配置效率的提升。

政府开展蘑菇生产技术培训情况对小规模菇农的生产配置效率有显著的正向影响，政府开展蘑菇技术培训力度越大的地区，该区域内小规模菇农的配置效率越高。政府在开展双孢蘑菇生产技术培训时，一般会对菇农进行现场技术指导，有时也会提供质优价廉的生产资料、农产品市场信息、财政补贴或低息无息贷款等，菇农在接受政府的技术培训后，能将掌握的技术和经营理念运用到实际生产中，同时提高双孢蘑菇生产的技术效率和配置效率。对于小规模菇农来说，该群体的技术水平和经营管理水平相对较弱，因此政府技术培训的效果在这一群体中也会体现得更为显著。

家庭附近的公路等级对小规模菇农的配置效率有着显著的正向影响，公路等级越高的地区，该区域内小规模菇农的生产配置效率越高。一般来说，交通较为便利的地区，生产资料和农产品的运输较为方便，农民的流动性较强，农民能够更为准确地把握市场信息，农民的成本意识和价格观念更强，这均有利于双孢蘑菇生产配置效率的提升。

2）中等规模菇农配置效率的影响因素

中等规模菇农生产配置效率的影响因素主要有户主年龄（Z_1）、户主受教育程度（Z_2）、菇农与企业签订购销协议情况（Z_5）和家庭附近的公路等级（Z_8）。具体而言，户主年龄对中等规模菇农的生产配置效率有显著的正向影响，户主年龄较大的农业家庭，农户在生产双孢蘑菇时的配置效率相对较高。户主受教育程度对中等规模菇农生产配置效率的正向影响通过了显著性检验，说明户主受教育程度较高，菇农的配置效率也较高。菇农与企业签订购销协议的情况对大规模生产的菇农来说，其配置效率呈现正向影响。

菇农与企业签订购销协议情况对中等规模菇农的配置效率有着显著的正向影响，与未签订购销协议的菇农对比，已经与企业签订了购销协议的菇农的配置效率相对更高。一般来说，菇农与企业签订的购销协议，主要包括销售双孢蘑菇协议和购买生产资料协议两类。无论是哪种形式的购销协议，均体现了菇农稳定市场价格、减缓市场波动的需求，签订购销协议这一举动本身就代表着菇农的市场意识、成本意识、价格观念的增强，这也会推动着菇农控制生产成本和配置生产要素投入能力的提高，最终改善菇农的生产经营状况，降低效率损失，提升生产配置效率。

3）大规模菇农配置效率的影响因素

影响大规模菇农生产配置效率的主要因素为户主年龄（Z_1）、户主受教育程度（Z_2）、菇农与企业签订购销协议情况（Z_5）和当地是否有蘑菇行业组织（Z_7）。具体而言，户主年龄对大规模菇农的配置效率存在显著的正向影响，户主年龄越大，菇农的生产配置效率越高。户主受教育程度对大规模菇农的配置效率有正向影响，户主受教育程度较高的家庭，生产双孢蘑菇的配置效率也较高。菇农与企业签订购销协议的情况对大规模生产的菇农来说，其配置效率呈现正向影响。

当地是否有蘑菇行业组织对大规模菇农生产的配置效率有显著的正向影响。一般来说，蘑菇行业组织由双孢蘑菇生产大户和贩运户发起成立，蘑菇行业组织在生产资料采购、信息和技术交流、双孢蘑菇生产、初加工、储存、流通、销售等方面发挥了积极作用。以蘑菇行业组织为平台，大规模菇农能够接受到更多的技术、市场和管理等方面的信息，自身的生产经营水平和资源配置能力也会得到较大程度的提高，进而推动配置效率的提升。

2.2.6　不同规模菇农的经济效率影响因素对比分析

通过对影响不同规模菇农技术效率（technical efficiency，TE）和配置效率

（allocative efficiency，AE）的因素进行分析，可以发现，各种因素对不同规模菇农生产经济效率的影响方向和程度也不相同，由表2-21可知影响小规模菇农、中等规模菇农和大规模菇农经济效率的因素。对于小规模菇农来说，同时影响小规模菇农技术效率和配置效率的因素为蘑菇经营收入占家庭总收入比重，仅影响小规模菇农技术效率的因素有菇农与企业签订购销协议情况和当地是否有蘑菇行业组织，仅影响小规模菇农配置效率的因素有户主年龄、户主受教育程度、蘑菇经营收入占家庭总收入比重、菇农核算生产成本情况、政府开展蘑菇生产技术培训情况和家庭附近的公路等级。综合而言，8个解释变量均对小规模菇农的经济效率产生影响，这也在一定程度上反映了小规模菇农的生产容易受内部和外部环境影响，抵抗生产风险和市场风险的能力较弱。

对于中等规模菇农来说，同时影响菇农生产技术效率和配置效率的因素为户主受教育程度，仅影响中等规模菇农技术效率的因素有政府开展蘑菇生产技术培训情况、当地是否有蘑菇行业组织和家庭附近的公路等级，仅影响中等规模菇农配置效率的因素有户主年龄、菇农与企业签订购销协议情况和家庭附近的公路等级。这给我们的启示是：菇农应该广泛参与蘑菇行业组织、积极与企业签订购销协议、利用好政策环境和便利的交通设施，这对提升菇农生产经济效率有着重要的作用。

表2-21　不同规模菇农技术效率和配置效率的影响因素比较

变量含义	<1000平方米		1000~5000平方米		>5000平方米	
	TE	AE	TE	AE	TE	AE
户主年龄		+		+	−	+
户主受教育程度		+	+	+		+
蘑菇经营收入占家庭总收入比重	+	+				
菇农核算生产成本情况		+			+	
菇农与企业签订购销协议情况	+			+		+
政府开展蘑菇生产技术培训情况		+	+		+	
当地是否有蘑菇行业组织	+		+			+
家庭附近的公路等级		+	+	+	+	

+表示对经济效率有正向影响，－表示对经济效率有负向影响。

对于大规模菇农来说，同时影响大规模菇农技术效率和配置效率的因素为户主年龄，但是该变量对技术效率和配置效率的影响方向截然相反，该变量影响的总效应取决于其对两者的影响程度。仅影响大规模菇农技术效率的因素有菇农核算生产成本情况、政府开展蘑菇生产技术培训情况和家庭附近的公路等级，仅影响大规模菇农配置效率的因素有户主受教育程度、菇农与企业签订购销协议情况和当地是否有蘑菇行业组织。因此，加强对生产成本的核算、广泛参与行业组织、增强与相关企业的联系对于提高大规模菇农的经济效率有着积极的影响。

2.2.7 小结

本书以栽培面积为划分依据，将样本菇农分为小规模菇农、中等规模菇农和大规模菇农三种类型，对不同规模菇农的投入产出比例、单要素生产率、技术效率和配置效率进行测度，并运用计量模型分析了影响不同规模菇农技术效率和配置效率的主要因素。主要结论如下。

第一，我国菇农的普遍种植规模较小，栽种面积在 1000 平方米以下的菇农占 37.34%，这种超小型的经营规模容易导致双孢蘑菇生产陷入"高投入、低产出、低竞争力"的困境，无论在投入产出比、土地生产率、菌种生产率、薄膜生产率方面，还是在技术效率和配置效率方面，小规模菇农都明显低于中等规模菇农和大规模菇农，因此适度扩大菇农的生产规模成为提升双孢蘑菇生产经济效率，增强产业竞争力、提高农民收入的有效途径。

第二，在现有的生产条件和经营环境下，菇农的栽种规模也并非越大越好，而是存在着最适度的生产规模。本书基于 419 份菇农问卷，综合比较投入产出比、土地生产率、菌种生产率、薄膜生产率、技术效率和配置效率等多项指标在不同规模变化中出现的"拐点"特征，判断出中等规模是我国双孢蘑菇生产的最佳规模点，在经济上具有可行性。样本菇农的平均栽种面积为 4811.18 平方米，接近于最佳种植规模，但栽种面积的标准差较大，为 13 797.28 平方米，说明不同菇农之间的种植规模差异较大，因此，菇农的种植规模仍有向最佳规模调整的必要性。

第三，各种因素对不同规模菇农技术效率的影响方向和程度有所差异。在小规模菇农生产函数中，蘑菇经营收入占家庭总收入比重、菇农与企业签订购销协议情况和当地是否有蘑菇行业组织对提高菇农技术效率有着显著的正向影响。在中等规模菇农生产函数中，户主受教育程度、政府开展蘑菇生产技术培训情况、当地是否有蘑菇行业组织和家庭附近的公路等级对提高菇农的生产技术效率有显著的正向效应。在大规模菇农生产函数中，户主年龄、菇农核算生产成本情况、政府开展蘑菇生产技术培训情况和家庭附近的公路等级对提高菇农的生产技术效率有显著的正向影响。

第四，影响不同规模菇农配置效率的因素也不一致。影响小规模菇农生产配置效率的主要因素为户主年龄、户主受教育程度、蘑菇经营收入占家庭总收入比重、菇农核算生产成本情况、政府开展蘑菇生产技术培训情况和家庭附近的公路等级。影响中等规模菇农生产配置效率的因素主要有户主年龄、户主受教育程度、菇农与企业签订购销协议情况和家庭附近的公路等级。影响大规模菇农生产配置效率的主要因素为户主年龄、户主受教育程度、菇农与企业签订购销协议情况和当地是否有蘑菇行业组织。

（李树明　李　鹏　李　平　张俊飚）

2.3　食用菌种植户的技术需求及影响因素分析

我国食用菌产业不仅是高劳动密集型产业，同时也是一个从品种、菌种、栽培、储藏保鲜到加工的科技密集型产业，整个产业链需要现代生物、环境工程和食品加工等诸多新技术的支撑。但我国食用菌现实生产中科技含量不高，仍采用传统农业生产模式，以手工操作为主，家庭分散经营，产品附加值低；食用菌制种技术落后，整体性、综合性、开放性的食用菌病虫害的生物防治技术体系还不完善，优质安全生产技术体系尚未形成；食用菌菌种的选育和保藏手段不够规范、产品包装和保鲜技术落后，严重制约了食用菌产业的快速发展。因此，加强技术创新，提升食用菌产业的科技含量，增强市场竞争力便显得十分必要。在此背景下，研究食用菌新品种、新技术的推广及食用菌种植户对食用菌技术的实际需求和菇农选择行为的影响因素具有重要的现实意义。

我们利用食用菌产业技术体系于 2009 年 4~6 月进行的一次全国范围内的产业调查，最终获得了农户有效问卷 601 份，覆盖了河南、江苏、山东等 11 个省份的食用菌主产县样本分布具有一定的代表性。本书将食用菌生产分技术为搭架、购种、病虫害防治等技术环节，主要分析食用菌种植户的技术需求偏好并对影响食用菌种植户选择新技术的因素进行分析。

2.3.1　食用菌种植户对食用菌技术的需求

2.3.1.1　样本农户的基本特征

被调查农户户主年龄大多在 40 岁以上，占样本总数的 70%，这与目前我国农村劳动力结构基本一致。调查农户男女比例约为 6:4，农村户口的农户占

90%以上。户主全年在家务农的多达97%，说明户主主要以务农为主而很少外出从事其他劳动以获得额外家庭收入。户主的平均受教育年限为6~9年，受过大学教育的只有14人，整体来看农民的文化程度不高，也一定程度上说明了我国农民文化素质还较低。具有干部身份的户主只有92人，占16%。在户主的专业技能方面，具有特定技能的有138人，占23%，说明广大的农户没有专业技能特长，这在某种程度上会影响农户种植食用菌的效果，如表2-22所示。

表 2-22　样本农户的基本情况表

指标	指标描述
年龄	小于30岁的23人；大于等于30且小于40岁的150人；大于等于40且小于50岁的240人；大于等于50岁的140人；年龄不详的48人
性别	男365人；女224人；不详12人
户口类型	农业户口533人；非农业户口56人；不详12人
全年在家 住的月数	小于12个月的35人（其中小于10个月的16人）；全年在家的531人；不详35人
文化程度	小学及小学以下96人；初中345人；高中或中专127人；大学及以上14人；不详29人
是否干部	是干部92人；不是干部471人；不详38人
专业技能	有的138人（其中90人有食用菌种植技能，29人有种养业技术，其他的有工艺加工、经营管理等技能）；没有的463人

2.3.1.2　农户对搭架环节的技术需求

1）农户搭架时使用农业生产技术情况

农户对竹子、木材、钢筋等基本搭建材料有较大的需求，关注食用菌棚架的方位、牢固度和光照、通风、排水情况，尝试用水泥立柱与玉米秆作防护遮阴，重视杂菌的处理及杀菌、灭菌，尤其对搭棚技术寄予期待，如瓦工、木工等建筑技术。希望拥有轻巧耐用架棚、菇棚、仿蔬菜大棚，探索优化竹竿骨架、钢筋骨架搭棚技术及塑料温棚技术，在条件许可的情况下渴望采用蔬菜暖棚、工厂化大棚等技术，并进行立体层架式生产或立体种植。

2）搭架环节需求的技术

从食用菌种植户的年龄、文化、身份、性别及专业技能的拥有情况看，在搭架环节的技术需求存在明显的差异。年龄低于30岁的农户比较倾向于菇棚覆盖新材料技术；年龄在30~40岁的农户显得更加自信，表示不需要任何技术或乐意采用其他技术的占六成以上，而对轻巧耐用棚架技术和菇棚覆盖新材料技术的需求基本持平；40 岁以上的农户倾向于轻巧耐用棚架技术或其他技术，对菇棚覆盖新材料技术也有一定需求，整体来看，农户更急需其他新技术，以便使棚架更耐用、实惠。文化程度越高越倾向使用轻巧耐用棚架技术和菇棚覆盖新材料技术。具有专业技能或干部身份的农户愿意采用其他更新的技术，而非干部农户和没有技能的农户对轻巧耐用棚架技术和菇棚覆盖新材料技术有较大的偏好。男性比女性农户相对更富有接纳新技术的意愿。但总体而言，65.91% 的农户倾向使用轻巧耐用棚架，37.29% 的农户乐意菇棚覆盖新材料技术。24 个农户（占4.52%）希望在搭架环节获得其他技术；分别为减少劳动用工的搭棚技术、大棚降温设施技术、保湿棚架、钢架大棚、耐用材料、标准化菇棚等技术，并希望专家讲授节约搭架成本等方面的技巧，如表 2-23 所示。

表 2-23　不同层次农户在搭架环节最希望获得何种技术的统计情况 单位：%

序号	年龄				文化				干部		专业技能		性别		选项总数比重
	<30	30~40	40~50	>50	小学及以下	初中	高中或中专	大专及以上	是	否	是	否	男	女	
1	3.14	25.43	48.86	22.57	18.86	53.16	22.86	2.86	14.57	85.43	24.86	75.14	57.71	42.29	65.91
2	5.05	25.43	44.47	25.79	4.14	58.08	24.75	3.03	18.18	80.81	26.77	73.23	58.08	41.92	37.29
3	0.00	29.17	45.83	25.00	16.67	58.33	25.00	0.00	29.17	70.83	29.17	70.83	70.83	29.17	4.52
4	5.36	33.93	37.64	23.07	14.29	67.85	16.07	1.79	8.93	91.07	28.57	71.43	66.07	33.93	10.55

注：1. 轻巧耐用棚架；2. 菇棚覆盖新材料；3. 其他；4. 不需要任何技术。

2.3.1.3　农户对品种需求偏好和购种意愿

农户选择食用菌品种是非常重要的生产环节之一，它决定了新品种技术的推广力度及食用菌的产量及质量，但由于农户自身素质、外部环境条件等因素的影响使每个新品种并非都能得到充分认可。食用菌种植户在购种阶段最关注品种哪些品质呢？何种品种最符合食用菌农户的实际需要呢？

1）农户了解食用菌新品种的途径

调查数据显示，整体而言，农户了解新品种的途径最多的是通过农业技术推广站（下文简称农技推广站）的技术人员，比例达 57.69%；其次是通过亲戚或邻居等熟人，比例为 27.63%，而由电视或广播、报纸或书籍等传媒途径了解新品种的比例分别为 11.74% 和 13.64%，因为绝大部分农民接触不到报纸、书籍、专业杂志，电视和广播是他们接收外界信息的主要媒介，但是，由于农活繁忙，农民没有很多时间收看电视、收听广播，因此，从电视和广播中得到的信息是十分有限的。而我国农民的聚居传统和农户房屋的开放式结构使得农户之间的交往非常频繁，社会网络密度很高，信息在网络中的传播非常迅速有效。农民种植何种作物、种植什么品种、采用何种技术，诸如此类的信息都是通过彼此交谈而决定的，一定程度上说明社会网络是传递农业技术信息的快捷高效渠道之一。有10.54%的农户通过食用菌协会了解新品种，因此加大农业技术推广工作尤为必要，大力发展食用菌协会等农民组织也是时势所需。所调查的农户中有32人是通过其他途径获得食用菌新品种信息的，比例达5.53%；其他途径主要通过计算机网络或网站、合作社、食用菌研究所、菌种公司、当地食用菌能人或种植大户、菌种研制人员、商贩或自己亲自外出参观等，如表2-24所示。

表 2-24　农户了解食用菌新品种的途径

指标	样本数/个	所占比例/%	指标	样本数/个	所占比例/%
农技推广站的技术人员	334	57.69	农资公司推销人员	71	12.26
电视或广播	68	11.74	亲朋或邻居	160	27.63
报纸或书籍	79	13.64	食用菌协会	61	10.54
其他	32	5.53			

2）播种前是否有农业技术人员推广新品种或建议

从数据显示，我国食用菌种植户对农业技术人员推广新品种或建议的反应还是比较理想的，67.32%的农户反映在栽培前有专业技术人员推广新品种或提出建议。不同年龄层次的农户对农业技术推广人员推广新品种建议的反映基本相同，较多干部农户、男性农户和初中及大专以上文化程度的农户反映在食用菌栽培之前没有农业技术人员推广新品种或建议，如表2-25所示。

表 2-25　播种前农业技术人员推广或建议情况　　　　　　（单位:%）

	年龄				文化				干部		性别		选项总数比重
	<30	30~40	40~50	>50	小学及以下	初中	高中或中专	大专及以上	是	否	男	女	
有	3.50	27.49	43.86	25.15	18.42	54.97	25.15	1.46	13.74	86.26	59.65	40.35	67.32
无	3.60	23.95	47.90	24.55	17.37	61.68	16.17	4.79	17.96	82.04	70.66	29.34	32.87

3）食用菌新品种的推广方式

从调查中发现，食用菌种植户喜欢最直观、易懂的新品种推广方式，现场示范和培训两种新品种推广方式最受农户推崇。被调查对象中选择现场示范和培训选项的人数分别占总样本的74.61%和32.22%。因为这两种方式最易于被农户理解也最容易获得预期效果，农民对其生长、产量、质量等都有深刻的感性认识，有利于农户积极主动地采用新品种。向专业人员进行定期咨询也是比较灵活且针对性较强的方式，农户对电视广播等媒体传播方式不感兴趣。有9人（占1.58%）认为还有其他比较好的食用菌推广方式，比如公司推荐并供种、建立标准化基地或网络方式等，如表2-26所示。

表 2-26　食用菌新品种的推广方式偏好

指标	现场示范	定期咨询	培训	电视广播	其他
样本数/个	426	94	184	35	9
所占比例/%	74.61	16.46	32.22	6.13	1.58

4）购买菌种的地点

有近73.99%的农户是到食用菌企业或公司购买菌种，说明农户对食用菌企业或公司提供的菌种的信任度较高。农户也对农技推广站提供的菌种比较认可，有19.68%的农户会到农技推广站购买。这应该与食用菌的专业技术特色有关。7.56%的农户会到食用菌个体户购买或去农业科学院（以下简称农科院）等科研单位、合作社、菌种场或食用菌专业户等处购买，如表2-27所示。

表 2-27　食用菌农户购买菌种地点选择

指标	农技推广站	农资公司	自留种	食用菌企业或公司	其他
样本数/个	112	13	47	421	43
所占比例/%	19.68	2.28	8.26	73.99	7.56

5）农户对目前使用菌种的满意度

食用菌种植户对目前菌种比较满意及很满意的比例高达81%，说明相关部门提供的菌种还是比较符合大众需求及市场行情的，这与我国食用菌企业或公司的切实努力分不开的，如表2-28所示。

表 2-28　食用菌农户对目前菌种的评价

指标	很满意	比较满意	不是很满意	完全不满意
样本数/个	126	324	95	8
所占比例/%	22.78	58.59	17.18	1.45

6) 近三年种植的食用菌品种情况

从年龄看，小于 30 岁的农户基本种一种或者两种，30～40 岁的农户最多的种 4 种，种 1 种、2 种和 3 种的基本持平，40～50 岁的农户 50% 的都种 2 种以上；文化程度越高种的种类越多；有专业技能的农户种的品种较多；男性农户种的相对单一，女性农户就倾向于广种多收，如表 2-29 所示。

表 2-29　食用菌农户种植的菌种状况　　　　　　（单位:%）

序号	年龄				文化				专业技能		性别		选项总数比重
	<30	30～40	40～50	>50	小学及以下	初中	高中或中专	大专及以上	是	否	男	女	
1	5.1	26.2	37.8	30.9	21.09	54.30	22.66	1.95	18.4	81.6	67.58	32.4	46.63
2	5.4	24.0	52.1	18.5	11.98	64.07	20.96	2.99	25.7	74.3	59.88	40.1	30.42
3	0.00	26.2	51.1	22.7	9.09	62.50	26.14	2.27	31.8	68.2	59.09	40.9	16.03
4	0.00	31.6	55.2	13.2	23.68	52.63	18.43	5.26	34.3	65.7	44.74	55.2	6.92

注：1. 一种；2. 二种；3. 三种；4. 四种及以上。

7) 农户希望新品种改进的方面

食用菌新品种的改进可以增加农民收入，拓宽市场销路，提升产品竞争力，因此菇农对改进新品种倍加重视。调查结果显示：食用菌种植户对菌种品质最为关注，选择菌种品质的农户占总样本的 83.81%，因为食用菌消费者在购买菌类消费品时最关注的是食用菌的品质。其次是产量，尤其希望食用菌新品种能提高产量，选择产量的农户占总样本的 75.44%，这与其购种优先考虑因素的结果大体一致，因为收购单位收购时大多只计重交易。相比菌种品质和产量而言，农户对食用菌的营养成分和味道重视不够。选择营养成分和味道两个选项的农户比例较菌种品质和产量分别少了近 65 和 58 个百分点，但随着人们生活水平的提高和生活条件的改善，对食用菌的营养成分和味道会更加看重，所以改进新品种时有必要适当重视营养成分和味道方面的研发。抗病虫的获选率也较高，有 53.20% 的农民选择。考虑到种植成本，改进新品种时尽量减轻农户负担，这在一定程度上反映了菌农的经济理性考虑。不同年龄的菌农对品种改进的期待差异不大。因此，食用菌新品种的研发及选育应集中在如何提高食用菌品质，特别是产量的提高，当然病虫害防治研究也尤为重要。也有农户希望在食用菌生产周期方面有所改进，以便缩短生产周期增加复种指数，如表2-30所示。

表2-30　食用菌农户对新品种改进的期待　　　　（单位：%）

序号	年龄				文化				专业技能		选项总数比重
	<30	30~40	40~50	>50	小学及以下	初中	高中或中专	大专及以上	是	否	
1	4.03	28.65	44.18	23.14	15.72	60.08	22.08	2.12	23.14	76.86	83.81
2	3.02	27.42	46.82	22.74	19.40	51.17	25.75	3.68	28.09	71.91	53.20
3	5.24	30.00	41.90	22.86	16.67	51.43	26.67	5.23	26.19	73.81	37.37
4	4.24	26.18	46.70	22.88	17.45	56.84	23.12	2.59	24.76	75.24	75.44
5	3.92	30.39	44.12	21.57	17.65	48.04	30.39	3.92	25.49	74.51	18.15
6	6.06	34.35	40.40	19.19	19.19	44.44	35.35	1.02	33.33	66.67	17.62
7	6.67	26.66	60.00	6.67	13.33	60.00	20.00	6.67	46.67	53.33	2.67

注：1. 菌种品质；2. 抗病虫；3. 成本；4. 产量；5. 营养成分；6. 味道；7. 其他。

8）购买新品种优先考虑的问题

在菇农的购种行为中，72.60%的农民优先考虑的是产量，同时品质也被关注较多，而菌种价格和购买此菌种的人数不列在主要的考虑因素中，分别只有12.81%和4.63%的农户重视（表2-31）。这主要因为购种成本在整个生产成本中所占份额不大，农民基本能够承受目前的菌种价格，价格的轻微浮动不会对农民购种行为造成影响。很多人都愿适当增加投资以换取更优质的品种。菌农的购买行为体现了对现实的利益考虑，因为产量、品质及销售价格直接关系着种植新品种的预期收益。当然，抗病虫能力也是关系菌农付出劳动的重要方面。而单独从菌农的年龄、身份及性别角度考虑，却把品质作为最看重方面。而只有4.63%的菌农具有从众心理，会受周围购种人选择的影响。还有些农户相对比较保守，购种时最优先考虑的是害怕种植失败收不回成本。

表2-31　食用菌种植户购种行为因素汇总

指标	产量	销售价格	菌种价格	品质	购买此品种的人数	抗虫病
样本数/个	408	144	72	229	26	88
所占比例/%	72.60	25.62	12.81	40.75	4.63	15.66

9）购种时对专业人员指导的渴望度

菌农对专业人员的指导并不是很热情。菌农认为可要可不要专业人员指导的占 13.55%，更多的认为不需要指导。这也反映了菌农种植的经验较为丰富，由于长期的实践积累，使菌农对菌种的鉴别力很强，如表 2-32 所示。

表 2-32　购种时对专业人员指导的认识

指标	需要	可要可不要	不需要
样本数/个	372	71	81
所占比例/%	70.99	13.55	15.46

注：1. 可要可不要；2. 不需要。

2.3.1.4　食用菌生产中农户的技术需求

1）希望获得的技术类型

关于食用菌种植户在生产过程中的各类技术需求的调查显示，农户最希望在轻简化栽培方面获得能解决实际问题的技术，占选项比重的 58.89%，因为食用菌栽培需要耗费较大的劳动量。其次是病虫害防治技术，占选项比重的 38.52%，通过此项调查发现，农户在种植食用菌中缺乏病虫害防治的相关技术。一般的生产环节农户能够根据经验来完成，但农户往往缺乏科学的控制方法来应对突发性病害，且大多农户普遍重视"治"而忽视了"防"，在实际生产中，必须"防"与"治"相结合才能取得比较好的效果。由表 2-33 可知，抗杂、保湿技术获选率相对较高，分别为 23.33% 和 21.67%。同时农户在迟播促早发技术和通风技术方面也有一定的技术需求。少量农户希望获得其他类型的技术，比如生产管理技术、大棚通风技术、制种栽培技术、高产栽培技术等，并希望政府给予更多的补贴（表 2-33）。

表 2-33　食用菌种植户在生产过程中的各类技术需求

指标	轻简化栽培	迟播促早发	病虫害防治	抗杂	通风技术	保湿技术	其他
样本数/个	318	104	208	126	99	117	23
所占比例/%	58.89	19.26	38.52	23.33	18.33	21.67	4.26

2）生产中最担心的问题

菌种品质是菌农种植过程中最担心的问题，因为"质量就是生命"。在所有的菌农选项中，认为菌种品质差的选项占总数的 67.26%，位居第一。其次是担心病虫害，因为这是菌农在生产种植中比较难预防和处理的，所以，对病虫害防治技术的需求尤为强烈。相对而言，菇农并不担心菌包原料不足的问题。40～50岁的菌农、高中以上文化程度的农户对病虫害更为关注。有10%的农户担心销售、产量及价格波动问题，因为这关系到他们的切身利益，原料质量、自然灾害、杂菌污染和气候环境异常变化也是农户时常担心的方面，如表2-34所示。

表2-34　农户在生产中最担心的问题　　（单位:%）

| 序号 | 年龄 | | | | 文化 | | | | 干部 | | 专业技能 | | 选项总数比重 |
	<30	30～40	40～50	>50	小学及以下	初中	高中或中专	大专及以上	是	否	是	否	
1	3.97	26.46	37.36	32.21	14.81	62.17	21.96	1.06	14.29	85.71	21.43	78.57	67.26
2	0.00	25.64	41.03	33.33	30.77	51.28	17.95	0.00	10.26	89.74	35.90	64.10	6.94
3	2.54	25.36	46.38	25.72	16.30	54.35	26.09	3.26	16.30	83.70	27.17	72.83	49.11
4	5.26	19.30	42.11	33.33	24.56	63.16	10.53	1.75	14.04	85.96	24.56	75.44	10.14

注：1. 菌种品质差；2. 菌包原料不足；3. 病虫害；4. 其他。

3）食用菌最容易发生的病害

总体来看，食用菌种植户认为食用菌最容易发生的是真菌疾病，占选项总数比重的78.24%，虫害、生理性病害和细菌疾病分别占选项总数比重的39.75%、28.60%和25.72%。小于30岁和40～50岁的农户、初中及大专以上文化程度的农户和女性的农户认为真菌疾病是最容易发生的，不是干部的农户认为细菌疾病是最容易发生的病害，50岁以上的农户、小学及以下文化程度的农户、高中或中专文化程度的农户、干部身份的农户、没有专业技能的农户和男性农户认为蘑菇病毒害是最担忧的病害，具有专业技能的农户认为生理性病害是最容易发生的，30～40岁农户认为虫害是最容易发生的病害。蛛网病、疣孢霉病、绿霉病也是个别农户反映的比较容易发生的病虫害，如表2-35所示。

表2-35　农户认为最容易发生的病虫害调查　　（单位:%）

| 序号 | 年龄 | | | | 文化 | | | | 干部 | | 专业技能 | | 性别 | | 选项总数比重 |
	<30	30～40	40～50	>50	小学及以下	初中	高中或中专	大专及以上	是	否	是	否	男	女	
1	4.13	26.21	47.36	22.30	16.32	58.85	21.61	3.22	14.48	85.52	25.98	74.02	58.62	41.38	78.24
2	3.50	27.27	46.85	22.38	21.68	50.35	25.87	2.10	11.89	88.11	27.27	72.73	69.93	30.07	25.72

续表

序号	年龄				文化				干部		专业技能		性别		选项总数比重
	<30	30~40	40~50	>50	小学及以下	初中	高中或中专	大专及以上	是	否	是	否	男	女	
3	3.71	14.81	42.59	38.89	27.78	44.44	25.93	1.85	20.37	79.63	18.52	81.48	72.22	27.78	9.71
4	3.14	23.27	45.92	27.67	26.41	49.06	23.90	0.63	15.09	84.91	27.67	72.33	66.67	33.33	28.60
5	2.26	29.41	42.99	25.34	23.08	50.23	25.79	0.90	12.67	87.33	22.17	77.83	68.33	31.67	39.75

注：1. 真菌疾病；2. 细菌疾病；3. 蘑菇病毒害；4. 生理性病害；5. 虫害。

4）在食用菌害病或生长发育不良前药物预防情况

绝大多数农户会在食用菌病害或生长发育不良前使用药物预防，占选项总数比重的57.82%。女性农户、有专业技能的农户、非干部身份的农户对食用菌的病虫害预防更积极主动，有防患于未然的科学种田意识。随着农户年龄的增大，提前用药预防虫害的主动性不是很强，高中及以上文化程度的农户也不是很积极用药预防虫害。农户用的主要农药有杀虫剂、菇净、溴氰菊酯、克霉王、全力威、施保功、白乐果等，具体的措施有化学农药喷雾、剔除杂菌、晒、用硫黄杀菌，消毒、通风、提高温度，加强管理，使用病菌袋加快出耳，白灰消毒，培养基上涂抹白灰粉，菇棚的消毒，避开高温高湿时期，发菌期病虫害防治，混合土的消毒等多种方法（表2-36）。

表2-36　农户使用药物预防病虫害情况　　　单位:%

	年龄				文化				干部		专业技能		性别		选项总数比重
	<30	30~40	40~50	>50	小学及以下	初中	高中或中专	大专及以上	是	否	是	否	男	女	
有	2.5	29.5	44.2	23.8	20.6	56.5	21.1	1.8	12	87	27.4	72.6	58.4	41.6	57.8
否	4.9	21.4	49.3	25.4	14.1	58.1	23.9	3.9	20	80	24.3	75.1	68.3	31.7	42.1

5）栽培技术风险的预期

农户具有较强的风险意识，58.72%的食用菌种植户认为栽培食用菌风险较高、投入较大、成本难以收回的可能性较大；34%的农户认为栽培食用菌的风险一般、成本可以收回的可能性较大、相信现代科学技术；但仍有近7%的农户认为风险较低，收回成本可能性非常大。事实上，种植业是存在一定的市场风险、自然风险的，对外在环境的依存度比较大，为此应提高农户的风险意识，尽量减少损失。不同年龄的农户似乎对种植食用菌的风险预期没有太大差异，文化程度较高的农户相对风险意识要强一些，其他类型的农户对风险的认知基本一致，如表 2-37 所示。

表 2-37 农户对栽培技术风险的预期 （单位：%）

序号	年龄				文化				专业技能		性别		选项总数比重
	<30	30~40	40~50	>50	小学及以下	初中	高中或中专	大专及以上	是	否	男	女	
1	4.37	26.25	44.38	25.00	19.06	55.31	23.75	1.88	26	74	62	38	58.72
2	3.74	26.74	43.85	25.67	15.51	58.29	22.46	3.74	19	82	63	37	34.31
3	2.62	26.32	44.74	26.32	15.79	65.79	15.79	2.63	29	71	55	45	6.97

注：1. 较高；2. 一般；3. 较低。

6）对食用菌生产技术改进频率的关注与采用改进后的食用菌技术情况

调查样本数据显示，有 189 个农户认为食用菌生产技术改进的频率较高且能经常采用一些新技术，占总调查人数比重 35%；同时，有 208 人认为食用菌生产技术更新的频率一般且较关注新技术新品种的采用，所占调查人数比重的 38.52%；这两项加和总共有 397 人，占比 73.52%，充分说明农户对食用菌生产技术改进的频率还是比较满意的，也乐于采用新的食用菌技术。因此，相关技术部门应该加大科研力度，不断根据市场需求变化研发新品种或改良品种。30~40岁的青年农户、初中及以下文化程度的农户和那些没有专业技能的农户认为食用菌生产技术的更新或改进频率较低，这与他们渴望获得更优良的品种或更先进的生产技术是密切相关的，尤其是没有一技之长的农户更渴望通过食用菌生产技术的更新来增强自己种植食用菌的能力以便获得更可观的收入，如表 2-38 所示。

表 2-38 农户改进食用菌技术的频率

指标	频率较高	频率一般	频率较低	不采用
样本数/个	189	208	108	35
所占比例/%	35.00	38.52	20.00	6.48

注：频率较高，能经常采用一些新技术；频率一般，较关注新技术新产品的采用；不采用，从未更换过食用菌品种或采用新技术。

2.3.2 食用菌农户选择新技术行为的因素分析

根据调查的截面数据，以是否采纳食用菌新技术为二分因变量，选择文化程度、专业技能、食用菌种植面积、住地距市场距离、销售难易程度、播种前是否有专业技术人员推荐新品种、购种时有无专业人员指导为自变量，采用向前选择变量法进行二项 logistic 模型回归，得到估计结果如表 2-39 所示。

从计量模型的估计结果可知，被选择的影响因素的 Wald 检验值有 5 个在 10% 的水平上显著；文化程度、专业技能、住地与市场距离、销售难易程度 4 个影响因素分别在 5% 水平上显著；而专业技能、住地与市场距离、销售难易程度三者则在 1% 的水平上显著。在 logistic 回归中，自变量系数反映了变化的方向。本书对模型各因素的系数做如下解释。

表 2-39　各变量的估计结果

	B	S. E.	Wald	Sig.	Exp（B）
文化程度	0.439	0.201	4.746	0.029	1.551
专业技能	0.839	0.266	9.928	0.002	2.314
食用菌种植面积	0.000	0.000	0.229	0.632	1.000
住地与市场距离	0.507	0.121	17.517	0.000	1.660
销售难易程度	−0.729	0.272	7.211	0.007	0.482
是否有专业农业技术人员在播种前进行过品种推广或建议	0.576	0.313	3.397	0.065	1.779
购种时是否需要专业人员指导	−0.259	0.420	0.381	0.537	0.771
Constant	−2.059	0.706	8.506	0.004	0.128

注：似然比值 = 330.929，Cox & Snell R^2 = 0.148，综合检验值为 Chi − square = 51.937，df = 7，Sig. = 0.00。

1）农户的文化程度和专业技能与技术采纳正相关

从模型估计结果可知，文化程度与新技术采纳行为正相关。学术界关于教育程度与技术需求的关系存在争议，刘华周（1998）、林毅夫（2005）认为农户的教育程度与技术采纳具有正向关系，但宋军、胡瑞法和黄季焜（1998）、李争和冯中朝（2009）认为教育水平并不一定与技术采纳程度成正相关。在本书中，文化程度对技术采纳行为有正的影响，即文化程度高的农民比文化程度低的更有采纳食用菌新技术的倾向。此分析结果与前人的研究结论基本一致，文化水平较高的农民对新技术的认识更客观也更乐于尝试新技术。

具有种养殖技术、泥瓦工等建筑技术的食用菌农户更乐于采纳新技术。因为具有特定技能的农户搭建食用菌棚架、维修农具器械等相对比较容易，也愿意积极动手尝试新鲜技术，相对而言，这部分农户思维也更加活跃，对食用菌新品种、新技术也更加好奇而易于接受。

2) 家庭住地与销售市场的距离对技术采纳有正相关，食用菌销售难易程度与农户技术采纳负相关

通过调查数据的分析，我们发现农户家庭住地与批发销售市场的距离这一变量的系数显著为正，这说明距离越远农户采用新技术的概率越大，因为所处位置靠市场越近越容易把所生产的食用菌运往市场进行出售，从而获得现金收入也越容易，于是，农户就容易满足现状而不去更新技术；农户住地离市场远的农户，更乐意尝试新的食用菌技术以便获得更高收入。

食用菌销路越好，农户越不容易采纳新技术，反而越滞销越希望采用更新的技术来提高食用菌品质从而拓宽销路。由此可见，食用菌的市场价格、供求行情、技术信息等对农户来说尤为重要，农户可以根据获得的外界市场信息调整生产、更新品种或技术，以便有针对性地种植适销对路、高产优质的食用菌。

3) 技术服务与农户技术需求的特殊关系

栽培前有专业技术人员推广新品种或建议对农户技术采纳有正向影响，说明农民和专业技术人员接触的频率与技术采纳概率正相关。即专业技术人员推广新品种越频繁或向农户提供新技术的信息或建议越多，农户采用新技术的概率越大。而购种前是否需要专业人员指导与技术采纳却是负相关的，在一定程度上说明，可能是由于农民购买品种时对技术人员的指导很不热情，农户对种子的选购在长期的生产实践中也已形成了自身的一套标准，加上种子选购行为本身的技术性不强，这也与农户大多是去食用菌企业或公司购买菌种有关。

2.3.3 结论与政策建议

食用菌种植户的调查数据及分析结果在一定程度上显示了食用菌种植户的基本需求意愿及各影响因素与农户技术采纳行为的关系：①农户在备料前的搭架环节对轻巧耐用棚架技术有强烈的需求，对菇棚覆盖新材料有较大的需求。②在购种环节，农户大多是通过农技推广站的技术人员了解新品种，现场示范和培训的技术推广方式较受欢迎，农户在选购品种时非常关注食用菌的菌种品质和产量并期待不断改进新品种。③在生产环节，食用菌农户最希望获得轻简化栽培技术和病虫害防治技术，担心菌种品质差和病虫害，能积极用药物预防食用菌病虫害，认为种植食用菌存在较高的风险并密切关注食用菌生产技术的改进以便降低风险。④运用 logistic 方法分析了部分因素对技术采纳行为的影响情况。

鉴于调查地域的局限及样本选择的原因，调查数据不足以完全说明所有食用

菌种植户的技术需求意愿，但可为食用菌产业的发展和技术推广工作提供一定的现实依据，并从中得到诸多启示。

首先，在搭架、购种和生产环节，应有针对性地给予食用菌种植户相关指导，满足他们不同阶段的信息、技术需求。优良品种的推广应以最直观最有事实依据的方式向农户宣传，尽量使优良品种得以普及。技术服务部门应该重视对农户进行病虫害防治方面的技术指导，加大专业技术人员与农户交流沟通的频率，切实为农户做好服务。

其次，加大优良品种的研发力度随着部分地区食用菌农户经营规模的扩大、食用菌的市场需求旺盛，农户从种植食用菌中获得更多收益，种植的积极性比较高，对新技术的采用也更积极主动。但食用菌自身的抗病、抗虫能力、菌种的产量等因素对农户的影响尤为关键，所以相关科技部门应该努力研究更优良的食用菌品种，满足农户对优质食用菌品种的需求。

然后，从农户了解食用菌新品种的途径和播种前对专业技术人员推广或建议的期待可以充分说明农业科技服务工作对农户的技术需求偏好具有重要影响。从我国实际情况看，国家农业技术推广部门是农民获得农业技术的主体部门，既是国家相关农业生产政策贯彻执行的主体，也是广大农民农业生产最坚实的生产指导和利益保障部门。虽然农业技术推广方面的管理体制、人员编制、事业经费等问题需要解决，但其在农业生产上发挥的积极作用不可替代，不容忽视，是广大农民先进生产技术的传授主体，是农业生产先进技术的推广主体。

再次，努力提高农民素质。在食用菌技术的需求方面，农民自身的禀赋在一定程度上有重要影响。农民文化素质的高低决定农民能否有效使用现代农业生产要素及对新技术的接受能力，农民较低的文化水平影响了其技术需求的主动性和技术需求的明晰化，其结果是，在多数情况下，政府代替农民成为技术需求的决策者，农业技术推广成为政府导向而非农民需求导向。农民素质与消极心理影响参与的积极性和主动性。农民文化素质低下，直接影响其各种技能的具备和运用，进而对自己在农业生产中掌握和应用科学技术的能力缺乏信心。

最后，提高农民的组织化程度。世界农业发达国家的经验表明，提高农民组织化程度是农业现代化的必然要求，也是实现"小农户"与"大市场"有效对接的重要纽带。为推进食用菌产业健康发展，迫切需要提高农民组织化程度，大力发展食用菌协会及各种合作组织不断提升农户在市场交易谈判中的地位，降低交易费用，实现外在的规模经济，让广大农户得到真正的实惠。

（杨传喜　张俊飚）

2.4 棉籽壳价格变动轨迹及其对食用菌生产的影响研究

棉籽壳是食用菌生产中的重要原材料之一。棉籽壳的供应及价格波动已经成为影响食用菌产业进一步做大做强的重要因素。

2.4.1 棉籽壳价格变动轨迹分析

棉籽壳作为棉花的副产品，其价格与棉花的生产、销售、加工有着一定的关联关系。自 2010 年 1 月以来，我国棉籽壳市场价格经历了一个持续上涨之后的逐渐下跌的过程。从整体变动轨迹来看，2010 年 1 月到 2012 年 2 月我国棉籽壳市场价格波动可以分为四个阶段。

第一阶段为 2010 年 1~6 月，棉籽壳价格保持平稳小幅增长，从期初的 1294 元/吨增加到期末的 1412 元/吨，累计增长了 9.12%，月均增长率为 1.47%。第二阶段为 2010 年 7~10 月，棉籽壳价格迅速上涨，从期初的 1464 元/吨快速上涨到期末的 2266 元/吨，短短 3 个月，累计增长幅度高达 54.78%。从单月增长率来看，8 月、9 月和 10 月棉籽壳价格环比增幅分别高达 17.38%、7.24%、22.91%，是两年中价格上涨最快的阶段。第三阶段为 2010 年 11 月到 2011 年 8 月，棉籽壳价格在较长时间内呈现出高位震荡的趋势。在此阶段，棉籽壳的平均价格为 1851 元/吨，最高价格出现在 2010 年 11 月，为 2140 元/吨，较平均价格高出 15.59%，最低价格出现在 2010 年 12 月，为 1659 元/吨，较平均价格低出 10.36%。第四阶段为 2011 年 9 月到 2012 年 2 月，棉籽壳价格迅速回落，从期初的 1616 元/吨下跌到期末的 949 元/吨，6 个月累计下跌幅度达到 41.27%，如表 2-40 所示。

表 2-40　2010 年 1 月~2012 年 2 月我国部分地区棉籽壳价格表

(单位：元/吨)

月份	山东德州夏津	河南开封	湖北黄冈黄梅	新疆	全国平均价格
2010.1	1300	1600	1626	650	1294
2010.2	1350	1650	1683	673	1339
2010.3	1317	1636	1626	800	1345
2010.4	1298	1585	1606	800	1322
2010.5	1330	1633	1650	822	1359

续表

月份	山东德州夏津	河南开封	湖北黄冈黄梅	新疆	全国平均价格
2010.6	1344	1750	1720	833	1412
2010.7	1459	1821	1720	857	1464
2010.8	1718	2138	2013	1006	1719
2010.9	1788	2213	2172	1200	1843
2010.10	2245	2623	2644	1550	2266
2010.11	2066	2613	2306	1573	2140
2010.12	1789	2003	1825	1020	1659
2011.1	1920	2214	2175	1067	1844
2011.2	1977	2300	2267	1250	1949
2011.3	1914	2181	2230	1258	1896
2011.4	1950	2230	2308	1175	1916
2011.5	1823	2147	2320	1080	1843
2011.6	1733	2123	2113	1075	1761
2011.7	1650	2150	2120	1075	1749
2011.8	1643	2179	2120	1075	1754
2011.9	1450	1895	2120	1000	1616
2011.10	1346	1540	1497	908	1323
2011.11	980	1150	1162	775	1017
2011.12	912	1167	1075	722	969
2012.1	878	1128	1108	700	954
2012.2	830	1175	1090	700	949

资料来源：根据中国食用菌商务网相关数据得出。

棉籽壳的市场价格同棉花产量具有重要关系。从地区市场上来看，新疆作为我国最大的棉花生产基地，棉籽壳供应充足，市场价格最低，2011 年 1 月，新疆棉籽壳市场价格比全国平均市场价格低 777 元/吨，为二者近两年内最大差额；2011 年 11 月，两者的差额为 242 元/吨，是最小差额。两年间，两者平均差价为579 元/吨。山东省作为我国第二大棉花生产省份，棉籽壳市场价格同国内棉籽壳市场平均价格基本保持一致。河南省和湖北省作为我国棉花重要产区，2010年两省棉花产量分别为 51.75 万吨和 48.05 万吨，差别不大，两省的棉籽壳市场价格也基本保持一致，如图 2-2 所示。

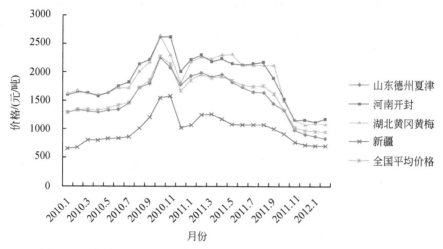

图 2-2 2010 年 1 月～2012 年 2 月我国部分地区棉籽壳市场价格走势图

2.4.2 棉籽壳供求特征分析

2.4.2.1 将长期处于供不应求的状态

1）我国棉籽壳供需缺口的核算

近十年来，我国食用菌生产规模不断扩大，总产量持续增加，对棉籽壳的需求量也与日俱增。然而，我国棉籽壳供给长期保持在相对稳定的状态，导致棉籽壳供需缺口不断加大。通过核算平菇、香菇、毛木耳、黑木耳、金针菇、姬菇、鸡腿菇、杏鲍菇、茶树菇等九大菇种在生产中对棉籽壳的总需求量与我国棉籽壳总供给量之间的差额，定量分析我国棉籽壳供需缺口所呈现出的数量特征，无疑对明晰我国棉籽壳供求现状具有重要意义。棉籽壳供需缺口核算公式为

$$\text{Margin}_n = \text{CQ}_{(n-1)c} \times p - \sum_{a=1}^{9} \frac{\text{FQ}_{na}}{r_a} \times m_a \qquad (2\text{-}4)$$

式中，Margin_n 为第 n 年棉籽壳供需总缺口；$\text{CQ}_{(n-1)c}$ 为第 $n-1$ 年棉花的产量；p 为每吨棉花中棉籽壳占棉花总重量的比重，为 24%；m_a 为 a 种食用菌培养基料中，棉籽壳所占比例；FQ_{na} 为第 n 年第 a 种食用菌的鲜重产量；r_a 为 a 种食用菌栽培的生物学效率，如表 2-41 所示。

表 2-41   食用菌种植培养基棉籽壳所占比例及生物学效率明细表

菇类	平菇	香菇	毛木耳	黑木耳	金针菇	姬菇	鸡腿菇	杏鲍菇	茶树菇
编号	1	2	3	4	5	6	7	8	9
培养基料中棉籽壳比例/%	40	45	30	20	88	15	30	60	50
生物学效率/%	130	82	114.5	100	86	96	100	91	90

2) 我国棉籽壳供需缺口分析

2001 年，在我国食用菌生产中，平菇、香菇、毛木耳、黑木耳、金针菇、姬菇、鸡腿菇、杏鲍菇、茶树菇等九大菇种共需消耗棉籽壳 263.73 万吨。而同期我国棉籽壳的总供给量仅为 106.02 万吨，棉籽壳需求缺口高达 159.71 万吨，缺口率达到 60.56%。到 2010 年，我国棉籽壳需求量增加到 756.8 万吨，较 2001 年增加了 1.85 倍，平均年增长率高达 12.33%。然而，2000～2009 年，我国棉籽壳总供给量受棉花总产量的影响呈现出总体向上波动的缓慢增长趋势。在 2009 年，我国棉籽壳总供给量达到 153.04 万吨，较 2000 年增长了 44.36%，平均年增长率仅为 4.16%，远远落后于棉籽壳年需求增长率。自 2005 年起，我国棉籽壳需求缺口一直保持在 300 万吨以上。同时，我国耕地面积相对不足也决定了我国的棉花总产量不可能再有大幅度提高，这也意味着我国棉籽壳的供需缺口将长期存在并随着食用菌产量的进一步增加而不断扩大，如表 2-42 所示。

表 2-42   2001～2010 年我国棉籽壳供需缺口核算表

年份	棉籽壳需求量/万吨	年份	棉籽壳供给量/万吨	棉籽壳供需缺口/万吨
2001	265.73	2000	106.02	159.71
2002	299.09	2001	127.76	171.33
2003	316.87	2002	117.99	198.88
2004	362.22	2003	116.63	245.59
2005	415.44	2004	151.76	263.68
2006	449.76	2005	137.14	312.62
2007	513.66	2006	180.79	332.87
2008	559.02	2007	182.97	376.05
2009	642.38	2008	179.81	462.57
2010	756.80	2009	153.04	603.76

资料来源：根据《中国统计年鉴》、食用菌产业经济研究室数据库相关数据得出。

2.4.2.2   棉籽壳供求程度在不同地区表现出较大差别

我国地域辽阔，棉花生产区主要集中在新疆、华北平原和长江中下游地区。

而我国食用菌生产则集中于东北三省及东部沿海地区，棉花生产大省与食用菌生产大省之间的棉籽壳供需矛盾存在较大的差异。据此，根据棉籽壳供需情况可以将以下省份分为三类。

（1）棉籽壳供需平衡省份

典型代表省份为山东。山东是我国最大的食用菌生产省份，2009年食用菌总产量达到249.84万吨，占全国食用菌总产量的11.35%，因而山东省对棉籽壳需求量很大。同时，山东也是我国第二大产棉省，2009年棉花总产量达到92.12万吨，占全国棉花总产量的14.45%，因而，山东省棉籽壳的供给量也相对较大。与山东省情况相类似，河南、河北、江苏、湖北4个省份的食用菌生产和棉花生产皆位于前列。这5个省份处于棉籽壳供需相对平衡的状态。

（2）棉籽壳供不应求省份

典型代表省份为黑龙江。黑龙江食用菌总产量位居全国三甲之列，2009年，黑龙江食用菌总产量达到210.45万吨，占全国食用菌总产量的9.56%，但是，黑龙江棉籽壳产量极少，在这种情况下，其棉籽壳的供需将出现供不应求的状况。与之类似，福建、吉林、辽宁、浙江等4个省份食用菌生产皆位居前列，但是，棉花产量较小。这5个省份处于棉籽壳供不应求的状态。

（3）棉籽壳供大于求省份

典型代表省份为新疆。新疆是我国最大的产棉区，2009年棉花产量达到252.42万吨，占全国棉花总产量的39.58%，但是，新疆的食用菌产量较少，在这种情况下，新疆的棉籽壳将出现供小于求的状况。与之类似，安徽、湖南、江西、甘肃等4个省份棉花生产皆位居我国前列，棉籽壳供给充足，但是食用菌产量较小，棉籽壳需求相对较小。这5个省份处于棉籽壳供大于求的状态（表2-43）。

表 2-43 2009 年我国棉花与食用菌产量排行表

排名	省份	棉花产量/万吨	所占比重/%	排名	省份	食用菌产量/万吨	所占比重/%
1	新疆	252.42	39.58	1	山东	249.84	11.35
2	山东	92.12	14.45	2	河南	242.37	11.01
3	河北	60.46	9.48	3	黑龙江	210.45	9.56
4	河南	51.75	8.11	4	福建	203.60	9.25
5	湖北	48.05	7.54	5	河北	190.80	8.67
6	安徽	34.60	5.43	6	江苏	184.24	8.37
7	江苏	25.53	4.00	7	吉林	111.47	5.06
8	湖南	21.20	3.32	8	湖北	109.29	4.96
9	江西	12.51	1.96	9	辽宁	107.03	4.86
10	甘肃	9.54	1.50	10	浙江	106.00	4.82

资料来源：根据《中国统计年鉴》、食用菌产业经济研究室数据库相关数据得出。

2.4.3　食用菌生产对棉籽壳的依赖程度分析

由于不同菇种对培养基配方的要求不同，不同菇种之间对棉籽壳的依赖程度便存在差异性。2010 年，我国食用菌总产量达到 2201.16 万吨，其中产量居于前 5 位的平菇、香菇、黑木耳、双孢蘑菇和金针菇产量之和为 1682.7 万吨，占食用菌总产量的 76.45%，这也意味着这五大菇种对棉籽壳的需求量具有重要的影响。但是，这五大菇种之间也会因培养基配方的差异，对棉籽壳的依赖程度各有不同（表 2-44）。

表 2-44　2010 年我国食用菌五大菇种产量及占食用菌总产量比重表

品种	产量/万吨	占食用菌总产量比重/%
平菇	559.94	25.44
香菇	427.65	19.43
黑木耳	289.59	13.16
双孢蘑菇	220.66	10.02
金针菇	184.85	8.40
全国总产量	2201.16	100

资料来源：根据食用菌产业经济研究室数据库相关数据得出。

平菇作为第一大菇种，2010 年，产量达到 559.94 万吨，占食用菌总产量的 25.44%，常用的培养基配方是棉籽壳麦麸培养基和棉籽壳培养基，棉籽壳在这两种培养基中所占的比例分别达到了 84% 和 100%。可见，平菇对棉籽壳的依赖程度很大。

香菇作为第二大菇种，2010 年，产量达到了 427.75 万吨，占食用菌总产量的 19.43%，常用的培养基配方是木屑棉籽壳培养基和木屑培养基，在这两种培养基中，棉籽壳在木屑棉籽壳培养基中所占的比重约为 15%，而木屑培养基完全不需要棉籽壳。可见，香菇对棉籽壳的依赖程度相对较小。

黑木耳作为第三大菇种，2010 年，产量达到了 289.59 万吨，占食用菌总产量的 13.16%，常用的培养基配方是木屑棉籽壳培养基，棉籽壳在这种基料中所占的比重约为 15%。黑木耳对棉籽壳的依赖程度也相对较小。

双孢蘑菇作为第四大菇种，2010 年，产量达到了 220.66 万吨，占食用菌总产量的 10.02%，常用的培养基配方是腐熟粪草培养基，在腐熟粪草培养基中不需要用到棉籽壳。双孢蘑菇对棉籽壳的依赖程度很小。

金针菇作为第五大菇种，2010 年，产量达到了 184.85 万吨，占食用菌总产量的 8.4%，常用的培养基配方是棉籽壳玉米粉培养基和木屑玉米芯培养基，棉籽壳在棉籽壳玉米粉培养基中所占的比重为 93%，在木屑玉米芯培养基中不需要用到棉籽壳，金针菇生长对棉籽壳的需求量可以因培养基配方的不同而变动。金针菇对棉籽壳的依赖程度较小。

以上研究表明，不同菇种对棉籽壳的依赖程度不同。平菇对棉籽壳的依赖性最大，香菇、黑木耳、双孢蘑菇和金针菇对棉籽壳的依赖性相对较小。这也反映出阔叶树木屑、秸秆、稻草、玉米芯等原料对棉籽壳具有较大的替代作用。

2.4.4 棉籽壳价格变动对食用菌生产影响的关联分析

2.4.4.1 灰色关联分析

灰色关联分析是灰色系统的重要组成部分，而且是灰色系统分析、预测和决策的重要基石。它采用量化方法获得灰色关联度，用以分清系统之间关系密切程度，是一种定量与定性相结合的分析方法。其基本原理是：通过对系统统计序列的几何关系比较来分清系统中多因素间的关联程度。序列曲线的几何形状越接近，则它们的关联度越大。

数理统计中的回归分析、方差分析、主成分分析等都是用来进行系统分析的方法。但这些方法对原始数据要求较高，不但要求样本量足够大，而且要求样本服从某个典型的概率分布，要求各因素数据与系统特征数据之间呈线性关系且各因素之间彼此无关，这在实际工作中往往难以满足。而灰色系统理论的灰色关联度分析却可以不受这些局限，相比之下，更具有以下特点与优势：①是因子间发展态势分析；②是以定性分析为基础的定量分析；③对于数据量的大小没有严格要求；④原始数据分布类型不限，因素之间发展变化的关系不管是直线还是非直线；⑤计算方法相对简便。

考虑由 k 个因素构成的 n 个序列：

$$X_i = \{X_i(1), X_i(2), \cdots, X_i(k)\}, \ i = 1, 2, \cdots, n \tag{2-5}$$

X_i 代表评价对象，称为子序列。再给定相应的母序列：

$$X_0 = \{X_0(1), X_0(2), \cdots, X_0(k)\} \tag{2-6}$$

研究这 n 个子序列与母序列的相对关联度。其计算步骤与方法叙述如下。

1）原始数据变换（无量纲化处理）
由于参考数列与被比数列单位不同或者初值不同，进行关联分析之前需进行无量纲化处理，目的是加强各因素间的接近性，增强可比性。其方法常用初值化、均值化和标准化变换，本书采用均值化法，即数列中每个数据均除以该指标所有数据的均值。

2）计算关联系数

利用标准化数据求数列 X_0 和 X_i 的绝对差值：

$$\Delta_i(k) = |X_0(k) - X_i(k)| \tag{2-7}$$

计算 2 级最小差 $\min \min \Delta_i(k) = |X_0(k) - X_i(k)|$ 和 2 级最大差 $\max \max \Delta_i(k) = |X_0(k) - X_i(k)|$，用式 (2-8) 计算关联系数 $\xi(k)$：

$$\xi(k) = \frac{\min \min \Delta_i(k) + \rho \max \max \Delta_i(k)}{\Delta_i + \rho \max \max \Delta_i(k)} \tag{2-8}$$

式中，ρ 为分辨系数，一般设 $\rho = 0.5$。用式 (2-9) 计算关联度 γ_i：

$$\gamma_i = \frac{1}{n} \sum_{k=1}^{n} \xi(k), \quad k, 1, 2, \cdots, n \tag{2-9}$$

排列关联序，并求出影响权重。因素间的关联程度，主要是用关联度的大小次序描述，而不仅是关联度的大小。将 n 个子序列对同一母序列的关联度，按大小顺序排列，便组成了关联序，记为 $\{X\}$，它反映了对于母序列来说各子序列的"优劣"关系。若 $r_{0i} > r_{0j}$，则称 $\{X_i\}$ 对于同一母序列 $\{X_0\}$ 优于 $\{X_j\}$，记为 $\{X_i\} > \{X_j\}$。

权重的计算为

$$\omega_i = \frac{\gamma_e}{\sum_{k=1}^{n} \gamma_i}, \quad k = 1, 2, \cdots, n \tag{2-10}$$

2.4.4.2 指标的选取

平菇是我国产量最大的食用菌菇种，同时，在平菇的生产中消耗的棉籽壳较大，棉籽壳价格波动将对平菇市场价格波动产生重要影响，本书选取平菇全国市场价格作为母序列，即平菇价格为 $X_0(k)$；棉籽壳全国市场价格作为 $X_1(k)$；考虑到消费者物价指数是国家通货膨胀率的重要指标，而通货膨胀将对平菇市场价格产生影响，因而本书选取消费者物价环比指数作为 $X_2(k)$；平菇在集中上市期会因为供给量的增加导致市场价格波动，因而，本书将平菇是否处于出菇期作为 $X_3(k)$。数据如表 2-45 所示。

表 2-45 2010 年 1 月 ~ 2011 年 9 月平菇价格、棉籽壳价格、消费者价格指数表

月份	平菇价格/(元/千克)	棉籽壳价格/(元/吨)	消费者物价指数/%	是否平菇出菇期
2010. 1	4. 46	1294	0. 6	0
2010. 2	3. 24	1339	1. 2	0
2010. 3	3. 69	1345	−0. 6	0
2010. 4	3. 02	1322	0. 2	1
2010. 5	3. 69	1359	−0. 1	1
2010. 6	3. 68	1412	−0. 6	1
2010. 7	4. 82	1464	0. 4	0
2010. 8	5. 36	1719	0. 6	0
2010. 9	5. 40	1843	0. 6	0
2010. 10	5. 73	2266	0. 7	1
2010. 11	4. 65	2140	1. 1	1
2010. 12	4. 38	1659	0. 5	0
2011. 1	5. 12	1844	1. 0	0
2011. 2	6. 50	1949	1. 2	0
2011. 3	3. 96	1896	−0. 2	0
2011. 4	4. 18	1916	0. 1	1
2011. 5	4. 41	1843	0. 1	1
2011. 6	4. 72	1761	0. 3	1
2011. 7	5. 20	1749	0. 5	0
2011. 8	8. 18	1754	0. 3	0
2011. 9	7. 55	1616	0. 5	0

资料来源：根据食用菌产业经济研究室、中国食用菌商务网、中国国家统计局相关数据得出。

2.4.4.3 结果讨论

灰色系统理论指出：在灰色关联度分析中，关联度大小反映了因子的重要性，关联度越大，表明因子的作用越大，即对平菇市场价格的影响越大。

由表 2-46 可知，平菇市场价格受棉籽壳市场价格、消费者价格指数表及是否处于出菇期等有关指标的关联度和强弱次序为：棉籽壳市场价格>消费者价格指数>是否处于出菇期。

表 2-46   2010 年 1~9 月平菇市场价格波动及相关影响因素关联度及强弱排序

指标字母	影响因素	关联系数	权重
r (1)	棉籽壳市场价格	0.8846	0.4433
r (2)	消费者价格指数	0.6285	0.3150
r (3)	是否处于出菇期	0.4824	0.2417

从关联度计算结果来看，我们选取的影响因素中，棉籽壳价格和消费者价格指数与平菇市场价格存在较强的关联，且棉籽壳价格的关联度最高，关联系数为88.46%，所占权重为44.33%，可见棉籽壳价格的上涨对平菇价格的影响很大；其次是消费者价格指数，关联度达到了62.85%，所占权重为31.5%，由此可知，通货膨胀也是影响平菇价格的重要因素；而平菇市场价格与平菇是否处于出菇期的因素关联度不大，其主要原因是，本书选用全国平均价格作为棉籽壳市场价格，由于我国平菇生产时间长，生产地域广阔，因而，从局部地区局部时段来看，平菇在出菇期由于产量过大而价格过低，但是从全国市场来看，因运输和存储的存在，平菇的价格受出菇期的影响在一定程度上被抵消了。

2.4.5   稳步推进食用菌生产发展的对策建议

2.4.5.1   加大科研力度，努力研发和探索食用菌基料新配方

一方面，从全国范围来看棉籽壳供应紧张的局面将长期存在并日趋严重；另一方面，我国农村有大量作物秸秆、木屑等生物质资源得不到有效利用，形成巨大的浪费。为此，应加大科研力度，寻找食用菌基料新配方。

2.4.5.2   建立棉籽壳交易中心，完善棉籽壳交易机制

我国棉籽壳生产和食用菌生产在时空上具有不匹配性。一方面，食用菌生产时期正是棉籽壳需求的高峰期，此时棉籽壳的供给较少；而在棉籽壳供给的高峰期食用菌生产所需要的棉籽壳较少，这导致了棉籽壳供求在时间上的不匹配。另一方面，食用菌生产大省和棉花生产大省并不一致，这导致了棉籽壳供求在空间上的不匹配。对此，建立棉籽壳交易中心，完善棉籽壳交易机制，平抑棉籽壳加工波动，对降低菇农生产成本，保证棉籽壳供应，提高菇农收入具有重要意义。

2.4.5.3   增加棉籽壳进口，从海外市场寻求棉籽壳供给渠道

棉籽壳作为棉花的副产品，其价值含量很低。我国作为世界上最大的食用菌

生产国，应充分利用好食用菌生产优势，扩大棉籽壳的进口，以国外的棉籽壳供给优势结合我国的食用菌生产优势，实现食用菌产业的效益最大化。

（江松颖　罗小峰）

2.5　食用菌产业技术部门的推广绩效及影响因素分析

我国正处于传统农业向现代化农业转型的初期阶段，农业和农村经济在整个国民经济和社会发展中仍占有极其重要的地位，而促进农业增效和农民增收是解决三农问题的有效途径。食用菌由于具有单位面积产值高和增收效果明显等特点而受到农民欢迎。建设现代化的农业（食用菌）产业体系，除了国家在政策和财政上的必要扶持外，科技的作用不容忽视，然而目前我国农业科技成果转化率还非常低，每年虽有7000项左右科技成果问世，但科技成果真正转化为现实生产力的仅30%～40%，远低于发达国家的70%～80%的先进水平（何维军和李庆云，1999），产生此问题的重要原因之一就是我国现有的农业技术推广体系运行效果不理想。

食用菌等农业新技术的推广作为农业教育、科研与农民及政府和农民之间联系的桥梁和纽带，在农村经济可持续发展中起着举足轻重的作用。随着社会主义市场经济体制的逐步完善，我国农业相关产业的发展面临着更多的机遇与挑战。积极稳妥地发展农业的规模化经营、逐步提高农产品的科技含量和在国际市场上的竞争力成为当前乃至今后的紧迫任务，需要认真分析当前我国农业技术推广体制运行的现状、效果及存在问题，在此基础上改革创新我国农业技术推广体系和运行模式，探索科技成果向现实生产力转化的有效途径，走符合我国国情的农业技术推广道路，为现代农业建设提供重要支撑。本书借助于对食用菌产业技术部门和菇农的实际调查数据，系统阐述了目前我国12个省份食用菌技术推广部门运行特点、推广效果及存在问题，并试图找出影响食用菌产业技术部门推广绩效的主要因素，以期能对我国农业技术推广体系的良性发展提供参考。

2.5.1　推广绩效影响因素的理论分析框架

农业技术推广部门是技术创新主体服务于技术需求者的重要桥梁，承载着将实用新技术转化为现实生产力的重要责任。为此，技术部门的推广效果决定了技术在农户生产、加工、消费等环节的适用情况，也制约着农村经济能否持续、健康地向前发展。食用菌产业技术部门的推广绩效通俗而言就是：技术部门通过花费一定的人力、物力、财力推广新技术后所达到的效果，包括新技术推广品种、适用范围、菇农采用新技术后的收益增加情况、社会各方面对技术部门的认可度等。因此本书对食用菌技术部门推广的绩效评价就从客观与主观两个方面展开。其中，客观上包括食用菌新技术的推广情况、菇农采用新技术后的种植收益情况、技术部门对菇农的技术培训与外单位合作情况；主观上包括单位自身推广效果评价与菇农对技术部门的认可情况。

目前，分析技术部门推广绩效影响因素的文献还比较少见，且侧重从农户或者技术推广员角度来探讨新技术推广或者新技术采纳的影响因素（Tripathi U et al.，1999；Marsh S P et al.，2004；胡瑞法和李立秋 2006；王玄文和胡瑞法 2003；郭霞和董维春 2008；王磊等 2009）。前人的大量实证研究表明：农户特征、农技员素质和工作态度、推广单位性质、经费情况是影响新技术推广的重要因素（李立秋等，2003；张东风，2008；李红梅，2008；李冬梅等，2009），但学者们得出各因素对推广效果的影响方向及程度存在较大差别。本书主要从食用菌产业技术推广部门与菇农视角探讨 57 个技术部门的新技术推广效果，综合以上分析，提炼出影响食用菌产业技术部门推广绩效的主要因素，可以归结为推广单位自身特征与外部特质两个方面。据此，具体构建了技术部门单位性质、推广人员比重、单位推广经费是否充足、有无营业性收入、与外单位有无合作、对农户有无技术培训等 6 个自变量，并提出如下假说。

2.5.1.1　食用菌技术部门推广绩效受到技术部门单位特征的影响

技术部门单位特征包括单位性质、部门中推广人员所占比重、单位推广经费是否充足、推广中有无营业性收入等情况。一般来讲，自收自支型单位逐利性更强，有参与激烈的技术市场竞争的动力，其推广效果会好于国家财政拨款的技术推广单位；推广部门中推广人员所占比重越高，能深入到基层的员工相对会多，技术员对农户进行技术指导的机会也会越多；单位推广经费越足，技术部门的推广项目越能落实到位；技术推广中除了公益性项目以外，若能有一定的经营性收支项目，带动推广部门的积极性的同时，也就提高了技术的推广效果。

2.5.1.2　食用菌技术部门推广绩效还受到技术部门外部特征的影响

技术部门外部特征包括是否有与外单位合作、是否对农户开展培训两种情况。一般说来，与外单位良好的合作交流，不但利于新技术新方法的引进，而且有助于新技术在菇农中有效的扩散与传播；技术部门对农户开展生产、加工环节的技术培训，有利于农户对新技术的熟悉和认知，加快了群众对农业新技术的采纳与认可的进度。

2.5.2 样本来源

本书的实证分析中使用了两套数据资料，来源于食用菌产业技术体系于2009年4~7月对79家食用菌产业技术推广部门和616户菇农所做的调查。调查区域分布于全国11省份的45区县，包括东北3省的10区县、湖北的4区县、山东的4区县、河南7区县、河北5区县、江苏5区县、陕西汉中的勉县、浙江5区县、福建4区县。数据显示①，上述11个省份2007年食用菌产量达1302.76万吨②，占到了全国食用菌总产量的77.44%，另外总产值也高达622.21亿元，占到全国食用菌总产值的78.11%，因此，样本具有一定的代表性，能够大体反映目前我国食用菌产业体系整体的运行情况。

本书选取的食用菌产业技术推广部门的调查资料，包括了这些部门的单位性质、运营状况、新技术推广培训及对外合作情况等信息，至于菇农的调查资料则主要侧重于了解菇农的家庭特征、新技术采用渠道及增收效果等信息。在具体分析时我们对问卷进行了整理，剔除部分无效问卷，共获得技术部门的有效问卷57份，菇农的有效问卷488份，问卷有效率分别为72.15%和79.22%。

从技术推广部门的调查结果来看：①调查中有34.60%的单位为自收自支单位，包括食用菌制种公司、食用菌协会等新型技术推广主体；②技术推广项目经费短缺现象普遍存在，57家单位中的48家存在这种情况，占到了有效调查单位的84.20%；③多数调查单位在技术推广活动中无营业性收入，占到了样本总数的80.70%；④调查中94.70%的单位有针对菇农的培训项目，并且84.90%的技术部门反映其培训效果较好；⑤68.40%的推广单位参与了对外合作项目，且94.40%的部门认为其合作情况较好。

从菇农的调查结果来看：①受访户户主年龄结构以中老年为主，平均年龄为44.30岁，其中40岁及以上的受访菇农居多，占62.20%；②文化程度偏低，受访户主文化程度主要集中在小学至初中学历层次，达到了368人，占到总样本数

---

① 食用菌产业技术体系综合试验站也获得了甘肃、新疆、上海、北京、天津五省（自治区、直辖市）部分区县的调查问卷，但由于样本量过小，在具体的分析当中，我们未予考虑。

② 根据《中国农产品加工年鉴》(2008年)相关数据得出。

的 75.40%；③受访户家庭常年劳动力数量平均为 1.91，户均有 2 个劳动力的家庭较多，为 243 户，占到总数的近 50%；④食用菌收入几乎成为家庭收入的主要来源，受访户食用菌收入占家庭总收入比值的平均数为 68.50%，数据显示超过 7 成的菇农食用菌收入占家庭总收入的 50%；⑤采用新技术后菇农收入有升有降，收入增加的菇农占采用新技术菇农的比例为 41.39%，收入降低的菇农占采用新技术菇农的比例为 33.61%；⑥虽然目前技术推广中已形成"政府推广部门为主体，多方参与"的格局，但菇农对技术推广部门信任程度更高，受访户中的 56.76% 将技术推广部门作为其技术服务获取渠道的首选，明显高于其他技术服务主体。

2.5.3 食用菌产业技术部门的推广绩效分析

2.5.3.1 食用菌新技术推广绩效分析的客观方面

1) 主栽食用菌品种的推广数量及适用范围

由表 2-47 可知，香菇、木耳、金针菇、平菇、双孢蘑菇为调查区（县）主要的食用菌推广品种。问卷统计显示，2008 年受调查的食用菌技术部门共推广香菇、木耳、金针菇、平菇、双孢菇等新品种共计 31 个，推广数量分别为 174 865.5、260 760、61 072、47 367、24 364 万袋，推广范围分别涵盖了 30、62、6、24、14 个区（县），推广情况较好。

表 2-47 2008 年食用菌推广部门技术推广情况

推广新品种	推广新品种数/个	推广数量/万袋	推广范围/个
香菇	8	174 865.5	30
平菇	4	24 364	14
木耳	15	260 760	62
金针菇	2	61 072	6
双孢蘑菇	2	47 367	24
其他*	—	—	—

*其他包括白灵菇、杏鲍菇、天麻、猪苓、茯苓、姬菇、猴头菇等种植规模较小的食用菌种植品种。

注：其中在 30 个区（县）推广包括 939、晋农 11 在内的香菇新品种 8 个，计 174 865.5 万袋；在 14 个区（县）推广包括黑平 1 号在内的平菇新品种 4 个，计 24 364 万袋；在 62 个区（县）推广晋才丰五、长白 7 号在内的木耳新品种 15 个，计 260 760 万袋；在 6 个区县推广福建百 93、白色金针在内的金针菇新品种 2 个，计 61 072 万袋；在 24 个区县推广 AS2796 在内的双孢菇新品种 2 个，计 47 367 万袋。

2）菇农收益增长情况

据调查，在采用食用菌新技术后，2008 年受访菇农中的 202 户食用菌种植收益出现了增加，每户收益平均增加 12 416.86 元，这部分农户占到了调查农户的 41.39%；调查还显示，2008 年食用菌种植收益降低的农户比例也较大，为 33.61%，总数达 164 户；另外，122 户认为自家食用菌种植收益未发生变化，占菇农总数的 25%（表 2-48）。总体来看，2008 年农户采用新技术的收益并不明显，有升有降。对于 164 户食用菌的种植收益为何出现负增长、其与食用菌新技术的推广有无必然联系等情况，由于数据上的限制，还有进一步的分析与考证。

表 2-48　2008 年菇农食用菌种植收益增长情况

收益情况（相对于 2007 年）	增加	持平	下降
调查户数/户	202	122	164
占受访户的比例/%	41.39	25	33.61

3）新技术的培训

新技术培训[①]主要包括三方面的情况：食用菌产业技术推广部门有无针对菇农的培训、培训次数、培训效果。调查得知，技术推广单位中的 54 家有对农户所进行的技术培训，比例高达 94.70%。食用菌技术推广部门年均进行培训 6.75 次，培训次数最多达 30 次，最少为 1 次；培训次数在 3 次及以下的推广部门为 13 个，占到有培训部门的 24.07%，年均培训 6 次以上的占到了有培训部门的 26.90%；在培训效果方面，反响较好。认为培训效果好和较好的分别为 13、32，二者合计占到了技术推广单位的 84.90%，只有 15.10% 的技术推广单位认为培训效果一般。

4）新技术推广中的对外合作情况

调查显示，在新技术的推广活动中，有 39 个食用菌技术推广部门与外单位[②]进行了合作，占到调查样本总数的 68.40%。食用菌技术推广部门对外的合作单位平均有 1.51 个，最少的合作单位数为 1 个，最多为 4 个。推广部门中的 24 个对外的合作对象为 1 个，占到了样本总数的 61.50%；合作对象为 2 个的占到样本总数的 28.20%；4 个推广部门的对外合作单位为 3 个及以上，仅占到样本总

---

①　新技术培训包括了农业技术推广部门对菇农进行的食用菌生产、加工、包装方面的技术培训与咨询。

②　据调查，食用菌技术推广部门主要与当地大学的农学院、农科院或者林科院、研究所、政府的相关部门开展合作。

数的 10.30% 。另外我们还得知，技术部门中的 16 个合作的对象有大学（包括两个及以上大学的情况），27 家单位对外合作的对象有林业科学院（以下简称林科院）或者农科院（包括省、市两级林科院或农科院的情况），5 家单位的对外合作对象有食用菌研究所，另有 2 家单位的合作对象对应着农技站和农业厅主管部门。论及食用菌技术推广部门的对外合作效果上，有 34 个技术部门认为其合作效果好或者较好，占总数的 94.4%，仅有 2 个部门认为其对外合作效果一般。

2.5.3.2 食用菌新技术推广绩效分析的主观方面

1）菇农对食用菌技术推广部门的认可程度

在前文分析中得知，目前市场上有多种形式的菇农技术信息获取渠道，具体来说有食用菌产业技术推广部门、大众传媒、食用菌协会等新型合作经济组织、亲戚朋友或邻居、食用菌制种企业或者个体经营部等。为此，在进行问卷资料的收集时，我们用"谁是您食用菌相关技术信息的首选渠道之一（可多选）"来表征菇农对于各技术服务主体的信赖及认可程度，当问及"您在食用菌生产、销售、加工环节相关信息获取的首选渠道是什么？"，受访菇农中的 277 位选择了农业技术推广站，占到调查农户总数的 56.76%，选择从亲朋邻居、报纸或书籍获取食用菌相关技术信息的列第二三位，分别达 157 位和 76 位，占到受访农户总数的 32.17% 和 15.57%，如表 2-49 所示。结合数据的统计分析，我们还可以推断出：农户对食用菌协会等组织的关注和认可度仍较低，仅排在农户技术信息获取渠道的第六位，这符合我国食用菌协会等合作经济组织目前的运行现状。

表 2-49 菇农对各种技术服务主体的认可程度

技术服务信息首选渠道	农技推广部门	亲朋或邻居	报纸或书籍	菌种公司	电视或广播	食用菌协会	其他
农户数/户	277	157	76	69	64	64	20
比例/%	56.76	32.17	15.57	14.14	13.11	13.11	4.10

2）食用菌技术部门自身评价

针对食用菌技术推广部门的调查问卷显示，29 个技术推广部门认为本单位新技术推广效果好，占到样本总数的 50.90%，然而仍有 49.10% 的推广部门认为本单位技术推广效果并不好，技术人员年龄结构老化、专业素质和工作热情低、推广经费不足被认为是主要原因。

上述内容从客观上的食用菌新技术推广情况、菇农增收情况、技术培训情况、对外合作情况，主观上的菇农认可程度、技术部门自身评价，两大方面系统阐述了技术推广部门食用菌新技术的推广绩效。为了尽量做到论述的系统、全面，书中采用了大量的一手调查数据，由于调查区（县）都有一定代表性，为此增强了论述的说服力。然而，除此以外，我们还想了解影响食用菌技术部门推广绩效的因素具体有哪些？影响方向和程度怎么样？

2.5.4　推广绩效的影响因素分析

2.5.4.1　模型设定

在前文的推广绩效影响因素理论分析及实地调查的基础上，我们认为食用菌产业部门技术推广绩效主要受到单位自身特征及单位外部特质的影响，承接上文的分析，我们选取单位性质、推广人员比重、单位推广经费是否充足、有无营业性收入这 4 个变量来表征食用菌技术推广部门的单位特质；与外单位有无合作、对农户有无技术培训来表征单位的外部特征。据此，我们建立食用菌产业技术部门推广绩效影响因素分析的理论模型为

P（食用菌技术部门推广绩效）= F（单位性质、推广人员比重、推广经费、营业性收入、单位合作、技术培训）+ μ（随机扰动项）

$$(2\text{-}11)$$

食用菌技术部门推广绩效作为因变量，推广绩效有好或者不好两种情况，是一个二分变量。我们将技术部门推广绩效定义为 JX，并对 JX 赋值为 0 或 1，其中 0 代表推广绩效不好，1 代表推广绩效好的情况。对于二分选择变量而言，设 JX = 1 的概率为 P。根据公式（2-11）式的理论模型，我们构造的 logistic 模型函数形式即为

$$P_i = F(U_i) = F(\beta_0 + \beta_i X_i) = \frac{1}{1 + e^{-u_i}} = \frac{1}{1 + e^{-(\beta_0 + \beta_i X_i)}} \qquad (2\text{-}12)$$

简化式为

$$\ln \frac{p_i}{1 - p_i} = U_i = \beta_0 + \beta_i X_i + \mu \qquad (2\text{-}13)$$

式中，食用菌技术部门推广绩效（JX）为因变量，推广绩效好的概率 $P = 1$，推广绩效不好对应的概率 $P = 0$。X_i 为自变量（$i = 1, 2, \cdots, 6$），具体是指前文构造的影响食用菌技术部门推广绩效的 6 个因素，最终我们将通过 logistic 模型分析各因素对食用菌技术部门推广绩效影响的作用方向及程度。

结合前人的研究和上述分析，由表 2-50 可知，食用菌技术部门推广绩效理论模型中各影响因素的具体含义及对因变量作用方向的假定。

表 2-50   logistic 实证模型中各变量含义及作用方向假定

变量	含义	字符	预期作用方向假定
推广绩效	食用菌产业技术部门推广效果（好/不好：1/0）	JX	
单位性质[1]	单位是财政全额拨款还是自收自支型（财政拨款/自收自支：1/0）	CHA	−
推广员占比	推广员人数占本单位职工比重（%）	WEI	+
推广经费	单位技术推广经费是否充足（充足/不充足：1/0）	MON	+
营业收入	单位在新技术推广中有无营业性收入（有/无：1/0）	REV	+
对外合作	新技术推广中单位有无开展对外合作、交流（有/无：1/0）	COP	+
培训项目	本单位对菇农有无组织新技术的培训（有/无：1/0）	ITE	+

注：单位性质主要包括食用菌技术推广部门、科研院所等国有事业单位及公司企业、协会、私人营业部等自营性单位。

2.5.4.2 实证分析结果

根据上述 Logistic 回归分析的实证模型，采用 SPSS16.0 软件，我们将上文构造的影响食用菌技术部门推广绩效的变量全部纳入回归方程，运行结果如表 2-51 所示，剔除影响关系不显著的变量，最终得到了如下的回归方程：

$$U = -3.4660 \quad WEI + 1.9220 \quad MON + 2.7250 \quad REV \quad (2\text{-}14)$$

表 2-51   回归模型的运行结果

变量	B	S. E.	Wald	Sig.
单位性质	0.2110	0.7170	0.0870	0.7680
推广员占比	−3.4660 **	1.4360	5.8290	0.0160
推广经费	1.9220 *	1.0830	3.1520	0.0760
营业收入	2.7250 **	1.2230	4.9670	0.0260
有无合作	−0.9000	0.8210	1.2030	0.2730
培训项目	1.5570	2.2220	0.4910	0.4840
Constant	0.7110	2.4180	0.0860	0.7690

*** 、 ** 、 * 分别表示在 1% 、5% 和 10% 的水平上显著。

2.5.4.3　分析与讨论

（1）推广经费是否充足对食用菌技术部门推广绩效的影响显著为正，这验证了我们的研究假说。由于当前农业技术推广中财政扶持力度小，再加之技术推广中公益性与经营性推广项目的交织，导致了食用菌技术部门在农业技术推广中经费短缺的困境。在这样的背景下，不利于技术推广员工作积极性的调动，严重制约着食用菌产业部门技术推广工作的有效开展。因此食用菌产业部门推广经费越有保障，其取得的推广效果会越好。

（2）有无营业性收入对食用菌产业技术部门推广绩效的影响显著为正，这也符合我们的预期。随着社会主义市场经济体制改革的逐步深入，在农业技术推广领域的改革也朝着良性方向发展。目前肯定国家推广部门的主体地位，积极鼓励多方参与技术市场竞争、逐步实现公益与经营性技术推广的分离、尽快引入技术推广员资格认证制度等已经得到了多方认同。一般而言，有营业性收支的食用菌技术推广单位在市场竞争中更富有活力，在技术市场上的竞争力也会愈强，为菇农提供技术的服务效果也会愈好。

（3）单位推广员占比对推广绩效的影响作用在5%的水平上显著为负，这与预期的作用方向相反。主要原因在于，我们所调查的单位平均拥有职工数19.51个，最少仅1个，最多的是136个①，其中单位总员工在10个以下的多达31个，占到所调查技术部门的54.40%，单位拥有30个及以上员工的只有11家，占总数的17.50%，然而作为农业技术推广来说，尤其是基层的技术推广部门，面对千家万户小规模的食用菌种植户，所需技术推广员数量大，而目前技术推广部门所拥有的员工数量（这其中还要减去单位必要的行政管理人员）还无法满足当地菇农的需求，造成1个技术员负责几个村甚至几个镇的食用菌技术推广的局面，再加之现有推广人员素质偏低②，因此食用菌技术推广部门的服务质量难以达到预期效果，单位技术推广员占比与技术推广绩效的关系也就变得不太明朗，这需要后面的研究来补足。

（4）单位性质、有无合作、培训项目虽然对技术推广绩效的作用不显著，

---

①　这也是员工人数超过百人的两个推广部门之一，另外一个过百人的单位职工人数为128名。

②　根据我们对57个食用菌技术推广部门的调查数据分析得知，部门中级职称及以上人员占单位总员工比重均值为48.85%，该比值低于50%的占到了调查单位总数的56.10%；推广部门中无高级职称的为22家，高级职称比例低于20%的占到调查单位总数的78.90%。这在一定程度上反映了目前食用菌等农业技术推广员业务素质较低的现状。

然而仍能说明食用菌部门技术推广绩效的一些情况。单位性质对推广绩效的作用方向为正，说明财政拨款型食用菌产业部门技术推广绩效更好一些，这主要在于农户对国家支持的技术部门更为信赖，也说明自收自支型技术推广主体影响力依然有限；对菇农有无技术培训对推广绩效的影响也为正，这说明加强对农户的培训，有利于食用菌新技术在农户间的传播；对外有无合作对推广绩效的影响为负，可能原因在于，菇农现实需求的技术没有成为他们合作的焦点，食用菌技术推广部门与外单位之间的合作更多地体现为技术扶持与情感沟通，因此对外合作情况对推广绩效影响无法准确给定，这也需要进一步的研究。

2.5.5 结论及建议

前文从主客观两方面评述了食用菌产业技术部门的推广绩效，其中客观方面我们从食用菌新技术的推广、采纳新技术后菇农收益、推广部门对菇农的新技术培训、新技术推广中的对外合作等情况展开了讨论，主观方面我们从菇农对食用菌技术推广部门的认可程度及单位自身评价进行了说明，上文以上指标的描述性统计分析在一定程度上反映了目前我国食用菌产业技术部门的推广绩效；食用菌产业技术部门推广绩效的影响因素分析的 Logistic 理论模型，结合实际调研数据所作的回归结果显示：①食用菌产业技术推广部门经费是否充足对推广绩效影响显著为正；②有无营业性收入对技术部门推广绩效显著为正；③单位性质、有无培训项目对技术部门推广绩效影响为正但不显著；④单位推广员占比、有无对外合作项目对技术部门推广绩效的影响作用方向与预期并不一致，但是也揭示了推广人员短缺、员工素质不高、项目合作成果无法满足菇农技术需求等问题。

基于以上的分析，为了进一步提高食用菌产业技术部门的推广绩效，应重点做好以下几个方面的工作。第一，要继续加大对技术推广部门的财政扶持力度，促进农业技术推广体制改革朝良性方向发展。第二，继续坚持以国家农业技术推广部门为主体、市场为导向的原则，逐步实现技术市场上多方参与农业技术服务的局面。第三，在农户的教育培训环节上，国家应该承担更多的责任，这将有利于农民素质的根本提升和食用菌新技术的快速普及。第四，切实以菇农的技术需求为先导，推广农民满意的良方良法，同时要锻造一支高素质的农业技术推广队伍，这也是提高农业技术推广绩效的前提。

（李　平　李　波　张俊飚）

2.6 我国农民专业技术协会发展的调研分析

食用菌产业技术协会等新型农民合作经济组织能够有效解决农户分散的小生产与大市场的连接问题，是提高农产品市场竞争力和增加农民收入的重要组织形式。食用菌产业技术协会作为新型农民合作经济组织的一种形式，逐渐受到政府认同和农民欢迎，各地纷纷出台了一些规范和指导措施。2006 年 10 月 31 日国家颁布了《中华人民共和国农民专业合作社法》，以期在更高层次上引导、规范、鼓励发展农村新型合作经济组织，进一步提高农民组织化程度，促进农民增收、农业增效。通过良好的政策引导，农民合作经济组织发展势头比较迅猛。截至2008 年年底，全国实有各种农民专业合作经济组织 11.09 万个，比 2007 年年底增长了 316%；实有成员总数 141.71 万户，成员出资总额 880.16 亿元，比 2007 年年底增长了近 400%。然而，现实的情况并不乐观，我国参与合作经济组织的农户总数仍然比较小，仅占到 25 664 万户的乡村户数的 4.30‰，这一方面归结于广大农民对新型合作经济组织缺乏了解和认知，另一方面农民专业合作经济组织不够健全、内部管理不够规范，大多流于形式也是主要的原因。基于上述原因，造成了尽管政府对农民合作经济组织有很大的热情，而农民反映却很平淡的尴尬局面。本书以食用菌主产区（县）的食用菌产业技术协会为调查对象，拟通过对我国食用菌产业技术协会运行现状进行综合分析，以期把握其现阶段发展规律，从而能够为农民新型专业合作经济组织规范的设立及运行提供一定的参考。

2.6.1 调研的总体概况

在食用菌产业技术体系的组织下，通过问卷调查与座谈访问等形式，我们获得了食用菌主产省份的 79 个食用菌产业技术协会的数据，其中有效问卷 68 份，问卷有效率达 86.1%。协会问卷信息主要包括协会负责人特征、协会领办人、协会的性质、组织机构、协会对社（会）员的服务内容、协会近年营业收入及全体会员总产值、近年协会收购农产品的数量及价格、协会发展有无制订规划及已有措施的实践情况等内容。在调研涉及的 68 家协会中，登记注册的有 46 家，平均注册资本为 52.7 万元（注册资金最多的达到了 800 万元，最少的仅 5000 元），合计发展会（社）员数 22 149 个，带动农户数 167 585 户，所辖农户食用菌种植规模达 226 489 万袋，其中 2008 年协会及全体会员实现总产值 98515 万元，带动农户较上年总计增收 2403 万元。从协会服务范围来看，既包括产前菌种、培养料等生产资料的提供，也包括产中的技术培训、示范与推广，还包括产后的产品收购服务、市场信息传递及代表农户（会员）与其他经济主体谈判等业务，反映了农村专业技术协会未来发展方向的多元化和混合型（刘冬梅 2009）[5]。从协会开办情况来看，除农户（食用菌种植大户或村干部）自己兴办外，还有一定比例的协会是由外部主体（如龙头企业、政府农技服务部门等）领办。食用菌产业技术协会的区域分布情况，如表 2-52 所示。

表 2-52 协会的区域分布情况

省份	有效的食用菌 产业技术协会数/家	协会的地域分布
辽宁	4	丹东市宽甸；大连；丹东黄松甸
吉林	4	延边汪清县；磐石市
黑龙江	11	牡丹江海林市；牡丹江市东宁县；牡丹江市林口县；哈尔滨尚志市
河北	11	河北遵化市；石家庄灵寿县；承德平泉县；保定唐县；河北冀州市
天津	1	天津市宁河县
北京	3	北京房山区
河南	7	洛阳栾川县；平顶山鲁山县；南阳市西峡；商丘夏邑县；焦作泌阳县
江苏	6	常州市金坛市；宿迁市泗阳；徐州市丰县；徐州铜山县
湖北	12	宜昌远安县；随州曾都区；随州广水市；武汉新洲区；十堰房县
浙江	2	嘉兴平湖市；衢州市江山市
福建	6	莆田市仙游县；南平市顺昌县；漳州龙海市
山东	1	山东烟台
合计/家	68	

2.6.2 调研结果阐述

2.6.2.1 基本情况分析

1）协会的基本特征

调查中发现，协会的特征主要表现在以下几个方面。

（1）协会成立时间普遍较晚。由表 2-53 可知，协会大多数成立于 2006 年后

（其中的 3 家成立于 2009 年年初），总数达 37 家，比例占到协会总数的 54.4% ；2000 年前成立的仅 10 家，不到协会总数 14.7%，其中平顶山鲁山县食用菌研究会、焦作泌阳县食用菌协会、南平市顺昌县食用菌协会成立较早，分别成立于1983 年、1987 年和 1988 年。政府、农户及企业组织的合作经济意识不强，各方仍缺乏对农民新型合作经济组织的了解是最主要的原因。

表 2-53　协会成立的时间

成立时间	2000 年及以前	2003 年及以前	2005 年及以前	2006 年及以后
家数/家	10	23	31	37
比例/%	14.7	33.8	45.6	54.4

（2）协会负责人的特征较为明显，主要体现在以下几个方面。一是从协会负责人的性别看，协会负责人中男性居多，仅 3 家协会的负责人为女性。二是从协会负责人年龄结构看，以中老年为主，年龄在 45 岁以上的占到了 64.7%，55岁以上的也占到了 25%，40 岁及以下的协会负责人比例仅占到 16.2%。三是从协会负责人学历结构看（表 2-54），协会负责人学历结构以高中或中专及以上学历层次为主，其中初中学历层次的负责人比例为 23.5%，高中或中专学历层次的负责人比例为 41.2%，大专及以上学历层次的负责人比例为 35.3%，可以看出目前协会负责人学历结构较为合理。四是从协会负责人在协会日常经营过程中收入来源看（表 2-55），目前负责人收入来源渠道有按股分红、工资、按交易额返还和协会发放奖金等途径，分别占到 38.2%、17.6%、13.2%、5.9%，当然也有不少协会的负责人为会员提供无偿服务，总计达 18 家，比例占到协会总数的26.5%，此外也有协会负责人收入来源是通过政府补助来获得的，如金坛市兆西镇食用菌协会。

表 2-54　协会负责人的学历结构

负责人学历	初中	高中	中专	大专	本科
人数/人	16	21	7	16	8
比例/%	23.5	30.9	10.3	23.5	11.8

表 2-55　协会负责人的收入来源（多选）

收入来源	工资	奖金	按股分红	按交易额返还	无偿服务	市政府补助
人数/人	12	4	26	9	18	1
比例/%	17.6	5.9	38.2	13.2	26.5	1.5

（3）食用菌产业技术协会的民间性质突出绝大多数协会以民间团体形式存在。调研数据整理分析后发现（表2-56），以民间团体形式存在的合计为55家，比例高达80.9%，仅有8家协会注册成为公司制或者非公司制企业，比例不足12%，另外还有2家协会属于事业单位性质。

（4）协会的组织机构及运行机制尚不完善。调研结果显示，仅11家协会的组织机构比较完整，包括会员大会、会员代表大会、理事会、监事会，23家协会无会员大会或者会员代表大会，占协会总数的33.8%，21家协会无理事会和监事会，这些因素导致这些协会在日常经营与管理上缺乏有效协调控制及监督机制，另有1家协会的日常经营与管理依托县工商特产站，调研结果显示其经营情况不太理想。调研结果还显示（表2-57），44家协会有会员大会或会员代表大会，这些协会年均召开2.7次会员大会（最大值为5，最小值为1），其中的20家协会年召开3次及以上会员大会（占到有会员大会或会员代表大会协会比例的45.4%），另有11家协会每年仅召开会员大会1次，比例占到有会员大会或会员代表大会协会比例的25%。

表2-56　协会性质

协会性质	公司	非公司企业	事业单位	民间团体	半营利组织
家数/家	5	3	2	55	3
比例/%	7.4	4.4	2.9	80.9	4.4

表2-57　成立会员大会或会员代表大会的协会其会员大会召开频次

每年召开会员大会的次数	1	2	3	4	5
家数/家	11	13	6	8	6
比例/%	25	29.5	13.6	18.2	13.6

（5）协会的兴办形式呈多样化态势，大体上可分为以下三类，如表2-58所示。一是政府农技服务部门领办的。这类专业合作组织主要依托于市、镇两级农口部门的技术推广中心（站），如牡丹江海林市食用菌协会和武汉市新洲区徐古镇食用菌协会。据调查数据的统计，这类协会比例占到样本总数的44.1%。二是由食用菌种植大户或者村干部牵头组建。调查发现这类协会几乎完全是由农民自己组建的，没有外界力量介入。种植能手或大户在这类组织的组建中处于核心位置，一般来讲是大户在食用菌生产过程中技术应用较为成熟，资金较宽裕，是周边种植户眼中的能人，能对农户起到一定程度引领作用，另外大户在生产规模或

经营规模达到一定程度后，为寻求以规模效应参与市场竞争，而倾向于同其他生产同类食用菌产品的农户组成联盟。目前这一类的协会比例占有效样本数的50%。三是龙头企业领办的。这类农民专业合作组织主要依托于龙头企业，如宜昌远安县食用菌产业协会和大连绿叶食用菌专业合作社就属于这种模式，这类合作组织的比例占样本总数的17.6%。

表 2-58　协会兴办形式

领办人	种植大户	龙头企业	政府农技服务部门	村干部
家数/家	17	12	30	17
比例/%	25	17.6	44.1	25

注：有两家协会的领办人既是种植大户又是村干部，有两家协会由种植大户和龙头企业合作组织牵头组建，还有三家协会由龙头企业和政府农技服务部门合作组建，此外还有一家协会由政府农经服务部门与村干部合作组建。由于这些类协会组成比例很小，因此在阐述中仍将调研涉及的协会分成政府农技服务部门领办、种植大户或村干部领办、龙头企业领办等三种类型。

（6）政府政策扶持逐渐引起重视。目前农民专业合作经济组织的发展已引起社会各级政府的高度重视。协会中的46家享受过政府扶持，占到样本总数的67.6%，税收优惠、财政补贴、优惠贷款、生产资料援助、其他（科技扶持和现金等）是最主要的政府扶持形式，依次有8、22、10、7、6家协会享受了相应政府扶持，如表2-59所示。

（7）从协会的产业科学发展规划来看，取得了一定成效，但工作力度仍有待加强。调研数据显示，35家协会为做大做强当地食用菌产业，进一步提高农民收入，制定了较长远的协会及产业发展规划。比如北京市房山区食用菌协会制定了《房山区2009—2014食用菌产业发展规划》，截至目前该区已初步建立起食用菌生产网络，业务领域涵盖菌种研发、规模菌棒生产及多元化食用菌生产，另外针对食用菌产品深加工、技术培训、质量安全管理等方面的举措也已开始实施，再如武汉市新洲区食用菌协会近年积极进行种植品种规划、规模规划、技术推广规划、科技示范基地发展规划，力争做到发展有依据、扩张更科学，此举带动了农户积极性，推动了当地食用菌产业的较好发展。

表 2-59　主要的政府扶持方式

扶持方式	税收优惠	财政补贴	优惠贷款	生产资料援助	其他（如现金、科技扶持）
家数/家	8	22	10	7	6
比例/%	11.8	32.4	14.7	10.3	8.8

2) 会员（农户）与协会关系分析

(1) 会员（农户）的入会条件。在调研时发现目前很多协会针对农户入会（社）都有一定的条件限制，但是限制的标准不够统一，随意性较强。有按照种植品种接受农户入会的，有按照种植户经营规模设置条件的，也有按照农户种植经验或农户户籍地设置条件的。调研数据统计分析结果显示：设置以上农户入会条件协会的比例依次为 41.2%、35.3%、27.9%、7.4%。调研的时候发现也有一定数量的协会对农户进退协会未设置任何门槛，但比例较低，仅 17.6%，如表2-60 所示。

表 2-60 农户入会条件

入会条件	按种植品种	按经营规模	按种植经验	自由入社	按户籍地
家数/家	28	24	19	12	5
比例/%	41.2	35.3	27.9	17.6	7.4

(2) 协会为会员提供的服务种类呈多样化趋势。具体包括协会对农民进行专业技术培训、向会员进行技术的推广与示范、为会员提供市场信息、为会员提供生产资料的同时还联系经销商充当谈判代表甚至收购会员产品进行销售等服务，如表2-61 所示。

在调研的协会中，有53 家协会表示对农户（会员）进行了生产环节的培训，比例占到被调研协会总数的77.9%，这53 家协会年均开展技术培训4.7 次，其中30 家协会培训次数为3 次及以下，11 家协会年培训次数在6 次及以上，而年均培训10 次及以上的协会仅有4 家。协会对农户（会员）的培训主要是在食用菌菌种选购、生产栽培技术、病虫害防治、出菇管理等方面的专业技术培训，同时也有不少协会为会员提供设备使用、市场营销、产品加工等企业管理方面的知识培训。

此外，协会还在生产资料提供方面给予会员很大的帮助，如有的协会给农户（会员）提供菌种、石灰、松树杆、棉皮、麸皮、玉米芯等培养料和塑料薄膜，化肥，农药等菌需物资，被调研的协会中有15 家协会以成本价或出厂价将生产资料提供给农户（会员），9 家协会以优惠价提供给农户（会员），仅有4 家协会以市场价向农户（会员）供应生产资料，也有协会表示愿意免费为会员提供菌种、塑料薄膜等食用菌生产资料，但比例较小，仅6 家。

表 2-61　协会为会员提供的服务形式

服务种类	技术推广与示范	对农民进行专业技术培训	产品收购	市场信息传递	联系经销商	提供生产资料	充当谈判代表
家数/家	53	66	24	46	42	34	26
比例/%	77.9	97.1	35.3	67.6	61.8	50	38.2

协会在农户（会员）的产品销售方面发挥着越来越大的作用。协会积极采取多项措施帮助会员销售食用菌产成品（表 2-62），具体有为会员牵头、代销、买断和赊销等几种方式，比例依次为 67.6%、14.7%、13.2%、4.4%。在采取赊销或买断方式的协会中有 8 家是采取随行就市，但其收购价格要优于市场价，2 家采取协议价的方式收购，另外还有 2 家采取协议价与市场价的较高者对农户（会员）食用菌产品进行收购。为了解除会员生产的后顾之忧有些协会还与会员签订了购销合同，被调查的协会中有 22 家与会员签订购销合同，占到协会总数的 32.4%，这其中的 16 家协会还反映，如果市场行情好，大约有 40% 及以上的签约会员会违约（其中的 4 家反映会员违约比例能高达 80% 及以上），这一定程度说明协会与会员关系还较松散，双方之间未结成紧密的利益共同体。

表 2-62　协会销售会员产品的方式

销售会员产品方式	联系买家，交易会员自定	中介销售（代销）	买断（直接现付买进）	赊销
家数/家	46	10	9	3
比例/%	67.6	14.7	13.2	4.4

2.6.2.2　协会发展中存在的主要问题

实地调研情况及问卷统计信息表明，目前我国食用菌产业技术协会在运行方面主要存在以下几个方面的问题。

（1）协会运行时间较短，组织机构不够完善，内部管理还有待规范。协会成立较晚，被调查的协会中成立于 2006 年后的有 37 家，比例占到协会总数的 54.4%（这其中的 3 家是在 2009 年初成立的）。在被调研的 68 家协会中仅 11 家的组织机构相对完整，其组织机构包括会员大会、会员代表大会、理事会、监事会等，23 家协会无会员大会或者会员代表大会，21 家协会无理事会和监事会，这直接导致为数众多的协会会员无法参与到协会民主管理中，协会的日常经营管理上缺乏有效协调控制与监督机制，内部监管与规范运作存在较大阻力。因此，协会内部管理不规范最终也就导致协会较高的制度成本和较弱的内聚力的困境

（杨帆和徐笑梅，2009）。

（2）协会与食用菌种植户关系较为松散，影响了协会的辐射带动作用。目前协会针对会员的入社、退社设定了较高的门槛，这直接影响了种植户参与协会的意愿，另外协会与会员未结成完全的利益共同体，双方间缺乏有效的制度上的和法律层面的约束，在被调研的协会中仅有22家协会与其会员签订有购销合同，而且其中的16家认为"如果市场行情好，大约有40%及以上的签约会员会违约"，这些不利因素都制约着协会服务范围的扩大，在一定程度上严重地影响了协会的辐射带动作用。

（3）协会的服务领域仍偏重于产前、产中环节，对产后的加工、流通领域关注不够。目前协会仍以为会员提供生产资料的产前服务及技术培训、推广与示范的产中服务为其主要工作，对产后环节的市场信息传递、联系经销商、加工等服务领域重视程度仍然不够。这直接导致种植户面临较高的市场交易成本，一定程度上削弱了区域食用菌产业市场竞争力。此外这些短板还不利于食用菌产成品附加值的提升、产品认证及品牌的建立，很难形成产业的规模效应，最终阻碍了农户种植收益快速增长的步伐。

（4）对协会发展重要性认识不足，缺乏科学的长远规划。目前无论地方政府部门还是农户，仍然缺乏合作经济意识，一方面农户没积极性，另一方面有关部门放任协会发展。最终导致众多协会发展无规划，经营决策上往往依赖于主观经验。缺乏科学的理论指导，不利于协会长远的健康发展，在很大程度上制约了食用菌产业的发展，对未来食用菌产业的做大做强形成很大的不确定性。

2.6.3　结论与对策建议

分析表明，虽然现阶段我国食用菌产业技术协会呈现较好的发展势头，但整体上看，各地协会发展水平还不平衡，农民组织化程度差异较大。协会与协会成员结合层次较低，合作领域不宽，服务形式较少；协会规模较小，入社会员较少，辐射作用有限；诸多协会发展不够规范，管理机制尚不健全，内部运行机制不够完善，没有完善的章程、管理制度，没有工商登记，协会工作随意性大；未能形成良好的激励机制和必要的监督机制，协会与成员间的利益联合机制不健全，尚未形成"利益共享，风险共担"的紧密型利益共同体。在外部环境上，有关政府部门对发展食用菌产业技术协会的重要性认识还不够，扶持力度还较弱。为进一步营造农民合作经济组织发展的内外部环境，未来一段时期，应加紧做好以下工作。

　　第一，要积极引导协会步入规范化发展轨道。尽快按照市场经济规律完善协会组织机构和运行机制。如协会之间可以采取联谊会、新产品新技术观摩会等形式加强合作，同时可以相互学习彼此成功经验；进一步巩固协会已有的发展成果，力争在有条件的食用菌种植区再推动一批新的协会组织；另外，在规范协会运行的基础上，要加快推进协会的专业化发展的步伐，以最大限度的满足农户发展食用菌生产加工及销售中的各种需求。

　　第二，要强化协会与协会成员间的联系，逐步完善激励机制。协会发展应本着为协会与会员搭建合作交流平台为出发点，以致力于提升会员组织化程度为工作方针，加快建立健全"风险共担，利益共享"的利益协调机制和激励机制，充分发挥协会连接各利益主体的纽带作用。

　　第三，不断拓宽协会服务领域。理顺协会的各种关系，以保证协会向着综合化、多元化的发展趋势健康发展，通过协会的专业化的技术服务减少农户间的技术素质差别，通过规模化经营服务降低农户生产成本和销售成本，通过专业化的产品加工服务提升产品附加值，通过规范化的市场流通服务拓展农户的就业与盈利空间。在协调发展的基础上不断强化食用菌产业的产前、产中、产后服务工作。

　　第四，要做好科学谋发展的大文章。在推进协会不断发展的过程中，首先，在充分论证的基础上，结合本地实际，明确本地食用菌产业发展规划；其次，要突出食用菌产业化发展方向，积极推动区域内龙头企业发展和生产基地建设，带动农户增产增收、农业增效；再次，要重点做好品牌建设，延伸食用菌产业链条，稳步提升产业素质；最后还要建立和谐的生产方式，将产业发展对资源环境保护的压力控制在合理限度。

　　第五，要加大对协会发展的扶持力度。目前针对农民新型合作经济组织发展的政策不少，但如何落到实处还存在较大困难。比如，对协会进行的财政贴息多掌握在政府部门，分配随意性很大。基于此种困境，结合各地实际可以考虑实行普惠制，也即政府制定扶持的条件和标准，凡达到要求的农民合作经济组织，经有关部门审核后一律平等享受相应待遇。此外，为引导食用菌产业技术协会的规范发展，相关部门也应对协会建立和发展方面给予支持。如由政府设置专款，扶持产业发展潜力大、资本积累少的地区建立协会组织，并且在协会注册时，从简手续，从优收取办证费，另外在技术推广、农民培训、品牌认证和信息基础设施建设方面也要给予必要的支持。

（李　平　李树明　徐卫涛　张俊飚）

3 市场消费

3.1 对我国食用菌消费市场的分析与建议

3.1.1 食用菌消费市场的发展趋势

3.1.1.1 不同类别食用菌的市场消费趋势

食用菌品种多样营养丰富，越来越受到消费者的欢迎。从品种结构来看，可以将食用菌分为常规品种、珍稀品种和特色品种。常规品种的食用菌售价较低，一般家庭购买频次较高；珍稀品种的食用菌，价格偏高，一般家庭的购买频次不高，消费量也较少；而特色品种的食用菌对资源的依赖性很高，价格比较昂贵，一般家庭消费较少。每一类别的食用菌其消费趋势均具有自身的特点（图3-1）。现对不同类别的食用菌的消费趋势简单分析。

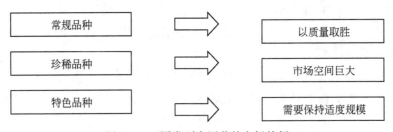

图 3-1 不同类别食用菌的市场特征

1）常规品种消费趋势

平菇：平菇又名侧耳，隶属于真菌门担子菌纲伞菌目侧耳科侧耳属，乃食用菌中的一个大家族，其品种繁多，性状多样，在全国从南到北、春夏秋冬，都有不同的品种栽培。目前大量栽培的品种有佛州侧耳、漏斗状侧耳等品种。平菇适应面广，栽培粗放，产量较高，市场价格较低，作为食用菌中的中低档品种而被广大消费者接受。

金针菇：金针菇是一种高营养的增智菇，属低温期出菇品种，价格适中，易被广大消费者接受。现在的品种已在品质上有很大的改变，如金黄色品种柄细而嫩；白色品种粗纤维含量少，如果菇体在五成熟时采收，可食部达95%以上，深受消费者欢迎。金针菇外销量较少，主要是国内鲜销，根据《中国海关年鉴》统计，2010年，干金针菇出口量仅17.05吨。与此相反，近两年金针菇在国内的产量和鲜销量呈上升趋势。

双孢蘑菇：由于出口势头较猛，其产量在近几年增长很快，价格也稳中略升。但国外尤其是欧美国家常设置"绿色壁垒"或以反倾销名义阻碍该产品进口。因此应注重无公害栽培，严禁使用高毒农药，防止有害物质超标，以保证良好的出口势头。

木耳：黑木耳是东北的特产，目前多以配合料取代段木栽培，在浙江、湖北等地均有发展。其干品销往全国各地。目前，全国人均消费量极低，发展空间很大。毛木耳被称为木头上的海蜇皮，在长江中下游一带生产规模较大。有些特大型的品种加工成丝状出口日本，作为凉拌食品。毛木耳为地方性消费产品，发展时应注意消费群体的消费习惯。

香菇：香菇是我国食用菌产业中的传统品种，现已走向世界各地。在国外市场上，需求量较大的是反季节鲜菇，而需求较多的干品主要是花菇。国内香菇主产地主要在湖北、河南、辽宁、浙江、福建、河北等省份，其2010年的产量分别为780 000吨、545 636吨、461 630吨、450 000吨、391 735吨、391 540吨。高海拔地区也生产夏季鲜菇出口，河南沁阳则以生产花菇为特色，其他地区也有零星生产鲜菇供应当地市场。目前国内外的香菇市场供求趋于平衡。在没有特别明显资源优势和技术优势的地区，应谨慎考虑香菇产业的发展。

草菇：草菇是食用菌中的高温型品种，栽培历史悠久。近几年来全国各地草菇的消费量处于快速上升状态，主要以鲜销为主。在旅游业发达的地方，可以大量发展草菇。栽培草菇可以消耗大量稻草，有利于循环农业的发展。草菇价格一般较为稳定，波动幅度不大，以北京八里桥农产品中心批发市场为例，根据中国食用菌商务网公布的数据，草菇2010年1月19日的价格为19.5元/千克，2010年12月29日的价格为17.5元/千克，全年最高价为21元/千克，最低价为17元/千克。菇农在发展这一品种时应对其消费市场予以调研分析。

2）珍稀品种消费趋势

鸡腿菇：鸡腿菇属高产，且口感好的草腐菌，近年来种植规模不断扩大，消费量也具有上升趋势。现在又有一个白色免加工的品种上市，进一步提高了鸡腿菇的品质。加工产品有罐头和干品，但产品以鲜品销售为主，在一些城市（如郑州、北京）市场价在 6～11 元/千克。鸡腿菇既能用粪草栽培，又能以棉壳生熟料栽培，产量较高，具有一定的效益，发展空间较大。

茶树菇：茶树菇具有"高蛋白、低脂肪、低糖"的特点，集保健食疗于一身，号称"菇中之王"，深受消费者的喜爱。主要分布在北温带和亚热带地区。在棉籽壳和木屑资源丰富的地区可以加快速度发展此品种。

姬松茸：姬松茸又称巴西蘑菇，是一种高温型蘑菇，因能健身补体而受到日本消费者的青睐。由于姬松茸菇体易吸收土壤中的重金属，产品常因重金属超标而出口受阻。目前国内消费市场尚未开拓，在国内发展具有极大的空间。

真姬菇：真姬菇又称玉蕈，具有较明显的降血糖功效，其菇体脆嫩可口，鲜味浓郁，国内产品价曾高达 60～80 元/千克，目前有少量出口到日本。此品种目前上市数量较少，针对高档餐厅和高收入群体而言，有较大的发展空间。

滑子菇：又称珍珠菇，属低温型品种，主要集中在东北地区栽培。产品有鲜品、盐渍品、水罐头，这些产品市场价格较高。

球盖菇：球盖菇是一种典型的草腐菌。分解纤维素的能力很强，产量较高，种植技术相对简单，产品可以鲜销、制罐或干制，非常适合在农区栽培，因此应大力推广种植球盖菇。

长根菇：长根菇是一种中温型木腐菇，一年能种两季，可用木屑、棉籽壳栽培，产品适合鲜销、制罐。长根菇质地清脆，口感嫩滑，是继杏鲍菇、茶树菇之后的又一优良品种。目前市场上的产品供应还相对较少，可以较大规模地发展。

3）特色品种的消费趋势

灵芝：经过几年的波动式发展，灵芝已从单向出口发展到多种加工产品内外均销的局势，但总体上消费量有限，经常出现产品滞销状况。因生产灵芝易破坏森林资源，用纯棉壳种植产量偏低、药性下降，为此，无资源优势的地区不宜发展灵芝种植。

灰树花：灰树花鲜品味道鲜美，有多种保健功能，但对的生态条件要求较严格，出菇期温差较小，只能用硬木屑栽培，所以在没有资源优势的地区不能盲目跟风种植。

蛹虫草：蛹虫草又称北虫草，与冬虫夏草同属不同种。蛹虫草的虫草素含量高于冬虫夏草 50 倍，药效也高于冬虫夏草，但由于消费者还未认识到这一新产品，而且种植技术还存在很多难点，故产量相对较低。

3.1.1.2 食用菌加工产品的消费趋势

目前食用菌的主要用途是做配菜，但在加工方面，其类别较为丰富，仅就初级加工来看，在消费方面就具有多样性。

第一，可以与主食搭配消费。如香菇面条、香菇咸面包或甜面包，也可用菇类干粉做营养强化剂和风味物质，再与面粉混合做成各种食物，如菇味人造米、挂面、速冻水饺等。值得一提的是食用菌的加工产品，不仅口味俱佳而且营养价值丰富，现在越来越受到消费者的欢迎。

第二，可以开发转化为即食食品或者副食品。如软包装调味香菇丝、香菇片（条），既是旅游快餐佳肴又是上好的烹饪作料。平菇泡菜、平菇同黄瓜、萝卜等共用制作泡菜，平菇酸菜、金针菇酸菜等都别有风味。更有用平菇柄或香菇柄做牛肉松或菇松，外观优雅，风味独特，营养价值高。现在消费者在逐渐接受食用菌的副食品，逐步形成新消费模式。

3.1.1.3 食用菌消费方式的演变趋势

在传统的食用菌销售模式下，食用菌从原产地到最终消费者至少要经过 5 个流通环节。由于流通过程中高昂的租金和人工管理费用，使得消费者购买产品的价格大大高于实际生产成本，且这种方式不能让消费者对食用菌产生形象认识。现在食用菌的消费方式趋向电子商务交易网站，这种业务主要是把买方、卖方、仓库、物流、银行等相关主体整合在一起。它可以提供产品信息和交易平台，是食用菌销售方式的发展趋势（路青梅，2009）。

3.1.2 食用菌消费市场存在的主要问题

3.1.2.1 少数食用菌产品的质量保障程度较低

根据部分省份质量技术监督部门发布的公告，不难发现，少数食用菌产品的质量保障程度较低。福建省质量技术监督局发布的公告中指出，食用菌罐头等蔬菜罐头 2009 年的产品抽样批次合格率为 95.4%。江西省质量技术监督局发布的 2009 年第 4 季度产品质量抽查情况报告则指出，干制食用菌抽样合格率仅为 42.5%。此外，国家食用菌产业技术体系产业经济研究室调研小组的调查结果也表明，在食用菌病虫害防治方面，一些菇农为了达到快速高效杀毒灭菌的目的，仍有使用国家禁用的剧毒农药的现象，如敌敌畏等。

3.1.2.2 消费者对食用菌营养价值的认识较为欠缺

由于知识普及方面的原因人们对食用菌的绿色保健功能认识不足。食用菌中的灵芝、香菇、金针菇等有助于增强人体综合免疫力，大部分食用菌是低脂高蛋白，其蛋白质含量与肉类持平，是营养丰富的美食。但实地调查发现，消费者对食用菌的认识还很薄弱，如《食用菌市场杂志》2008 年 4 ~ 5 月在北京的 15 个超市，对 300 多人进行测试调查，结果 80% 的人不知道食用菌是什么，30% 的人说食用菌可能就是蘑菇，只有 5% 的人知道食用菌的具体含义，而对食用菌的功效，大部分人都说不清楚。

3.1.2.3 食用菌产品经销环节较为薄弱

据调查，目前在食用菌的销售方面，力量较弱，难以适应生产及消费需求。国家食用菌产业技术体系产业经济研究室调研小组的调查结果表明，农户获取食用菌销售信息主要依靠亲友介绍（29.6%），其次是依靠商贩或企业自己上门（22.2%）。此外，食用菌产品市场缺乏对消费群体的细化，没有针对具体的消费群提供合适的食用菌产品。如果在经销环节上有较大的突破，我国食用菌产品的价格及需求空间将会有进一步增大的可能。

3.1.2.4 食用菌品种混杂现象较为严重

目前食用菌产品市场处于无序竞争中，惯用价格战、以次充好、收购压级压价、销售抬级抬价等手法，造成消费者对食用菌市场的信任度降低，从而影响优质食用菌产品的正常销售，而销售是产业链中重要的一环，它会直接影响到菇农的收成和利益。

3.1.2.5 国内食用菌市场开发程度不足

我国食用菌市场的开拓，本应是国内外两个市场同时进行，并以国内市场为主。然而国外市场开发的较早，而国内市场却被忽略了。其结果往往是当国际市场的销售受阻时，国内食用菌的生产就受到严重的影响。当国际市场的需求量大时，我国食用菌的生产就发展。因此过度关注国外市场、追求外销，而忽视国内拥有 13 亿消费群体的庞大市场，对于我国食用菌产业发展是不可取的。

3.1.3 对策及建议

3.1.3.1 不断提高食用菌产品质量

质量是产品的生命线，质量合格才能保证产品有稳定的市场份额，在农产品市场上站住脚。为此，我们需要充分了解国际上的质量标准和掌握不同国家的具体标准，规范操作，保证食用菌产品的质量过关，同时依据不同人群所需的食用菌的特点，开发研制新的产品，让人们在享受食用菌美味的同时，也能够有效提升身体健康水平。

3.1.3.2 树立并加大食用菌品牌建设

国家从20世纪90年代开始实施品牌战略，二十几年里获得了巨大成功，出现海尔、联想、长虹、五粮液等一大批国际知名品牌，其他行业，如乳品加工业则是有蒙牛、伊利、光明、完达山等企业品牌家喻户晓。而食用菌产业在全国的知名品牌很少，行业知名度还不高，品牌推广对食用菌行业来说是个弱项。食用菌产业要做大，必须依靠全行业参与和品牌发展战略。

3.1.3.3 扩大食用菌产品及消费知识宣传

人们对食用菌产品的认知不足在很大程度上是源于食用菌营养知识的宣传力度不够，大多数消费者对食用菌的产品类别、功能特征了解不多。在市场竞争激烈的情况下，"好酒也怕巷子深"，因此多渠道宣传，如电视、报纸和宣传栏等，促使人们对食用菌的绿色保健作用形成清楚认识，这对促进食用菌消费，提高消费量具有重要作用。

3.1.3.4 加强政府对市场的监管力度

市场流通主体混杂，对批发市场、零售市场等的监管力度不够，导致食用菌产品竞争无序，影响到消费者对食用菌产品整体的认知程度。政府和各监管部门应采取多种方式规范市场运作，保证产品运输流通和销售环境有序，让消费者放心购买食用菌产品。

3.1.3.5 开拓食用菌国内消费市场

食用菌国内的消费市场潜力巨大。首先，随着我国城乡居民生活水平的提高和他们对食用菌的营养价值、保健功能认识的逐步深入，对食用菌的消费日益增长。据预测，今后还将以10%的速度增长。其次，我国居民食用菌的消费水平较低，远远低于发达国家的消费水平。我国人口占世界总人口的22%，如果采取得力措施，使我国居民的消费接近或达到其他国家的水平，那么，国内食用菌的消费量将是一个巨大的数字。因此，开拓食用菌国内消费市场是促进食用菌产业发展的重要举措。

（肖　琪　张俊飚　何　可）

3.2　我国食用菌价格变化及其影响因素的分析

近年来，我国食用菌产业的快速发展在促进农产品供应体系完善的同时，也有力带动了农民的增收。但目前食用菌产业也面临诸多问题，其中受市场规模、经济水平、政策等因素作用的食用菌价格方面的问题较为突出，价格波动时有出现，对食用菌生产及其供应体系形成一定影响。如果对价格波动的监测与处理不好，将会出现"菇价贵则伤市民，贱则伤菇农"的严重问题。为此，摸清不同食用菌产品的价格运行规律，寻求正确的应对措施便显得非常必要。本书选取了香菇、平菇、金针菇这3种较常见的食用菌品种的价格为研究对象，分析其近年来的变化情况，找出可能影响食用菌价格的一般性因素，以期为政府的宏观调控提供决策依据，为生产者、消费者和食用菌市场体系健康高效运行提供必要支撑。

3.2.1　近年来食用菌价格的变化情况

按照地区、品种类别，分别对食用菌的10个主产省份和10个主销城市进行分析，描述价格的变化情况。其中，生产大省产地市场价格主要以10个主产省份的靠近重点产区的农产品集散市场的价格作为参照，不包括主产省省会城市的农产品市场价格；销地主要以10个主产省份的省会城市，或直辖市的农产品交易中心或大型农产品批发市场的市场价格为参照。书中涉及的生产及市场批发价格信息来自于中国食用菌协会网、食用菌商务网、全国农产品批发市场价格行情查询系统及各省份农业信息网价格行情版块，价格统一是产地或销地批发价格，单位为元/千克。

以下分地区和品种的食用菌价格信息时间跨度为5年（2006～2010年），部分省份包括了 2000~2005 年的价格信息。在价格信息的品种选择上,我们主要选取了香菇、平菇、金针菇 3 个大宗品种的食用菌价格信息,一方面,这些品种都是各省份较有代表性的食用菌品种,基本能够反映食用菌整体价格变化状况(珍惜品种的价格往往由于波动较大并且规模较小而不具有代表性),另一方面,这几大品种市场价格统计信息相对完整,适合开展较为系统的研究分析。

3.2.1.1 主产区分品种的价格变动趋势分析

主产区食用菌价格我们主要搜集了辽宁朝阳、河北遵化、山东淄博、陕西汉中、江苏常州、浙江嘉兴、四川绵阳、湖北襄樊、福建福鼎、河南安阳等地方的靠近主要产区的大型农贸市场或农产品批发中心的食用菌价格信息,通过整理分析,我们大体可以看出各地区、各食用菌品种的价格变动趋势。

1) 辽宁朝阳

朝阳果菜批发市场数据显示,辽宁主产的香菇、平菇价格提高幅度明显,其中香菇由 2002 年的 1.38 元/千克上涨到 2010 年的 6.3 元/千克左右,上涨达到了3.56 倍,年均上涨比率在 24.2%;平菇价格则由 2002 年的 0.9 元/千克上升到2010 年的 4.12 元/千克,涨幅亦达到了 4 倍左右的水平,年均增长 0.4 元/千克;相比香菇和平菇而言,金针菇的价格波动不大,始终位于 10 元/千克附近,2010年均价约为 9.37 元/千克。

2) 河北遵化

根据河北遵化果菜市场 2000~2010 年发布的数据资料,河北食用菌品种中的香菇和平菇产地价格波动较大,其中香菇价格由 2000 年的 3.33 元/千克上涨到 2010 年的 7.74 元/千克左右,上涨了 2.32 倍;平菇价格则由 1.33 元/千克涨到了 4.56 元/千克,涨幅高达 242.8%;金针菇价格相对而言,涨幅较小,2010年均价约为 9.92 元/千克。

3) 山东淄博

从山东淄博鲁中蔬菜批发市场 2000~2010 年的数据分析看,山东的香菇、平菇、金针菇的产地价格都呈现出较大的上涨趋势。其中,香菇由 2000 年的 3.4元/千克上涨到 2010 年的 8.73 元/千克左右,上涨了 2.57 倍;平菇由 2000 年的1.74 元/千克到 2010 年的 4.58 元/千克,上涨了 1.63 倍;金针菇则是由 2000 年的 2.91 元/千克到 2010 年的 9.17 元/千克,上涨了 3.15 倍。

4) 陕西汉中

陕西汉中皇冠过街楼蔬菜批发市场 2000~2010 年的数据显示,其当地的香菇与平菇价格上涨较多，其中香菇由 2000 年的 3.33 元/千克上涨到 2010 的 9.28 元/千克左右，上涨了 2.79 倍；平菇由 2000 年的 1.54 元/千克上涨到 2010 年的 4.08 元/千克，上涨了 2.65 倍；金针菇产地价格 2000～2004 年上涨明显，涨幅达 62.99%，2005～2010 年金针菇产地价格表现相对稳定，在 10 元/千克附近呈小幅波动，2010 年均价约为 10.54 元/千克。

5) 江苏常州

江苏常州凌家塘农副产品批发市场 2004～2010 年数据显示，江苏香菇和平菇产地价格上涨幅度较大，其中香菇由 2004 年的 3.4 元/千克上涨到 2010 年的 9.81 元/千克左右，上涨了 2.89 倍；平菇由 2004 年的 2.1 元/千克到 2010 年的 4.09 元/千克，上涨了 94.3%；金针菇和双孢蘑菇价格波动浮度都不大，其中金针菇价格在 8 元/千克附近波动，2010 年均价约为 9.67 元/千克，双孢蘑菇价格在 2010 年达到了 8.72 元/千克左右。

6) 浙江嘉兴

浙江嘉兴蔬菜批发交易市场 2004～2010 年数据显示，其香菇、平菇和金针菇的价格涨幅较大，其中香菇价格由 2004 年的 3.6 元/千克上涨到 2010 年的 8.62 元/千克左右，上涨了 2.39 倍；平菇由 1.6 元/千克上涨到 4.11 元/千克，上涨了 2.57 倍；双孢蘑菇的产地价格自 2006 年达到 8 元/千克的高峰后，近三年价格逐渐回落，2009 年降到 4.9 元/千克，2010 年回升至 10.72 元/千克；金针菇价格一直在高位运行，价格涨幅相比香菇和平菇较小，上涨比例为 56.7%，年均不到 10%，2010 年均价约为 9.52 元/千克。

7) 四川绵阳

四川绵阳市高水蔬菜批发市场 2004～2010 年的数据显示，四川的香菇和平菇产地价格涨幅较大，其中香菇由 2004 年的 4 元/千克上涨到 2010 年的 9.66 元/千克左右，增幅为 141.5%；平菇价格波动不大，2005 年为 5.8 元/千克，2010 年为 5.74 元/千克；金针菇的价格除 2004 年处于 3.8 元/千克低位外，2005～2010 年的价格均在高位运行，但是市场价格相对香菇和平菇来说比较稳定，2010 年均价为 9.45 元/千克。

8) 湖北襄樊

来自湖北襄樊蔬菜批发市场的数据显示，湖北香菇产地价格在 2006～2010 年波动较大，2007 年最低，为 5.8 元/千克，2009 年最高，为 12.6 元/千克，2010 年则为 10.72 元/千克左右；平菇在 2006～2010 年价格上涨较快，由 2006 年的 2.75 元/千克到 2010 年的 4.65 元/千克，上涨了 1.69 倍；金针菇价格在

2004～2006年波动不大,3年间的上涨比例为13.13%,2007年后价格上涨明显,涨为11元/千克,近两年的价格基本稳定在8.48元/千克附近。

9) 福建福鼎

福建福鼎闽浙边界农贸中心市场数据显示,福建香菇产地价格在2005～2010年基本上位于7元/千克附近,其中2008年最低,为6.1元/千克,2010年最高,为11.23元/千克;平菇价格表现稳健,位于6.1元/千克附近;金针菇产地价格在近年始终处在9.43元/千克左右的较高水平。

10) 河南安阳

河南安阳豫北蔬菜批发交易市场数据显示,河南香菇、平菇产地价格在2000～2010年上涨幅度较大,其中香菇价格由2000年的3.29元/千克上涨到2010年的9.23元/千克左右,上涨了2.81倍;平菇价格由2000年的1.54元/千克上涨到2010年的3.56元/千克,上涨了2.31倍;此外,金针菇价格在2010年达到了9.25元/千克左右。

通过对上述各主产区不同品种食用菌的产地价格分析,发现如下结论。

第一,大部分主产区香菇与平菇产地价格上涨幅度较为明显,金针菇价格虽然上涨比例不大,但近三年来却始终处于较高运行,辽宁、河北、陕西、江苏、浙江、四川、福建等主产地的食用菌产品价格符合这一规律。

第二,2010年不同产区主要食用菌品种的价格排序如表3-1所示。

香菇的价格排序为:福建>湖北>江苏>四川>陕西>河南>山东>浙江>河北>辽宁。

平菇的价格排序为:福建>四川>湖北>山东>河北>辽宁>浙江>江苏>陕西>河南。

金针菇的价格排序为:陕西>河北>江苏>浙江>四川>福建>辽宁>河南>山东>湖北。

表3-1 2010年不同产区、主要食用菌品种价格表

(单位:元/千克)

品种	辽宁	河北	山东	陕西	河南	江苏	浙江	四川	湖北	福建
香菇	6.3	7.74	8.73	9.28	9.23	9.81	8.62	9.66	10.72	11.23
平菇	4.12	4.56	4.58	4.08	3.56	4.09	4.11	5.74	4.65	6.1
金针菇	9.37	9.92	9.17	10.54	9.25	9.67	9.52	9.45	8.48	9.43

第三,2006～2010年10大主产省份主要食用菌品种价格波动趋势如图3-2、

图 3-3 所示。

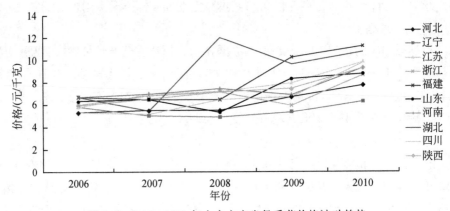

图 3-2 2006~2010 年十大主产省份香菇价格波动趋势

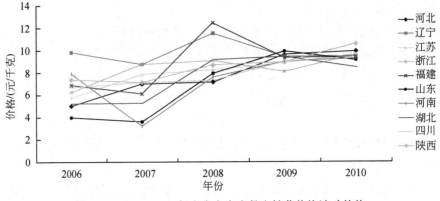

图 3-3 2006~2010 年十大主产省份金针菇价格波动趋势

3.2.1.2 主销区分品种的价格变动趋势

1) 沈阳

根据沈阳市南五农副产品批发市场、沈阳十二线批发市场和沈阳南市场的价格信息, 2006~2010 年沈阳市香菇、平菇、金针菇价格变化的波动不大, 其中香菇价格维持在 5.7 元/千克左右, 平菇价格维持在 3.7 元/千克附近, 金针菇则维持在 10.5 元/千克附近, 但是相比产区的辽宁省朝阳市, 香菇和金针菇价格一般高 1 元/千克, 至于平菇的价格, 产区与销区价格相差不大。

2) 北京

据北京市新发地农副产品批发市场和大洋路农副产品批发市场的价格信息显

示，香菇、平菇、双孢菇市场价格在 2006～2010 年上涨幅度较大，其中香菇价格由 2006 年的 6.06 元/千克上涨至 2010 年的 8.77 元/千克；平菇价格由 2006 年的 3.65 元/千克上涨至 2010 年的 4.89 元/千克；金针菇价格相对平稳，位于 10 元/千克附近。

3）南京

据南京白云亭批发市场、南京紫金山副食品交易市场和南京农贸中心股份有限公司的价格信息显示，2006～2010 年，南京市内香菇、双孢蘑菇市场价格均涨幅较大，其中香菇价格 5 年间上涨了 51.58%，双孢蘑菇价格上涨了 25.93%；平菇价格在此期间相对稳定，处于 3.5 元/千克附近，仅 2010 年上涨至 5 元/千克左右；金针菇价格除 2006 年出现异常外，其余年份均维持在 9 元/千克左右。

4）济南

据济南七里堡批发市场的价格信息显示，2006～2010 年，济南市内香菇市场价格涨幅较大，上涨比例为 36.53%；平菇价格较为稳定，基本位于 4 元/千克附近；金针菇的价格有降有升，其中 2008 年降到近年最低的 7.4 元/千克，2009 年则又上涨到了 10 元/千克，2010 年则上涨到 11.58 元/千克左右。

5）西安

据西安市胡家庙蔬菜批发市场和西安新土门蔬菜批发市场的价格信息显示，2006～2010 年，各食用菌品种的价格均呈现出不同程度的增幅，其中香菇价格由 2006 年的 6.22 元/千克上涨到 2010 年的 7.82 元/千克；平菇价格则变化不大，基本处于 4 元/千克附近；金针菇则由 2006 年的 7.9 元/千克上涨到了 2010 年的 9.22 元/千克，上涨幅度为 16.71%。但上述涨幅大体发生在 2006～2008 年，自 2008 年后各品种食用菌产品价格相对稳定，未出现大幅度波动。

6）武汉

据武汉市白沙洲农产品批发市场的价格信息显示，2006～2010 年，各食用菌品种的价格均出现了明显的增长，其中香菇价格由 2006 年的 6.53 元/千克上涨到 2010 年的 10.92 元/千克；平菇价格由 2006 年的 1.3 元/千克上涨到 2010 年的 2.63 元/千克；金针菇价格由 2006 年的 3.9 元/千克上涨到 2010 年的 7.16 元/千克。

7）郑州

根据郑州农产品物流配送中心、郑州刘庄蔬菜批发市场、郑州毛庄蔬菜批发市场的价格信息显示，2006～2010 年，香菇价格涨幅较大，从 2006 年的 6.53 元/千克上涨至 10.92 元/千克；平菇价格在 2006～2010 年波动较大，2007 年涨到了 4.2 元/千克，2009 年又回落到 2.3 元/千克，2010 年略有回升，价格为 3.04 元/

千克；金针菇的价格相对平稳，未出现较大波动。

8）上海

根据上海市农产品中心批发市场的价格信息显示，2006～2010年，香菇价格的上涨幅度较大，由2006年的9.93元/千克上涨至2010年的12.46元/千克；平菇价格相对较低，几年来有升有降，2006年是价格最低的年份，为2元/千克，2010年又上涨到了4.87元/千克。

9）重庆

根据重庆渝中区西三街农副水产品和渝北区两路农贸市场的价格信息显示，2006～2010年重庆市区平菇批发价格波动不大，基本处于3.9元/千克附近；香菇和金针菇价格有升有降，二者同在2008年达到峰值，分别为11.6元/千克和10元/千克。

10）广州

根据广州白云山农产品综合批发市场的价格信息显示，2006～2010年香菇、平菇、金针菇的价格波动幅度不大，但以上价格均在较高位运行，而且广州市场上平菇与香菇的价格相比部分食用菌主销地，价格要贵很多。

分析发现，各城市食用菌品种价格表现不一，其中沈阳、北京、南京、郑州四城市表现了同食用菌主产区类似的规律，即金针菇价格在高位运行，而且保持相对的平稳，其他品种食用菌价格涨幅较大；西安和武汉的各食用菌品种的价格近年都有较大幅度增长；济南、上海、重庆等销区，大部分食用菌品种价格近年持续走高，少数品种价格有升有降，总体趋于上升。

2010年不同销区城市的主要食用菌品种价格排序如表3-2所示。

香菇的价格排序为：上海>武汉>南京>广州>郑州>北京>西安>重庆>济南>沈阳。

平菇的价格排序为：广州>南京>北京>上海>重庆>西安>济南>郑州>沈阳>武汉。

金针菇的价格排序为：济南>广州>南京>北京>上海>郑州>沈阳>西安>重庆>武汉。

表3-2 2010年不同销区城市、主要食用菌品种价格表 （单位：元/千克）

品种	沈阳	北京	南京	济南	西安	武汉	郑州	上海	重庆	广州
香菇	6.4	8.77	10.05	6.69	7.82	10.92	9.43	12.46	7.5	9.84
平菇	3.01	4.89	5	3.74	3.78	2.63	3.04	4.87	4	5.22
金针菇	9.5	10.56	10.62	11.58	9.22	7.16	9.75	10.24	9	10.98

2006～2010 年不同销区城市主要食用菌品种价格波动趋势如图 3-4～图3-6 所示。

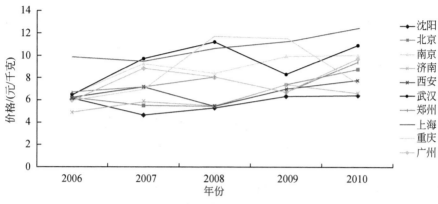

图 3-4　2006～2010 年十大销区城市香菇价格波动趋势

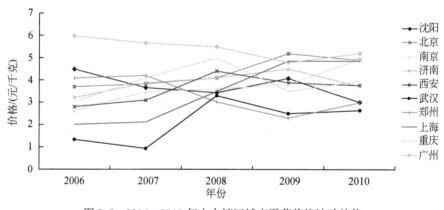

图 3-5　2006～2010 年十大销区城市平菇价格波动趋势

3.2.1.3　小结

总的来说，2000 年以来，我国主产地和销区城市的各食用菌品种价格都呈上涨趋势。绝大部分产地与销地的香菇、平菇、双孢蘑菇市场价格上涨幅度较大；大部分产地与销地的金针菇市场价格相对平稳，但是金针菇相比其他几大品种，其价格基本处于较高运行水平。根据产区不同食用菌品种的价格比较来看，一定程度上说明不同产区食用菌产品比较优势不一，地区差异较大；通过对销区不同食用菌品种的价格比较，也一定程度上说明食用菌产品在不同销区城市的价

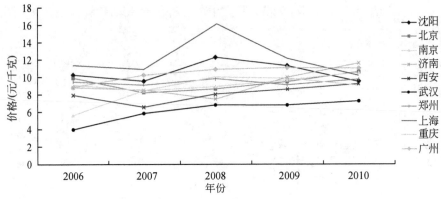

图 3-6　2006～2010 年十大销区城市金针菇价格波动趋势

格竞争力差异较大。金针菇价格出现异常可能因为金针菇相对于其他大宗食用菌品种来说（如香菇、平菇、双孢蘑菇）营养价值较高，市场售价相对要高，工厂化栽培较多，价格上涨空间相对有限；其次，近年来我国金针菇产业受到国外（尤其是金针菇出口强国韩国）低价优质金针菇的冲击，市场售价一直徘徊不前。

3.2.2　食用菌价格的影响因素分析

3.2.2.1　消费观念的转变，使得食用菌市场需求相对旺盛

香菇，平菇，双孢蘑菇的价格上扬，是对农产品市场整体趋势的反映。随着人们收入水平的提高，对生活质量的要求也随之上升，人们逐渐认识到食用香菇、平菇、双孢蘑菇等食用菌对身体的益处，从而使得我国香菇等食用菌品种的消费量出现增加状态，而以小规模分散经营方式为主的食用菌生产体系在过去一段时间内尚较难满足消费者的市场需求，从而出现了食用菌价格的上涨趋势。

3.2.2.2　流通成本较高

食用菌目前主要是以生鲜售卖为主，符合生鲜农产品流通的特点，鲜活农产品对鲜活的生物性要求极高，目前我国农产品流通发展水平较低，绿色通道不"绿"、冷链物流发展滞后、包装和加工程度较低，这导致鲜活农产品在流通环节损耗巨大，损失往往高达农产品产量的15%～30%，往往这部分损失最终都要摊到消费者身上，价格增加在所难免；此外，我国农产品市场流通体系建设还不完善，市场流通主体的交易活动还很不规范，再加上市场信息化等基础设施建设滞

后，这些问题导致食用菌的市场流通环节过多，从而也无形中抬高了食用菌产品的市场价格。

3.2.2.3 替代类蔬菜品种价格上涨

诸如瓜果类、叶菜类、根菜类、茎菜类等蔬菜品种大都是食用菌这种农产品的替代品。随着人们生活水平的提高，多吃蔬菜成为大家所倡导的一种健康饮食方式。据不完全统计，我国居民每天消费的蔬菜数量大致在370克左右，而且这个数量还在逐步增加，这直接导致了其他类蔬菜价格的持续上涨，这对居民转而消费食用菌并导致其价格上涨也无疑形成一定的推动作用。

3.2.2.4 劳动力及生产资料成本大幅增加

农业作为一个弱势产业，整个产业对劳动力的吸附力差，青壮年劳力不愿留在农村从事农业，农业劳动力的产业外、地区性流动日益频繁，各农产品主产区劳动力供需矛盾突出，再加上劳动力生活成本的不断增加，直接带来了食用菌种植过程中的活劳动成本的提高。如在吉林省汪清县的调查，当地劳动力的价格已经由2005～2006年的50元/天左右提高到2010年的80元/天左右。另外，由于日趋紧张的能源供应使得农业生产资料价格上涨迅猛，如农药、农膜、煤炭等价格均较前几年有明显上涨，这也是影响食用菌种植成本的关键因素。在成本上涨的推动下，食用菌价格的不断提高也在所难免。

3.2.3 政策建议

3.2.3.1 合理布局并科学协调各产销区之间的生产与消费

由于资源限制及地域特色，食用菌生产具有明显的区域性，而食用菌消费却具有普遍性。我国目前食用菌生产优势产区的形成是自然条件、经济基础和市场条件共同作用的结果，在这个大前提之下，各产地之间要因地制宜，充分发挥各自优势，通过合理的布局和科学的规划来协调彼此的产业布局、定位和目标市场，避免"盲目生产、市场挤占、一哄而上、一哄而散和不当竞争"等现象的发生，努力促成各产地与销地"南北协作，共同发展，实现多赢"，不仅要将各产地的资源优势转化为产业优势，更要将产业优势转化为经济优势。

3.2.3.2 加大绿色通道、信息网络和冷链物流等基础设施建设力度

第一，各地政府要继续施行绿色通道政策，在保持道路设施逐步完善的基础上，适时扩大绿色通道总里程，这将为食用菌等农产品顺利销售提供重要保障；第二，原产地政府要充分发挥起服务型政府的作用，加强信息网络建设，提供食用菌市场信息服务，增强产销地之间的联系沟通，保持信息畅通准确，确保生产者与消费者的有效对接和利益共享；第三，原产地政府应支持和鼓励当地农产品物流企业的发展，尤其是冷链物流企业，延伸市场销售半径，使食用菌这种生鲜易腐的农产品快速保质地送达到销地市场，扩大各地市场的可选择范围，同时冷链中的冷藏储存功能对平抑食用菌季节性供给变化和价格稳定能够起到重要的支撑作用。

3.2.3.3 大力发展食用菌加工业，延长食用菌产业链条

发展多种形式的农产品加工型企业，通过生产加工将食用菌初级产品处理成为营养丰富且功能多样的罐头、蜜饯、食用菌多糖、保健饮料等不同层次的产品，用以满足不同的市场需要。这既可以提高产品的技术含量和附加值，增加食用菌产业效益和农民收入，从而稳定生产，又可以分散市场风险，调节市场供应量，避免价格的大幅波动。

3.2.3.4 加大宣传力度，着力培育食用菌消费文化

当前我国的食用菌消费多停留在味道层面，因此要借助电视、网络等媒介开展一些美食烹饪节目或公益广告等，大力宣传食用菌的营养价值、药用价值及保健价值，在现今社会里这些都是很好的宣传点，并积极倡导"一荤一素一菇"的饮食结构，强调饮食过程中的动物性产品、植物性产品和微生物产品的合理搭配，以期迎合现代人们注重并追求健康饮食的心理追求。不断促使食用菌消费观念深入人心，使大众对食用菌产品形成一种日常的稳定的消费习惯，以稳定消费量，减少大众的偶然消费所产生的需求量变化对价格波动产生的影响，进而能有效防止价格的上下波动导致产量的上下波动，而对生产领域造成影响，最终起到稳定食用菌市场价格的作用。

（张俊飚　李　平　关小亮　袁艳华　张　茜）

3.3 青年消费群体对食用菌产品的认知 与消费偏好的调查与分析

食用菌是指可供人类食用的大型真菌，通常也称菇、菌、蘑、耳等。菌类食品营养丰富，味道鲜美，自古以来被人们列为美味佳肴，素有"山珍"之称，因其含有丰富的蛋白质、人体必需的氨基酸和较全面的维生素、无机盐，又享有"健康食品"的美誉。近年来，随着人们对食用菌营养价值与保健作用认识的不断加深，食用菌在功能保健方面有着举足轻重的作用，是未来食品界发展的一个新的经济增长点，具有广阔的开发前景和经济、社会价值（卢敏和李玉，2005）。同时，由于食用菌能分泌许多胞外酶，对农作物秸秆中的纤维素、半纤维素、木质素等大分子化合物有较强的分解能力，使该产业又成为许多地方确保农业生态可持续发展与农村经济持续增长的最佳战略之一（郁建强和殷戎，1999），生产规模正日益扩大。然而，根据供求规律，生产取决于市场需求，只有迎合市场需求，才能在激烈的市场竞争中独占鳌头，否则就会被市场所淘汰。为此，深入了解消费者对食用菌产品的认知与消费偏好，不仅能为食用菌的有序生产提供一定的市场信息，同时也能为整个产业确定适度规模及制定可持续发展战略提供一定的实践指导意义。

3.3.1 数据来源与样本基本情况

本书所采用的数据来自于 2009 年 7 ~ 8 月针对湖南与黑龙江两省青年消费群体对食用菌产品市场需求情况的抽样调查。之所以将研究区域锁定在湖南和黑龙江两省，主要是考虑在全球金融危机面前，食用菌产品的消费主要倾向于国内市场的拉动，再加上近年来"南菇北移"的发生和市场消费习惯的影响，食用菌产品的供给与需求肯定存在南北差异，而"一南一北"调查地域的选择可以较好的平抑差异。同时，之所以将研究目光锁定在青年消费群体，主要是考虑青年人具有其特殊性，他们不仅是国家和民族的未来和希望，也是未来消费的主要群体，其购买潜力巨大。

调查采取统一问卷、随机抽样的方法，由调查员在不同的城市随机发放问卷、被调查者现场填写。其中，调查对象确定为 18 ~ 35 岁且接受过良好教育的年轻人；调查地点涉及湖南的长沙、湘潭、邵阳、郴州、娄底、益阳、岳阳及黑龙江的哈尔滨、伊春、佳木斯、鹤岗等地。调查共发放问卷420份，回收有效问卷404份，有效率为96.2%。其中，从省际分布来看，湖南样本量为242个（占样本总量的59.9%），黑龙江样本量为162个（占样本总量的40.1%）；从性别分布来看，男性为180人（占样本总量的44.6%），女性为224人（占样本总量的55.4%）；从年龄分布来看，18～23岁的消费群体为267人（占样本总量的66.1%），24～30岁的消费群体为99人（占样本总量的24.5%），31～35岁的消费群体为38人（占样本总量的9.4%）；从消费者受教育程度分布来看，初中及其以下学历的消费者为50人（占样本总量的12.4%），高中或中专（含技校）学历的消费者为80人（占样本总量的19.8%），大专学历的消费者为58人（占样本总量的14.4%），本科学历的消费者为203人（占样本总量的50.2%），硕士及其以上学历的消费者仅为13人（占样本总量的3.2%）；从消费者职业分布来看，样本以学生为主，其中，学生为256人（占样本总量的63.4%），自由工作者为29人（占样本总量的7.2%），公司职员为25人（占样本总量的6.2%），农民为23人（占样本总量的5.7%），自主经营者为15人（占样本总量的3.7%），待业者为14人（占样本总量的3.5%），家庭主妇为14人（占样本总量的3.5%），教师为8人（占样本总量的2.0%），厨师为6人（占样本总量的1.5%），其他为14人（占样本总量的3.4%）；从消费者居住地分布来看，城市消费者为199人（占样本总量的49.3%），乡镇消费者为107人（占样本总量的26.5%），农村消费者98人（占样本总量的24.3%）。

3.3.2　青年消费群体对食用菌产品的认知与消费偏好

3.3.2.1　青年消费群体对食用菌的关注程度与信息来源

　　某一商品的相关信息能引起消费者的注意，是确保该消费者的潜在需求转变为现实购买力的重要前提。本次调查结果显示，无论从湖南省来看，还是从黑龙江省来讲，青年消费群体对食用菌的关注程度均不高，而且一个有趣的现象是，不关注比例与很关注的比例基本持平。其中，湖南的青年消费群体相对黑龙江的青年消费群体而言，对食用菌的关注程度更低，不太关注与从不关注的比例达32.7%，而黑龙江该指标占其样本量仅为26.6%，如图3-7所示。

　　而从青年消费群体所关注的具体内容来看，主要侧重在质量安全、营养保健价值、味道、价格与品种等方面。而要获悉以上相关信息，青年消费者主要依赖于电视、亲友介绍、网络、报刊等多种渠道。其中，对黑龙江青年消费群体而

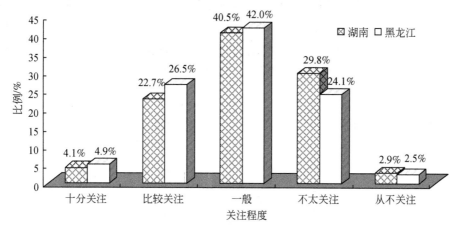

图3-7　青年消费群体对食用菌的关注程度

言，电视利用最多，占样本量的53.1%，其他则依次为亲友介绍（41.4%）、网络（21.0%）、报刊（16.7%）和户外广告宣传（11.7%）；而对湖南青年消费群体而言，电视（38.0%）与亲友介绍（37.6%）同样重要，然后依次是报刊（21.1%）、网络（19.0%）、户外广告宣传（8.3%）与专门性知识讲座（8.3%）（图3-8）。由此可见，不同地区不同主体在获悉信息的手段方面存在较大差异。

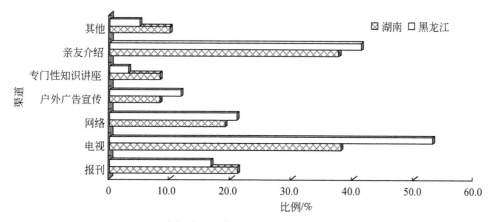

图3-8　青年消费群体了解食用菌相关信息的渠道

　　然而，尽管两省的青年消费群体了解食用菌相关信息的途径较多，但调查分析表明，青年消费群体对所了解的食用菌信息评价不高，其中认为信息较少的消费者分别占到两省样本量的40%左右，即使有部分消费者认为信息很多，但信息的真实性存在问题。例如，湖南有 14.9% 的青年消费者认为信息多，但只有 2.9% 认为信息符合实际；黑龙江有 29.7% 的青年消费者认为信息多，但有 19.8% 认为信息片面夸张。由此可见，目前在食用菌信息发布的数量与质量方面都存在问题，而从两省来看，黑龙江较之湖南更为严重，如图 3-9 所示。

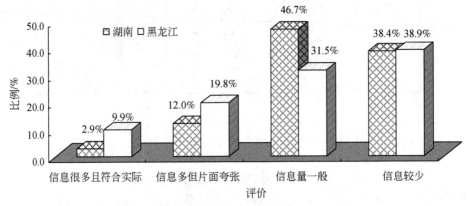

图 3-9　青年消费群体对所获食用菌信息的评价

3.3.2.2　青年消费群体对食用菌产品的消费偏好

食用菌具有丰富的营养价值，而且有利于促进健康、预防疾病，被认为是未来的保健食品，在国外享有"上帝的食品"的美称，联合国粮食及农业组织（以下简称联合国粮农组织）甚至倡导日常饮食要做到"一荤一素一菌"的膳食搭配。对此，湖南有 69.0% 的青年消费者持同意态度，26.0% 表示无所谓，只有 5.0% 的青年消费者持不同意态度；黑龙江有 67.3% 的青年消费者持同意态度，24.7% 表示无所谓，有 8.1% 的青年消费者持不同意态度。由此可见，做好观念上的更新，将有利于刺激食用菌的需求与消费。

第一，从青年群体对食用菌产品的消费经验来看，吃过的品种与自己最常购买的品种之间存在差异。例如，湖南的青年消费者吃过最多的前 5 个品种分别是香菇、木耳、金针菇、银耳与平菇，而最常购买的品种主要以平菇、银耳、茶树菇、猴头菇和草菇为主。

第二，不同地区对同一产品的消费经验存在区别。例如，对湖南青年消费者而言，最常购买的前 5 种食用菌品种主要为平菇、银耳、茶树菇、猴头菇与草菇，而对黑龙江青年消费者来讲，最常购买的 5 个品种主要是木耳、金针菇、香菇、银耳与一般野生蘑菇。这一差异主要与两省的资源禀赋有关，黑龙江相对湖南而言,林木资源尤其是原始森林较多,有利于木耳、银耳与一般野生蘑菇的生产,采摘量与销售量也就相对较大。

第三,从购买次数来看,青年消费者尚未形成固定消费习惯。例如,当问及"你一般隔多少天购买一次食用菌"时,湖南青年消费群体中有20.3%选择3~7天、26.1%选择半个月~1个月、6.6%选择3个月、2.5%选择半年、44.6%选择一般不确定,相对应地,黑龙江青年消费群体中分别为11.7%、23.5%、4.9%、2.5%、57.4%(图3-10)。由此可见,湖南的青年消费群体与黑龙江相比,购买频率相对较高,多次消费之间的间隔时间较短。

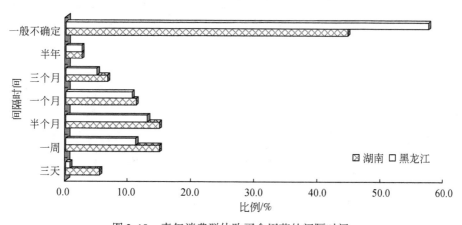

图3-10 青年消费群体购买食用菌的间隔时间

第四,从每次购买数量来看,购买量较低。当问及"一次一般购买多少斤[①]"时,湖南青年消费群体中,39.7%选择购买一斤,24.4%选择购买半斤,20.7%选择购买很少,只有15.2%选择两斤及以上。相对应地,黑龙江的青年消费者中分别为26.5%、17.3%、37.7%、18.5%(图3-11)。由此可见,尽管湖南青年消费者每次购买的量相对较少,但购买总量要多于黑龙江的青年消费者。

第五,从购买地点来看,主要以超市、菜市场为主。除此之外黑龙江因其独特的资源禀赋,除以上两个购买点之外,自己到山上采摘及亲朋好友赠送也是其主要的途径,所占比重分别为16.7%、13.6%,而这两种方式在湖南只占到样本量的4.5%、2.9%。

第六,从消费者对食用菌产业发展潜力的评价来看,两省情况基本相似。例

----

① 1斤=0.5千克。

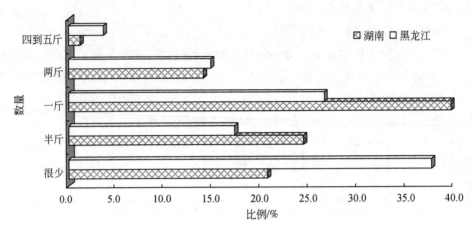

图 3-11　青年消费群体每次购买食用菌的数量

如，冬虫夏草、灵芝、木耳、香菇、金针菇等都被两省消费者认为是最有发展前途的前 5 名。仅有的区别在于湖南消费者更看重冬虫夏草与灵芝的发展（可能与这两种药菌的知名度有关），而在黑龙江消费群体中，金针菇与冬虫夏草地位相等，均位于首位，而灵芝次之。而从产品深加工来看，两省也基本一致，均认为食用菌最好不加工，直接做鲜品进行出售，若实在要加工，则应优先发展速食品、罐头、干品、速溶汤料等品类，如图 3-12 所示。

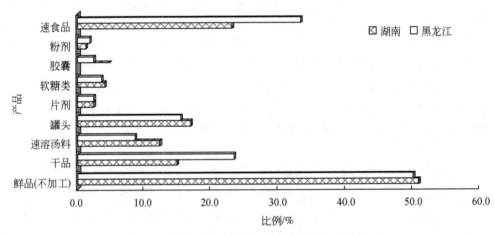

图 3-12　青年消费群体对食用菌产品深加工的评价

3.3.2.3 青年消费群体对食用菌产品安全消费的认知

随着人们生活水平的提高与法律意识的加强，人们在日常生活中日益重视安全消费，确保自身权益不受侵犯与破坏。为此，笔者对青年消费群体在消费食用菌过程中遇到的安全消费问题进行了调查。数据显示，湖南有31.0%、黑龙江有27.8%的青年消费者在消费食用菌产品过程中未遇到过市场违规行为，而在遇到过的消费者中，两省情况基本相似，主要集中在缺斤少两、以次充好、过期陈货或霉变，如图3-13所示。

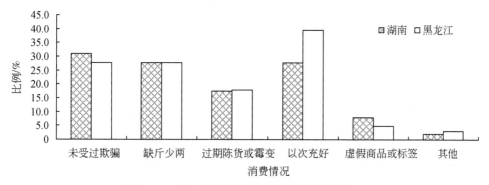

图3-13 青年消费群体在食用菌消费中的情况

为此，笔者进一步了解了青年消费群体在消费食用菌过程中最担心的食品安全问题。据调查，发现食用菌的食品安全问题主要侧重在中毒、违规使用保鲜剂、发霉变质、农药残留超标等方面。其中，对湖南青年消费者而言，担心最多的食用菌食品安全问题依次为中毒（54.5%）、违规使用添加剂保鲜剂（43.4%）、不卫生（40.5%）、农药残留超标（34.7%）与发霉变质（33.1%）；而黑龙江的青年消费者担心最多的食用菌安全问题依次为：违规使用添加剂和保鲜剂（45.1%）、中毒（41.4%）、不卫生（35.2%）、发霉变质（34%）与农药残留超标（30.9%）（图3-14）。而对于以上问题出现在哪个环节，两省消费者意见基本一致，都认为集中在保存、加工、流通与生产环节，其中湖南消费者更强调保存与加工两环节，而黑龙江消费者则更侧重于保存环节。

3.3.2.4 青年消费群体对本省食用菌产业发展的评价与参与意识

随着生产技术的进步与南菇北移的发展，湖南和黑龙江两省的食用菌产业发展态势也会有所不同。当问及两省青年消费者"您认为本省的食用菌产业与以前

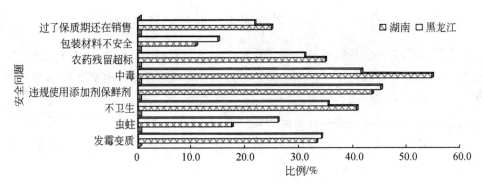

图 3-14　青年消费群体最担心的食用菌食品安全问题

相比有何变化"时，两省中，均有 65% 左右的青年消费群体认为产品种类增多了，40% 左右认为产品价格提高了，35% 左右认为产品质量提高了，但两省中也分别有 30% 左右的人对本省食用菌产业的变化无任何了解。

因此，当问及"本省的食用菌产业与国内其他省份的食用菌产业相比，发展如何？"时，湖南有 39.3% 的消费者很少关注过这个问题，30.6% 认为差不多，认为相对先进的只有 16.1%，而黑龙江仅 30.2% 表示没关注，25.3% 认为差不多，23.5% 认为相对先进（图 3-15、图 3-16）。由此可见，黑龙江的青年消费群体对本省食用菌产业的发展评价较高，感觉良好。但从对食用菌产业的参与度来看，湖南要比黑龙江高。这是因为，当问及"如果为您提供一定的信息技术或产品渠道，您是否愿意从事生产或销售食用菌的行业"时，湖南青年消费群体中有 90.5% 的消费者表示"愿意尝试"，其中，15.3% 表示"很愿意尝试"；而在黑龙江，只有 88.3% 的青年消费者表示"愿意尝试"，而且"很愿意尝试"的比重只有 4.9%，相反有 11.7% 表示"不愿意尝试"。由此可见，湖南的年轻人比黑龙江的年轻人更富有主动性与冒险意识。

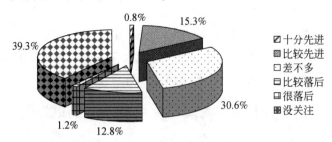

图 3-15　青年消费群体对湖南食用菌产业发展评价

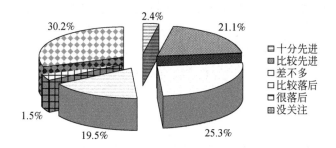

图 3-16　青年消费群体黑龙江食用菌产业发展评价

3.3.3　政策建议

根据对湖南和黑龙江两省青年消费群体关于食用菌产品的认知与消费偏好的调查分析结论，为尽快拉动国内消费市场，进一步扩大食用菌消费份额，特提出以下建议。

第一，要加大食用菌营养保健知识的宣传与普及，不断增强消费者的食用菌消费理念，使其尽快形成每天"一荤一素一菇"的消费习惯，在致力于扩大消费总量的同时，确保基本消费的稳定性。

第二，要增加食用菌科技投入，研发或引进新的菌种，增加食用菌的供给类别、种类数量，不断扩大消费者的选择空间。

第三，要采取多种措施，降低生产成本，如退税免税、生产补贴等，通过降低食用菌成本来实现价格的下降，促使其需求量的增加。

第四，要加大监督管理力度，完善食用菌生产加工的质量检测标准，严格检测检验，确保食用菌的质量与消费安全，增强消费者对食用菌的安全消费信心。

第五，要加大知识产权保护的力度，创建绿色、安全的食用菌品牌，这对满足国内消费者的需要和增强我国食用菌国际竞争力具有重要作用。

(黄文清　张俊飚)

3.4　城市消费者食用菌购买行为分析

为了了解城市消费者的食用菌消费情况，我们选择了杭州、宁波（作为东部城市代表），武汉、长沙（作为中部城市代表），兰州、雅安（作为西部城市代表）进行问卷调查。通过对比分析，剖析不同城市区域的消费者对食用菌产品的偏好认知和购买行为之间的差异性。调研时间为 2010 年 8 月 4～25 日。调查采取现场发放问卷，受访者当场填写，填完后立即收回的方式进行。本次调查共发放问卷 330 份，实际收回问卷 317 份，其中有效问卷 300 份，占样本总数的90.91%，有效率较高。

3.4.1 城市消费者购买食用菌产品的行为特征

3.4.1.1 城市消费者对食用菌产品的消费量和消费频次

由表 3-3 可知，我国城市消费者每年每户食用菌消费量约为 9.5 千克，如果以每户 3 人计算，人均接近 3.3 千克，显著高于刘贵巧在（2006）对河北省食用菌人均消费量的调查数据（邯郸 1.3 千克；石家庄 1.5 千克；天津 1.7 千克）。之所以差异较大，可能是由于城市居民 2006 年的购买能力低于 2010 年，或是由于调查范围的不同所致，刘贵巧仅选择了河北省，而本书选择的区域更为广泛。进一步分析可知，6 个城市消费者的食用菌消费量呈现出内部不均衡现象，东部、中部、西部经济水平差异并不是造成这种非均衡性的主要原因，如东部地区的杭州和西部地区的兰州每户每年食用菌消费量分别为 13.3 千克和 11.3 千克，相差不大，因此我们认为导致这种非均衡型的可能原因是不同城市人们对食用菌的饮食习惯和消费偏好不同。

表 3-3　城市消费者食用菌年消费量

城市名	杭州	宁波	武汉	长沙	兰州	雅安	总体平均
消费量/[千克/(年·每户)]	13.3	7.4	10.5	7.1	11.3	7.5	9.5

除了利用消费量指标来衡量城市消费者食用菌消费水平外，笔者还从消费频次入手，依据调查数据得出，选择 3～7 天购买一次的受访者占调查样本总体的 25%，选择半个月至 1 个月购买一次的受访者占 34%，选择 3 个月购买一次的受访者占12.3%，选择不确定的受访者占 26.67%；与此同时，相同受访者当被问及蔬菜购买频次时，90% 以上的受访者回答是至少 3 天购买一次，可见，食用菌的消费频次相比蔬菜来说是比较少了。由此可见，食用菌消费市场还有较大的潜力可挖。

3.4.1.2 城市消费者主要食用菌消费品种及类型选择

面对琳琅满目的食用菌产品，消费者更倾向于购买哪些品种呢？当调查员给出包括香菇、黑木耳、金针菇、平菇、杏鲍菇、鸡腿菇、茶树菇、猴头菇、双孢蘑菇、草菇、银耳、冬虫夏草、灵芝等 13 种选项，并告知受访者可以多选时，受访者做出如下判断，表 3-4 显示的是受访者选择频次位于前 6 位的食用菌品种。

表 3-4　食用菌消费品种分布

品种	香菇	金针菇	黑木耳	平菇	银耳	茶树菇
购买人数/人	225	197	180	180	82	58
比例/%	75	65.67	60	60	27.33	19.33

由表 3-4 可知，香菇、金针菇、黑木耳、平菇是大众购买次数最多的食用菌品种，几乎 2/3 的消费者购买过上述 4 种食用菌，其中又以香菇最受欢迎，购买比例高达 3/4，可见香菇是人们餐桌上的常客。该结论与刘景胜（2004）认为 80% 的消费者购买金针菇、平菇和香菇等常见品种的结论基本一致。相对于这 4 大食用菌品种，银耳和茶树菇购买频次稍低，但也有 20% 左右的受访者表示会经常购买。

进一步的分析由表 3-5 可知，不同区域的城市消费者对食用菌普通品种的偏好大体一致，选择频次排名前 6 的品种大体与样本总体显示一致。但是相对而言，选择冬虫夏草等珍稀食用菌，东部城市消费者的选择频次高于中部城市，中部城市消费者频次高于西部城市。冬虫夏草具有很高的药用保健价值，选择频次不同，在一定程度上说明不同城市区域的消费者对药用保健食用菌的重视程度不一致，同时也受到生活水平和饮食习惯的影响。

表 3-5　不同品种的食用菌消费人数在城市区域间分布

城市	香菇	黑木耳	金针菇	平菇	银耳	茶树菇	冬虫夏草
杭州	49	50	38	44	35	26	13
宁波	43	40	48	41	29	35	14
武汉	47	47	35	44	30	39	9
长沙	43	40	48	41	29	35	8
兰州	40	47	49	45	14	29	4
雅安	47	41	41	42	17	31	2

由图 3-17 可知，受访者选购 1 种或者 6 种以上的分别仅有 54 人和 38 人，均不及调查样本总量的 20%，而选择 2~5 种的受访者有 208 人，几乎占据调查样本总量的 70%。由此可见，大众消费者对食用菌主打品种持认可态度，且购买种类相对丰富，但仅限于常见品种。通过进一步询问"为什么不选购其他品种"

时，受访者的回答集中于"对产品不了解"，这说明消费者对食用菌的产品认知较为欠缺，因不了解产品食用方法而选择不购买的居多。

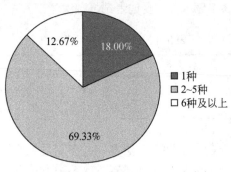

图 3-17 每户选购食用菌品种数分布

不同城市消费者经常购买品种数也存在差异，东部城市如杭州，消费者经常选购的食用菌品种平均为 7 种，最少的也会消费 3 种，最多则高达 11 种；中部城市如武汉，消费者平均消费的食用菌品种为 5 种，最少的仅消费 3 种，最多的为 7 种；而西部城市如雅安，消费者平均购买的食用菌品种数为 3，最少的消费仅为 1 种，最多不超过 5 种。可见食用菌消费品种数在东部、中部、西部城市趋于递减状态，东部城市消费者享受的食用菌品种较中部、西部城市更为丰富，喜欢的食用菌品种也更多。

对于上述食用菌品种，除了鲜品和干品出售外，还可以进一步加工成保健产品、美容产品、罐头产品、饮料产品和米面产品等。对于这些加工品，当被问及"您会经常选购哪些类型的产品"时，只有 7% 的受访者表示只购买鲜品和干品，93% 的受访者愿意购买深加工产品。其中选择 1~2 种类型的受访者占到调查样本总数的 89%，且有一半受访者选择米面产品，接近 1/3 的受访者选择罐头产品，而对美容产品和饮料产品，消费者了解得很少，不到 10 人选择购买过，当被问到为什么不选择时，许多消费者表示不了解，没看到相关的信息。这说明城市消费者对食用菌产品了解不够深入，也反映出食用菌宣传力度还有待加强。

3.4.1.3 城市消费者食用菌购买渠道分析

由表 3-6 可知，城市消费者经常在超市和农贸市场选购食用菌产品，选择人数分别为 206 人和 189 人，占有效样本总数的 68.53% 和 62.93%。通过进一步询问发现，选购常见品种如香菇、平菇、金针菇等的消费者中多数会选择在农贸市场和个体商贩购买，而选购珍稀品种如鸡腿菇、杏鲍菇等的消费者会选择在超市和食品商店购买，该现象说明不同购买地点可供选择的食用菌品种存在着一定差异。

表3-6 食用菌购买渠道分布

渠道	超市	批发市场	农贸市场	个体商贩	食品商店	其他
选择人数/人	206	137	189	146	132	32
比例/%	68.53	45.67	62.93	48.73	43.93	10.67

不同城市区域的消费者选择购买食用菌的地点与样本总体显示的布局一致，均以超市和农贸市场为主，且在超市购买食用菌的比例略高于在农贸市场购买，原因可能是不同区域的城市超市建设均比较完备，能满足消费者的需求，且在农贸市场上主要选择的是生鲜食用菌，在超市中可以更多地选择食用菌加工品。人们对食用菌的需求趋于多样，因而在选择食用菌产品时，不仅会考虑传统消费市场——农贸市场，同时也会考虑现代购物环境——超市。

3.4.1.4 城市消费者食用菌产品信息来源渠道分析

消费者在选择食用菌产品时，会考虑到要了解食用菌产品的相关信息，此时客观环境提供的信息将会对消费者的决策起到十分重要的作用。图3-18则显示了城市消费者获取食用菌相关产品信息的主要来源。图中百分比反映了选择该信息渠道的受访者人数占受访者总人数的比重。其中，选择电视广播、卖点宣传、报纸杂志、亲友介绍和网络的人数依次排在前5位。就类型而言，上述5项有3项属于传播媒体，可见媒体对城市消费者的影响是巨大的，发达的信息传播途径为知识的及时送达创造了良好的条件。同时，亲友介绍和自身对卖点宣传的接受度也在很大程度上影响消费者对食用菌产品的判断。

城市消费者通过上述传播渠道了解食用菌产品的相关信息，但对信息的评价程度却不太一致。从获得信息的数量指标来看，有22.97%的受访者认为获得食用菌产品相关信息较少，有43.92%的受访者认为得到的食用菌相关信息马马虎虎，只能达到了解基本概念；从获得信息的质量指标来看，26.35%的消费者认为获得的食用菌产品相关信息存在不真实或片面的情况，认为得到的食用菌相关信息是真实全面的消费者仅占到受访者总人数的8.11%，这说明城市消费者对食用菌信息的评价并不理想。在走访中，有不少受访者希望得到较为全面和真实的食用菌产品相关信息。

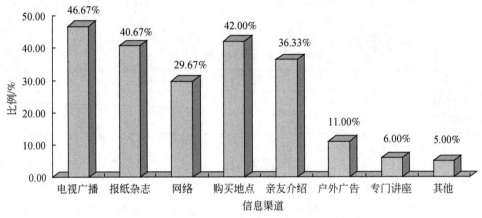

图 3-18 城市消费者了解食用菌相关产品的信息渠道

3.4.1.5 城市消费者遭遇到的食用菌产品质量问题

目前农产品质量安全屡见报道，日益受到政府部门和百姓的关注，食用菌产品也不例外。城市消费者在购买食用菌过程中是否遭遇过受骗情况，是否出现过食用菌食物中毒现象，以及他们采取的措施，这些亲身经历将会影响到消费者对食用菌产品的选购。依据本次调查，我们发现有接近 2/3 的受访者遭遇过受骗情况，其中选择缺斤少两和以次充好的分别占有效样本总数的 30.67% 和 29.33%。这说明食用菌消费市场的管理还不够到位，消费者对能否买到优质安全的食用菌产品存在担忧。

当受访者被问及"是否遇到过食用菌中毒事件，如腹泻、呕吐、头晕等情况"，有 24 位表示这样的食品安全事件在他或者他的家人身上发生，虽然占到有效样本总量的比例仅有 8%，但这关乎人们生命健康安全，这样的比例仍显很高。通过进一步调查，有 62.5% 的受访者选择了没有向有关部门投诉，究其原因，有 1/3 的受访者认为不知道向哪个部门投诉，接近 1/2 的受访者认为费时费力不一定有结果。这样的结果不难发现质量监管部门职能的缺失对食用菌产品存在安全隐患有重要关联。

3.4.1.6 城市消费者对食用菌产品质量监管信任程度

由图 3-19 可知，城市消费者对食用菌产品市场环境总体持信任态度。对所在地区的农产品质量持基本信任以上态度的受访者人数达 270 人，占有效样本总数的 90%，其中持基本信任、比较信任的受访者分别为 123 人和 117 人，分别占

41%和39%。这说明城市消费者对该区域农产品质量持肯定态度。

　　对食用菌产品生产者的信任程度、对媒体报道食用菌信息的信任程度及对当地政府监管力度的信任程度，这三者的信任程度比较来看，消费者对政府监管力度的信任度最高，其次是对媒体的信任度，最后是对生产厂家的信任度。比较信任是指消费者对该项的信任程度较高。受访者对政府监管持比较信任的占有效样本总数的36%，对媒体监管持比较信任的占29.67%，对生产厂家提供的质量信息持"比较信任"的占19.67%，信任是商品交易达成与否的重要因素。由此，不难发现，消费者对食用菌厂商的信誉认可度不高，希望通过第三方监控，才能放心购买食用菌产品。

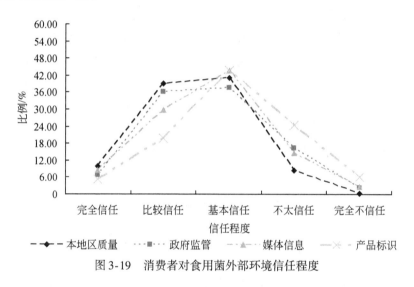

图 3-19　消费者对食用菌外部环境信任程度

3.4.1.7　城市消费者对食用菌产品的期望

　　消费者对食用菌产品的期望是食用菌产品未来的发展方向。当受访者被问及"您认为最有发展的食用菌品种"时，香菇、木耳、金针菇、平菇依然是消费者认为未来最具发展前景的4种食用菌。除此以外，消费者对如冬虫夏草和灵芝这种珍稀药用菌，也给予了高度的关注，选择冬虫夏草和灵芝的受访者占到样本总体的18.9%和15.6%，说明今后消费者会扩大对食用菌品种的选购范围，增加具有较高保健功能食用菌的购买频次。

　　同时，对于食用菌产品应该如何进行深加工的问题，选择速食品的受访者人数占到样本总数的46%，选择胶囊的比例占到21%，选择做成干品的比例为58%，当被问及为什么只需要对食用菌产品进行烘干处理就行时，1/3的消费者不相信深加工的质量，1/5 的消费者认为深加工产品的价格过高，且对产品实际价值不了解。

3.4.2　受访者购买安全食用菌产品意愿分析

安全农产品（safety food）包括无公害农产品、绿色农产品和有机农产品。其中，无公害农产品和绿色农产品是针对产成品而言，而有机农产品需要对生产的全过程进行把关。食用菌是农产品中的一种，其产品也可以按照质量标准的高低依次分为 4 类：普通食用菌产品、无公害食用菌产品、绿色食用菌产品和有机食用菌产品。有机食用菌产品质量要求最高，它要求具有有机食品颁证组织颁发的食用菌产品认证证书。由于食用菌的栽培生产主要是利用各种菌物将农林生产的下脚料（纤维素和木质素）转化为人类所需的优质蛋白质，其形式有别于传统的种植业，因此安全食用菌产品生产标准也有别于一般意义上的粮食作物、水果和蔬菜的标准，特别是有机食用菌产品的认证更为复杂，但其安全认证的原理基本是一致的。我们仍以杭州、宁波、武汉、长沙、兰州和雅安 6 个城市消费者作为调研对象，观测他们对安全食用菌产品的认知情况、购买意愿及所能承受的价格区间。

3.4.2.1　城市消费者对安全食用菌产品的认知状况

由表 3-7 可知，安全农产品特别是绿色产品已经是消费者非常熟悉的一个概念，约 40% 的消费者对安全食用菌产品持基本了解态度，其中对无公害食用菌产品、绿色食用菌产品的认知程度要高于对有机食用菌产品的认知程度。但当被问及"是否能识别上述三类安全食用菌产品标识"时，有 56% 的受访者认为自己能够辨识绿色标志，而仍有超过 1/3 的受访者对三种安全食用菌产品毫无识别能力。

表 3-7　城市消费者对安全食用菌产品的认知

产品类型		完全了解	比较了解	基本了解	不太了解	完全不了解
无公害产品	人数	22	80	126	65	7
	百分比/%	7.33	26.67	42.00	21.67	2.33
绿色产品	人数	18	84	125	63	10
	百分比/%	6.00	28.00	41.67	21.00	3.33
有机产品	人数	11	50	97	114	28
	百分比/%	3.67	16.67	32.33	38.00	9.33

3.4.2.2　消费者购买安全食用菌产品的意愿统计

在了解消费者对安全食用菌产品的认知后，我们需要观察消费者对安全食用菌产品的认知是否会影响其购买意愿。依据调查显示 69% 受访者有意愿购买安全食用菌产品，31% 的受访者表示不愿意购买安全食用菌。究其原因，其中 1/3 不愿购买安全食用菌的受访者认为其产品价格偏高；而另有接近 1/2 的受访者则对安全食用菌的质量可信度持怀疑态度，但同时他们也表示，如果能购买到质量有保证的安全食用菌产品，愿意支付比普通食用菌产品高的价格。这与丁珏明（2008）对浙江 6 个城市消费者进行的超市安全农产品的调查结论基本一致，即城市消费者愿意出相对高一些的价格购买安全农产品（丁珏明，2008）。

了解城市消费者对安全食用菌产品价格的承受空间，即城市消费者愿意支付高出同类普通食用菌产品多少的价格购买安全食用菌产品对制定合理价格和引导居民消费具有重要意义。由表 3-8 可知，有 38% 的受访者表示对于安全食用菌产品仅接受不超过 10% 的价格，这是列举区间中接受人数最多一个价格空间。通过均值计算，价格空间均值在 21.49%，这与张静等（2006）以四川省成都市消费者购买安全蔬菜得出的结论相符合，即安全农产品价格比同类普通农产品的价格高出 20% ~50%。

表3-8　消费者接受安全食用菌产品价格空间

价格空间/%	人数/人	百分比/%	累积百分比/%
10	114	38.0	38.0
20	87	29.0	67.0
30	62	20.7	80.7
40	20	6.6	94.3
50	12	4.0	98.3
60	5	1.7	100.0
合计	300	100.0	100.0

3.4.3　小结

研究结果表明：①城市消费者户均食用菌年消费量约为 9.5 千克，但不同城市存在一定差异；②香菇、金针菇、黑木耳、平菇是消费者经常购买的大宗食用菌品种；③超市、农贸市场是城市消费购买食用菌的主要渠道；④城市消费者主要通过电视广播、卖点宣传、报纸杂志、亲友介绍和网络等方式获取食用菌产品信息；⑤接近2/3的受访者遭遇过受骗情况，其中以缺斤少两和以次充好最为常见；⑥仍有相当数量的城市消费者对安全认证食用菌产品缺乏认知，约占受访总人数的1/3；⑦由于价格及信任度缺失的原因，高达31%的受访者不愿购买安全认证食用菌产品；⑧在质量得到保证的情况下，所有受访者均愿为安全认证食用菌产品支付更高价格，其价格均值空间约为21.49%。

（肖　琪　田　云　张俊飚）

3.5　菇农销售渠道选择的影响因素分析

我国自20世纪末、21世纪初开展全国性农村产业结构战略性调整以来，食用菌因其投资小、周期短、见效快、经济效益相对较高的特点而被大量种植，迅猛发展，并成为农民增收的重要来源之一。但目前我国食用菌产业的发展却面临诸多问题，如食用菌生产零星分散，产业化程度较低，农药残留量及重金属超标等。而这一系列问题也导致消费者在购买过程中缺乏安全感。除此之外，在食用菌销售过程中也未建立起严格的交易规则和规范的市场行为，使得食用菌产品的销售流通混乱无序，直接影响菇农的切身利益等。

虽然全国各地尤其是一些食用菌主产区形成了一系列食用菌专业交易市场，如河南的西峡双龙、福建的古田、浙江的磐安和丽水等。这些交易市场已成为食用菌产品的集散地，但这类交易市场在全国范围内的布局并不均衡，某些食用菌主产区甚至还没有一个规模化的食用菌交易市场，结果导致菇农卖菇难、客商寻货源难，严重影响了食用菌产品的流通，并致使许多地区食用菌产业发展遭遇市场障碍瓶颈。而对于菇农而言，销售方式选择是否得当，不仅直接影响到销售数量与价格，也影响到销售费用、产品损耗及销售过程中所经受的风险、花费的时间等，从而直接影响到食用菌生产的经济效益。重视销售环节，选择恰当的销售方式，不失时机地组织销售是每一个菇农不可忽视的问题。因此，本书以菇农选择食用菌的销售方式为着眼点，对我国现有的食用菌销售渠道进予以分析，进一步提出相关的对策建议。

3.5.1 样本的选择及特征

3.5.1.1 样本的选择

食用菌在全国 31 个省（自治区、直辖市）均有栽培，其中豫、鲁、闽、冀、黑、苏、浙、川 8 个省份属于主产省，其食用菌生产量占到了全国总产量的 80% 左右。截至 2009 年，食用菌产量超过百万吨的有 6 个省份，分别是河南、山东、福建、河北、黑龙江和江苏。为了增强实证分析的说服力，笔者选取了上述总产量超过百万吨的 6 个省份作为分析对象，经筛选，共获得问卷 420 份，具体分布如表 3-9 所示。

表 3-9　样本的区域分布

地理分布	省份	市、县
中原	河南、山东	南阳市、洛阳市、泌阳县；烟台市、莘县、定陶县
东南	福建	漳州市、龙海市、古田县
华东	江苏	丹阳市、金坛市、铜山县、泗阳县
华北	河北	保定市、承德市、衡水市
东北	黑龙江	尚志市、伊春市、海宁县

3.5.1.2 样本的特征

基于本书分析的目的，对此次调查所获得的 420 份问卷进行了整理，剔除部分无效问卷后，共得农户的有效问卷 296 份，问卷有效率为 70.48%。从有效问卷的基本情况看（表 3-10），受访问的样本农户具有以下 4 个特征：第一，访问对象，男女比例分配较均衡；第二，被访者中以中壮年为主，年龄集中在 36~45 岁；第三，访问对象的受教育程度较低，初中及初中以下文化水平的占 72.3%；第四，大多数样本农户（55.1%）居住地所处地形为平原和山丘地带。

表 3-10　样本特征

指标特征	选项	样本数	比例/%
性别	男	167	56.4
	女	129	43.6

指标特征	选项	样本数	比例/%
年龄	35 岁及以下	41	13.9
	36~45 岁	154	52.0
	46~55 岁	69	23.3
	56~64 岁	26	8.8
	64 岁以上	6	2.0
受教育程度	小学及以下	51	17.2
	初中	163	55.1
	高中或中专	72	24.3
	大学及以上	10	3.4
地形	山地	51	17.2
	平原	163	55.1
	丘陵	72	24.3
	湖区	10	3.4

3.5.2　我国食用菌销售渠道现状及相关因素分析

3.5.2.1　食用菌销售渠道现状

受地理条件及生产力发展水平的影响，不同地方适宜种植的菌种也存在较大差异：如河北省和河南省的食用菌主产县的栽培历史较长，具有一定的林木资源、秸秆资源且该地区夏季为冷凉气候，以发展侧耳类和夏季优质鲜香菇为主；而黑龙江和吉林的食用菌则以黑木耳为发展重点；成都周边绝大多数县、市则以侧耳、金针菇和毛木耳为主要生产对象。由此必然导致生产地域和消费空间之间不同步的矛盾，而解决这一矛盾的办法就是发展完善销售渠道系统。

随着食用菌产业的逐步发展，食用菌的销售方式也日趋多样化，调查显示，食用菌农户在出售食用菌时主要有以下 5 种销售渠道：菇农到农贸市场进行销售即自产自销；通过食用菌商贩出售；通过蔬菜批发市场批发销售；通过经纪人或食用菌协会等中介销售；通过"公司+农户"的方式销售。出于实证分析的便利性，笔者将这5种销售方式，划分为两大销售体系即传统销售方式和新型销售方式。前3种为传统的销售方式，后两种为新型的销售方式。

1）传统的销售渠道

（1）自产自销。菇农作为销售环节的主体，对所种植的食用菌有充分的决定权，菇农依据其在生产过程中的投入成本来决定其应出售的价格，菇农在市场上与消费者进行直接的讨价还价，交易双方没有任何的合约约定。菇农通常采用摆地摊、进入农贸市场等方式将生产出来的食用菌直接卖给消费者，这种交易方式比较灵活，菇农可以根据本地区的销售情况和周边地区市场行情，自行组织销售，同时也避免了中间商、零售商、经纪人对产品压价收购行为，从而获得较实在的利益。但是自产自销的方式一方面很难形成规模使得销量不太稳定，另一方面，一些菇农自身的食品安全意识淡薄、卫生习惯较差，容易受到消费者的排斥。

（2）通过食用菌商贩出售。在食用菌产品的销售过程中，商贩作为其中的一个中介在一定程度上增强了菇农销售的便利性。距离市区、集镇较远，交通又不便利的农户，可在食用菌出菇的季节通过商贩自行上门收购的方式来出售其生产的食用菌，并且与商贩约定以何种价格来进行销售。但往往在这种销售过程中，商贩会尽可能压低价格，使得菇农自身利益难以得到保证。

（3）通过蔬菜批发市场批发销售。选择专业批发市场进行食用菌的销售能使销售较集中、销量较自产自销方式更大，也能够在一定程度上实现快速、集中运输，妥善储藏，加工及保鲜，在专业的批发市场里，菇农能及时获得食用菌的价格及需求信息，快速地处理市场信息，将销售过程中所产生的风险降到最低。但现实情况是，虽然部分地区已建立起食用菌的交易市场，但其市场管理矛盾突出、市场体系并不健全，有些地方甚至存在着故意压低收购价、抬高市场价、税费管理标准不一等现象。

2）新型的销售渠道

（1）经纪人或食用菌协会等中介销售。通过经纪人或食用菌协会等中介组织进行销售能够把分散的食用菌产品集中起来，为食用菌的再加工和增值提供可能。但这种方式缺乏作为市场主体的有效法律身份，不利于解决销售过程中出现的法律纠纷，且食用菌协会等组织普遍缺乏资金，很难有效地开拓市场。

（2）"公司+农户"销售方式。从20世纪80年代初期开始，以分散、小规模家庭联产承包经营为主体的农业经营体制和产业组织方式逐渐形成，为了降低生产成本、克服产销脱节的现象，实现优势互补、利益共享，一些经济相对发达的地区开始尝试农户与农业企业或工商企业结合起来，进行以农业为基础的产业化经营。菇农与食用菌加工企业结合起来签订销售订单或者是生产销售合同，此种销售方式能有效解决小农户与大市场之间的矛盾及在食用菌旺季销售困难的问题。菇户与公司、企业之间通过合同规定双方生产、销售、服务、利益分配和风险分摊等方面的权利和义务，建立一种相对稳定、利益共享、风险共担的合作关系。这种销售方式通过建立合作关系来实现食用菌生产的分工与协作，食用菌公司或企业发挥了单个菇户所不具有的食用菌产品加工增值、市场开拓、技术创新、服务提供等方面的优势，菇农则发挥了其在食用菌生产环节中独特的优势。这种销售方式的结果是公司可以确保以适宜的价格获得稳定的原料来源；菇农可以为自己的产品找到稳定的销路，减小了一些市场风险，并在信息、技术和生产资料等方面得到优惠的服务。

3.5.2.2　食用菌销售渠道相关因素分析

在食用菌的实际销售过程中，大多数菇农仍是选择自产自销和通过食用菌商贩来出售食用菌，采取协会组织和"公司+农户"的合同形式销售食用菌的只占很少比例，这种状况已经成为整个食用菌生产加工行业及其供应链发展的重要障碍。根据已有的文献和调查数据，本书将选取如下三类解释变量作为影响菇农选择销售渠道的因素。

（1）户主的个人特征变量。主要包括户主的年龄、性别、文化程度及其对交易风险的承受能力。户主的年龄越大，文化程度越低，其对销售过程中可能产生的风险接受程度越差，他们对于新型的销售渠道更加难以接受，从而依旧选择传统的自产自销和通过中介商销售；年龄越小，文化程度越高的菇农则可能会更加积极地加入协会组织，并更能了解"公司+农户"的销售渠道给其带来的好处，这类人也更容易接受销售过程中的所产生的突发性事件。

（2）菇农生产经营特征。包括了菇农是否与加工企业或协会签订过收购协议、菇农是否加入食用菌协会组织、菇农是否有自己的运输工具及在总收入中食用菌现金收入占家庭现金收入的比重。调查数据显示，与加工企业或协会签订过收购协议或已加入食用菌协会组织的菇农在销售过程中，大多数会采取新型的销售方式即通过协会组织、通过所签订的收购协议进行销售；有运输工具的菇农在销售时，会通过自家的运输工具直接到批发市场进行贩卖。

（3）地区及环境因素。包括菇农家庭所处地形、菇农家庭与市场的距离及菇农所在村附近公路的类型等。菇农家庭所处地形越不平坦，运输条件越差，与市场距离越远，则菇农所面临的运输成本越高，而"公司+农户"的合同销售方式基本上都是收购商或经纪人上门收购，该方式既方便又节省交易费用，因此距离市场越远的菇农越可能选择新型销售方式。

以上讨论只是对菇农选择何种销售渠道做了一个简单预设分析，为了分析各种因素对菇农销售渠道选择的实际影响，必须建立计量经济模型，通过多元回归分析来确定不同因素的具体影响和影响大小。

3.5.3 计量经济模型估计及结果分析

3.5.3.1 模型的设定

根据前述分析，我们建立如下的食用菌销售渠道的计量经济模型。

$Yi = f$（户主年龄、性别、文化程度、生产经营特征、地区及环境因素）+随机扰动项 (3-1)

（1）被解释变量的说明。在模型中被解释变量 Y_i 表示食用菌的销售渠道，分为传统销售渠道和新型销售渠道。

（2）被解释变量的说明，如表 3-11 所示。

表 3-11 实证模型解释变量及说明

变量分类	具体名称	变量定义	均值
户主特征	年龄	实际年龄	43.89
	性别	1＝男；2＝女	1.44
	文化程度	1＝小学及以下；2＝初中；3＝高中或中专；4＝大专及以上	2.14
生产经营特征	是否签订过收购协议	1＝是；2＝否	1.75
	是否加入食用菌协会组织	1＝是；2＝否	1.57
	是否有运输工具	1＝是；2＝否	1.67
	运输是否有困难	1＝否；2＝是	1.47
	食用菌收入所占比例	食用菌收入占总收入的比例/%	0.72

变量分类	具体名称	变量定义	均值
环境因素	本村地形	1=山地；2=平原；3=丘陵；4=湖区；5=其他	2.14
	离市场距离	家庭离市场所需时间：1=半小时以内；2=半小时~1小时；3=1~2小时；4=2~3小时；5=3~5小时；6=5小时及以上	2.71
	道路类型	1=国道；2=省道；3=县市道；4=村村道；5=乡间道；6=其他	2.88

3.5.3.2　模型估计方法说明

本书将菇农销售方式的选择行为作为因变量，且定义为 0-1 型虚拟变量（设为 y），该变量只能取 0 或 1 两个值，当 $y=0$ 时，表示菇农选择传统的销售渠道，当 $y=1$ 时，表示菇农选择新型的销售渠道，然后选取一系列可能会影响菇农销售方式选择行为的内外部因素作为解释变量，最后选用二元 logistic 模型，将因变量对解释变量进行回归，从而判断哪些因素对菇农销售方式选择行为的决策产生显著影响，进而判断影响菇农选择销售方式行为的重要因素。

该模型的估计方程为具有特征 X_j 的农户当前面临 $i+1$ 种销售方式选择的一组概率。具体形式为

$$P_{ij} = \frac{e^{\beta_i X_j}}{\sum_{i=0}^{i} e^{\beta_i X_j}}, \quad i = 0, 1, \cdots, i, \ j = 1, 2, \cdots, j \qquad (3-2)$$

为了消除该模型中的不确定性，当 $i=0$ 时，假定 $\beta_i=\beta_0=0$，并且将此种选择形式作为基准对照，同时由于对销售方式的选择为二元变量，通过采用最大似然估计法对模型的回归参数进行估计，可得二元 logistic 模型：

$$P_i = \mathrm{E}\left(\alpha + \sum_{j=1}^{n} \beta_j X_{ij}\right) = 1 / \left\{1 + \exp\left[-\left(\alpha + \sum_{j=1}^{n} \beta_j X_{ij}\right)\right]\right\} + \mathrm{e}_i \qquad (3-3)$$

式中，P_i 为菇农选择何种销售渠道的概率，β_j 为因素的回归系数，n 为影响这一概率的因素个数，X_{ij} 是自变量，表示第 j 种影响因素，α 表示回归截距，e_i 表示随机扰动项。

3.5.3.3　模型估计结果及分析

笔者对以上所设计的模型运用 SPSS16.0 进行了估计，计量分析结果如表 3-12所示。

表 3-12　logistic 模型估计结果

解释变量	系数（β）	标准差	Wald 值	Sig.
年龄	0.274	0.360	0.580	0.446
性别	0.008	0.020	0.151	0.698
文化程度	0.189	0.248	0.582	0.446
是否签订过收购协议	−0.639 *	0.375	2.902	0.088
是否加入食用菌协会组织	−0.985 ***	0.355	7.699	0.006
是否有运输工具	−0.253	0.397	0.405	0.524
运输是否困难	0.065	0.380	0.030	0.863
食用菌收入所占比例	−0.105	0.142	0.540	0.462
离市场距离	−0.200	0.159	1.583	0.208
道路类型	−0.446	0.489	0.835	0.361
Constant	1.087	1.750	0.386	0.534

*** 、 ** 、 * 分别表示在 1%、5% 和 10% 的水平上显著。

注：Model 系数的 Omnibus 检验中 Chi-square = 17.75，显著；−2Loglikelihood 为 227.58；Cox & Snell R^2 和 Nagelkerke R^2 分别为 0.06、0.10；此外，自变量也通过了多重共线性检验。

　　估计结果表明，菇农是否签订过收购协议、是否加入食用菌协会组织对菇农销售方式的选择具有显著影响。具体有以下几个方面。

　　（1）户主的个人特征：户主的文化程度没有通过显著性检验，可能是因为食用菌栽培者整体文化程度偏低，大多只有初中、小学及以下文化。系数符号为正，说明文化程度越高者越容易接受新生事物，越倾向于选择新型的销售方式即通过协会组织或是与公司、企业签订合同来进行食用菌的销售。

　　（2）生产经营特征：是否加入食用菌协会组织、是否签订过收购协议这两个变量对菇农选择新型的销售渠道具有显著影响，分别在 1%、10% 水平上显著且系数为负，这说明在其他条件不变的情况下，菇农若愿意加入食用菌协会组织或签订收购协议，则他们更倾向于选择新型的销售渠道。是否有运输工具及运输是否困难均未通过显著性检验，且是否有运输工具的系数为负与预期相反，有待进一步分析。

　　（3）地区及环境因素：食用菌收入所占比例、离市场距离、道路类型均未通过检验且系数均为负，与预期相反，这也能说明一些问题，菇农了解食用菌收入在其家庭总收入中占有重大比例，且他们认为农户经纪人或公司、企业上门收购时给出的价格要低于市场价，因此他们会选择自产自销等传统的销售方式来尽可能增加自身的收入；而离市场距离和道路类型这两个变量仍需要经过进一步的研究来给出其合理的解释。

3.5.4　对策建议

基于上述分析结论，提出如下建议。

3.5.4.1　加强对菇农的教育和引导，不断提高其市场营销意识

目前，我国已基本建立起了食用菌技术推广队伍，在各产区，食用菌种植户都能获得专业队伍在技术上的指导，使得菇农的种植水平有了很大提高，但在其营销意识方面的辅导却十分匮乏，大多数菇农并没意识到通过农户经纪人或签订销售合同的销售方式给其带来的利润更大。因此，在推广技术的同时也应该加强菇农在营销方面的教育和引导，使其选择适合自己的销售方式。

3.5.4.2　强化对良好销售模式的推广宣传，为扩大食用菌市场销售创造良好环境

一方面，政府部门作为推进"公司+农户"销售模式发展的主导者，应加大对这种模式的宣传力度，让更多的菇农了解这种销售模式的存在及其相对于传统销售模式的优势；另一方面，政府和各监管部门应采取多种方式来规范这种销售模式，从根本上为菇农带来更多的实惠。

3.5.4.3　加速开拓食用菌产品市场，不断完善食用菌流通体系

现阶段虽然部分食用菌主产区已经建立了专业的食用菌交易市场，但还有一些地区尚未建立。因此，相关部门应该科学规划、合理布局，加强食用菌市场网络建设，重点建设专业批发市场，巩固和完善产区市场，要形成以专业市场为骨干，以遍布城乡的集贸市场为基础的食用菌市场网络体系，在此基础上大力发展农民组织，积极培育农村各种产销协会、经销商（经纪人）、代理商等中介组织，加强政府宏观调控，改善流通环境。此外，还应大力发展现代物流模式，积极开拓市场，扩大食用菌市场需求。

（张　茜　张俊飚）

3.6 农户市场流通行为的认知分析
——以食用菌种植户为例

农村市场流通体系是我国市场经济体系的重要组成部分。农村市场流通体系的建立健全关系着我国市场经济体制改革的成败，决定着农产品价值的实现，制约着农业产业结构的优化与农民收入的增加，是解决三农问题、建设社会主义新农村的关键环节。随着改革开放的逐步深入和社会主义市场经济体制的不断完善，尤其伴随着社会主义新农村建设以及国家"万村千乡市场"、"双百市场"工程的稳步推进，我国农村市场流通体系呈现良好的发展势头，包括传统的集市贸易市场在内的各种综合市场、专业市场、批发市场快速发展，参与市场交易的主体不断增多，相对完善的农村市场流通框架已经初步形成。虽然农村市场及基础设施等硬件已得到了较大改善，但农民的市场流通意识等软件水平的提高却急需加强。软件建设不好，我国农村流通市场的完善也将受阻。当前农民的市场流通意识如何？影响农民市场流通行为认知的因素有哪些？怎样提高农户对市场流通认知？这些问题正是本书关注的重点。

3.6.1 研究现状

目前，围绕农村市场流通体系构建的相关研究成为学界关注的热点之一（商务部流通产业促进中心 2009；陈丽芬 2008；寇荣，谭向勇 2008）。丁建吾（2009）、李东（2008）、王芳和王双进（2008）、刘芝绅等（2008）、吕玉花（2008）、周力和王亚欣（2006）从构建完善的城乡市场流通体系的高度，系统论述了提高农产品市场流通效率的重要性及举措。其他学者对农村市场流通体系的研究则更为细化，研究视角差异也较大。其中，张贵友（2009）的研究着重阐述了农产品流通基础设施建设的重要性；吕炳斌（2009）则对我国目前市场流通立法情况进行了论述；杨剑英（2009）从提高生鲜农产品流通效率的角度，提出了改善农产品流通的相关建议；刘远（2009）认为拓宽农产品市场流通渠道，必须加快农村信息化的进程；李芬儒和桑银峰（2008）则对农村中小批发零售企业这一市场流通主体的自由连锁行为进行了研究。综合学者们的上述研究，我们发现，学界在农村市场流通体系建设上比较偏重于宏观分析与定性研究，从微观主体进行定量研究则较为少见，而从提高农户对市场流通行为认知角度探索完善农村流通体系途径的相关研究更是缺乏。本书以食用菌种植户为调查对象，利用食用菌产业技术体系调研数据，阐述了食用菌种植农户的市场流通认知及影响农户市场流通行为认知的主要因素，最后提出了改善农户对市场流通行为认知的对策建议，期望对我国农产品市场流通环境的改善提供帮助。

农户对农村市场流通行为的认知是市场体系建设的重要软件，是完善市场流通体系的关键环节。笔者主要是从农户个人禀赋、农户家庭及农户外部特征等3大类来对农户市场流通认知的影响因素进行分析，这3大类分别囊括了8个与农户有关的变量。其中由户主年龄、文化程度、是否干部、是否有专业技能这4个变量来反映农户户主的个人禀赋；家庭劳动力数量、食用菌收入占比则是对农户家庭特征的反映；农户的外部特征则选择了农户家庭到市场距离及村庄道路类型这2个变量。据此，我们基本上构造出了影响农户市场流通行为认知因素的理论分析框架，并在此基础上提出如下假说。

（1）农户个人禀赋方面。农户户主年龄越大，其新事物接受能力相对较差，对食用菌市场流通行为的认知亦有限；文化程度越高的农户户主，则对信息接受较快，相对文化程度低的农户对市场流通有着较高的认知度；在广大农村，干部身份是一种稀缺的社会资本，一方面，干部拥有较多的社会资源，其获得信息的渠道相对较多，另一方面，具有干部身份的人往往需要发挥能动带头作用，成为新知识、新技术的率先使用者，因此这部分人对农产品市场流通的认知情况会较好；拥有专业技能的人，学习能力较强，对农产品市场流通等新知识接受的也快。

（2）农户家庭特征方面。食用菌收入占家庭收入比重较高的农户往往受食用菌产品销售的影响较大，参与市场流通的热情会相对较高，对市场流通的认知也会较好；劳动力数量对农户市场流通行为认知的影响暂时无法判断。

（3）农户外部特征方面。农户家庭到市场的距离越远，参与市场流通和获得流通信息的机会则越少，对市场的认知水平越低；农户村庄道路类型一定程度反映了农户家庭的交通状况，对道路条件较好的农户来说，其参与市场流通的机会增多，对市场流通认知程度也就较高。

3.6.2 数据说明

本书实证分析中使用的数据资料，来源于食用菌产业技术体系在2009年4~7月所做的菇农问卷调查。基于研究目的，共获得农户的有效问卷469份。农户数据显示：①受访农户的户主年龄结构以中老年为主，平均年龄为44.24岁，其中40岁及以上的受访菇农居多，占70.10%；②文化程度偏低，户主文化程度主要集中在小学至初中学历层次，达到了352人，占到总样本数的75.10%；③家庭常年劳动力数量平均为2.36个，户均有2个劳动力的家庭较多，为323户，占到总数的68.90%；④食用菌收入几乎成了家庭收入的主要来源，数据显示75.10%的农户食用菌收入超过了家庭总收入的50%；⑤多数菇农认为自己了解食用菌的市场流通情况，这部分农户占到调查户总数的56.50%；⑥多数农户居住地的交通情况便利。56.30%的农户家到市场的距离只有不到一小时的车程，只有不到10%的农户家到市场要3小时及以上的车程；调查户中只有不到2%的农户反映道路不畅，剩余农户都认为当地交通良好，其中家邻国道、省道、地县道、村村通的依次为20.30%、16.80%、33.30%、38.40%（存在家邻两种及以上道路的情况）。

3.6.3 农户的市场流通行为认知分析

3.6.3.1 市场流通渠道认知

由表3-13可知，目前农户食用菌产品市场流通渠道较多，包括商贩、自产自销、批发市场、中介机构、公司加农户、政府、其他等形式，这在一定程度上反映，随着市场经济发展的逐步深入，农户参与市场流通的广度和深度得到不断加强。然而我们也发现，商贩和自产自销等传统方式仍是主要的食用菌市场流通形式，分别有362位和113位受访农户选择通过商贩和自产自销的方式参与市场流通，所占比例依次为77.19%和24.09%；菇农通过批发市场、中介机构、公司加农户等新型流通组织形式参与市场流通的份额依然较小，所占比例依次为14.71%、13.01%、5.54%；此外，我们还发现有少量农户的食用菌销售要依靠政府，占到了受访农户总数的2.13%。这些数据反映了农户食用菌产品的市场流通渠道还处于传统落后状态，对新型流通形式利用不够。

表3-13 农户的食用菌产品市场流通渠道

市场流通渠道	通过商贩	自产自销	批发市场	中介机构	公司加农户	政府部门	其他
人数/人	362	113	69	61	26	10	7
比例/%	77.19	24.09	14.71	13.01	5.54	2.13	1.49

当询问农户对上述市场流通渠道信息的获取途径时（表3-14），食用菌产品需求者（收购方）、亲友、合作社成为农户市场流通渠道信息的主要获取来源，分别有207人、156人、102人，占到总数的44.14%、33.26%、21.75%；信息网络逐渐成为新宠，有86人将其作为市场流通渠道的获取途径，占到总数的18.34%；通过政府、自己去获取信息的农户所占比例不大，依次为8.10%和7.89%；另外还有27个受访对象反映，自己从通过其他方式获取相关市场信息，如食用菌杂志、参加食用菌会议、菌种场、技术推广站等形式，以上表明农户信息获取渠道越来越多，农户参与市场竞争的愿望日渐强烈。

表3-14　农户市场流通渠道的获取途径

获取途径	产品需求者提供	亲友介绍	合作社提供	通过网络	政府发布	自己去获取	其他
人数/人	207	156	102	86	38	37	27
比例/%	44.14	33.26	21.75	18.34	8.10	7.89	5.76

另外，调查还显示，在现有的市场流通背景下，261个农户反映其食用菌产成品在销售环节上存在困难，占到调查农户总数的55.65%。当询问存在销售问题农户"您家食用菌产品销售不畅的主要原因"时，市场疲软和缺乏对需求信息的了解被告知是最主要的两个原因，分别有172个和76个农户，比例高达65.90%和29.12%，列第三、四位的两个原因依次是食用菌生产太多和运输不便，此外我们还了解到17个农户将产品滞销原因归结为金融危机和食品质量安全的影响，如表3-15所示。

表3-15　食用菌产品销售不畅的具体原因

销售不畅的原因	市场疲软	不了解需求信息	食用菌生产太多	运输不便	其他
人数/人	172	76	42	21	17
比例/%	65.90	29.12	16.09	8.05	6.51

3.6.3.2　市场价格认知

市场价格的了解可作为农户对市场流通认知度的关键指标。调查发现，只有93个受访对象知道当地售价最高的品种，占到受访农户总数的19.83%，不知道售价最高品种的农户总数为307个，比例高达65.46%，另外还有69个农户表示知道一点，占到受访农户总数的14.71%。当我们询问农户"您知道消费者或者顾客最喜欢的食用菌品种吗？"，只有89个农户给出了肯定的回答，仅占到样本总数的 18.98%，另外有 298 个农户明确表示不知道消费者最喜欢的食用菌品种，比例高达 63.54%。由此看来，农户由于自身素质和外部条件的限制，缺乏对市场信息的充分了解，导致了农户食用菌生产与市场需求方向差异较大，这需要有关部门做好信息服务。

当问及"您了解本地食用菌淡旺季价格差别大吗"，反映差别不大、差别很大、不知道的农户分别为 81 个、363 个、25 个，比例依次为 17.27%、77.40%、5.33%。另外，询问选择价格相差较大的农户"具体相差多少元/千克?"时，由于食用菌种植品种和年份不同，受访户的回答差异较大。价差最大为 40 元/千克，最低也达到了 0.6 元/千克，价差均值为 6.34 元/千克，其中价格相差在 5元及以上的情形较为普遍，占到农户的 56.20%，认为价格相差在 1 元及以下的仅占到 7.20%。流通价格信息的获取渠道也是我们关心的问题。由表 3-16 可知，商贩、同村人、自己搜集成为农户获取食用菌价格信息最主要的三个途径，分别对应有 318 人、199 人、124 人，占到了农户总数的 67.80%、42.43%、26.44%，协会和互联网等新型信息获取渠道也逐渐得到农户认同，分别有 18.76% 和 17.48% 的农户进行了选择。电视、广播等传媒由于农业价格信息承载量有限等原因，作用被认为不再重要。

表 3-16　价格信息的获取渠道

获取渠道	商贩	同村人	自己搜集	协会组织	互联网	政府部门	其他	电视	广播
人数/人	318	199	124	88	82	20	11	3	1
比例/%	67.80	42.43	26.44	18.76	17.48	4.26	2.35	0.64	0.21

最后，我们还希望了解影响食用菌流通价格的因素有哪些？由表 3-17 可知，产品品质、收购商压价行为、品种是否对路被认为是影响食用菌市场价格最主要的三个原因，分别占总数 63.97%、27.93%、26.23% 的调查户对此类因素有所反映，产量、有无政府补贴、有无深加工等因素则分列第四、五、六位，依次有 84 人、46 人、32 人选择。调查当中，不少农户还反映自己与商贩商定的销售价格出入较大，其中有 266 人认为商贩定的价格有些不公平，39 人认为商贩定的价格很不公平，两者合计达 305 人，占到受访农户总数的 65.03%。上述情况说明，农户对影响食用菌市场价格的因素有了一定了解，然而在具体的交易环节，农户市场谈判能力依然有限，这有待农产品流通市场体系的逐步完善和农民自我组织的建立来解决。

表 3-17　影响食用菌流通价格的主要因素

影响因素	品质好坏	收购商是否压价	品种是否对路	产量	有无政府补贴	深加工	技术推广服务
人数/人	300	131	123	84	46	32	21
比例/%	63.97	27.93	26.23	17.91	9.81	6.82	4.48

3.6.3.3　流通及交易环节认知

谈及流通，非常有必要了解农户对农产品市场交易方式的认知。统计分析表明，农户目前主要采取现金交易、代销、定金等三种交易方式，其中传统的现金交易方式仍然占据主导地位，受访户中有 433 户选择现金交易方式，占到样本数的 92.32%，代销和定金方式也有了一定的市场，分别有 27 个和 23 个农户。同时我们还了解到，选择两种及两种以上交易方式的农户比例较小，共计 13 户，其中有 1 户是三种交易方式并用，有 6 户选择现金和代销两种交易方式，另外 6 户则是选择了现金和定金两种交易方式。在具体的市场交易过程中，有 122 户反映需要协会或其他中介组织来辅助交易，其中的 41 户反映收取了中介费用。中介费的收取方式有：按照交易的重量或者交易价的一定比例，还有不少农户反映是按照交易次数收取的。在交易达成前的运输环节，有 62.30% 的农户认为不存在运输上的困难，达 292 人；有 30.70% 的农户认为运输上有点困难，达 144 人；只有 33 人认为运输上困难很大，占受访户的 7%，家中无运输工具成为运输不便的可能解释，数据显示：33 户受访对象中只有 6 户家中购置了农用拖拉机、翻斗车、三轮和摩托等运输工具，比例只有 18.18%。

在交易环节，农户与商贩对食用菌品种等级的商定情况不容忽视，这将很大程度上决定食用菌的成交价格，更是交易能否达成的主要原因。统计分析表明，少数农户反映其与商贩商定的品种等级存在冲突，分别有 25 人和 115 人认为其与商贩商定的品种等级完全不一致和经常不一致，合计占到了农户总数的 29.85%。虽然比例较小，但其背后的原因应该值得重视，即食用菌生产的规范化，稳步提升产品品质成为农户必须认真对待的事情。2008 年，受国际金融危机的影响，参与市场流通的商贩数量急剧下降，农户因而也蒙受了不小的损失。调查中，有高达 334 个受访农户表示受到的冲击很大，占到农户总数的 71.22%，只有 27 户认为没受到影响，不到受访总数的 6%。

调查中我们还发现，大多数菇农认为食用菌通过 3 次及以下周转就能卖到消费者手中，只有不到 35% 的菇农认为食用菌需要 5 次及以上周转才能进入到消费者消费环节。由此看来，农户对食用菌产业流通链条的认识存在一定偏差。

最后，谈及农户是否有加入当地食用菌协会组织的情况时，大多数农户表示未加入到协会组织中，占到受访农户总数的50.40%，达236人，当地没有协会组织和对协会组织不了解是没有加入协会的最主要原因。另外我们还得知在交易过程中，只有119人，不到农户总数26%的农户与企业签订销售协议，且其中有21人表示有过违约，另外69人和29人则表示能够或者基本能够履行协议，比例依次为58%和24.40%，如表3-18所示。

表3-18 签约农户履约情况

能否履行协议	人数/人	比例/%	累计比例/%
能够履行	69	58	58
基本能够	29	24.40	82.40
不太能	21	17.60	100
总计	119	100	—

3.6.3.4 流通前期处理环节认知

食用菌产品在参与市场流通前，进行一定的成本核算和加工冷藏非常必要。一方面有助于农户合理的评估产品成本和价格，为农户参与市场谈判奠定基础；另一方面，适当的加工有助于改善产品品质，提高食用菌产品的附加值，冷藏则有助于延长食用菌产品的供给时间，平抑季节波动，增加产品销售收入。调查发现，只有19.80%的农户不进行成本核算，为46户，另有330户和93户大概和比较精确的核算过产品成本，两者合计达423户，占到农户总数的90.20%。

在是否进行粗加工方面，统计表明：受访对象中的100户未进行任何加工，剩下的369户都进行了不同程度的粗加工。分拣、简单清洗、包装、晒干是目前主要的四种粗加工形式，分别有237人、138人、76人、71人，烘干技术的运用相对较少，仅为5.12%农户采用（表3-19）。总体而言，农户对食用菌的加工形式还比较传统和粗放，在成品的精致度、加工层次等方面还有较大的提升空间。

表3-19 农户对食用菌的粗加工情况

粗加工类别	分拣	简单清洗	包装	晒干	烘干	未加工
人数/人	237	138	76	71	24	100
比例/%	50.53	29.42	16.20	15.14	5.12	21.32

在食用菌的冷藏方面，数据显示，有274位受访对象认为食用菌在冷藏后出售收益较大，占到了总数的58.42%，83位受访对象认为收获时出售收益大，占到了总数的17.70%，另有112位农户表示对冷藏后收益是否能够增加存在不确定因素，占到总数的23.88%。而在回答食用菌在冷藏后收益大的274个农户中，实际只有112个农户对食用菌进行了冷藏，追问得知：冷藏成本高是小规模种植农户难以承受的最主要原因。

产品流通前期的处理行为说明，农户对流通前的技术处理有了一定的认识，在生产成本核算上尤其表现的主动，但是农户对食用菌的粗加工和冷藏认识还十分有限，流通的前期管理仍较为粗放，这在一定程度上影响到了食用菌产品的售价，削弱了食用菌产品的市场竞争力。

在上述的分析中，借助于食用菌产业体系农户的调研数据，分别从农户对市场流通渠道认知、市场流通价格认知、流通及交易环节认知、流通前期处理环节认知4个方面系统解读了农户对食用菌市场流通行为的认知情况。其中受访农户均来自食用菌主产区（县），所用到的数据也较为翔实和客观，可以说明一定的问题。但是我们还希望进一步得到影响农户市场流通行为认知的因素具体有哪些？因素作用的方向和大小怎么样？这些问题的解答将成为下文的主体。

3.6.4 实证分析

3.6.4.1 实证模型选择

我们利用户主年龄、文化程度、是否干部、是否有专业技能这4个变量来表示农户户主的个人禀赋；家庭劳动力数量、食用菌收入占比这2个变量来表示农户家庭特征；农户的外部特征则由农户家到市场距离远近及道路类型二个变量来表示。据此，建立农户对市场流通行为认知的影响因素分析模型为

（农户对市场流通行为的认知）= F（户主年龄、文化程度、是否干部、是否有专业技能、劳动力数量、食用菌收入占比、家到市场距离远近、道路类型）+ μ（随机扰动项）   (3-4)

在问卷设计中，我们设定：农户对市场流通行为认知（Know）分为了解市场流通和不了解市场流通两种情况，是一个典型的二分定性变量，赋值为0时对应不了解，赋值为1时对应了解。对于市场流通行为的认知变量，我们再设 Know =1 的概率为 P。根据式（3-4）的理论模型，我们构造了如下的 logistic 函数形式：

$$P_i = F(U_i) = F(\beta_0 + \beta_i X_i) = \frac{1}{1 + e^{-u_i}} = \frac{1}{1 + e^{-(\beta_0 + \beta_i X_i)}} \qquad (3\text{-}5)$$

简化式为

$$\ln \frac{P_i}{1 - P_i} = U_i = \beta_0 + \beta_i X_i + \mu \qquad (3\text{-}6)$$

式中，农户对市场流通了解的概率 $P=1$，农户对市场流通不了解的概率 $P=0$。X_i 为自变量（$i=1$，2，…，8），具体是指前文构造的影响农户对市场流通行为认知的 8 个因素，最终我们将通过 logistic 模型分析各因素对农户的市场流通认知影响的方向及作用大小。

结合其他学者们的研究和上文的分析，表 3-20 列出了农户对市场流通行为认知理论模型中各影响因素的具体含义及对因变量作用方向的假定。

表 3-20　logistic 实证模型中各变量含义及作用方向假定

变量	含义	字符	预期作用方向假定
市场流通行为的认知	您了解本省食用菌的市场流通情况吗（了解/不了解：1/0）	Know	
户主年龄	户主的年龄是多少（岁）	Age	−
文化程度	户主的受教育程度，按照小学及以下、初中、高中或者中专、大专及以上分为 4 类，分别赋值为 1，2，3，4	Edu	+
是否干部	户主是否为村干部（是/否：1/0）	Cap	+
是否有专业技能	户主有无专业性技能（有/无：1/0）	Maj	+
劳动力数量	家庭常年劳动力数量（人）	Lab	暂时无法判断
食用菌收入占比	食用菌收入占家庭总收入的比值（%）	Rat	+
家到市场距离远近	家离城镇需要多少时间（小时）：半小时以内我们赋值为 1；半小时到一小时赋值为 2；一到两小时赋值为 3；二到三小时赋值为 4；三到五小时赋值为 5；五小时及以上赋值为 6	Dis	−
道路类型	所在的社区或者村庄的道路类型，按照国道、省道、县市道、村村通、乡间道、其他种类分为 6 种类型，分别赋值为 1，2，3，4，5，6	Road	−

3.6.4.2　实证结果

根据上述 logistic 回归分析的实证模型，采用 SPSS16.0 统计分析软件，我们采取将 8 个影响农户市场流通行为认知的变量全部纳入回归方程的方式，运行结果如表 3-21 所示，在剔除了影响关系不显著的变量后得到的回归方程为

$$U = 2.303 - 0.037\text{Age} + 0.300\text{Edu} - 0.452\text{Road} \tag{3-7}$$

表 3-21　logistic 回归模型运行结果

变量	β	S. E.	Wald	Sig.
年龄	-0.037 0 ***	0.012 0	10.107 0	0.001 0
文化程度	0.300 0 *	0.159 0	3.560 0	0.059 0
是否干部	-0.211 0	0.290 0	0.529 0	0.467 0
是否有专业技能	0.041 0	0.236 0	0.029 0	0.864 0
劳动力数量	0.136 0	0.132 0	1.072 0	0.300 0
食用菌收入占比	-0.076 0	0.368 0	0.043 0	0.836 0
家到市场所需时间	-0.010 0	0.073 0	0.020 0	0.887 0
村庄附近道路类型	-0.452 0 ***	0.092 0	23.889 0	0.000 0
Constant	2.303 0 ***	0.855 0	7.262 0	0.007 0

***、**、* 分别表示在 1%、5% 和 10% 的水平上显著。

注：Model 系数的 Omnibus 检验中 Chi-square=46.43，极显著；模型拟合 Hosmer and Lemeshow 检验 P 值大于 0.05，通过检验；-2 Log likelihood 为 595.79；Cox & Snell R^2 和 Nagelkerke R^2 分别为 0.09、0.13；此外，自变项也通过了多重共线性检验。

3.6.4.3　讨论

据实证模型的运行结果并结合实际的调查情况，对农户市场流通行为认知的影响因素作如下讨论。

（1）受访者年龄与菇农对市场流通的认知行为成反比，且在 1% 置信水平上极显著，这验证了前文的假设。

（2）受访户户主的文化程度与农户对市场流通行为认知成正比，且在 10% 的水平上显著。一般而言，农户受教育程度越高，其对食用菌市场流通等新事物的认可度越高，农户参与市场流通的主动性也越强。

（3）村庄道路类型与农户对市场流通的认知行为成反比，且在 1% 的水平上极显著。道路是村庄重要的基础性设施，是村落交通条件好坏的重要衡量标准，随着道路设施状况的改善，村落交通条件也得到提高。交通好了，农民出行更加方便，其参与市场交易的机会大幅增加，此外交通条件改善也有利于信息的传播，这些因素都带来了菇农对市场流通认知度的提高。

（4）是否有专业技能、家庭距离市场所需时间 2 个变量对农户市场流通认知的作用方向符合前面的假设，但是自变量对因变量作用并不显著，这有待后面的研究加以补足；是否干部、食用菌收入占比 2 个变量对农户市场流通认知作用方向与预期相反，但并不显著，可能的解释是干部农户由于社会资本较多，参与非农产业的机会更大，缺乏了解农业信息的动力，食用菌收入占比高的农户往往非农转移困难、素质较低，接受新事物的能力较差，因此上述 2 个变量对因变量的作用方向为负，但是具体原因仍有待进一步研究确定；农户家庭劳动力数量对农户市场流通的认知作用方向为正，可能的原因是：农户家庭从事食用菌种植的劳动力越多，说明农户家庭参与食用菌产业程度越高，增加对食用菌市场流通情况的了解就成为一种必要，然而最终要明确两者的作用方向，还需要相应证据的补充。

3.6.5　结论及建议

在前文的分析中，我们从不同的环节系统论述了食用菌种植户对市场流通行为的认知，从农户的个人禀赋、家庭特征、农户外部特征 3 方面构造了影响农户市场流通行为认知因素的理论分析框架，并通过对农户数据的回归分析，最后得出如下结论：①农户户主年龄对农户的食用菌市场流通行为认知影响显著为负；②文化程度变量对因变量的影响在 0.10 的置信水平上显著；③农户所在村庄道路类型对农户的市场流通认知影响显著为负。

基于上述结论，为了逐步提高菇农对食用菌市场流通的认知度、改善农村市场的软件建设、深化农村市场流通体系的改革。在实际工作中，有关部门可能需要重点做好以下几个方面的工作。

第一，针对农村留守人员年龄较大的现状，村委会或者其他基层组织应该带头做好帮扶工作。目前农民朋友对农业新技术、产品价格与供求信息的获取途径有限，农户了解的信息还比较缺乏或滞后，可以考虑组织生产大户或能人对农户进行技术指导，同时做好农产品供求信息的搜集，免除农户生产与销售之忧。

第二，政府应继续加大对农村教育的投入，稳步提高农民的综合素质。各地应在抓好普及九年义务教育的同时，还应加强对农村青壮年劳动力的职业性教育与技能培训；利用多种途径做好宣传，尽快帮助农户树立市场流通意识，同时激发农户参与农产品市场流通的热情，进而提升农户的市场竞争力。

第三，农村基础设施建设投入还需加大。应该充分利用社会主义新农村建设的契机，积极争取多方投资，加大对农村公路、水、电、气、信息网络等基础设施的建设力度，这将进一步完善农村市场体系的硬件。当然，这需要政府有关部门承担更多的公益责任。

（李　平　张俊飚）

4 出口贸易

4.1 我国食用菌出口贸易格局分析

我国是世界食用菌最大生产国，产量多年位居全球第一，但如何提升我国食用菌的国际竞争力，需要给予更多的关注。为此，我们试图通过分析我国食用菌出口的特点和主要出口国家（地区）的变化情况，提出增强我国食用菌国际竞争力的合理的政策建议，为提升我国食用菌国际竞争力提供理论支撑。

4.1.1 我国食用菌生产概况

与其他国家相比，我国食用菌产量近年来增长迅速，2010 年，全国食用菌总产量 22 011 620 吨，是 2001 年产量的 2.82 倍（表4-1）。与此同时，食用菌总产值也增长较快，2010 年产值为 14 132 153 万元，是 2001 年的 4.49 倍。目前，我国产量位居前 10 的食用菌品种由高到低依次是平菇、香菇、黑木耳、双孢蘑菇、金针菇、毛木耳、滑子菇、姬菇、杏鲍菇和茶树菇。

表 4-1　2008 ~ 2010 年世界主要食用菌生产国的产量　　（单位：吨）

国家	2008 年产量	2009 年产量	2010 年产量
中国	18 272 216	20 205 988	22 011 620
美国	368 591	371 844	396 596
荷兰	255 000	235 000	235 000
波兰	185 000	185 000	178 500
西班牙	133 548	136 000	126 700
意大利	100 000	105 000	98 000
加拿大	79 990	65 550	72 930
爱尔兰	90 000	60 000	65 000
英国	70 200	69 400	69 300
印度尼西亚	61 349	63 000	63 400

续表

国家	2008 年产量	2009 年产量	2010 年产量
日本	67 500	64 143	62 500
德国	50 000	52 000	47 400
印度	38 577	38 930	41 900
韩国	28 361	27 033	22 600

数据来源：根据联合国粮农组织统计数据库、食用菌产业经济研究室数据库相关数据得出。

4.1.2 我国食用菌贸易特点分析

由于食用菌的消费不受宗教、种族、年龄等因素限制，加之其味道鲜美，营养价值高，故对其需求量与日增加。在日益增长的食用菌需求下，食用菌的产量越来越高，国际竞争也日益激烈，在这种情况下，我国食用菌出口贸易呈现出新的特点。

4.1.2.1 我国食用菌具有较高的出口贸易额

世界食用菌主产国基本上是食用菌的供应大国，尤其是中国、荷兰、波兰和爱尔兰，近年来国际市场占有率不断提高。我国食用菌出口额也一直居世界食用菌出口额的前列，且在 20 世纪国际市场占有率一直呈现递增的态势。进入 21 世纪以后，尤其是最近几年，我国食用菌出口额增长迅猛，2008 年贸易额达到了1 453 152 059美元，2009 年则略有下降，为 1 057 839 191 美元，2010 年则增长至1 752 380 118美元，如表4-2 所示。

表4-2　2008~2010 年世界食用菌主产国出口贸易额　（单位：美元）

国家	2008 年贸易额	2009 年贸易额	2010 年贸易额
中国	1 453 152 059	1 057 839 191	1 752 380 118
美国	45 478 556	38 329 172	45 652 157
荷兰	307 783 701	289 726 215	291 692 272
波兰	343 233 506	303 418 691	342 547 288
西班牙	15 242 497	14 263 198	12 843 412
意大利	42 896 440	42 000 391	50 378 487
加拿大	76 210 807	77 807 762	104 845 743
爱尔兰	177 965 036	139 345 683	122 970 723
日本	8 469 736	2 870 671	1 636 704

数据来源：根据联合国粮农组织统计数据库、联合国统计司数据库、国家海关信息网相关数据得出。

4.1.2.2 我国食用菌出口单价处于较低水平

由表4-3可知，我国食用菌出口单价的变化情况是：1990~1995年为上升阶段。1995~2006年处于递减阶段，从1995年的3.52美元/千克下降到2006年的1.07美元/千克，在这一阶段中，除个别年份外，都低于世界食用菌出口平均单价，更是远低于法国、西班牙、意大利和日本的出口单价，在价格上具有较强的国际竞争力。近几年来，食用菌出口单价则呈现出上升趋势，2007年更是达到历史最高水平，为4.33美元/千克，2010年出口单价为3.57美元/千克，为历史第二。

表4-3　1990~2010年世界食用菌主产国食用菌出口单价比较

（单位：美元/千克）

年份	中国	美国	荷兰	波兰	法国	西班牙	意大利	加拿大	爱尔兰	日本
1990	2.83	5.48	2.94	2.13	9.93	14.60	13.83	3.67	3.07	4.56
1995	3.52	3.76	2.65	1.92	7.88	11.60	15.69	3.14	3.44	4.76
2000	3.08	4.35	2.56	1.75	7.55	17.44	11.52	3.19	2.61	3.52
2001	2.72	5.02	2.70	1.68	6.26	17.41	10.34	3.51	2.65	2.81
2002	2.38	4.48	2.39	1.51	6.22	8.15	9.76	3.08	2.40	3.21
2003	2.23	2.89	2.00	1.41	5.25	9.58	6.46	2.95	1.87	3.77
2004	1.95	2.80	1.97	1.63	4.99	5.80	5.39	2.95	2.11	2.98
2005	1.95	2.80	2.05	1.90	5.25	7.88	6.20	2.71	2.00	3.05
2006	1.07	3.89	2.69	3.80	9.35	10.92	6.73	5.50	2.63	6.23
2007	4.33	3.02	2.85	3.06	7.69	22.23	8.59	6.02	2.14	4.61
2008	2.13	4.12	3.12	2.32	12.29	20.49	19.11	3.26	2.46	5.86
2009	2.63	4.09	3.40	2.02	11.92	11.47	14.74	3.56	3.18	5.61
2010	3.57	4.67	2.66	2.00	7.51	9.68	14.76	3.72	2.97	4.18

资料来源：根据联合国粮农组织统计数据库、联合国统计司数据库相关数据得出。

通过以上对我国食用菌国际竞争力的分析，可以得出以下结论。

我国食用菌占有一定比例的国际市场占有率，出口价格相对较低，具有价格比较优势，因此我国食用菌产品具有一定的国际竞争力。但是随着食用菌出口单价的上涨，我国食用菌国际竞争力呈现下降的趋势。为了了解我国食用菌未来出口格局，有必要进一步分析我国食用菌出口国家（地区）的情况。

4.1.3 我国食用菌主要出口国家（地区）分析

我国食用菌主要出口到中国香港、日本、美国、意大利和马来西亚，出口到这 5 个国家（地区）的数量占我国食用菌出口总量的 80% 以上，如表 4-4 所示。

表 4-4　2000～2010 年我国食用菌主要出口国家或地区

年份	项目	中国香港	日本	美国	意大利	马来西亚
2000	数量/吨	8 936	44 244	1 709	1 874	93
	出口金额/千美元	2 493	103 356	2 105	3 047	89
2001	数量/吨	5 221	39 425	1 947	2 070	130
	出口金额/千美元	1 645	95 863	1 978	2 266	71
2002	数量/吨	4 881	26 258	1 793	1 258	93
	出口金额/千美元	1 435	78 506	2 449	1 028	59
2003	数量/吨	4 580	27 744	2 398	1 464	1 925
	出口金额/千美元	1 236	89 182	4 197	2 451	399
2004	数量/吨	5 212	29 925	3 579	2 338	1 521
	出口金额/千美元	1 435	107 860	6 846	7 017	377
2005	数量/吨	6 283	23 991	4 059	2 441	1 676
	出口金额/千美元	1 654	104 661	8 159	8 957	953
2006	数量/吨	4 858	18 499	4 698	1 998	3 459
	出口金额/千美元	2 191	100 409	11 216	9 202	2 833
2007	数量/吨	12 220	11 538	5 278	2 277	2 195
	出口金额/千美元	3 184	65 364	12 607	11 250	2 238
2008	数量/吨	5 591	5 667	5 594	—	44
	出口金额/千美元	1 401	56 184	15 452	—	47
2009	数量/吨	2 102	5 858	5 621	—	1 891
	出口金额/千美元	569	59 094	16 694	—	6 029
2010	数量/吨	2 466	7 055	5 619	7	5 380
	出口金额/千美元	599	74 411	18 464	0.8	13 311

资料来源：根据联合国粮农组织统计数据库、联合国统计司数据库相关数据得出。

4.1.3.1 中国香港市场

中国香港的食用菌主要来源地区为中国内地、中国台湾和日本，自这三个区

域的进口量基本上占其进口量的 90% 以上，其中，大陆是其最大的供应来源，
除了个别年份外，基本上每年均占到香港地区食用菌进口总量的 60% 以上，仅
于 2010 年跌至 48.64%。同时，随着香港居民对食用菌需求的增加，大陆出口到
中国香港的食用菌总量逐年递增，从 2000 年的 8936 吨增加到 2007 年的 12 220
吨。受金融危机的影响，2008 年后香港的食用菌进口量下降，2009 年仅从大陆
进口 2102 吨，2010 年则回升至 6289 吨。实际上，近年来，韩国也是中国香港较
大的供应来源，2010 年，中国香港从韩国进口了食用菌约 5423 吨（表 4-5）。

表 4-5　2000～2010 年香港食用菌主要进口来源国家（地区）及其比例

（单位：%）

年份	中国内地	中国台湾	日本	合计
2000	77.78	14.18	3.73	95.69
2001	74.50	15.84	3.15	93.49
2002	75.81	20.12	0.79	96.72
2003	77.22	19.68	0.82	97.72
2004	80.85	15.69	1.48	98.02
2005	85.46	9.22	2.40	97.08
2006	84.97	11.02	2.06	98.05
2007	86.44	6.97	3.36	96.77
2008	83.91	8.19	2.63	94.73
2009	61.07	10.73	1.78	73.58
2010	48.64	—	1.46	50.10

资料来源：根据联合国粮农组织统计数据库、联合国统计司数据库相关数据得出。

4.1.3.2　日本市场

日本的食用菌主要来源国家为中国、美国、加拿大和朝鲜，自这四个国家的
进口量占其进口总量的 93% 以上，其中，中国是其最大的供应国，占到日本食
用菌进口总量的 88% 以上。但日本实施一系列非关税贸易壁垒对我国食用菌出
口造成了一定的影响，我国出口到日本的食用菌数量逐年递减，从 2000 年的
44 244 吨减少到 2010 年的 7055 吨，出口到该国的数量占日本食用菌进口总量的
比例也略有减少，从 2000 年的 94.85% 减少到 2010 年的 90.72%（表 4-6）。

表4-6　2000～2010年日本食用菌主要进口来源国家及其比例（单位：%）

国家	2000	2001	2002	2003	2004	2005	2006	2007	2008	2009	2010
中国	94.85	97.16	95.95	95.65	96.20	94.85	96.59	94.13	90.71	88.52	90.72
美国	0.27	0.32	0.24	0.67	0.67	0.43	0.51	2.26	2.93	2.92	2.93
加拿大	0.70	0.88	0.76	1.46	0.00	0.51	0.19	1.97	2.07	1.67	2.07
朝鲜	2.84	0.54	1.65	1.03	0.95	3.05	1.26	—	—	—	—
合计	98.66	98.90	98.60	98.81	97.82	98.84	98.55	98.36	95.71	93.11	95.72

资料来源：根据联合国粮农组织统计数据库、联合国统计司数据库相关数据得出。

4.1.3.3　美国市场

美国的食用菌主要来源国家为加拿大、中国、墨西哥、韩国和日本，自这5个国家的进口量占其进口总量的98%以上，其中，加拿大是其最大的供应国，但其供应比例呈逐年下降趋势，从2000年的91.75%下降到了2010年的71.92%，年均递减1.98%。中国是其食用菌第二大供应国，供应量占美国进口总量的比例远低于加拿大但呈递增的趋势，从2000年的6.01%增加到2009年的14.85%，2010年下降至11.75%。期间，2008年达到历史最高水平，为15.03%。与此同时，墨西哥、韩国对美国的供应量也呈现逐年递增趋势，日本对美国的供应量则于2006年达到峰值，随后呈现下降趋势（表4-7）。

表4-7　2000～2010年美国食用菌主要进口来源国家及其比例（单位：%）

国家	2000	2001	2002	2003	2004	2005	2006	2007	2008	2009	2010
加拿大	91.75	91.76	90.26	87.13	84.88	83.14	79.27	73.19	68.96	63.69	71.92
中国	6.01	6.46	5.49	6.93	7.78	9.95	12.62	13.99	15.03	14.85	11.75
墨西哥	0.05	0.45	2.04	3.80	5.25	4.10	3.91	6.11	6.42	10.22	7.76
韩国	0.07	0.27	0.78	0.52	0.15	0.34	1.80	4.98	7.53	10.60	8.12
日本	0.11	0.23	0.42	0.85	0.99	0.89	1.56	1.11	1.32	0.27	0.17
合计	97.99	99.17	98.99	99.23	99.05	98.42	99.16	99.38	99.26	99.63	99.72

资料来源：根据联合国粮农组织统计数据库、联合国统计司数据库相关数据得出。

4.1.3.4　马来西亚市场

马来西亚的食用菌主要来源国家为中国和泰国，自这两个国家的进口量占其进口总量的60%以上，尤其是近几年占到了80%以上。中国是其最大的供应国，且供应比例在 2007 年之前呈逐年上涨趋势，从 2000 年的 33.20% 增加到了 2007 年的 76.29%，年均递增 5.29%，此后开始下降，到 2009 年则降至 56.79%，2010 年又回升至 67.49%。泰国是其食用菌第二大供应国，供应量占马来西亚进口总量的比例呈波浪式发展的动态趋势，2000 年占 38.73%，2007 年跌至 18.50%，2009 年回升至 27.05%，2010 年再次下跌至 15.82%（表4-8）。

表 4-8 2000～2010 年马来西亚食用菌主要进口来源国家及其比例（单位:%）

国家	2000	2001	2002	2003	2004	2005	2006	2007	2008	2009	2010
中国	33.20	39.90	47.65	54.99	65.78	75.55	69.49	76.29	75.87	56.79	67.49
泰国	38.73	28.87	24.71	23.81	27.96	22.74	24.38	18.50	17.27	27.05	15.82
合计	71.93	68.77	72.36	78.8	93.74	98.29	93.87	94.79	93.14	83.84	83.31

资料来源：根据联合国粮农组织统计数据库、联合国统计司数据库相关数据得出。

4.1.4 结论与政策建议

4.1.4.1 结论

目前，我国食用菌出口价格相对较低，占有一定比例的国际市场占有率，具有价格比较优势，还具有一定的国际竞争力。但近年来，显性比较优势下降，出口单价的上涨，我国食用菌国际竞争力逐年下降。从出口去向来看，我国食用菌出口比较集中，主要出口到中国香港、日本、美国、意大利和马来西亚等经济发达国家（地区），出口到这 5 个国家（地区）的数量占我国食用菌出口总量的 80% 以上。其中，出口到中国香港、美国、意大利和马来西亚的数量都呈现递增趋势，但出口日本的数量却大幅度减少。另外，我国在美国市场上虽有一定的市场份额，但所占比例较小。

4.1.4.2 政策建议

作为世界第一大食用菌生产国，我国要充分利用丰富的劳动力资源和多品种种植技术，充分利用价格和品种优势积极拓展国际市场，扩大我国出口，提高国际市场占有率，进一步提升食用菌国际竞争力。为此，一方面要高度重视食用菌安全生产问题。千方百计地提高从生产到加工每一个环节的卫生管理工作，生产出符合进口国产品安全标准的产品，突破进口国绿色壁垒的限制，进一步提高食用菌的国际竞争力。另一方面，利用我国食用菌品种多样和成本较低的优势，拓宽出口范围，向远途国家和经济欠发达国家（地区）出口，进一步提升国际市场占有率。

（王宏杰　何　可）

4.2　人民币升值对食用菌进出口贸易的影响分析

人民币实行的是从盯住美元汇率制到以市场供求为基础，参考一篮子货币进行调节，有管理的浮动汇率制度。近 10 年来，一直处于升值过程中。

人民币升值不仅对经济发展产生巨大影响，而且对农业和农村经济发展及农产品贸易方面形成重要冲击。我国是食用菌生产与贸易大国，2009 年达到世界总产量的 70%。由于金融危机的影响，出口量从 2007 年的 68.37 万吨，下降到 2009 年的 51.68 万吨。本书试图对人民币升值所致的食用菌贸易影响做出定量的估算。

4.2.1　研究方法

4.2.1.1　人民币升值对经济形成负面冲击的原理

汇率可以改变国家间及生产者和消费者间的收入分配。一国的汇率是其产品净出（进）口的关键性决定因素（曼昆，2003）。汇率作为调节国际贸易收支的主要经济杠杆，它的变动必将影响一国的进出口贸易情况。同时汇率对国内生产和国内物价有着较大的影响作用。国家宏观经济政策中的汇率政策会影响农产品的国际竞争力和国际贸易关系，影响国家农业政策，影响国内的农业生产和农产品价格。因而汇率变化对农业来说是极为重要的。

人民币升值，意味着以美元表示的农产品的出口价格上升，以人民币表示的农产品的进口价格下降，更加削弱了国内农产品的国际竞争力，由此相应地使得农产品的出口量骤降，进口量猛增。人民币升值的间接影响在宏观层面是改变农产品的国内供需关系，进而影响国内农产品的价格和农产品的生产规模（种植面积）。人民币升值的间接影响在微观层面上看会造成农民的福利损失。简而言之，人民币如果升值，会对我国农业经济和农民的福利带来巨大的负面冲击。

本书主要研究汇率变化对食用菌进出口贸易的可能影响以及国外食用菌市场的变化，在汇率对食用菌进出口贸易影响分析的基础上，进一步分析人民币升值对湖北、广东、山东、云南、陕西食用菌出口可能形成的各种影响。

4.2.1.2　数据收集

2000～2009年平均汇率来源于中国人民银行统计数据,选择从2000年开始是因为伴随新世纪的开始,汇率政策出现了许多新的变化。自1994年的人民币官方汇率与外汇调剂市场汇率并轨后,到2000年基本上稳定在1美元兑8.2元人民币左右,到2005年7月21日,中国人民银行宣布放弃人民币盯住单一美元,实行以市场供求为础,参考一篮子货币进行调节,有管理的浮动汇率制度。与此同时,人民币名义汇率升值至1美元兑8.11元人民币,升值2.1%。此后,人民币汇率相继攀升,不断创造汇改新高。

食用菌进出口量和进出口额来源于联合国商品贸易统计数据库(UNCOMTRADE),该数据库包含了1962年以来160多个国家分产品和分国别贸易流向的数据,是目前世界公认的比较完整和权威的数据库。由于中国国家统计局和海关采用HS分类法,因此本书中对食用菌产品的定义和分类也采用此分类标准,并采用HS1996的商品分类法从UNCOMTRADE数据库中获取中2000年和2001年的食用菌产品进出口量和进出口额,采用HS2002的商品分类方法从UNCOMTRADE数据库中获取中国2002～2009年的食用菌产品进出口量和进出口额,如表4-9所示。

表4-9　2000～2009年汇率及食用菌产品进出口数量和价格

年份	汇率 /(人民币/100美元)	进口/吨	进口价格 /(美元/吨)	出口/吨	出口价格 /(美元/吨)
2000	827.84	4 832.24	1 383.77	313 062.90	1 579.38
2001	827.70	5 464.70	1 769.07	302 689.46	1 523.83
2002	827.70	9 522.62	2 225.40	485 582.27	2 145.80
2003	827.70	10 626.82	1 615.66	611 017.87	1 981.86
2004	827.68	10 604.90	2 522.14	657 618.91	2 721.29
2005	819.17	12 111.71	1 696.82	645 368.74	2 981.72
2006	797.18	11 515.53	2 784.89	631 035.84	3 477.35
2007	760.40	11 768.07	2 329.44	683 715.19	3 794.86
2008	694.51	12 210.18	2 125.70	681 645.45	4 665.40
2009	683.10	16 586.14	3 189.15	516 832.73	5 040.86

资料来源:根据《中国商务年鉴》(2009年);中国人民银行、UN COMTRADE数据库相关数据得出。

由于出口的食用菌产品分类较多,确定单一的价格不易,在本书中进出口价格是先计算出各品种的进出口价格,然后加权平均得出。

4.2.1.3 统计分析

前人的研究已经发现汇率与农产品的进出口价格、进出口额有一定的相互影响存在。本书采用的是蔡昉（1994）构建的计量经济模型来估算汇率变化对农产品进出口的影响。

$$\ln Y = C + a\ln X_1 + b\ln X_2 \qquad (4\text{-}1)$$

式中，Y 为农产品的进出口数量或进出口金额，X_1 为年平均汇率水平，X_2 为农产品进出口价格，C 为常数项系数，a 为农产品进出口的汇率弹性，b 为农产品进出口的价格弹性。这里实际估计出的系数 a 表示，在不考虑其他因素的条件下汇率对农产品的进出口影响，即汇率变动 1% 农产品的进出口变动 $a\%$。研究的数据分析由计量经济学软件 Eviews 实现。

4.2.2 人民币升值对食用菌产品的进出口影响估算

由表 4-10 可知，食用菌产品出口汇率弹性为 3.96，即人民币汇率降低 1%，食用菌产品出口量减少 3.96%。食用菌产品进口汇率为 −1.56，即人民币汇率每降低 1%，食用菌产品进口量增加 1.56%。

表 4-10 食用菌产品进出口汇率弹性估计

依赖变量	常数项系数	汇率弹性	价格弹性	R^2
出口数量	−22.06	3.96 (2.98)	1.11 (4.72)	0.79
进口数量	13.79	−1.56 (−1.04)	0.76 (1.76)	0.56

注：括号内数字为 T 检验值，T 绝对值越大说明该自变量对因变量的解释作用越强。R^2 代表汇率和价格对农产品进出口量的影响程度。

汇率变化直接影响食用菌产品的进出口。应用以上人民币汇率变动对进出口量影响的数据来定量分析汇率降低 1% 所至食用菌产品出口量减少，进口量增加的情况。2009 年食用菌产品实际净出口 500 246.59 吨，如果人民币汇率降 1%，理论上食用菌产品出口量将减少 3.96%，进口量增加 1.56%，由此以 2009 年食用菌产品的进出口实际数量为基础推算，净出口数量将减少 4% 以上。与 2009 年实际净进口数量相比，如人民币汇率降低 1%，理论上净出口减少量为 20 725.32 吨（见表 4-11），估算出的净出口的减少量占 2009 年我国食用菌产品实际产量 20 106 376 吨的 0.103%，实际出口量 516 832.73 吨的 4.01%，实际进口量 16 586.14 吨的 124.96%。

表 4-11 人民币汇率降低 1%食用菌产品进出口量估算 （单位：吨）

全国产量	出口量	进口量	净出口	净出口减少量
20 106 376	516 832.73	16 586.14	500 246.59	20 725.32
人民币汇率每降低 1%	496 366.15	16 844.88	479 521.27	

注：人民币汇率降低 1%食用菌产品进出口情况以 2009 年数据为基础估算。

4.2.3 人民币升值可能使食用菌国外市场达到供需平衡的状态

从国际市场来看，由于食用菌生产持续增长（据联合国粮农组织统计口径，1999/2000 年，世界双孢蘑菇产量为 258 万吨；2004/2005 年增加到 329 万吨；2008/2009 年增加到 362 万吨，年均增长率达到 3%左右），人民币升值以及西方经济的下滑，发达国家市场的食用菌消费量波动较大，一定程度抑制了食用菌的国际贸易规模增长。短期内食用菌供需格局已由需求大于供给转入供求基本平衡。但在长期内，由于发展中国家人口不断增长以及绿色健康的食品消费理念逐步形成，食用菌的人均需求量和总体需求量均将呈现出不断上升的趋势。从国内市场来看，国内食用菌产量、净出口量之差略大于国内需求量，近 3 年的数据显示国内需求在 1700 万吨左右。2007 年产量与净出口总量之差为 1858 万吨，2008 年产量与净出口总量之差为 1760 万吨，2009 年产量与净出口总量之差为 1961 万吨。

如果人民币升值，必将使食用菌产品出口减少。按照上文推算，如果人民币汇率降低 1%，以 2009 年的食用菌进出口数据为基础推算出理论上食用菌产品的净出口量将减少 20 725.32 吨，出口量减少则国内市场供应量将增加。

4.2.4 人民币升值对主要省份食用菌出口的影响分析

依据 2009 年的产量，选取了山东、湖北为产出大省的代表，选取广东作为中等产出省份的代表，选取云南、陕西为产量较少的省份代表。各省份食用菌出口量数据来源于产业经济研究室数据库和中国海关统计，由于食用菌产品价格不能单一确定，在此其出口价格为出口额与出口量的比值（表 4-12）。

表 4-12 2001～2009 年汇率及各省份食用菌产品出口数量和价格

年份		2001	2002	2003	2004	2005	2006	2007	2008	2009
汇率/(元人民币/100 美元)		827.84	827.70	827.70	827.70	827.68	819.17	797.18	760.40	694.51
湖北	出口量/吨	12 000	13 000	18 000	76 533	9 556	6 610	112 000	142 000	156 000
	价格/(美元/吨)	2 833.33	2 846.15	2 833.33	731.71	8 525.27	9 795.76	1 232.14	1 232.39	1 352.56
广东	出口量/吨	25 000	22 500	90 000	112 000	—	18 200	210 208	193 600	211 000
	价格/(美元/吨)	2 800.00	1 183.11	1 033.33	1 160.71		11 197.80	1 265.27	1 096.85	1 150.62
山东	出口量/吨	15 000	74 300	96 200	99 200		153 600	220 000	210 000	200 000
	价格/(美元/吨)	9 113.33	1 449.52	910.60	1 005.75		1 043.62	818.18	761.90	1 050.00
云南	出口量/吨	6 732	5 367	9 563	7 744	—	—	8 061	5 063	4 737
	价格/(美元/吨)	9 159.24	10 175.14	6 876.50	10 894.89			10 626.47	15 802.88	16 491.45
陕西	出口量/吨	2 000	2 000	1 000	2 100	—	71	—	3 000	28 000
	价格/(美元/吨)	2 500.00	2 500.00	1 200.00	2 500.00		746.48	—	7 000.00	714.29

资料来源：根据产业经济研究室数据库、中国海关统计网相关数据得出。

研究数据的分析由计量经济学软件 Eviews 完成，结果如表 4-13 所示。

表 4-13 食用菌产品出口汇率弹性估计

省份	依赖变量	常数项系数	汇率弹性	价格弹性	R^2
湖北	出口数量	70.79	−7.92（−5.23）	−0.98（−7.38）	0.96
广东	出口数量	67.16	−7.63（−2.68）	−0.70（−2.44）	0.74
山东	出口数量	50.19	−4.95（−1.9）	0.81（−3.04）	0.77
云南	出口数量	23.75	−0.92（−0.54）	−0.95（−1.94）	0.70
陕西	出口数量	86.13	−10.71（−1.67）	−0.94（−1.22）	0.52

注：括弧内数字为 T 检验值，T 绝对值越大说明该自变量对因变量的解释作用越强。R^2 代表汇率和价格对农产品出口量的影响程度。

如表 4-13 所示，湖北省食用菌产品出口汇率弹性为−7.92，即人民币汇率降低 1%，食用菌产品出口量增加 7.92%。汇率和价格对食用菌出口量的影响程度比较大，汇率、价格和出口存在正向变化的关系。

广东省食用菌产品出口汇率弹性为−7.63，即人民币汇率降低 1%，食用菌产品出口量增加 7.63%。汇率和价格对食用菌出口量有一定的影响，汇率、价格和出口存在正向变化的关系。

山东省食用菌产品出口汇率弹性为−4.95，即人民币汇率降低 1%，食用菌产品出口量增加4.95%。汇率和价格对食用菌出口量有一定的影响，汇率和出口存在正向变化的关系。

云南省食用菌产品出口汇率弹性为-0.92，即人民币汇率降低1%，食用菌产品出口量增加0.92%。汇率和价格对食用菌出口量有一定的影响，汇率和出口存在正向变化的关系。

陕西省食用菌产品出口汇率弹性为-10.71，即人民币汇率降低1%，食用菌产品出口量增加10.71%。从分析结果来看，汇率与价格对食用菌出口影响程度不是很大，但也存在着呈正向的变化关系。

4.2.5 主要结论

通过汇率对全国食用菌产品进出口贸易以及国内市场与价格的分析，得出理论上，汇率每降低1%，出口量将减少3.96%，进口量将增加1.56%。以2009年数据为基础得出，人民币汇率每降低1%，净出口量将减少20 725.32吨。同时由于市场的作用，国外市场一直以来的需求大于供给的关系将慢慢改善，并趋于市场供需平衡状态，意味着国内市场供给量将增加。但是，针对各省份分析人民币汇率对食用菌出口的影响来看，汇率与出口都是呈正方向变化的关系，即人民币升值，食用菌出口量将增加，这与理论是不符的。

食用菌全国出口量随着人民币升值而减少，但小部分省份出口量随着人民币升值而增加，出现这样的现象，笔者通过数据分析结果与查阅相关文献认为可能存在以下几个方面的原因。

4.2.5.1 食用菌出口合同短期不会立即废除导致出口量增加

在农产品贸易方面，由于其出口合同通常是在农产品实际交付的前一年即已签订，他们是依据当时的汇率而确定的出口额。在人民币贬值后，这些合同不可能废除，因此在初期出口贸易额不会发生变动。食用菌作为农产品小分支，在短期内出口合同不会立即废除，所以出现人民币升值出口量增加的现象。

4.2.5.2 汇率变化对食用菌出口影响存在时滞性导致出口量增加

由于相对价格的下降和时滞性的存在，农产品出口贸易的变化是呈一条缓慢上升的J曲线，即出现J曲线效应。据专家调查的结果反映，货币贬值改善出口的滞后时间在不同国家的表现并不一致，发达国家的时滞为9月左右，而发展中国家需要 1 年多的时间。由于汇率变化对农产品出口影响存在时间上的滞后性，从而导致了短期内食用菌出口量可能会出现人民币升值出口量增加的现象。

4.2.5.3　食用菌深加工产品退税率提高导致出口量增加

从 2004 年 1 月 1 日起，我国实行新的出口退税政策，2007 年调整主要是为了兑现入世的相关承诺及缓解人民币升值的压力，对许多农产品出口特别是深加工农产品的退税率提高（刘龙庭，2002）。在分析的小部分省份中，可能存在食用菌的一些深加工产品出口商，受到出口退税政策的影响，增加了出口量，从而食用菌总出口量也提高了。人民币升值对出口反而存在一种间接促进的关系。

4.2.5.4　国际市场食用菌价格升高导致出口量增加

双孢蘑菇罐头是全球最主要的食用菌产品贸易品种，而我国是世界第一蘑菇罐头生产国和出口国，对于稳定国际市场蘑菇罐头供应起着举足轻重的作用。从 2005 年下半年开始，国际市场上开始出现货源短缺，再者全球性的能源价格上涨，导致生产和物流成本大幅提高，推动了价格的上涨，只要价格提高给出口商带来的利润高于人民币升值产生的损失，食用菌出口量就会增加。

4.2.6　政策建议

人民币升值将抑制全国食用菌出口量，导致国外市场达到供需平衡的状态，同时，也促使部分省份食用菌出口量增加，针对这种现象可能存在的原因，政策的调整应根据每个地域的实际情况来制定。

4.2.6.1　抓住汇率调整期，加快产品结构调整和产业结构升级

面对人民币升值对农产品出口贸易影响的时间滞后性，食用菌产业应该以此为契机，加快转变经营机制和转换外贸增长方式来提高国际竞争力与抗风险能力。对食用菌产业来说，最关键在于自身的调整。在产品结构上，稳定发展香菇、木耳，适度扩张双孢蘑菇、草菇、侧耳、金针菇、银耳，大力增加珍稀菌类和药用真菌的生产，同时严防风险较高的食用菌产品出口。价格优势已经不是我国食用菌企业在国际竞争中的一种有效手段。因此我国食用菌企业应进一步推进产业结构调整，以提高竞争能力的优化升级。提高产品档次，出口企业应与检验检疫部门建立质量诚信承诺制，并签订《质量控制和诚信经营承诺书》，加大提

升产品的附加值，从而适应国际化竞争的需要。

4.2.6.2　主动规避外汇风险

食用菌企业进出口贸易中，不可控制的风险首先是汇率风险，由于外贸合同由签订到收汇之间存在时间差，在此期间内如果人民币升值，并且外贸合同是以外币为计价和结算货币，食用菌企业在实际收汇时，由于收到的外汇金额不变，而人民币对外币汇率上升，会导致食用菌企业的本币收入减少，从而给食用菌企业带来损失。所以在当前情况下，食用菌企业应该增强外汇风险管理意识、并主动采取各种措施，来规避由人民币持续升值而带来的外汇风险。

4.2.6.3　扩大内需，分散风险

由于人民币升值，国外市场趋于平衡，我国虽然是食用菌产量最大的国家，但人均消费量尚处于较低水平，与世界发达国家存在一定差距，国内市场潜力巨大。对国内市场重点要加大宣传力度，扩大消费群体，提高消费总量，以拉动生产。随着人民币汇率的不断波动，出口形势日益严峻，致使企业的利润不断下降。这时，企业应该通过市场调查分析，结合自身情况试着进一步开拓国内市场来扩大内需。随着人民币升值，我国出口的食用菌在国外的价格上升，出口的数量减少，尤其是在 2008 年呈现出口数量下降、价格行情走升、价值金额增加的局面。所以企业可以通过转向内需为自己的产品寻求出路，以避免人民币汇率变动对产品价格的影响。

4.2.6.4　引进国外的先进技术和设备，降低食用菌出口成本

当前的政策目标应是趋利避害，尽可能地削弱人民币升值带来的负面影响。通过引进国外先进技术和设备，可有效降低农产品出口成本。因为我国总体食用菌产业无论是机械化程度、科技含量，还是劳动生产率、产业化程度都很低，完全可以通过这种提高自身的技术含量、科技水平从而减少成本的方式，弥补由于人民币升值而造成的损失。

4.2.6.5　部分省份政府应加大食用菌产业的资金与技术的投入

由于部分省份出口量在人民币升值情况下，仍处于逐渐增长的态势，当地政府更要加大对食用菌相关方面的投入力度，建立农产品卫生标准体系，为提高食用菌产品的长远竞争力打下基础，再者提高我国农产品的质量以突破合理的绿色

壁垒，以往的末端治理模式在新形势下已不再适用，取而代之的是强调产品在整个周期的无害化，因此要加强食用菌产品生产环节和深加工环节的有效协作，确保食用菌产品在整个生产过程中的质量安全。

（唐琼琼　曹明宏）

4.3　我国食用菌出口遭遇贸易壁垒现状及影响研究

我国是农业大国，农业是国民经济的基础，农产品出口贸易构成我国对外贸易的重要组成部分。由于我国与发达国家在农业生态环境保护、生产技术以及食品安全保障体系建设方面存在明显差距，以日本、美国和欧盟为代表的发达国家和地区不断提高农产品食品卫生标准，以此来保护本国产业。目前，发达国家仍然在不断升级质量检验标准，检测项目也越来越多。例如，美国是世界上食品标签要求最严格的国家之一，食品标签多达 22 种，且逐年修订补充。美国要求所有包装食品应有食品标签，膨化食品还要有营养标签，必须标明至少 14 种营养成分的含量。再如日本，从前设定的进口农产品残留物限量标准是 63 种 2470 项，而实施的《肯定列表制度》则新增了 51392 个限量，涉及 264 类食品中的 734 种化学品残留，同时禁止使用 15 种农药、兽药，这使得农产品检测项目成倍增加。日本是我国食品、农产品出口的大市场，占我国食品、农产品出口总量的 32%，"肯定列表"制度的实施大幅抬高出口技术门槛，直接影响我国近 80 亿美元的农产品出口额，涉及 6000 多家出口企业。据中华人民共和国商务部（以下简称商务部）统计，我国有 90% 的农业及食品出口企业受国外技术贸易壁垒影响，造成每年损失约 90 亿美元，出口受阻的产品从蔬菜、水果、茶叶到蜂蜜，进而扩展到畜产品和水产品。国外实施的技术性贸易壁垒已成为制约我国农产品出口的最大障碍。

自 20 世纪 90 年代以来，我国食用菌产业得到了长足发展。目前，我国已发展成为世界上最大的食用菌生产国和贸易国，占世界食用菌总产量的 70% 以上。我国虽然是食用菌生产大国，但不是食用菌贸易强国。据推算，我国食用菌产品贸易额只占世界食用菌贸易总额的 40%。近年来，食用菌出口频频遭遇世界各国特别是美国和日本等发达国家的贸易壁垒，检验项目名目繁多，合格评定程序复杂多变，一定程度上制约了我国食用菌出口。2000 年，我国双孢蘑菇被美国海关以质量和安全为理由，被扣留、索赔、退货的达 100 多批；2002 年 1 月 4 日，日本政府从对我国进口的香菇实行逐批从严检测；2002 年春节前后，新加坡、泰国等国家以我国香菇甲醛含量超标为理由，暂停进口和销售达1个多月，白白丧失了香菇销售的最好时机；2002年8月，日本检测到我国出口松茸有机磷超标28倍，拒绝进口。2002年仅香菇甲醛超标一案，就给福建、浙江两省主产区造成人民币2亿多元的损失。中国食用菌协会常务副会长林彩民痛心地说："我国食用菌出口在一些年份造成的损失几乎可以用惨不忍睹来形容。"因此，研究我国食用菌出口遭遇的贸易壁垒现状，有利于准确把握其特点和规律，进而积极研究我国食用菌出口对策，推进食用菌产业健康发展。

4.3.1 我国食用菌出口遭遇贸易壁垒现状

贸易壁垒又称贸易障碍。对国与国间商品劳务交换所设置的人为限制，主要是指一国对外国商品劳务进口所实行的各种限制措施。一般分关税壁垒和非关税壁垒两类。目前影响食用菌出口遭遇的贸易壁垒有关税壁垒、非关税壁垒及反倾销等新型贸易壁垒。

4.3.1.1 关税壁垒

随着全球经济一体化进程的不断加深，创造更大范围的国际贸易自由和国际投资便利已成为世界各国努力的目标。为履行WTO进一步削减关税的义务，关税壁垒的作用将越来越弱。尽管如此，我国包括食用菌农产品出口，仍然遭遇相关国家的关税壁垒，其程度和影响不容忽视。

1）关税高峰

乌拉圭回合谈判使农产品出口的传统壁垒——关税壁垒在一定程度上有所下降，但WTO所有成员国在乌拉圭回合谈判后农产品的关税约束水平仍然高达62%，经济合作与发展组织（Organization for Elonomil Cooperation and Development，OECD）国家农产品关税的平均约束水平为45.2%。其中，挪威、瑞士、冰岛等国家农产品关税税率均在100%以上。目前，发达国家农产品市场准入壁垒林立，限制性关税、关税高峰和关税升级问题严重。

乌拉圭回合谈判关税减让表显示，发达国家关税超过12%的农产品（即关税高峰农产品）占全部农产品税号的10%，一些重要农产品的关税高达350%~900%。在关税高峰农产品中，美国有20%的农产品的关税超过30%，关税超过30%的农产品的比重欧盟为25%，日本为30%，加拿大为14%。发展中国家关税高峰的情况略比发达国家普遍，其中，马来西亚关税高峰农产品占全部农产品税号的 30%，巴西为 60%。

2）关税配额

目前欧盟对蘑菇罐头进口实行关税配额管理并征收关税。尽管欧盟对中国蘑菇罐头的需求量很大，但给中国的配额却明显不足。对关税配额内的进口，欧盟对来自保加利亚的蘑菇罐头免征关税，在罗马尼亚的蘑菇罐头仅征收 8.4% 的关税，但对中国蘑菇罐头征收的关税高达 12% 和 23%，明显构成歧视。在内部配额分配方面，欧盟进口商反映，欧盟的分配方法导致大国获得的配额用不完，而小国因得到的配额太少，无法进口或不得不从大国转口中国的蘑菇罐头。这种分配方法也使中国的蘑菇罐头在部分欧盟成员国的市场份额急剧下降。

目前欧盟进口中国的蘑菇罐头大部分属于关税配额外进口。按照欧盟相关规定，关税配额以外的进口蘑菇罐头需支付高额附加关税。需缴纳附加关税的中国产蘑菇罐头有盐水小白蘑菇罐头、小白蘑菇罐头和其他小白蘑菇罐头（税则号分别为 07115100、20031020 和 20031030）等。盐水小白蘑菇罐头在支付 6.1% 的关税的同时，每 100 千克必须再加 191 欧元的附加关税；小白蘑菇罐头需支付 14.9% 的关税，每 100 千克另加 191 欧元的附加关税；其他小白蘑菇罐头缴纳 14.9% 的关税后，每 100 千克还须再加 222 欧元的附加关税。

4.3.1.2 非关税壁垒

全球经济一体化的趋势使得关税壁垒对国际贸易的影响力大大减弱，而在现实中，非关税壁垒使用的频率已逐步超过关税壁垒的使用。通常情况下，非关税壁垒形式多样，但具体到我国食用菌的出口，表现最为显著的是技术性贸易壁垒，而以日本的《食品中残留农业化学品肯定列表制度》（以下简称《肯定列表制度》）和欧盟的《农药管理与食品卫生新法规》最具代表性。

1）日本《肯定列表制度》

日本是我国食用菌出口的第一市场，2005 年对日食用菌出口额占我国食用菌出口总额的 31.8%，但自 2006 年 5 月 29 日日本《肯定列表制度》正式实施以来，我国对日的食用菌出口受到了极大的影响，出口到日本的部分香菇、松茸、木耳和银耳等先后被检测出农残超标，从而导致随后六个月（6~11 月）我国对日食用菌出口量与 2005 年同期相比出现大幅下跌。海关统计显示：2006 年 6~11 月，我国对日出口食用菌 1.3 亿美元，同比下降 18.1%，占同期食用菌出口总额的 34.2%，低于 2005 年同期 4.5 个百分点。而作为我国食用菌出口的四大主要品种，香菇、松茸、木耳和银耳所受《肯定列表制度》的冲击更为明显，具体情况如表4-14所示。

表4-14 2006年6~11月我国四大食用菌品种对日出口情况

食用菌品种	出口量/吨	与2005年同期相比/%
香菇	5 337.0	-49.7
松茸	1 504.0	-20.5
木耳	812.2	-32.5
银耳	45.5	-46.0

资料来源：根据中国海关总署综合统计司相关数据得出。

由表4-14可知，受日本《肯定列表制度》实施的影响，与2005年同期相比，我国四大主打食用菌对日的出口量均出现了大幅下跌，其中香菇银耳的出口量更是大跌近50%。

2）欧盟农药管理与食品卫生新法规

2006年欧盟食品安全管理局规定食用蘑菇罐头中不能含双酚环氧树脂、酚醛环氧树脂，邻酚环氧树脂含量必须小于1ppm①等，变相提高了进口标准。受此影响，2006年6~11月我国对欧盟的食用菌出口额仅为6345万美元，同比下降10.3%。

2007年2月，欧盟又修改了杀菌剂"多菌灵"在新鲜食用菌中的残留限量标准，由原来的1ppm提高到0.1ppm。美国也于2008年1月1日起采用与欧盟相同的标准。而"多菌灵"是发展中国家在园艺作物，特别是食用菌上广泛使用的高效、低毒杀菌剂。因此，欧盟和美国"多菌灵"标准的提高对我国食用菌出口又产生极大的影响与冲击。

2009年5月11日，欧盟食品安全委员会对食用菌中尼古丁限量作出紧急修订，并设立一个没有期限的过渡期。根据修订后的标准，尼古丁在食用菌鲜品和干品（不含牛肝菌）中最高限量分别为0.036毫克/千克和1.17毫克/千克，在牛肝菌干品的最高限量为2.3毫克/千克。而我国云南是世界美味牛肝菌最大的产地，欧盟国家及地区则是云南省牛肝菌的主要出口目的地，自欧盟食品安全委员会对食用菌中尼古丁限量进行紧急修订后，部分欧盟国家及地区便以尼古丁超标为由开始禁止中国牛肝菌干片的进口，致使我国云南省牛肝菌企业出口量明显下滑，当地100多万依靠采摘牛肝菌为生的农民的收入大幅减少。

---

① 1ppm=1mg/kg=1mg/L=1×10⁻⁶，常用来表示气体或者溶液的浓度。

4.3.1.3　新型贸易壁垒

比起关税和非关税壁垒，以反倾销和特保条款为代表的新型贸易壁垒对我国食用菌出口带来的冲击也毫不逊色，反倾销调查的持久性和特保条款的突然性、滥用性都曾使我国食用菌出口遭到巨大影响。

1）反倾销

近些年来，我国食用菌出口尤其是蘑菇罐头的出口屡屡陷入外国反倾销制裁之中。1998 年 2 月 2 日，美国商务部发布公告，对原产于我国的蘑菇罐头进行反倾销调查，涉案产品海关编码为 20031027、20031031、20031037、20031043、20031047、20031053 和 0711904000。1998 年 12 月 18 日，美国商务部对该案作出反倾销终裁，裁定我国涉案企业的倾销幅度为 123.16% ~ 198.63%。从此，也正式拉开了美国对我国食用菌出口反倾销制裁的大幕。而截止到 2010 年，美国已先后对我国蘑菇罐头的出口进行了多达 16 次的反倾销制裁。2008 年，作为我国蘑菇罐头又一大主销市场，澳大利亚也宣布对原产于我国的蘑菇罐头进行反倾销调查。此外，墨西哥等国也曾先后对我国蘑菇罐头进行过反倾销调查。而蘑菇罐头屡次陷入到反倾销调查的泥潭之中，很大程度上影响了我国食用菌及罐头制品的出口，更影响到千千万万菇农的利益和罐头加工企业员工的就业，进而影响到社会的稳定。

2）特保条款

为了阻止我国食用菌的大量涌入，欧、美、日等发达国家经常采取一些特保条款。2001 年 4 月，日本政府启动《临时保护措施》，以限量和加征 266% 的高额反倾销税等手段，限制中国新鲜香菇的进口，致使我国新鲜香菇的生产者和出口商遭受严重损失。2004 年 4 月，日本开始实施《种苗修正案》，该法案规定，未经缴纳专利费，擅自利用日本植物种源生产或改良的农产品，个人或者企业侵权均会处以重罚。而为了适应其对农产品品质的苛刻要求，我国出口日本的食用菌种源通常是从日本引进或由日本品种改良而来，因此日本进口商常常会以种植日本食用菌品种为进口条件，这也构成了特保条款的又一种形式，俗称"物种壁垒"。

4.3.2　技术性贸易壁垒对我国食用菌出口影响的实证分析：以中日食用菌贸易为例

4.3.2.1　我国食用菌出口日本遭遇技术性贸易壁垒的现状分析

日本是我国传统的食用菌出口市场，也是我国最大的食用菌输出地，出口量占到了我国食用菌年出口总量的近三分之一。然而，日本设置的严苛的技术性贸易壁垒一直以来是困扰我国食用菌出口的重要障碍之一，因农药残留、包装规格、化学成分等不达标，而遭退货、扣留的现象时有发生，出口企业因此而损失惨重。例如，2002 年 1 月 4 日，日本政府对我国出口的香菇实行"批批检疫的临时加严检疫措施"，除 40 种农药残留检查项目外，还追加检查二氧化硫、脱氢乙酸和福尔马林。2002 年 8 月 29 日，日本媒体《读卖新闻》以主要篇幅刊登一条消息，称日本厚生省从我国云南于 8 月 19 日出口的松茸中检测出农药残留量超标 28 倍，这一报道给云南松茸出口企业带来了极大的负面影响。

特别是 2006 年 5 月 29 日，日本正式实施《肯定列表制度》以来，我国食用菌出口日本更是面临世界上最严苛的技术壁垒限制。仅 2006 年 5 月 29 日至 2006 年年底，我国输日食用菌在日本就被检出 30 例农残超标案例，其中冷冻木耳 1 例、干燥木耳和毛木耳 8 例、干燥银耳 10 例、鲜香菇 3 例、鲜松茸 2 例、干燥松茸 1 例、冷冻调味松茸丝 1 例、干燥灵芝 1 例、水煮蘑菇 1 例、冷冻姬菇 1 例和香菇大虾馅点心 1 例。其中对银耳、香菇、木耳、松茸及其简单加工品实施命令检查，姬菇及其简单加工品实施 50% 监控检查。[①] 我国食用菌产品违规案例占植物类产品违规案例的 30% 以上，是受《肯定列表制度》影响最大的出口品种。2007 年 5 月 21 日，日本《朝日新闻》头版头条报道"中国严重的假冒伪劣食品问题"，文中提到中国木耳掺假问题；2007 年 7 月 3 日，日本电视台在晚间节目中报道，一家快餐店用已通过日本厚生省进口检验的中国产黑木耳做原料给小学生提供的食物，被抽检出农残超标；在 2007 年 6 月鲜松茸刚开始出口时，云南松茸在日本口岸被检出乙草胺农残超标，发生了第三例中国产松茸乙草胺农残超标案例，紧接着日本主流媒体对中国产食品的食品安全事件开始频繁报道，中国产松茸深受其害，在超市和批发市场严重滞销。2007 年 9 月 20 日发行的日本《周刊文春》报道，又开始爆炒中国香菇甲醛问题（见表 4-15）。日本《读卖新闻》、《朝日新闻》、朝日电视台、公共广播电视台、NHK 等主流媒体先后频繁炒作，使我国食用菌产品深受其害，在日本国内造成极其恶劣的影响。在日本媒体的舆论诱导下，日本消费者对中国产品食品安全产生严重不信任，不敢消费来自于中国的食用菌产品，造成超市、批发市场不敢经营中国产品，食品加工厂不敢以中国的食用菌产品为原料加工食品或添加至食品中，致使我食用菌产品在日本市场上严重滞销，损失惨重。

---

① 根据中国食品土畜进出口商会相关数据得出。

表 4-15　我国输日食用菌遭遇技术性贸易壁垒代表性案例一览表

月份	主要案例
2001 年 4 月	日本对我国大葱、香菇等采取紧急设限，中日双方发生激烈贸易战。
2002 年年底	中国输日松茸因农药残留超标遭命令检查。
2003 年 7 月	日本国会通过《种苗法修正案》对进口农产品实行"物种壁垒"，影响我国食用菌、红小豆等产品出口。
2005 年 9 月	日本厚生劳动省因检测出从中国进口的干蘑菇加工标准不合格（二氧化硫含量超标）而扣留了中国出口的干蘑菇。
2006 年 4 月	4 月 30 日，因为不符合使用标准（含有二氧化硫 0.20 克/千克），日本于横滨口岸扣留我国对其出口的干蘑菇以及茶树菇，指令销毁、退货（全部保管）。
2006 年 8 月	由于从我国出口的香菇中查出两例农药（甲氰菊酯）残留超标，日本厚生省决定从 2006 年 8 月 3 日和 11 日起开始对我国香菇及简单加工品实施监控检查和命令检查，9 月 19 日，日本厚生省还对中国产香菇追加了 34 种化学物监控检查项目。
2006 年 9 月	日本厚生省因从我国进口松茸中查出两例农药（乙草胺）残留超标，决定从 9 月 19 日起对我国松茸及简单加工品实施监控检查，当月 29 转为命令检查。致使在日本松茸消费旺季之时，我国对日本松茸出口没有任何增长。
2006 年 11～12 月	日本厚生劳动省分别于 11 月 2 日和 12 月 26 日起对我国木耳及简单加工品实施毒死蜱和联苯菊酯残留标准的"命令检查"，导致 11 月我国对日干木耳出口量同比骤减 13%，12 月出口量同比下降 30%。
2007 年 4 月	4 月 11 日，因为使用标准不合适（查出二氧化硫 0.084 克/千克），日本于横滨口岸扣留我国对其出口的干木耳，指令销毁、退货（全部保管）。
2007 年 6 月	6 月 25 日，因为使用标准不合格（查出二氧化硫 0.052 克/千克），日本于横滨口岸扣留我国对其出口的腌藏蘑菇，指令销毁、退货（全部保管）。
2007 年 12 月	12 月 30 日，因为残留超标（查出甲氰菊酯 0.02ppm），日本于东京口岸扣留我国对其出口的香菇，指令销毁、退货（全部保管）。
2008 年 6 月	6 月 11 日，日本门司通过监控检查，确认我国出口干香菇经过放射线照射，厚生省采取指令销毁、退货。
2008 年 6 月	6 月 27 日，由于残留超标（查出甲氰菊酯 0.05ppm），日本于东京口岸扣留我国对其出口的干香菇，指令销毁、退货（全部保管）。
2008 年 11 月	11 月 7 日，由于不符合成分规格（细菌检验呈阳性），日本于成田机场扣留我国对其出口的姬松茸，指令销毁、退货（全部保管）。

续表

月份	主要案例
2009 年 1 月	1 月 25 日，因为二氧化硫超标（查出二氧化硫 0.031 克/千克），日本于横滨扣留我国对日出口干香菇，指令销毁、退货（全部保管）。
2009 年 5 月	5 月 3 日，不符合生产、加工及烹饪标准（经过放射线辐射），日本于名古屋口岸扣留我国对其出口的干香菇（菌床），指令销毁、退货（全部保管）。
2009 年 6 月	6 月 30 日，由于不符合成分规格（发育的微生物呈阳性），日本于东京扣留我国对其出口的蘑菇罐头，指令销毁、退货（全部保管）。
2009 年 7 月	7 月 31 日，不符合成分规格（发育的微生物呈阳性），日本于神户扣留我国对其出口的香菇罐头，指令销毁、退货（仅 ICT 作为公司样本使用）。
2010 年 2 月	2 月 28 日，因不符合使用标准（查出二氧化硫 0.29 克/千克）、日本扣留我国对其出口的干燥香菇，而由于不符合成分规格（查出毒死蜱 0.04ppm），指令均为销毁、退货（全部保管）。
2010 年 10 月	10 月 31 日，由于不符合成分规格（查出联苯菊酯 0.03 ppm），日本于清水口岸扣留我国对其出口的干燥白底木耳，指令销毁、退货（全部保管）。

资料来源：根据中华人民共和国商务部对外贸易网站、中国 WTO TBT-SPS 通报咨询网相关数据得出。

导致我国食用菌出口频频受阻的原因可以归结为以下几个方面。

首先，进口国设置的具有贸易保护性质的重重壁垒是我国食用菌出口受阻的主要原因。日本的《肯定列表制度》是目前世界上最严苛的食品安全标准，这给我国食用菌出口带来很大不利影响。例如，我国 GB7069-2003 食用菌卫生标准中规定，干食用菌总砷含量不大于 1.0 毫克/千克，铅含量不大于 2.0 毫克/千克，汞含量不大于 0.2 毫克/千克，而在《肯定列表制度》中，一律标准以 1.5 微克/人/天的毒理学阈值作为计算基准，确定的限量值为 0.01ppm，而且这种限量标准还在进一步提高。此外，由于检验项目增多，检验更为严格，通关的时间大大延长，影响了食用菌的保鲜效果。

其次，我国企业缺乏认证意识是造成我国食用菌出口频频受阻的重要原因。国外进口商品必须通过产品合格检验单位的认证，方可进口。我国食用菌产业发展经历了农村副业、家庭种植、产业化生产等不同规模阶段，然而菇农和食用菌生产企业对相关认证体系却了解不多，多数企业都没有认证体系，甚至对有的认证体系都没听说过。企业产品没有获得相关认证体系的认证，其质量便难以得到他人认可，出口必然遭遇进口国技术壁垒的限制。

再次，国内食用菌产业在特定技术标准、包装标志、绿色检疫制度等方面的缺失，尤其是与国际接轨的相关标准的缺失是我国食用菌出口频频受阻的内在原因。以木耳的相关标准为例,早在 1997 年日本对进口木耳制定的农药残留标准就达 41 项,而我国当时有关木耳的标准才 3 项,2008 年日本对进口木耳制定的农药残留标准已高达 270 项,而我国有关木耳的标准仅有 17 项,并且这些标准同日本标准相比明显宽松,这种差距的影响是不言而喻的。

最后,食用菌产业分散经营的现状是我国食用菌出口频频受阻的又一内在原因。分散经营使得一方面整个产业难以实现规模经济,另一方面导致生产过程中各自为政,缺乏统一指导,新品种、新技术难以推广。这种局面的直接结果就是,食用菌产品品质难以提高,生产、加工、包装等环节无法达到出口要求,离国际先进标准的差距就更加遥远。此外,这种分散的小规模经营很难打造食用菌产业的知名品牌,难以创造品牌价值,从而使得在国际市场中更容易受到技术性贸易壁垒的限制。

4.3.2.2　日本技术性贸易壁垒对我国食用菌出口影响的一般性分析

日本技术性贸易壁垒对我国食用菌出口的影响主要通过数量机制和价格机制体现出来。技术性贸易壁垒的数量机制就是指进口国通过设置相关标准和法规,如果这些标准、法规比出口国的相关标准和法规更为严格,出口的产品达不到进口国的要求,商品就会被禁止进口,从而达到控制相关产品进口数量的目的。技术性贸易壁垒的价格机制是指,进口国一方面通过增加繁琐的检验检疫程序来增加出口商的检验成本和通关费用;另一方面通过一些严格的标准迫使出口商改进产品生产技术,增加其生产成本,从而使出口商提高出口产品的价格,削弱其竞争力。

1)技术性贸易壁垒的数量控制机制

日本实施技术性贸易壁垒对我国食用菌出口的影响首先体现在出口数量上。2000~2008 年我国对日主要食用菌品种出口量如表 4-16 所示,出口量变化趋势如图 4-1 所示。由图 4-1 可知,四个主要品种出口量走势基本一致,各品种间仅存在波幅大小的差异。2000~2002 年出口量均出现大幅下降,其中盐水小白蘑菇出口量的下降幅度最大,这与 2001 年日本国内新增大量农药残留标准有很大关系,以干木耳为例,2000 年干木耳的农药残留标准为 97 项,2001 年就增长到了 124 项,且农残限量阈值进一步下降,这直接导致我国对日食用菌出口量大幅缩减。2002 年之后开始有所上升,对此可以解释为,国内出口企业为跨越技术壁垒,开始改进生产工艺,限制农药使用量,从而有更多产品达到了日本进口要求,使得出口量上升。然而,2005 年之后,四个主要品种的出口量又开始出现大幅下降，尤其在 2006 年和 2007 年下降趋势最为明显，其中主要原因是 2005 年日本再次修改《食品卫生法》并制定了《肯定列表制度》。堪称世界上最严格的食品卫生标准的《肯定列表制度》于 2006 年 5 月 29 日正式实施，这一严苛的技术壁垒对我国食用菌出口造成了巨大的负面影响，直接导致出口量连续几年萎缩。由图 4-1 可知，四个主要品种出现下降的年份并不完全一致，这可能与政策的滞后性及针对各具体品种的标准不尽一致有关，但这已足以反映技术性贸易壁垒的数量控制作用。

表 4-16　2000～2008 年我国对日主要食用菌品种出口量　（单位：吨）

年份	鲜或冷藏的松茸	盐水小白蘑菇	干木耳	洋蘑菇罐头
2000	1 029.12	14 979.44	2 099.99	12 255.81
2001	1 238.04	12 971.12	2 031.16	11 937.47
2002	839.32	4 958.55	2 136.89	11 714.06
2003	964.51	6 025.98	2 322.90	12 550.50
2004	1 127.39	4 989.13	2 341.78	13 041.82
2005	1 368.96	4 793.35	2 414.76	12 490.74
2006	1 034.59	4 556.73	2 272.23	12 120.62
2007	746.27	4 208.31	1 904.88	10 969.60
2008	684.23	1 837.07	1 902.18	11 940.80

资料来源：根据《中国海关统计年鉴》（2000～2008 年）相关数据，经单位换算整理得出。

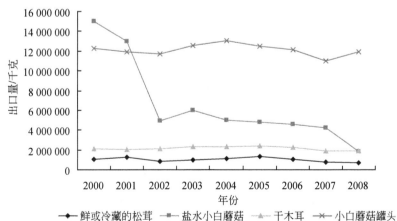

图 4-1　2000～2008 年我国对日主要食用菌品种出口量变化图
资料来源：根据《中国海关统计年鉴》（2000～2008 年）相关数据得出。

2) 技术性贸易壁垒的价格控制机制

我国出口日本的三种主要食用菌品种，其平均价格在 2000～2008 年均呈现上涨趋势（表 4-17）。出口产品价格上涨固然来自多方面原因，如汇率变动、通货膨胀等，但如图 4-2 所示，三个主要品种均以 2001 年、2005 年和 2007 年为价格明显变化的转折点，且这三个转折点之后，价格都是明显上升，尤其是松茸的价格更是上升剧烈。再反观日本实施技术性贸易壁垒的历程，2001 年、2005 年和 2007 年也正是日本各种技术性壁垒实施生效的高峰年，这不能不说日方实施的技术性贸易壁垒在食用菌出口价格的上涨中扮演着重要的推动者角色，反映出技术性贸易壁垒的价格控制作用。

表 4-17　2000～2008 年我国对日主要食用菌品种出口额　　（单位：千美元）

年份	鲜或冷藏的松茸	盐水小白蘑菇	干木耳
2000	39 040	34 869	10 770
2001	35 313	12 467	10 087
2002	35 203	4 760	11 940
2003	43 142	5 847	12 791
2004	52 466	4 832	12 965
2005	56 799	4 734	13 957
2006	53 997	6 355	15 381
2007	38 282	8 344	14 213
2008	42 317	3 175	16 913

资料来源：根据《中国海关统计年鉴》（2000～2008 年）相关数据得出。

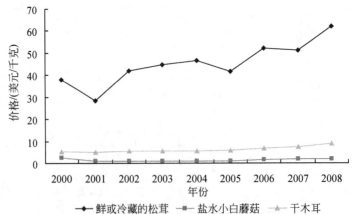

图 4-2　2000～2008 年我国输日主要食用菌品种价格变化图

资料来源：根据《中国海关统计年鉴》（2000～2008 年）相关数据得出。

此外，以松茸的出口价格为例，我国对日本的出口价格在 28.5 ~ 61.8 美元/千克波动，而松茸总的出口平均价格在 26.4 ~ 59.5 美元/千克波动，平均每千克比出口日本的价格低 2 美元左右，这从另一个侧面反映出日本较高的技术性贸易壁垒对食用菌出口价格的影响。

4.3.2.3　基于引力模型的实证分析

1）引力模型介绍

贸易引力模型的思想源于牛顿的万有引力定律，即两个物体之间的引力与它们的质量成正比，与它们之间的距离成反比。这一模型首先用于天文学和社会学领域，后来经济学家将它引入国际贸易领域，用其分析两国或两个经济体之间的贸易流量。最早将引力模型应用到国际贸易领域的是 Tinbergen（1962）认为：两国或两地区间的双边贸易流量规模与它们各自的经济总量成正比，与它们之间的空间距离成反比。出口国的经济总量反映潜在的供给能力，进口国的经济总量反映潜在的需求能力，双方的空间距离反映潜在的运输成本，双边的经济总量构成贸易的吸引力因素，运输成本构成贸易的阻力因素。

贸易引力模型的基本形式为

$$F_{ij} = G \times \frac{(M_i^\alpha \times M_j^\beta)}{D_{ij}^\theta} \times e^{\varepsilon_{ij}} \tag{4-2}$$

式中，F_{ij} 为 i 国对 j 国的出口量，M_i 为 i 国经济总量，M_j 为 j 国经济总量，D_{ij} 为两国间的距离，G 为引力系数，α、β、θ 为参数。将式（4-2）两边取自然对数得到：

$$\ln(F_{ij}) = R_i + \alpha\ln(M_i) + \beta\ln(M_j) + \theta\ln(D_{ij}) + \varepsilon_{ij} \tag{4-3}$$

式中，$R_i = \ln(G)$ 为常数，α、β、θ 为系数，ε_{ij} 为随机干扰项。

公式（4-3）说明两国或地区间的贸易流量主要由两个相对独立的量决定。这两个量分别是吸引力——两国的经济总量；排斥力——反映运输成本的两国间的空间距离。另外还有一些不可测知因素的影响，这些因素统一用随机干扰项表示。

后来经济学家们为了检验历史、文化、贸易政策对贸易流量的影响，又先后将人口、汇率、是否属于同一经济组织、是否拥有共同的语言等变量引入贸易引力模型，使引力模型得到扩充，扩展后的引力模型为

$$\ln(F_{ij}) = R_i + \alpha\ln(M_i) + \beta\ln(M_j) + \theta\ln(D_{ij}) + \gamma\ln(X_{ij}) + \varepsilon_{ij} \tag{4-4}$$

式中，X_{ij} 为可能影响双边贸易流量的反映贸易成本的其他变量的集合，包括人

口、语言、贸易政策、经济组织等变量，ε_{ij}为随机干扰项。

2）食用菌技术性贸易壁垒模型的设定

（1）模型设定及变量说明

技术性贸易壁垒多表现为进口国设置的各种技术标准和技术法规，不容易量化。很多学者在研究技术性贸易壁垒对贸易流量的影响时，都在贸易引力模型中引入一个虚拟变量，以技术标准发布的某一年为准，发布之前变量值取0，发布之后变量值取1，以此来测定技术性壁垒对双边贸易流量的影响额度。

本书以中日食用菌贸易为例来剖析进口国设置的技术性贸易壁垒对我国食用菌出口的影响。之所以选取日本作为研究对象国，是因为日本不仅是我国最大的食用菌出口国，也是目前世界上技术性贸易壁垒设置最为严格的国家。其制定的各种壁垒措施对我国食用菌出口势必造成重大影响，以中日食用菌贸易为研究范例更具代表性。在食用菌出口贸易中，最主要的技术性壁垒来自进口国设置的农药残留限量标准，本书以日本颁布的农药残留限量标准来代表其设置的技术性贸易壁垒。农药残留限量标准对食用菌出口的影响，可能有正面效应也可能有负面效应。正面效应主要体现在，技术壁垒的实施可能促进出口国改进生产技术、创新产品，同时刺激进口国的消费需求，从而促进食用菌的出口。但技术性贸易壁垒也会给出口商增加额外成本，使产品成本上升，出口下降，或是短期内技术水平无法改进，产品直接被拒之于进口国之外。本书因此提出食用菌的出口额与进口国的技术性贸易壁垒呈负相关，与我国的技术性贸易措施呈正相关这一假说。究竟是为何种关系，由模型去检验。由于是测定中日两国间的贸易流量，因此两国间的空间距离遂变为一常数，故在模型中省去。基于以上分析，本书设定如下食用菌出口的技术性贸易壁垒模型

$$\ln(EP) = a + b\ln(GDP) + c\ln(GNI) + d\ln(PR) + e\ln(MS) + f\ln(UR) + \varepsilon \quad (4\text{-}5)$$

式中，EP为中国对日本的食用菌出口额；GDP为中国的国内生产总值，反映中国的出口供给能力[①]。GNI为日本的国民总收入，反映其对我国食用菌的需求能力[②]；PR为日本设置的技术性贸易壁垒，本书以日本历年有效实施的农药残留限量标准项数来表征其技术性贸易壁垒设置的强度；MS为我国正式实施的食用菌标准，包括国家标准和行业标准，既有农药残留限量标准也有生产、包装等其他

---

① 严格意义上说，真正能反映食用菌市场供给能力的应该是食用菌的历年产值，然而由于食用菌生产方面的统计资料不够健全，历年产值数据难以获得，故本书仍采用传统引力模型中的GDP变量来近似反映我国食用菌的出口供给能力。

② GNI（国民总收入）比GDP更能真实地反映一国的实际购买力。

方面的技术标准，用各年正有效实施的相关标准的数量来反映我国食用菌标准化建设的程度；UR 为人民币对美元的年平均汇率，采用间接标价法，即一单位的外币兑换一定数量本币的标价方法；ε 为随机干扰项，代表其他不可测因素对食用菌出口额的影响；a 为常数项，b、c、d、e、f、g 为方程系数。各变量含义及预期关系如表 4-18 所示。

表 4-18　模型变量说明与理论方向预期

变量类别	变量	经济含义	理论预期
被解释变量	EP	一定时期内我国对日本的食用菌出口额	—
模型传统变量	GDP	我国的国内生产总值，代表出口供给能力	+
	GNI	日本的国民总收入，代表进口需求能力	+
反映技术性贸易	PR	一定时期内日本实施的农残限量标准项数	−
壁垒的变量	MS	我国各年实施生效的食用菌标准项数	+
其他影响因素	UR	间接标价法下人民币对美元的汇率	+

（2）样本及数据来源

本书选取 1997～2008 年我国对日本的干木耳出口额为样本，选取干木耳的理由在于：一方面干木耳是我国对日食用菌出口的主要品种，另一方面是因为 1997～2000 年的《中国海关统计年鉴》为电子扫描版，很多数据无法辨认，且部分主要品种的出口数据缺失。选取 1997～2008 年的数据为样本，还考虑到 2001 年我国正式加入 WTO，成为我国贸易史上的一次重大转折，前后所面临的技术性贸易壁垒的量和度预期会有很大差别，以 2001 年为分水岭前后各选一定年份来分析有利于进行对比。中国对日本干木耳出口数据来源于 1997～2008 年的《中国海关统计年鉴》；中国的 GDP 数据来源于国际货币基金组织数据库（http：//www. imf. org/external/data. htm）；日本的 GNI 数据来源于世界银行（http：//www. worldbank. org/）；日本历年对木耳（在日本的食品安全卫生法规中，木耳归属于其他蘑菇大类）实施的农药残留限量标准项数来源于国家食品安全信息中心数据库（http：//www. fsi. gov. cn/）、中国 WTO/TBT-SPS 通报咨询网（http：//www. tbt-sps. gov. cn/）和日本厚生劳动省网站（http：//www. mhlw. go. jp/）；我国各年实施生效的有关木耳生产加工的标准项数来源于中国标准数据库（知网版）和工标网（http：//www. csres. com/sort/）；人民币对美元的年平均汇率来源于网站（http：//www. oanda. com/convert/fxaverage）。各变量数据如表 4-19 所示。

表 4-19 1997~2008 年各变量样本数据一览表

年份	EP/千美元	GDP/10 亿美元	GNI/10 亿美元	PR/项	MS/项	UR/(人民币/美元)
1997	11 268	952.65	4 868.84	41	3	8.29
1998	11 453	1 019.48	4 167.69	41	3	8.28
1999	12 176	1 083.29	4 097.94	43	5	8.28
2000	10 770	1 198.48	4 392.09	97	5	8.28
2001	10 087	1 324.81	4 465.13	124	4	8.27
2002	11 940	1 453.83	4 236.59	124	7	8.27
2003	12 791	1 640.96	4 268.72	124	7	8.27
2004	12 965	1 931.65	4 687.94	131	8	8.27
2005	13 957	2 235.75	4 976.30	149	10	8.18
2006	15 381	2 657.84	4 946.02	152	12	7.96
2007	14 213	3 382.45	4 829.28	264	12	7.60
2008	16 913	4 401.61	4 879.17	270	17	6.94

3) 数据处理与结果分析

首先对表 4-19 中各变量的数据取自然对数，然后对其进行描述性统计分析，统计结果如表 4-20 所示。由表 4-20 可知，各变量取自然对数后，数据的波动性明显减小。根据各变量的描述性统计指标值，可以判断时间序列数据基本平稳，预期不会出现伪回归。

表 4-20 各变量描述性统计结果分布表

统计指标	ln (EP)	ln (GDP)	ln (GNI)	ln (PR)	ln (MS)	ln (UR)
平均	9.4486	7.4514	8.4244	4.6918	1.8585	2.0873
标准误差	0.0437	0.1424	0.0210	0.1885	0.1479	0.0155
中位数	9.4319	7.3425	8.4284	4.8203	1.7918	2.1123
标准差	0.1512	0.4934	0.0728	0.6528	0.5122	0.0537
方 差	0.0229	0.2434	0.0053	0.4262	0.2623	0.0029
峰 度	−0.3431	−0.6006	−1.8040	−0.6572	−0.1194	5.8279
偏 度	0.4279	0.6473	−0.1622	−0.4562	0.2175	−2.4200
区 域	0.5168	1.5305	0.1942	1.8849	1.7346	0.1777
最小值	9.2190	6.8592	8.3182	3.7136	1.0986	1.9374
最大值	9.7358	8.3897	8.5124	5.5984	2.8332	2.1150
求 和	113.3830	89.4167	101.0929	56.3013	22.3016	25.0480
观测数	12	12	12	12	12	12
最大 (1)	9.7358	8.3897	8.5124	5.5984	2.8332	2.1150
最小 (1)	9.2190	6.8592	8.3182	3.7136	1.0986	1.9374
置信度 (0.95)	0.0961	0.3135	0.0463	0.4148	0.3254	0.0341

对原始数据取自然对数后，用 Eviews4.0 直接进行线性回归，回归结果显示：R^2 达到 0.9549，F 统计量为 25.4197，在 1% 显著性水平下通过检验，说明方程整体拟合效果良好，但 5 个自变量中有 4 个没有通过显著性检验，这说明方程很可能存在多重共线性问题。通过自变量相关系数矩阵 R 诊断法，发现自变量 ln（MS）与 ln（GDP）之间的相关系数达到 0.9672，说明二者之间存在高度的线性相关性，遂决定在回归方程中将变量 ln（MS）剔除，其对 ln（EP）的影响可以通过 ln（GDP）来解释。经过上述处理后，再运用 LS 法将 ln（EP）同其余四个自变量进行回归，回归结果如表 4-21 所示。

表 4-21 模型回归结果

变量	回归系数	标准误	t	p
常数 a	5.9979	2.0828	2.8797	0.0237
ln（GDP）	0.6421	0.1024	6.2685	0.0004
ln（GNI）	−0.2010	0.2412	−0.8334	0.4321
ln（PR）	−0.2392	0.0516	−4.6339	0.0024
ln（UR）	0.7098	0.4882	1.4539	0.1893

日本技术性贸易壁垒对我国食用菌出口影响的引力模型为

$$\ln(\text{EP}) = 5.9979 + 0.6421\ln(\text{GDP}) - 0.2392\ln(\text{PR}) \tag{4-6}$$

式中，R^2 为 0.9493，修正的 R^2 为 0.9203，Log likelihood 的值为 24.0481，F 统计量的值为 32.7426，F 显著性检验值为 0.000127，在 1% 的水平下显著，说明模型整体拟合较好。解释变量 ln（GDP）的回归系数为 0.6421，t 值为 6.2685，在 1% 的水平下显著。该项符号为正，与预期一致，说明我国 GDP 对我国食用菌出口额有显著的影响，GDP 越大，说明我国的产出越多，出口供应能力就越强。假定其他解释变量保持不变，我国 GDP 每增加 1%，对日食用菌出口额将上升 0.6991%，因此要想提高食用菌出口额，就应当不断发展国内经济，尤其要加快食用菌产业的发展，扩大食用菌的生产和加工规模。

ln（GNI）的回归系数为 −0.2010，t 值为 −0.8334，未通过检验，表明其可能对食用菌出口额不具有显著的影响。在符号上，模型实际结果与理论预期不一致，该项系数表明日本的国民收入与我国的食用菌出口额之间呈负的相关关系。从理论上分析，日本的国民收入越高，代表其购买能力越强，需求越旺盛，越有利于我国食用菌对日出口，但实际结果却相反。对于这一结果的一种可能的解释是我国对日出口的食用菌（本模型中以干木耳为代表）属于吉芬商品，即收入越高，对其消费量越少，收入越低，对其消费反而增加。这种解释也比较符合实际，因为我国对日本出口的食用菌多是未经深加工的原始和初级产品，单位价值较低，而日本 20 世纪 90 年代以来经济持续低迷，很多年份国民收入呈现负增长，故加大了对我国食用菌的进口。

ln（PR）的回归系数为-0.2392，t 值为-4.6339，在 1% 显著性水平下通过检验。该项符号为负，与理论预期一致，说明日本制定的农药残留限量标准对我国食用菌出口有显著的负面影响，日本制定的农药残留限量标准项数越多，我国对日食用菌出口额就越少。在假定其他解释变量保持不变的情况下，日本针对食用菌制定的农药残留限量标准项数每增加 1%，我国对日食用菌出口额将减少 0.4673%。这一结果充分证明日本设置的技术性贸易壁垒对我国食用菌出口具有明显的抑制作用，我们应当采取措施有效破除其壁垒。

ln（UR）的回归系数为 0.7098，t 值为 1.4539，在统计上不具有显著性，未通过检验。也就是说，该解释变量虽然与被解释变量存在正相关关系，与理论预期一致，人民币升值对出口起抑制作用，反之起促进作用。但在此模型中，这种关系并不显著，认为其可能对食用菌出口额不存在显著的影响。

4.3.3　小结

综合以上实例分析、一般性分析和实证模型分析，我们可以看出，日本设置的极其严格的技术性贸易壁垒对我国食用菌出口造成了极大的不利影响。通过实例分析，我们形象化地感知了日本技术性贸易壁垒对我国食用菌出口构成的障碍；通过一般性分析，我们剖析了日本技术性贸易壁垒对我国食用菌出口所产生的数量控制和价格抑制作用；通过模型实证分析，我们从数量上测定出技术性贸易壁垒给我国食用菌出口造成的损失程度。在模型实证分析中，尽管因样本量偏少以及其他随机因素的影响而使结果显得不够理想，但它一定程度上量化反映了进口国（日本）设置的技术性贸易壁垒对我国食用菌出口所造成的影响，通过数据证明了进口国实施技术性贸易壁垒给我国食用菌出口造成的限制程度。这对解释有关现象、帮助政府及食用菌出口企业采取措施积极应对进口国的技术性贸易壁垒有一定的指导作用。

4.3.4　有效规避国外技术性贸易壁垒的对策建议

通过对我国食用菌出口贸易现状、出口中遭遇技术性贸易壁垒的理论与实证分析可知，我国虽是世界食用菌出口贸易大国，但并非贸易强国。其根本原因在于我国食用菌生产加工还处于低端水平，产品质量不高，致使出口中常常遭遇国外技术性贸易壁垒的限制，给我国食用菌产业发展造成严重影响。为此，政府、食用菌行业协会、食用菌生产加工企业应多方联动共同应对和有效规避国外技术性贸易壁垒的。

4.3.4.1 政府部门应采取的措施

1）加快我国食用菌标准体系建设，完善认证制度

技术性贸易壁垒的核心就是各种标准、法规和合格评定程序。目前，发达国家正是利用各种严格的技术标准来达到保护国内市场、占领世界市场获取经济利益的目的。由于我国在食用菌生产、加工、储运、包装等各个环节的标准体系不健全，采用国际标准和国外先进标准的比例极低，而且很多标准修订不及时、落实不到位，致使在出口贸易中屡屡遭受来自发达国家技术性贸易壁垒的限制。基于此，政府应当加快食用菌领域的标准体系建设，为我国食用菌出口保驾护航。

首先，应建立健全我国食用菌产业的技术标准和法规。这是食用菌标准化体系建设的第一步，只有首先建立起一整套结构合理、层次分明、重点突出、面向国际的食用菌标准体系，食用菌产业产前、产中、产后的各个环节才能有标准可依。在食用菌标准的制定过程中，要充分调动企业、菇农的积极性，鼓励食用菌协会等中介组织参与标准的制定和修改，同时标准的制定要尽量与国际标准相匹配。在制定相关法规、标准时，要尽可能细化具体化，同时要注重可理解性和可操作性，切勿泛泛而谈。针对不同品种、不同生产环节制定不同的标准。此外，在制定标准和法规过程中要加强各部门之间的交流，使各方面的具体规范、标准能衔接、协调和配合，避免出现重复或是相互矛盾的标准和法规。

其次，积极采用国际标准和部分国外先进标准，加快与国际接轨步伐。国际标准是世界市场的"通行证"，为大多数国家所接受。目前，我国有关食用菌方面的标准同国际标准相比还比较落后。因此，在某些生产规模较大、生产技术较为成熟的食用菌品种上可以直接采用国际标准化组织（International Standard Organized，ISO）、国际电工委员会（International Electrotechnical Commission，IEC）制定的国际标准。这些国际标准为世界各国所承认，是国际通行标准，能反映最新技术动态，是进入国际市场的不二选择。直接采用国际标准，不仅可以有效突破进口国设置的技术性贸易壁垒，还可以说是一种技术引进，能促进我国食用菌标准体系建设与国际标准尽早接轨。此外对一些创汇能力较强，国际影响

力较大的知名食用菌产品，还可以直接采用某些发达国家的更为先进的标准，这不仅有利于打开更多发达国家的市场大门，提升我国食用菌产品的国际知名度，还有利于加快相关产品生产技术的进步，获得长期的国际竞争力。

再次，不断建立和完善我国的食用菌产品认证制度。建立和完善了食用菌标准体系并不意味着食用菌产品就达到了相应的标准，要想实现食用菌产品的标准化，还应对各种不同的食用菌产品进行质量认证，并建立与之相配套的产品质量认证体系和监督体系，使其从生产到餐桌能真正纳入到标准化体系之中，这既能保证国内消费者的生命健康安全，又能提升食用菌的出口竞争力。其一是积极推行和采用 ISO9000 和 ISO14000 体系认证，许多国家都把产品是否通过这两项认证作为是否进口的约束条件，因此取得这两项认证对向国际市场昭示我国食用菌产品质量、破除进口国绿色壁垒等都具有极其重要的作用。其二是与国外权威认证机构建立认证相互认可机制。国际知名度不高是目前我国认证机构面临的严重问题之一，这直接导致其认证标准和认证体系得不到国外权威认证机构的认可，企业为出口产品不得不要先取得国外权威机构的认证，这一过程会大大增加企业的产品成本，直接影响产品的出口竞争力。因此，政府应通过各种渠道帮助国内认证机构提高知名度，以获得国外权威机构的认可，为我国企业取得国际认证提供便利。

最后，我国政府还应积极参与国际标准的制定，为食用菌出口企业争取市场主动权。技术性贸易壁垒的核心在于各项标准，因此，谁掌握标准的制定权，谁就拥有市场主动权，谁就能在国际市场的激烈竞争中获取更多的话语权。我国政府应借鉴欧美、日本等发达国家的经验，加强对国际游戏规则的学习和研究，积极争取参与国际标准的制定和修改，为我国企业在国际市场上争取更多的话语权。

2）不断完善国内市场体系，为食用菌企业参与国际竞争搭建平台

在市场经济条件下，市场在资源配置中起基础性作用，过多的行政干预虽在短期内有利于经济稳定，但长期来看不利于经济的发展。技术性贸易壁垒主要仍属于经济范畴，最终也要依靠市场力量来解决。企业出口遭遇技术性壁垒时，过多地运用补贴等措施，不仅会引起国际间的贸易摩擦，而且还不利于企业的技术创新，不利于企业的长远发展。事实上，通过前面的理论分析可知，进口国实施技术性贸易壁垒，通常会使国内社会总福利受损，因此，进口国的限制措施不可能长期存在，迟早会放弃那些扭曲市场的、旨在保护本国产业的技术性壁垒措施。如果我们对遭受壁垒的企业给予补贴的话，实际上是将其中一部分补贴间接

让给了进口国的消费者，给我们国内带来的福利损失就更大。相反，如果政府通过经济、法律等手段不断完善我的市场机制，健全国内市场体系，逐步开放国内市场，让国内食用菌企业参与世界市场角逐，不仅可以减少贸易摩擦，而且还可以锻造出一批国内知名的食用菌企业，有利于到国外进行直接投资，壮大整个食用菌产业。

3）重视国际性人才培养，加强对 WTO 规则的研究，充分利用 WTO 条款保护本国利益

入世以来，我国贸易规模增长迅速，与之相伴随的是贸易纠纷也在不断发生，其中最为常见的就是来自进口国的技术性壁垒限制。当面临进口国有关农药残留超标、有害生物入侵、侵犯专利、对环境造成污染等控诉时，我们需要有精通 WTO 规则、谙熟国际法规的国际性人才出来应诉，而这方面的人才却非常缺乏。作为政府，应当重视这类国际性人才的培养，以便随时为国"出战"。另外，政府应在全社会加强对 WTO 规则、技术性贸易壁垒（technical barriers to trade，TBT）协定等知识的普及，加强对 WTO 贸易争端解决机制的研究。政府要充分利用 WTO 规则中的最惠国待遇原则、国民待遇原则、非歧视性原则以及贸易争端调解机制，保障我国食用菌出口企业在出口国享有平等待遇。如果进口国对我国食用菌产品实施的相关标准和检验检疫程序比对本国同类型产品或者其他国家的同类型产品实施的更为严格，那么我们就可以利用国民待遇原则、最惠国待遇原则和非歧视性原则，依据有关国际公约、协定等，进行磋商解决。

4）建立和完善技术性贸易壁垒的预警及快速反应机制

技术性贸易壁垒隐蔽性高、实施程序比较复杂，且涉及面广，影响大，一旦遭遇，将造成重大损失，因此，我们应当建立起技术性贸易壁垒的预警和快速反应机制。具体来说，政府应该建立和完善国际技术性贸易壁垒的动态追踪研究体系，设立专门机构负责管理，建立数据库、信息网，及时收集、整理、跟踪和发布国外技术性贸易壁垒的最新动态，研究技术性贸易壁垒的应对策略。预警体系跟踪研究的内容应具有全面性和动态性，大致应包括：①进口国制定的有关食用菌的产品规格、质量标准、技术规范；②关于食用菌的农药残留限量情况；③不同食用菌品种的包装、标识要求；④安全认证体系及检验检疫程序；⑤其他主要生产国同类产品的出口情况以及主要进口国国内食用菌的生产和消费情况；⑥国内外应对技术性贸易壁垒的成功案例。将这些信息及时收集、整理，并进行分析研究，然后向全国发布。此外，政府还应组织专家定期举行有关国际贸易规则、

国际标准、技术性贸易壁垒等方面的研讨会和培训班，为企业、菇农及相关部门提供配套服务。

4.3.4.2　行业协会的应对措施

行业协会是一个行业的自律管理组织，具有非盈利性。它的主要作用就是协调和服务。作为行业自律组织，它可以制定和执行行业标准和行业管理规范；作为中介组织，它可以在企业与政府间起着桥梁作用，既可代表企业与政府协商对话，又可代表政府督促行业内企业贯彻执行国家的方针政策，同时，还可以作为本国该行业的代表参与国际贸易争端的解决。尤其是当面临国外技术性贸易壁垒时，行业协会有着政府和企业无法比拟的优势。WTO 的原则是倡导贸易自由化，因此，政府的职能受到了严格限制，补贴、关税、配额等都被视为是政府设置的贸易壁垒，被认为对他国具有歧视性，为 WTO 规则所不容，会受到其他国家的控诉或报复。政府的许多职能只能由行业协会去承担。作为食用菌产业自律管理组织的各级食用菌协会，应当充分发挥中介组织的优势，加强自身建设，积极履行职责，规范行业制度，为企业和菇农提供技术支持和市场信息，帮助食用菌出口企业应对国外的技术性贸易壁垒。

1）行业协会应向出口企业及时准确地提供有关技术性贸易壁垒的信息，充分发挥其协调、服务作用

食用菌协会应当不断加强自身建设，一方面要扩大协会的覆盖面，增强协会的代表性和凝聚力；另一方面，要注重人员的培训，并广泛吸收社会专业人才，以转换思维模式、更新知识结构。在此基础上为企业做好协调和服务，实时收集、跟踪和了解国外技术性贸易壁垒的最新动态，研究分析主要进口国的技术法规和技术标准，并建立行业内信息中心和专业咨询机构，通过互联网或行业内专门的报纸、期刊、杂志等出版物，向企业传递信息，为食用菌出口企业积极应对国外技术性壁垒提供帮助。此外，食用菌协会应组织本产业内的企业代表、菇农代表共同制定食用菌的行业标准，派出专员对企业和农户进行相关的技术指导，督促行业技术标准得以执行，提高整个食用菌产业的科技含量和产品质量。最后，食用菌协会还应与学术研究机构相联合，加强国际国内相关技术法规、标准、合格评定程序的知识宣传、学习和普及工作。

2）遭遇国外技术性贸易摩擦时，积极组织企业应诉

当出口企业面临进口国技术性贸易壁垒的控诉时，仅凭单个企业的力量是很

难应对的,而政府的介入又十分有限。此时就需要一个能够代表行业整体利益,反映行业内所有企业心声的主体出面,代表企业同国外政府、行业性组织进行磋商、谈判,引导所有企业采取统一行动,利用 WTO 规则和国际贸易争端解决机制来打破对方的技术性贸易限制,食用菌协会能够担此重任。

3)加强自律机制的建立,进一步抑制行业内恶性竞争

一个行业若没有自身的自律约束机制,这个行业将是无序的、混乱的。作为行业自律性组织的食用菌协会应当制定整个行业自律性规范,遏制行业内恶性、无序竞争,维护整个食用菌产业的利益不受损害。我国食用菌生产遍布全国,产业内的农户、企业不计其数,规模十分庞大,然而单个生产加工主体的规模却十分有限,这种小规模分散经营的现状,导致整个行业显得比较杂乱,容易引发行业内企业与企业之间恶性竞争,大打价格战,且产品质量得不到保证,最终结果是国外消费者或生产者受益,本国整个行业的利益受损。因此,食用菌行业协会应从维护整个行业的利益出发,对生产者、出口商予以引导和规范,制止行业内的恶性竞争,确保行业整体利益不受损害。

4.3.4.3 企业与农户的应对措施

1)食用菌企业的应对措施

(1)推行标准化生产,加强技术创新,提高产品质量。我国食用菌出口频遭国外技术性贸易壁垒的限制,经常受到农药残留超标、重金属含量过限的指控,其中主要原因之一就是我国食用菌生产加工缺乏统一标准,科技含量低,品质不高,同国际标准和国外先进标准差距较大。因此,出口企业要想有效破除国外技术壁垒,关键一点就是要增强标准化生产意识,而且要向国际标准和国外先进标准看齐,加强技术创新,提高产品品质。一方面在产品生产加工过程中,尽可能按照通行的 ISO 质量认证体系和部分国外先进适用标准生产;另一方面要加强对菇农食用菌种植和用药方面的指导,从源头解决农药残留超标、生产过程中重金属含量过高等问题。

(2)改善内部经营管理,实行规模化经营,努力创造知名品牌。企业内部管理水平的高低直接决定着企业能否在市场中获取竞争优势。改善企业内部经营管理,提高经营效率,是应对国外技术性贸易壁垒不可缺少的重要一环。企业应当按照国际通行标准,对影响食用菌产品质量的各个因素、各个环节进行有效控制,找出存在的漏洞,并加以整改,以提高产品质量。另外,企业应当加强对员工的培训,改善员工的生活和工作条件,增强员工的自我约束能力和责任意识,通过提高员工的素质来提升企业的整体管理水平。

影响食用菌生产加工企业出品牌、出质量的另一个重要原因是企业经营规模过小，绝大多数企业都是小作坊、小工厂式的生产，这种经营模式难以实现规模经济，无法参与国际市场竞争。因此，企业应当通过兼并或是通过跨区域、多层次产权结构的"公司+基地+农户"的模式实行规模化经营，在此基础上创造品牌优势，从而提高我国食用菌企业在国际市场上的讨价还价能力。

（3）采用绿色包装，实施绿色营销。随着人们消费理念的转变、环保意识的增强，对产品的包装、营销模式有了新的更高的要求，绿色包装和绿色营销理念更是受到发达国家消费者的青睐。所谓绿色包装又称为无公害包装，是指对生态环境和人类健康无害，能重复使用和再生的，符合可持续发展要求的包装。所谓绿色营销，是指以常规营销为基础，强调把消费者需求与企业利益和环保利益三者有机统一起来的一种较为高级的营销（王静，2006）。绿色营销比社会营销更重视环保。通过绿色包装和绿色营销，企业可以向社会公众树立起良好的企业形象，有利于为国际市场所接受，能较好地规避国外的技术性贸易壁垒。

（4）实行食用菌出口市场多元化战略，分散市场风险。通常情况下，市场过于集中容易产生高度的市场依赖性，增加市场波动带来的风险。长期以来，我国食用菌的主要出口市场都集中在日本、东南亚等国家，尤其是日本占到了我国食用菌出口市场份额的六成以上。欧洲也主要集中在德国、法国、意大利、乌克兰、俄罗斯几个国家。这种高度集中的出口市场格局容易导致对出口国高度的依赖性，使国内食用菌生产受出口市场波动的影响较大，不利于国内食用菌产业的稳定发展。因此，食用菌出口企业除了稳住已有的市场外，要不断开拓新的出口市场，比如非洲市场、拉丁美洲市场等，那些地区市场潜力巨大且进入壁垒少。另外，国内有实力的食用菌企业还可以通过海外投资，在进口国当地建立种植园区和加工基地，就地销售，直接绕过进口国的技术性贸易壁垒。

2）菇农的应对措施

在遭遇国外技术性贸易壁垒时，虽然直接受损的是出口企业，但是，作为整个食用菌产业链中的一环，在后端环节利益受到损害时，前端环节的利益必然会受到损害。因此，处在食用菌产业链最前端的菇农也应当采取措施，应对技术性贸易壁垒。作为菇农，他们应当采取的措施包括：首先，积极加入当地的农民协会，在协会的统一指导下，开展生产；其次，严格按照国家、行业发布的相关标准栽培食用菌、喷施肥药，从源头控制农药残留、重金属过量等问题；再次，积极选用新品种，采纳新技术；最后，积极同当地食用菌生产加工企业配合，尽可能按照企业的要求栽培食用菌。

（熊召军　田　云　张俊飚）

4.4　技术性贸易壁垒与产业标准化对
中国食用菌出口影响力研究

中国加入 WTO 和整体经济的持续高速发展，使其对外贸易量连年攀升。一方面食用菌产业的出口贸易状况随着全国外贸规模扩大呈现出良好势头；另一方面传统的贸易壁垒（关税、配额、许可证等）在国际贸易中逐年得到削减的同时，反倾销、反补贴和技术壁垒迅速抬头且有越演越烈之势。

标准化战略和技术性贸易壁垒可以看做一国贸易竞争力的正反两种力量。我国采取标准化战略由重数量向重品质的转变，可保障食用菌质量安全和产业健康发展，可以极大程度的抵御国外技术壁垒中限量指标的出口阻碍作用从而促进出口。发达国家运用其先进的检测技术手段，提高技术标准和技术法规，对发展中国家的产品实行技术壁垒措施。美国、日本和欧盟向 WTO 委员会通报的 TBT、动植物的卫生检疫措施（sanitary and phytpsanitary standard，SPS）数量代表技术性贸易壁垒的强度和频度，其数量越多说明国际社会对我国食用菌出口所设置的壁垒条件越严格，通报的负面效应会使其他国家采取进一步限制措施来避免从我国进口食用菌，因此其扩散性往往会对我国食用菌出口造成很大冲击。例如，日本《肯定列表制度》的实施对我国的输日食用菌出口造成严重的冲击。一是限量标准指标提高，使食用菌的出口风险加大；二是检测项目成倍增加，出口成本大幅度提高；三是通关速度延缓，对输日的食用菌均要求出示出入境检验检疫机构的植物检疫证明，货物抵达港口后日方还需再次抽查检验；四是监管的随意性空间增加，《肯定列表制度》给日本监管部门在口岸通关及市场监管方面留出了很大的随意性空间，有可能对来自不同国家的产品检验采取区别对待的歧视性政策，增加了我国食品生产加工企业的不确定风险。而我国食用菌产业标准化建设则又是促进贸易增长的另一个推力，经过十年的发展，我国食用菌标准化建设已经发生了显著变化，仅从国家标准和行业标准的数量来看，就从 2000 年初的 30 项增加到了 2010 年初的 90 余项，成绩斐然。

由图 4-3 可知，中国食用菌出口额和食用菌标准化建设中标准数量之间呈正向关系，而与 SPS、TBT 通报次数呈反向关系。我国食用菌对外出口贸易额从 2001 年的 42126 万美元持续高速增长到了 2008 年的 120 317 万美元，增长了近 2

倍；食用菌标准数量从 2001 年的 33 项标准快速增长到了 2008 年的 80 项；出口遭遇技术性贸易壁垒被通报数量则由 2003 年的 58 条逐年减少到了 2008 年的 26条，趋势十分明显。但是，我国日趋增多和逐渐严格的食用菌标准和食用菌进口国家采取的技术性措施究竟是促进还是阻碍了中国食用菌贸易的发展？其程度如何？这是在实证中需要进一步回答的问题。

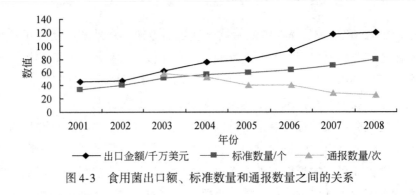

图 4-3　食用菌出口额、标准数量和通报数量之间的关系

4.4.1　引力模型述要

引力模型（gravity model）的基本思想来于物理学中的万有引力定律，即两个物体间的引力与它们的质量成正比，与其间距离的平方成反比。1948 年，社会学家 Zipf 和天文学家 Stewart 首次将引力模型应用到社会科学的研究领域，建立了用来分析旅游规模的引力模型，该模型证明了两个城市之间的旅行者数量与其人口数量成正比，与城市间距离成反比的关系。而最早将引力模型应用于国际贸易领域的是 Tinbergen（1962）和 Poyhonen（1963）。通过实证研究，他们发现国家间的双边贸易规模与各国的经济总量呈正比，与各国间距离呈反比，贸易引力模型理论也由此得名。贸易引力模型的出现，克服了传统的贸易禀赋理论侧重于贸易起因、贸易模式及贸易福利等问题而对国际贸易定量研究不足的弊端，对双边贸易流量与流向的分析提供了强有力的工具。

之后，众多学者从不同的角度与方位对贸易引力模型进行了丰富和扩充，在具体实践应用中，模型变量的相关讨论已经衍生出一个不断扩展和发散的变量系列，学者们常常根据自身研究特点和需要来引入新的解释变量，如语言、人口、基础设施、政治局势、有害物残留量、相关技术标准加入贸易组织等影响贸易情况等因素。

但通常情况下学者们在引入标准化指标和技术贸易壁垒指标时，很少予以量化分析并从现实入手开展研究，而是采用虚拟变量这一比较笼统的方法。本书采用比较翔实的数据，通过实证研究产业标准化与技术性贸易壁垒对食用菌出口的影响，最终根据实证结果提出对策建议。

4.4.2　理论模型的构建与变量选择

如以上所述，贸易引力模型的基本形式为

$$F_{ij} = G \times \frac{(M_i^{\alpha} \times M_j^{\beta})}{D_{ij}^{\theta}} \tag{4-7}$$

式中，F_{ij}为国家i（出口国）对国家j（进口国）的出口额；M_i和M_j为两个国家的经济总量，常用GDP来表示，D_{ij}为两个国家之间的地理距离，通常用两国经济中心或首都之间的距离来表示。G、α、β、θ是常数。

由于方程式中有乘积，将其取对数后以使公式线性化，得到

$$\ln F_{ij} = \lambda + \alpha \ln M_i + \beta \ln M_j - \theta \ln D_{ij} + \varepsilon_{ij} \tag{4-8}$$

式中，λ、α、β、θ为相应变量的回归系数；ε_{ij}为标准随机误差。

与贸易总量分析不同，本书研究的食用菌属于农业产业下的一个行业，行业贸易引力模型中的变量与国家总体或区域引力模型的变量应该是有区别的。基于此点考虑，本书中的引力模型选择中国与各国的食用菌出口贸易额为被解释变量，另外引入新的解释变量。具体处理如下。

（1）食用菌出口能力。以往模型中以出口国GDP表示的生产供给能力指标，在本模型中用中国农业产值加以代替。由于本书研究的是中国食用菌产品的出口引力模型，因而不应以GDP来代表本国该行业的出口能力，理想的变量是中国食用菌行业产值，但由于食用菌品种复杂、产地众多、统计口径很难统一，行业的总产值数据在业界内一直很难确定，因此采用中国农业产值表示食用菌产品的实际出口供给能力。

（2）进口国购买能力。以往学者常用进口国的GDP来作为一国的进口能力指标，在本模型中使用了能切实反映该国消费水平的GNI来表示该指标，这样更能体现进口国对食用菌的消费能力。

（3）两国间的贸易成本。用贸易国家首都间的直线距离来表示，以表示运输成本、信息成本和其他因素造成的贸易成本。

（4）食用菌出口价格。采用对出口国的双边出口价格，由于对供给和需求的决定性作用，价格的变动对出口有着至关重要影响。

（5）中国对各出口国的实际双边汇率。汇率的变化对进出口价格起着不容忽视的作用，以间接标价法表示双边汇率，即一元人民币能够兑换的外币数额。模型中采用了实际汇率而不是名义汇率，这样测算更能体现不同币种的实际相对价值。

（6）中国食用菌行业标准化建设。标准化建设对产品质量的提升有巨大的推动作用，能够有效降低绿色壁垒对出口的阻碍作用，模型中使用每年标准出台数量来表示，以国家标准、行业标准为主，用来表示食用菌标准化建设的进程。

（7）技术性贸易壁垒。该指标以每年 TBT 和 SPS 对我食用菌出口的通报数量来表示，以代表食用菌产品出口所遭遇的技术性贸易壁垒的情况，各国对通报情况往往会有效仿和相互影响作用，故在模型应用中不分国别。

根据上述变量设定，我们构建如下中国食用菌出口贸易引力模型

$$\ln X_{ijt} = \alpha_0 + \alpha_1 \ln Y_{it} + \alpha_2 \ln Y_{jt} + \alpha_3 \ln D_{ijt} + \alpha_4 \ln P_{ijt} + \alpha_5 \ln \mathrm{EX}_{ijt} + \alpha_6 \ln \mathrm{ST}_{it} + \alpha_7 \ln \mathrm{TB}_{jt} + \varepsilon_{ijt}$$

$$(4\text{-}9)$$

式中，i 为中国，j 为进口国，t 为时间；α 为待估计参数，其中 α_0 为常数项，α_1 为中国农业产值的影响；α_2 为进口国 GNI 的影响；α_3 为贸易成本的影响；α_4 为出口价格的影响；α_5 为实际汇率的影响；α_6 为国内标准制定的影响；α_7 为技术贸易壁垒的影响。各变量的含义及其系数的预期符号如表 4-22 所示。

表 4-22 引力模型变量含义及其系数符号说明

变量	含义	预期符号
X	中国食用菌产品出口值	+
Y_i	中国农业产值	+
Y_j	中国食用菌出口国国民总收入 GNI	+
D	中国与出口国距离	—
P	中国食用菌出口价格	—
EX	中国与出口国双边汇率	—
ST	中国食用菌标准出台数量	+
TB	中国食用菌出口被 TBT 和 SPS 通报数量	—

4.4.3 实证分析

4.4.3.1 样本数据

因为食用菌本身品种繁多，各自统计口径不一致，整体出口情况的宏观数据

难以准确获得，为保证研究可靠性，本书选取干木耳、干香菇和小白蘑菇罐头这三个品种分别作为实证分析对象，以期能反映食用菌整体的出口情况。三个品种由于出口目的地不同，其计量模型包含的出口国家（地区）又有所区别：干木耳出口模型包括了中国香港、印度尼西亚、日本、马来西亚、新加坡、韩国、泰国、德国、法国、荷兰、美国这 11 个国家（地区）；干香菇出口模型包括朝鲜、中国香港、日本、马拉西亚、新加坡、韩国、泰国、越南、德国、意大利、荷兰、加拿大、美国、澳大利亚这 14 个国家（地区）；小白蘑菇罐头出口模型包括中国香港、印度尼西亚、日本、黎巴嫩、马来西亚、菲律宾、韩国、阿联酋、德国、荷兰、挪威、罗马尼亚、瑞典、爱沙尼亚、俄罗斯、捷克、墨西哥、加拿大、美国、澳大利亚这 20 个国家（地区）。

模型的时间序列选择为 2003～2008 年。主要出于两点考虑：①自 2003 年起，食用菌出口遭遇的技术性贸易壁垒才开始多了起来，而且通报的情况才开始有了详细的数据统计；②我国食用菌产业的标准化建设自 2002 年开始才被重视，食用菌标准的制定和更新也自此而加快步伐。因此，笔者将 2003 年作为分水岭，考察 2003～2008 年的数据，以期比较国内相关标准的建设与国际技术性贸易壁垒对中国食用菌出口贸易的影响情况。

最终，本书针对三个食用菌品种分不同出口国家而选取了 2003～2008 年的三套面板数据。一方面，选择同一时间上不同食用菌出口对象国的出口数据作为样本观测值，在横向上对各国进行对比，找到各国不同的实际状况对中国食用菌出口贸易的影响；另一方面，选择不同时间上的数据作为样本观测值，分析中国农业产值、出口价格、标准建设情况等其他因素对食用菌出口的影响。

4.4.3.2 数据来源

食用菌的出口值与出口价格数据来自于中国海关统计年鉴；农业产值数据来自于中国统计年鉴；出口目标国购买能力 GNI 数据来自于世界银行网站；两国首都距离查询于 http：//www. indo. com/distance/index. html；两国间的实际汇率来自于美国农业部网站 http：//www. ers. usda. gov/；每年出台标准数量收集整理于国家标准化管理委员会网站 http：//www. sac. gov. cn/templet/default/和工标网 http：//www. csres. com/等网站；TBT 和 SPS 通报数收集整理于中国技术性贸易壁垒网 http：//www. tbt-sps. gov. cn/Pages/default. aspx。

4.4.3.3 结果分析

利用上述中国对不同国家食用菌出口的面板数据，使用 Eview 软件进行回归分析，结果如表 4-23 ~ 表 4-25 所示。

表 4-23   干木耳出口引力模型 I 回归结果

Variable	Coefficient	Std. Error	t-Statistic	Prob.
$\ln Y_i$	1. 322 247	0. 175 413	7. 537 904	0. 000 0
$\ln Y_j$	0. 267 053	0. 064 252	4. 156 310	0. 000 1
$\ln D$	−1. 199 737	0. 233 628	−5. 135 244	0. 000 0
$\ln P$	−0. 462 032	0. 159 354	−2. 899 402	0. 005 2
$\ln EX$	−0. 005 102	0. 033 901	−0. 150 507	0. 880 9
$\ln ST$	0. 059 693	0. 085 148	0. 701 050	0. 486 0
$\ln TB$	−0. 577 057	0. 169 776	−3. 398 942	0. 001 2

表 4-24   干香菇出口引力模型 II 回归结果

Variable	Coefficient	Std. Error	t-Statistic	Prob.
$\ln Y_i$	1. 728 203	0. 199 252	8. 673 473	0. 000 0
$\ln Y_j$	0. 136 209	0. 062 291	2. 186 646	0. 032 1
$\ln D$	−2. 450 647	0. 165 119	−14. 841 74	0. 000 0
$\ln P$	−1. 605 167	0. 158 479	10. 128 55	0. 000 0
$\ln EX$	−0. 210 519	0. 031 559	−6. 670 602	0. 000 0
$\ln ST$	0. 179 023	0. 083 375	−2. 147 206	0. 035 2
$\ln TB$	−1. 420 546	0. 194 880	7. 289 349	0. 000 0

表 4-25   小白蘑菇罐头出口引力模型 III 回归结果

Variable	Coefficient	Std. Error	t-Statistic	Prob.
$\ln Y_i$	0. 479 086	0. 093 906	5. 101 741	0. 000 0
$\ln Y_j$	0. 210 329	0. 032 556	6. 460 601	0. 000 0
$\ln D$	−0. 365 681	0. 063 630	−5. 747 033	0. 000 0
$\ln P$	−1. 144 482	0. 224 732	5. 092 648	0. 000 0
$\ln EX$	−0. 149 666	0. 018 939	−7. 902 366	0. 000 0
$\ln ST$	−0. 067 459	0. 048 080	−1. 403 075	0. 163 3
$\ln TB$	−0. 548 658	0. 172 243	3. 185 380	0. 001 9

模型 I 中（表 4-23），R^2 值为 0. 604 196，调整后的 R^2 值为 0. 563 945，模型的拟合优度一般。各变量系数与预期符号相同，表明了干木耳出口值与中国农业产值、进口国 GNI 和标准出台数量正相关，与出口国距离、价格、汇率和被通报数负相关。各系数表明，在其他条件保持不变时，中国农业产值每上升 1%，将

带动干木耳出口额增长 1.32%；进口国 GNI 上升 1%，会促进我国干木耳出口额增长 0.27%；阻隔系数为-1.199 737，表示出口距离每增加 1% 会使出口额降低 1.19%；出口价格每上升 1%，会使得出口额降低 0.46%；被通报次数每增长 1%，使得出口额降低 0.58%。汇率变量和标准数量变量均不显著未通过检验。

模型Ⅱ中（表4-24），R^2 值为 0.872 483，调整后 R^2 值为 0.861 707，表明模型具有较好的拟合优度，各变量系数与预期符号相同，所有变量通过检验，表明了干香菇出口值与中国农业产值、进口国 GNI 和标准出台数量正相关，与出口国距离、价格、汇率和被通报数负相关。各系数表明，在其他条件保持不变时，中国农业产值每上升 1%，将带动干香菇出口额增长 1.73%；进口国 GNI 上升 1%，会促进我国干香菇出口额增长 0.14%；阻隔系数为-2.450 647，表示出口距离每增加 1% 会使干香菇出口额降低 2.45%；出口价格每上升 1%，会使得出口额降低 1.61%；汇率每上升 1%，出口额下降 0.21%；标准数量增长 1%，出口额增长 0.18%；被通报次数每增长 1%，出口额会降低 1.42%。

引力模型Ⅲ中（表4-25），R^2 值为 0.732 179，调整后 R^2 值为 0.717 959，表明模型拟合优度良好。除标准数量变量外，其他变量通过检验且系数与预期符号相同，各系数表明，在其他条件保持不变时，中国农业产值每上升 1%，将带动小白蘑菇罐头出口额增长 0.48%；进口国 GNI 上升 1%，会促进小白蘑菇罐头出口额增长 0.21%；阻隔系数为-0.365 681，表示出口距离每增加 1% 会使出口额降低 0.37%；出口价格每上升 1%，会使得出口额降低 1.14%；汇率每上升 1%，出口额下降 0.15%；被通报次数每增长 1%，出口额会降低 0.55%。标准数量变量未通过检验。

通过进一步综合分析可得出以下结论。

第一，中国农业产值代表了中国食用菌的行业产值，在模型Ⅰ、模型Ⅱ中，中国农业产值的系数都大于1，即食用菌产品的出口增加比例超过了其行业产值增加比例，说明中国食用菌产业具有出口资源禀赋优势，因此食用菌产业是中国农产品出口中应该优先发展的优势产业。

第二，进口国 GNI 代表了其对中国食用菌产品的进口需求能力或购买能力，模型结果也很好的验证了进口国 GNI 的增长将会拉动其对中国食用菌产品的进口。所以，发展中国食用菌出口可以优先发展那些国民购买能力较强、经济持续快速发展的国家。

第三，空间距离作为双边贸易流量的负相关因素，其阻隔作用在中国食用菌产品出口贸易中依然存在，干制香菇和木耳储运的要求较严格，距离对其影响很大，系数分别为-1. 199 737 和-2. 450 647，而小白蘑菇罐头对于距离的敏感度则较低为-0. 365 681。一般来说，空间距离越大则代表储存运输和信息成本越高，饮食、文化、习俗的差异越大，因此在距离不变的情况下就需要通过高效储运、文化交流和信息沟通等措施降低贸易成本，任何有效降低成本的措施都将会扩大中国食用菌产品出口。

第四，价格对供求的决定作用依然在食用菌出口中发挥作用，尤其是在干香菇和小白蘑菇罐头模型中，出口价格对出口额的反向影响作用达到了 1.6 和 1.44，价格的增长会使出口额更快的降低。汇率作为影响出口价格的重要因素，在模型 II、模型 III 中均表现显著，且符号与预期相符，变量系数依次为-0. 210 519和-0. 149 666，说明人民币兑外币数量增长（即人民币升值）会使得食用菌出口额小幅减少，因此我国抵御外压和避免人民币快速升值的政策对食用菌出口有利。

第五，在模型 I、模型 II、模型 III 中，唯有模型 II 的标准数量变量显著，且其系数只有 0. 179 023，说明标准数量对出口额的影响很小，其他两模型中该变量均不显著、系数较小，并且模型 III 中的系数符号呈现出负值。这样的结果说明我国食用菌标准化建设对于出口额的贡献作用并不大，对于产品质量的提升和技术性贸易壁垒的抵御作用还很有限，这与近年来产业标准化建设的快速发展相悖。本书认为出现这种结果的原因可能有以下两点：①标准化建设发展不均衡、实施不到位，没有对产业整体质量水平的提升起到应该有的推动作用；②由于与一些发达国家的食用菌标准相差甚远，我国食用菌标准制定和实施的程度对食用菌出口根本无法发挥应有的促进作用。

第六，三个模型中 SPS 和 TBT 通报变量系数均为负值，充分说明技术性壁垒对食用菌出口的阻碍作用，尤其模型 II 中通报次数对出口额的限制程度达到了 1.42，通报的负面影响具有传播性，效仿效应会使其他进口国家采取严格的限制手段抵制中国食用菌产品的进口。

4.4.4　结论与建议

由于传统壁垒的削减及技术贸易壁垒的隐蔽性、正当性等特点，技术性壁垒可能作为最后一道贸易壁垒防线而长期存在。只要技术强国想阻止进口，技术性贸易壁垒就会存在，且进口国家的技术贸易壁垒不会因为壁垒指标强度积累达到一定限度而削弱，因为新壁垒指标总是可以找到。因此，在现有贸易环境下，只要国家之间的技术水平存在差别，技术贸易壁垒就可能存在。因此针对这点提出以下建议：①加强国内食用菌标准化建设，既要重标准的制定也要重标准的实施，近年来我国标准化速度不算慢，实证结果却显示标准数量的增长并未对出口起到促进作用，这说明实施不到位，因此标准化建设重在执行。②充分发挥技术贸易壁垒的学习曲线效应，加快国外采标步伐，把握先进标准的动向，对其进行转化、利用和创新以促进国内标准化建设，缩小和发达国家间的技术差距才是抵御技术性贸易壁垒的根本所在。

（关小亮）

5 资源环境

5.1 食用菌菌渣循环利用模式剖析
——以成都市金堂县为例

食用菌生产主要利用农作物秸秆、木屑、棉籽壳、牲畜粪便等原材料，通过生物转化过程生产出人类需要的优质蛋白质源——食用菌（古国奎，2007）。伴随食用菌生产规模的不断扩大，如何处理大量的菌渣废料也显得越来越迫切。这些菌渣如果得不到及时妥善的处理，将会给食用菌生产带来极大的隐患，轻则造成环境污染，影响以后种菇的产量和质量，重则导致病虫害大量蔓延与危害，造成严重减产甚至绝收（杨毅，2007）。传统的丢弃或燃料处理办法，显然已不合时宜，也不符合低碳循环经济理念。农业废弃物的产生是不可避免的，但它的资源化利用是可行和必要的（史雅娟和吕永龙，1999）。作为一种特殊形态的农业资源，从资源广度利用上看，可以将农业废弃物作肥料、饲料、燃料等来参与农业再生产过程的循环（严立冬，1998）。菌渣作为栽培食用菌后的培养基废料，仍含有大量菌丝体、蛋白质及其他营养物质，常被称为"菌糠蛋白"，在农业生产上具有较高的利用价值（冀宏等，2007）。目前，国内外相关学者一致认为，菌渣经加工处理后仍可作为绿色有机肥再作用到农田；或加工生产节粮型饲料，用于鱼、禽、畜喂养；或经过配方调整继续作为原料栽培其他品种食用菌，使废弃物得到整体、高效、循环、再生的利用，在获得最佳经济效益同时，也完成了农业生态的良性循环（李用芳，2001；李学梅，2003；米青山等，2005；通占元和唐铁朝，2007；刘威，2008）。

从已有研究和食用菌产业特性看，资源多级利用模式、循环生产已成为食用菌产业发展的必然与核心竞争力（潘慧锋和陈青，2010），食用菌菌渣的有效利用已成为共识。但总体而言，当前食用菌菌渣处理模式尚不够成熟，处理手段有限，应用范围狭窄，造成了较大程度上的资源浪费与环境污染。本书以此为切入点，选取四川省金堂县为研究对象，结合实地调研数据对金堂县食用菌菌渣循环利用模式进行归纳总结, 并针对不同处理模式中存在的问题提出了相应的对策建议。

5.1.1　金堂县食用菌菌渣循环利用现状与模式归纳

5.1.1.1　金堂县食用菌菌渣循环利用现状

金堂县作为全国食用菌十大主产县, 2009 年食用菌栽培规模达到 3.9 亿袋, 总产量达到 31.6 万吨, 产值 12 亿元, 居全国前列、西南第一、全省之冠。食用菌产业已经成为全县农村经济支柱产业和农民增收的主导产业。伴随食用菌产业迅猛发展的同时, 全县每年也产生了高达 9 万吨的菌渣废料。过去, 由于菌渣 pH 偏低, 不能直接肥田, 大量菌渣被随意堆放在田间、公路两旁或河流两岸, 造成了不同程度的环境污染与资源浪费。为有效利用菌渣废料并解决其对农村的面源污染, 同时突破制约食用菌产业可持续发展的瓶颈, 近年来, 金堂县农业部门迎难而上, 积极探索菌渣综合利用的有效模式, 取得了较好的效果。

目前, 金堂县食用菌菌渣利用方式正呈现出多样化, 以积极推广菌渣综合利用的生态循环模式为主, 如菌渣腐熟还田或腐氨生物有机肥或饲料、转化为清洁能源等模式。此外, 也正在探索菌渣燃煤、沼气发酵、气化炉等专项技术; 以选择运输方便、远离农房的中低产田土、荒地或废弃院坝, 集中建设菌渣堆场为辅。这些手段都有效利用了菌渣的额外价值, 实现了外部性的内在化。

实践证明, 金堂县大力推进食用菌菌渣循环利用过程中, 实现了变害为利、变废为宝、节本增收的目的, 形成了 "农作物秸秆栽培、食用菌集中规模种植、食用菌菌渣综合利用" 上、中、下游产业良性循环, 推动了县域食用菌产业可持续发展。因此, 以金堂县食用菌产业为例, 对其菌渣循环利用模式进行归纳总结, 可为四川省乃至全国食用菌产业循环发展提供有益参考。

5.1.1.2　金堂县食用菌菌渣循环利用模式归纳

通过对金堂县食用菌菌渣循环利用现状的走访调查, 在归纳演绎的基础上, 笔者将金堂县食用菌菌渣循环利用模式大体归纳为配料循环、饲料循环、肥料循环、燃料循环等四种模式。

1) 食用菌菌渣配料循环模式

食用菌产业发展很大程度上依赖于林木资源。伴随食用菌栽培规模的不断扩大, 林木资源的过量消耗, 替代原料的开发缓慢, 资源短缺问题日益显现 (李德兴, 2007)。与此同时, 近年来秸秆、木屑等原材料价格的节节攀升, 亦成为食用菌栽培成本增加的一个重要因素。为保障食用菌栽培基料的持续供给，必须寻求新的替代资源。菌渣作为栽培食用菌后剩下的培养基料，仍含有相当可观的未被利用营养成分，食用菌菌渣的配料循环模式应用前景广阔。

在配料循环模式中（图 5-1），将菌渣脱离传统模式的束缚，通过一定手段

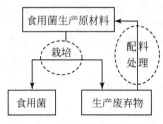

图 5-1　食用菌配料循环模式

的配料处理，经过科学测算按照一定比例添入新的栽培包中，使其成为可持续利用的食用菌生产原材料，如此一来，既可节约大量成本，又可达到菌渣的循环使用。例如，将秀珍菇菇渣处理后以不同比例用于栽培双孢蘑菇，与常规配方相比，这种以简单处理的菇渣栽培双孢蘑菇的方式具有菌丝生长快、产量高、成本低等优点，并且随着菌渣比例的扩大菌丝生长速度有增加的趋势。其中在培养基培养料中加入 30% 秀珍菇菇渣栽培双孢蘑菇，生物学效率达到 63%，比常规栽培料高出 10%，说明菇渣用于双孢蘑菇生产是可行并有良好效果的（万水霞等，2009）。

2）食用菌菌渣饲料、肥料循环模式

食用菌生产过程中，培养基料中的纤维素与木质素产生酶解，使得菌渣中氨基酸、粗蛋白及多种微量元素的含量增加，加之其特殊的醇香使其具有较好的适口性。所以，食用菌菌渣的饲用价值也受到广大养殖户的关注。此外，从土壤肥料学的角度看，食用菌菌渣中含多种营养元素和大量矿物质，其中 N、P、K 等基础养分含量高于一般绿肥（李学梅，2003）。在农用地中施用食用菌菌渣制作的绿肥，可显著改善农作物 C 与 N 的元素平衡，并在土壤持续分解形成腐殖质改良土壤团聚体结构，从而使农作物达到增加产量、提升品质的目的（包著勤，2004）。

在食用菌菌渣饲料循环模式中（图 5-2），将生产废弃的菌渣运用一定的程序进行除菌后，按照一定的比例配合成饲料，开发出食用菌栽培产业与养殖业间的产业循环，即饲料循环模式。此外，当菌渣产生霉变不宜作为培养原料及养殖饲料的情况时，可对其做适当处理后形

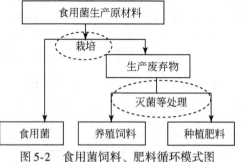

图 5-2　食用菌饲料、肥料循环模式图

成绿肥直接还原于种植业，即肥料循环模式。金堂县在食用菌产业链的探索中，对食用菌菌渣饲料与肥料循环模式不断进行延展，已初步构建出初具规模的"食

用菌生产原材料→成品食用菌→菌渣→家畜（禽）饲料→养殖业→动物排泄物
→种植肥料→食用菌原材料生产"低碳循环生态链。将食用菌菌渣饲料循环模式
与肥料循环模式相互延展，既可充分解决生产废料问题，又可发展其他农副产
业，促进了食用菌产业的可持续发展。

3）食用菌菌渣燃料循环模式

食用菌栽培原材料主要为农作物秸秆与木屑，这些材料亦为当地农户传统燃
料的重要组成部分。不过含有大量有机物的原材料在食用菌生产过程中并未被完全
分解，菌渣中仍可释放出可燃性较强的甲烷等燃气（周松林，2002），将食用菌菌
渣加工成燃料，可有效缓解部分地区农户获取燃料途径单一、环境污染大的问题。

燃料循环模式主要分两种，其中之一便是将食用菌菌渣进行气化处理，产生
甲烷等可燃气体（图5-3）用于日常生
活。在金堂县，部分地区将燃料模式进
一步延展为"食用菌生产原材料→成品
食用菌→菌渣→气化处理→日常燃气→
气化残渣→种植肥料→食用菌原材料生
产"的循环链条，极大地提升了食用菌
菌渣的利用效率。据测算，一包晒干的
菌渣所产生的燃气就可满足一户家庭
（四口人）一餐的燃料需求。如将金堂

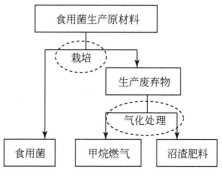

图5-3　食用菌燃料循环模式图

县全县所产菌渣全部用以燃料模式利用，即可解决70%农户的生活能源问题，
直接节约能源开支5600万元。此模式因其具有的产气量高，能源利用清洁、高
效等优点，在金堂县食用菌栽培农户中广受赞誉。

5.1.2 食用菌菌渣处理中存在的主要问题

5.1.2.1 利用模式中存在的主要问题

1）模式归纳集成及拓展

将食用菌的菌渣处理循环模式归纳集成，如图5-4所示。

2）模式运行中存在的主要问题

食用菌的菌渣处理循环模式，存在以下几个问题。

（1）处理不当引起的二次污染。二次污染是相对而言的，即食用菌菌渣在
处理过程中所产生的对当地生态环境的负面影响。以肥料处理模式为例，对食用

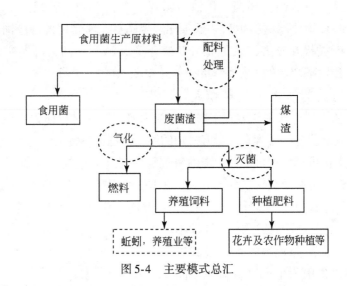

图 5-4　主要模式总汇

菌菌渣进行堆沤、发酵处理时，很容易出现因堆放区域选择不当而污染附近水源与土壤，或与附近其他污染源（如生活废弃物）产生交叉污染等情况；在燃料循环模式里，仍然有废气和部分二次废渣的残留，仍然存在着对环境的威胁；在配料模式中，食用菌生产农户将经过配料处理之后的菌渣添加到栽培包的过程中，大都依经验操作而完成，所以如何科学的配比及如何科学的配料处理以减少再次生产过程中的污染问题，对于食用菌研究者依然任重而道远。

（2）应用范围的狭隘。如将食用菌菌渣用作种植肥料，主要分为两种方式，一是直接还田，二是经过灭菌处理作成生产有机肥的原料，所有的废菌渣处理都本着"本地区生产，本地区消耗"的原则，其实大可将食用菌菌渣的处理与其他产业相结合，如温江的花卉种植基地，不论是直接还田还是所生产的有机肥料，均可作为花卉种植的肥料，实现产业链之间的融合；又如将食用菌菌渣用作养殖饲料，该模式在实际处理中并未被广泛采用，主要因为灭菌处理层上的技术问题和养殖饲料运用的单一性，因废菌渣中仍然存在大量丰富的微量元素，对于养殖蚯蚓来说，则是很好的原料，这样即可解决两个产业存在的难题；废菌渣也可经压制而成煤渣，因其操作简单，可鼓励菌农采用此方式将其做原料和生活燃料。

（3）政策的上行下不效。如在燃料和肥料循环模式里，均需菇农自行配送菌渣，由于受成本影响，因而一个气化厂或者有机肥厂，均只能解决小范围内的废弃物，当食用菌生产受市场的波动性影响后，由此而导致气化厂或有机肥厂每年总有几个月处于停产，但在没有气化厂或有机肥厂的地方，仍然存在大量菌渣随意堆放的问题。

5.1.2.2 关于模式运用存在的问题

1）栽培户循环意识淡薄

食用菌菌渣综合利用是一项系统性很强的工作，需要广大栽培农户积极参与。据统计，2009 年金堂县食用菌菌渣的循环处理比例已达到 90% 以上，依然有大量的菌渣处理方式盲目且滞后，甚至未经处理直接废弃，使当地的资源与环境蒙受了双重损失。造成此种被动局面很大的成因就在于基层食用菌栽培农户循环利用意识单薄，未能突破传统菌渣处理观念的束缚，认为新的处理模式成本偏高、技术较难、风险值大，因此多对食用菌菌渣循环利用抱着观望的态度。

2）基层农业科技力量薄弱

食用菌菌渣循环利用需要一定的基层农业科技力量作支撑。如在饲料循环模式中，生产不同食用菌所产生的菌渣，需要根据养殖种类及不同阶段的具体情况分别进行处理，从而达到该模式科学运转的需求。但在调研中发现，整个金堂县的食用菌专职农业科技人员仅为 130 余人，远不能满足大量食用菌栽培农户对科技服务的需求，严重阻碍食用菌菌渣循环利用模式的进一步发展。

3）集约化处理力度不强

集约化生产已成为食用菌产业转型升级的发展方向，集约程度不够必然导致食用菌菌渣处理效率降低。而产业规划滞后、缺乏龙头企业引导、栽培规模小且分散等都可能致使食用菌菌渣处理链条不能流畅运转。在金堂县乃至四川省范围内，食用菌生产加工产业缺少大型龙头企业作为引导，食用菌菌渣处理规模化程度偏低，远远不能实现现代农业所能带来的规模与科技效益。

5.1.3 对于模式运用的对策建议

5.1.3.1 做好菌渣循环利用的宣传工作

栽培农户菌渣循环利用意识淡薄，极大限制了上述模式的推广应用。若能加强菌渣循环利用的宣传力度，则能快捷和高效地普及食用菌菌渣循环利用模式，释放出菌渣循环利用所带来的经济效益与生态效益。对栽培农户菌渣循环利用意识的培养，首先应构建一套全方位多层次的宣传机构，通过定期不定期地开展菌渣循环利用模式的宣传活动来增强农户的循环经济理念；其次可通过栽培大户试点等方式，用实实在在的效益来增强栽培农户对菌渣循环利用的信心，使其主动加入到食用菌菌渣的循环利用中来。

5.1.3.2 科技人才培养与处理模式规范化

做好科技服务工作可从食用菌科技人才培养与菌渣处理模式规范化入手。作为制约食用菌菌渣循环利用的瓶颈之一，食用菌科技服务人员的不足可通过定期组织农业科技专家开办菌渣循环利用培训班、栽培大户专职人员交换挂职等方式，学习最新的食用菌菌渣循环利用理念，培养本土食用菌科技人才，为今后食用菌产业升级提供科技支撑。此外，处理模式无统一科学标准，缺乏规范化管理也是食用菌菌渣处理中遇到的难题之一。有必要对处理模式制订统一的处理标准，使其简单化、固定化、规范化，具有更强的科学性与可操作性。建议食用菌科研机构及基层农业技术服务机构紧密结合栽培户的科技需求，集中力量深入第一线，务实求真，因地制宜总结出科学可行的菌渣循环处理模式并予以推广应用。

5.1.3.3 产业园区规划与龙头企业扶持

科学规划食用菌产业园区可有效整合现有地力、人力、财力、智力等资源，从空间和时间上把握区域食用菌产业及菌渣处理模式的发展趋势，能有效弱化外部不利因素的影响，推进区域食用菌产业升级和可持续发展。同时，应注重内培外引，加大对食用菌产业龙头企业的扶持力度。食用菌龙头企业集食用菌生产、深加工、废弃物处理等为一体，在食用菌生产废物的处理上具有很高的组织化程度，通过集约化处理食用菌菌渣，有效地降低了菌渣处理成本，提高了食用菌成品的市场竞争力。扶持龙头企业首先可从梳理当地骨干企业入手，综合多方面因素选取有条件的企业成为试点单位，从税收和资金角度给予一定程度的倾斜，力争培养出"本土型龙头企业"；与此同时，可结合实际出台优惠政策吸引有条件的国内外企业对当地食用菌产业进行投资，融合国内外最新的食用菌菌渣综合利用理念，构建出"产业园区+龙头企业+基层栽培农户"三位一体的菌渣处理模式，最终实现食用菌菌渣处理模式的科学化、标准化与规模化。

(严 玲 姜 庆 王 芳)

5.2 农户对生产废弃物的价值感知与循环利用行为分析

世界各国在农业生产中，废弃物数量庞大。西欧 1998 ~ 2001 年共产生 7 亿吨的农业废弃物。法国 1995~2006 年期间，每年废弃物增量约 8.49 亿吨，其中农业废弃物约占 43%。德国 2000 年农业废弃物超过了 1.75 亿吨。我国每年产生农作物秸秆 7 亿吨，蔬菜废弃物 1 亿吨，农作物加工厂废弃物 1.5 亿吨，其他类型的有机废弃物约有 0.5 亿吨（孙振钧等，2004）。农业废弃物蕴含着巨大的能量，如果未能合理再利用，将造成资源的浪费甚至环境污染。农业废弃物的处理与资源化不仅关系到资源的再利用和环境安全，同时与农业的可持续发展和社会主义新农村建设紧密相关，对于缓解资源不足，减少环境污染，拓展农业的外部功能，提高农业的综合效益，具有重要的意义。

目前，学者对农业生产废弃物循环利用的研究主要集中在以下 4 个方面：①农业生产废弃物的循环利用方式。很多农业废弃物进行适当的加工就可转化为能被利用的产品。Mursec 和 Cus（2003）从保护环境、生态和经济效益的角度，提出农业废弃物生产生物质能源的可行性。Guo（2010）认为用农业生产废弃物作为生物制氢的原材料具有成本优势，而且有助于缓解自然环境退化和能源危机这两大可持续发展问题。Brockwell（1995）和 Stephens（2000）认为农业生产废料等多种材料都能够作为根瘤菌生长的培养基。李明德等（2010）对比分析了不同农业废弃物还田的效用，并建议采用稻草循环利用后的菌渣、沼渣与化肥减量配施还田。边淑娟（2010）对福建省各种农业废弃物利用方式进行能值评估。②农业生产废弃物循环利用的碳排放研究。赵胜男等（2010）估算了福建省不同农业废弃物资源化利用方式的碳减排潜力。潘根兴（2010）探讨了农业废弃物生物黑炭转化还田的低碳农业途径。③农业生产废弃物循环利用的现状、对策和建议。我国农业废弃物资源化利用中直接焚烧、随意丢弃等现象普遍。彭靖（2009）认为我国农业废弃物资源化利用应向能源化、肥料化、饲料化、材料化、基质化和生态化方向发展。李宗才（2009）指出我国农民对发展农业循环经济的重要性认识不足、农村基础设施落后、农民环保意识淡漠，提出要加强我国农业循环经济立法建设。欧洲在废弃物处理的立法方面处于全球领先地位，值得我国学习借鉴。如法国已将农业、园艺、林业等生产废弃物明确列在了该国 2002－540 号法令提供的废弃物清单中。④农业生产废弃物循环利用的技术层面。陶永青等（2010）指出通过板栗林下栗蘑栽培技术，可实现农业生产废弃物的再利用及空间资源、环境因子的利用。陈羚等（2010）从农业废弃物沼气工程的工艺技术角度，分析了秸秆沼气发展中存在的问题及发展趋势。

仅有少数学者从农户的角度用定量方法研究循环农业，如徐卫涛等（2010）从减量化投入的视角，提出了农户对循环农业的认知程度会影响其施肥行为。综合学者们的研究后发现，学界在农业生产废弃物循环利用方面侧重于宏观与定性的研究，从微观主体进行定量研究并不多见，而从农户对生产废弃物的价值感知角度探索循环利用行为的相关研究更是缺乏。本书以食用菌种植户为调查对象，利用在辽宁、吉林等6个省份的207份问卷调查资料，发现农户对生产废弃物的价值感知与废弃物循环利用行为有显著影响，运用logistic模型进一步得出影响农户生产废弃物价值感知的因素。准确地了解农民对生产废弃物价值感知的影响因素，对于政府制定旨在实现农业农村可持续发展政策，是非常重要的。

5.2.1　理论框架

5.2.1.1　研究方法

一般来讲，影响农户对生产废弃物价值感知的因素主要有内部因素和外部因素两方面。内部因素包括：农业生产决策者基本特征（A），包括年龄、性别、文化程度、是否任村干部等、是否具有专业技能。外部因素有两方面组成：产区农产品销售网点布局（B），包括公路等级、距离农产品批发市场远近等；外部主体条件（C），包括产区经济发展状况等。logistic模型是将逻辑分布作为随机误差项的概率分布的二元离散选择模型（高铁梅，2006），一般用于分析基于主体效用最大化原则的选择行为。农户对生产废弃物价值感知显著影响着农户循环利用行为，进而影响到农户的生产成本、收益和生态环境，因此本书选用logistic模型对影响农户生产废弃物价值感知的因素进行实证分析，符合模型的应用原理，计量模型可以用以下函数形式表示

$$P_i = f\ (A_i + B_i + C_i)\ + \varepsilon_i \tag{5-1}$$

式中，P_i为农户对生产废弃物的价值感知，取值为0或1；A_i为农业生产决策者基本特征，B_i为家庭农业生产经营情况，C_i为产区农产品销售网点布局，D_i为外部主体的影响；ε_i为随机扰动项，反映无法观测到的其他影响因素和数据统计误差。回归模型的具体形式为

$$\ln\left(\frac{P_i}{1 - P_i}\right) = \alpha + \sum_{k=1}^{n} \beta_k x_{ki} \tag{5-2}$$

式中，P_i为事件发生的概率，α为常数项，β_k为回归系数，x_{ki}为解释变量。

5.2.1.2　变量选择

根据信息的易得性及调研的实际情况，本书选择农户对生产废弃物的价值感

知（是否知道发菌完毕以后的基料价值或用途）为因变量，了解取1，不了解取0；选择户主的个人特征以及外部环境方面的9项内容作为自变量，考察这些信息对农户生产废弃物的价值感知的影响程度。具体的变量赋值如表5-1所示。

表5-1　自变量赋值表

变量		变量内涵	变量赋值	预期符号
因变量	Y	农户对生产废弃物的价值感知	了解取1，不了解取0	
自变量	X_1	产区	东部经济发达地区（山东、河北、辽宁、浙江、江苏）取1，中部地区（吉林）取0	?
	X_2	户主年龄	按实际年龄赋值	-
	X_3	户主性别	男取1，女取0	?
	X_4	文化程度	小学及以下取1，初中取2，高中或中专取3，大学及以上取4	+
	X_5	是否干部	是取1，否取0	+
	X_6	专业技能	具有取1，不具有取0	+
	X_7	距离农产品批发市场远近	0.5小时以内取1，0.5~1小时取2，1~2小时取3，2~3小时取4，3~5小时取5，5小时以上取6	-
	X_8	当地交通状况	国道取1，省级公路取2，地（县）级公路取3，村村通公路取4，乡间泥路取5	-
	X_9	是否加入协会	是取1，否取0	+

5.2.2　数据来源及描述性分析

5.2.2.1　数据来源

本数据来源于食用菌产业经济课题组2009年4~7月对浙江、江苏、山东、河北、辽宁、吉林6个省份330户菇农所做的调查。侧重于了解农户的基本信息、食用菌种植投入产出、食用菌种植技术需求、农户行为等内容。在具体分析

中，基于研究目的，对问卷进行了整理，剔除了无效问卷，共获得有效问卷 207
份，有效样本的户主个人特征如表 5-2 所示。

表 5-2　样本户主个人特征统计

户主个人特征		人数/人	百分比/%
年龄/岁	20~30	16	7.7
	31~40	54	26.1
	41~50	92	44.4
	51~60	38	18.4
	60 以上	7	3.4
性别	男性	144	69.6
	女性	63	30.4
文化程度	小学及以下	33	15.9
	初中	132	63.8
	高中或中专	40	19.3
	大学以上	2	1.0
是否干部	是	28	13.5
	否	179	86.5
专业技能	是	44	21.3
	否	163	78.7

　　根据调查数据统计，男性户主比例为69.6%，女性户主比例为30.4%，男性
户主比例远远高于女性，这符合我国农村基本实情。被调查者中，30 岁以下的
农户占7.7%，31~50 岁的农户占70.5%，51~60 岁的农户占18.4%，60 岁以
上的农户占3.4%。

　　被调查者中，文化程度在初中及以下的比例为79.7%，高中及中专比例为
19.3%，大专及以上比例为1.0%，说明目前我国劳动力的文化素质较低的现状。
女性：小学及以下文化程度的 14 人，占22.2%；初中以上文化程度的 7 人，占
11.1%。男性：小学及以下文化程度的 35 人，占13.2%；初中以上文化程度的
35 人，占24.3%。说明我国女性比男性受教育程度低的现实。

样本的外部环境状况如表5-3所示，道路是连接外界的桥梁和纽带，是物资和信息流通的动脉，因此有"想致富，先修路"的说法。根据调查数据统计，被调查者所在村庄的道路通达率为99.9%，其中靠近省级以上公路的占37.2%，地（县）级公路的占33.3%，村村通公路的占28.5%。但农户将产品运到最近的蔬菜批发市场仍需要投入大量时间，2~3小时的占10.1%，3~5小时甚至更长时间的占11.6%，如果再算上采摘、分拣和装箱则需更多时间。说明了目前乡村公路的质量、养护以及周边批发市场等农产品销售网点建设有待加强，这与我国农村道路等基础设施的整体现状相吻合。

表 5-3　样本外部环境统计

外部环境		人数/人	百分比/%
距离批发市场	0.5 小时内	84	40.6
	0.5~1 小时	54	26.1
	1~2 小时	24	11.6
	2~3 小时	21	10.1
	3~5 小时	12	5.8
	5 小时以上	12	5.8
当地交通状况[1]	国道	51	24.6
	省级公路	26	12.6
	地（县）级公路	69	33.3
	村村通公路	59	28.5
	乡间泥路	2	1.0
产区分布[2]	东部 河北	79	38.2
	浙江	3	1.4
	山东	27	13.0
	辽宁	17	8.2
	江苏	9	4.3
	中部 吉林	72	34.8

　1）当地交通状况指被调查农户居住地附近的道路状况。2）按照我国食用菌产区可划分为东部产区（以河北、山东、辽宁、浙江、江苏等为代表）与中部产区（以吉林为代表）。

5.2.2.2　样本的描述性统计

在对模型进行回归分析之前，有必要对变量进行描述性分析，以从整体上把握变量的统计特性。表5-4列出了各个变量的平均值、最大值、最小值和标准差等统计特性。

表 5-4 变量的描述性统计分析

变量	最小值	最大值	平均值	标准差
产区	0.00	1.00	0.652 2	0.477 44
户主年龄	22.00	85.00	44.449 3	9.050 89
户主性别	0.00	1.00	0.695 7	0.461 25
文化程度	1.00	4.00	2.053 1	0.624 79
是否干部	0.00	1.00	0.135 3	0.342 84
专业技能	0.00	1.00	0.043 5	0.204 43
距离批发市场远近	1.00	6.00	2.318 8	1.512 02
当地交通条件	1.00	5.00	2.686 0	1.158 74
是否参加协会	0.00	1.00	0.545 9	0.499 10
农户对循环农业的认知	0.00	1.00	0.473 4	0.500 50

被调查农户对生产废弃物的价值感知情况（表5-5），207 家被调查农户中有 98 名户主自称对生产废弃物的价值有感知，109 名户主称未感知到生产废弃物的价值。

表 5-5 农户对生产废弃物的价值感知对循环利用行为的影响

生产废弃物的价值	生产废物的处理行为				
	随意丢弃		循环利用		
	人数/人	百分比/%		人数/人	百分比/%
了解（98人）	3	3.1	1.4	95	96.9	45.9
不了解（109人）	34	31.2	16.4	75	68.8	36.2

不了解生产废弃物价值的农户有 109 人，占样本总量的 52.7%。不了解生产废弃物价值的农户中有 75 人选择对生产废物进行循环利用，占 68.8%，循环利用的方式有还田做肥料、用作灭菌或菇棚加温燃料。不了解循环农业的农户中有 34 人选择对生产废物随意丢弃，占 31.2%。

了解生产废弃物价值的农户有 98 人，占样本总量的 47.3%。了解生产废弃物价值的农户中有 95 人选择对生产废物进行循环利用，占 96.9%，循环利用的方式有还田做肥料、用作灭菌或菇棚加温燃料。了解生产废弃物价值的农户中有 3 人选择对生产废物随意丢弃，占 3.1%。

在对生产废料进行处理时，生产废弃物价值感知强的农户比感知度低农户循环利用率提高了 28 个百分点，说明农户对生产废弃物的价值感知在改善生产废弃物处理行为时有显著影响。不了解循环农业的农户中有 68.8% 的人选择对生产废物进行循环利用，说明了循环利用行为具有很强的示范和带动作用，在先进农户的带动下，会有更多的农户从生产废物循环利用中受益。

5.2.3 逻辑回归分析过程

5.2.3.1 多重共线性检验

本书使用了多重共线性检验。首先，将户主性别作为因变量，做它同其他自变量的回归分析，结果如表 5-6 所示。接着，将其他因素设为因变量重复以上步骤，结果显示各自变量之间不存在线性相关。由于篇幅有限，其他 9 个相似的运行过程不再一一罗列。

表 5-6 多重共线性检验

回归模型		共线性统计指标	
		Tolerance	VIF
户主性别	产区	0.812	1.231
	户主年龄	0.900	1.111
	文化程度	0.882	1.133
	是否干部	0.901	1.110
	专业技能	0.927	1.079
	产销网点布局	0.961	1.041
	当地交通条件	0.854	1.171
	是否加入协会	0.934	1.071

注：Tolerance 与 VIF 互为倒数，Tolerance 越小，就表示自变量与其他自变量之间共线性越高或几乎是其他自变量的线性组合。一般来说，当 VIF>10 时，就认为回归模型存在多重共线性。

5.2.3.2 拟合优度及模型预测准确率检验

SPSS 运行显示，回归方程的 Omnibus 检验卡方值为 45.509，说明模型拟合得很好。模型拟合 Hosmer and Lemeshow 检验，显著性水平为 0.116，说明模型拟合得较好。

由表 5-7 可知，以此模型分析，分类能力达 71%，其中对农户不了解循环农业认知的预测能力为 73.4%，对农户了解循环农业认知的预测能力达 68.4%，说明模型拟合较好。

表5-7 判别结果

观测值		预测值		
		认知情况		正确率/%
		不了解/人	了解/人	
认知情况	不了解	80	29	73.4
	了解	31	67	68.4
总体比例		—	—	71.0

5.2.3.3 回归方程结果

本书对以上自变量与因变量利用 SPSS16.0 统计分析软件进行 binary logistic 回归分析，采用 enter 法，得出各个自变量对因变量影响程度和影响方向，最终运行结果如表 5-8 所示。

表 5-8 影响农户循环农业认知的 binary logistic 分析结果

变量	系数	S. E.	Wald	显著性水平
产区	2.122***	0.437	23.532	0.000
户主年龄	-0.010	0.019	0.316	0.574
户主性别	-0.073	0.395	0.034	0.853
文化程度	0.257	0.270	0.905	0.342
是否干部	0.413	0.477	0.750	0.386
专业技能	0.106	0.805	0.017	0.895
距离批发市场远近	-0.302***	0.110	7.518	0.006
当地交通条件	-0.340**	0.154	4.876	0.027
是否加入协会	0.883***	0.339	6.779	0.009
常数	-0.498	1.170	0.182	0.670

***、** 分别表示在 1%、5% 的水平上显著。

通过上述 logistic 回归分析，可以得到农户对生产废弃物的价值感知与产区、到农产品批发市场的时间、当地交通条件和是否参加协会关系密切，这四个方面对农户生产废弃物的价值感知影响显著。年龄、性别、文化程度、是否干部和专业技能对农户生产废弃物的价值感知不存在显著相关性，但是影响方向与预测一致。

具体影响程度分析如下：

第一，产区的经济发展状况显著影响农户对生产废弃物的价值感知，且在1%的水平上极其显著。回归模型显示东部产区菇农对生产废弃物的价值感知高于中部产区。由于东部地区经济比较发达，自然资源稀缺，农户对生产废弃物的价值更敏感，更有动力参与循环农业。而且与中部地区相比，东部发达地区菇农的思想比较开放，更愿意接受新技术。

第二，农户距离农产品批发市场的时间与农户对生产废弃物的价值感知成反向关系，且在5%的水平上极其显著。即农户距离农产品批发市场越近，农户对生产废弃物的价值感知越强，反之则越弱。调查中发现，到最近的蔬菜批发市场需0.5小时以内的84家农户中，有44家农户了解生产废弃物的价值，占52.4%。到最近的蔬菜批发市场需5小时以上的12家农户中，仅有2家农户了解生产废弃物的价值，比例下降到16.7%。

第三，当地的交通条件与农户对生产废弃物的价值感知成反向关系，且在5%的水平上极其显著。当地交通条件越好菇农对生产废弃物的价值感知越强，反之则越弱。这是因为，道路不畅会阻碍信息的流通，不利于农户对外界新事物的了解和掌握。此外道路不畅还会使农民的收益和收入水平大打折扣，降低参与生产的积极性。调查中发现，同种食用菌在交通条件好的村收购价平均能达到15元，条件不好的村，价格最多2~3元。因此2010年中央1号文件中明确指出："全面完成'十一五'农村公路建设任务，落实农村公路管理养护责任。"

第四，农业协会等农民合作组织发展状况与农户对生产废弃物价值感知显著相关，参加协会有助于提高农户对生产废弃物价值的感知。回归模型显示是否参加协会与农户循环农业的认知成正向关系，且在5%的水平上极其显著。调查中发现，参加食用菌协会的101家农户中，有52.5%的农户了解生产废弃物的价值；而未参加食用菌协会的99家农户中，农户了解生产废弃物价值的比例为38.4%，下降了近15个百分点。这主要由于农业协会有助于宣传食用菌生产废弃物价值，畅通销售渠道，有利于实现食用菌增产、增效和菇农增收。

此外，农户对生产废弃物的价值感知与年龄、文化程度、是否干部、专业技能不存在显著相关性。但是，作用方向与预期一致。其中，文化程度、是否干部、专业技能与农户对生产废弃物的价值感知正向相关：因为受教育程度越高接受新事物的能力越强；干部是农村思想活跃、意识比较先进的代表，他们受到培训的机会也较多，能够接触到更多信息，掌握新事物的能力较强；食用菌专业技能代表了菇农对食用菌生产所投入的精力和心思，具有专业技能的菇农越容易关注到和愿意尝试增产、增收和减少投入的新技术。年龄和性别与农户对生产废弃物的价值感知成反向相关；年龄越大的农户对新鲜事物的接受程度越慢；女性户主比男性户主更容易感知到生产废弃物的价值。

5.2.4　结论

本书以我国东部和中部 6 个省份的 207 份食用菌种植户的问卷调查资料为基础，发现农户对生产废弃物的价值感知显著影响其循环利用行为。具体表现为：仅有 47.3% 的农户对生产废弃物的价值有感知，其生产废弃物循环利用率接近 100%；但仍有一半以上的农户不了解生产废弃物的价值，其中有 31.2%的农户选择将生产废弃物随意丢弃。本书通过 logistic 模型进一步分析得出结论：①产区的经济发展状况对农户对生产废弃物的价值感知有显著影响。与中部地区相比，我国东部发达地区农户对生产废弃物的价值感知更强，参与生产废弃物循环利用更积极。②农业协会等农民合作组织发展状况与农户对生产废弃物价值感知显著相关，参加协会有助于提高农户对生产废弃物价值的感知。③农产品销售网点布局与农户对生产废弃物价值感知显著相关，产地距离农产品批发市场越近、当地交通状况越好越有利于提高农户对生产废弃物价值感知。④年龄、性别、文化程度、知否干部、专业技能对菇农生产废弃物价值感知没有显著影响。

（韦佳培　张俊飚　邓正华）

5.3　食用菌贸易中的虚拟资源出口分析

1993 年，Allan（1993）提出在商品生产和服务过程中消费的水资源可被称作为虚拟水。将水资源的消耗从具体的实物中抽象出来，成为一种生产成本外生化。因此，在开放经济下，水资源丰饶的国家可通过实物贸易向水资源匮乏的国家出口水资源密集型产品，从而使水资源以虚拟水的形式在国际间流动。我们将这种交换形式定义为虚拟水贸易。2006 年，Wurten（2006）将虚拟水的概念推广至耕地，提出那些隐含在进出口农产品中，生产这些农产品过程中所占用的耕地资源可称之为虚拟耕地。由于任何农产品在生产过程中必须占用一定面积的耕地资源为其提供生长所需的各种物质和环境条件，因此，一个国家或地区出口农产品到其他国家或地区，实质上相当于以虚拟的形式出口了本国的耕地资源。相反，对于那些耕地面积有限或食物短缺的国家（地区）来说，表面上通过农产品国际贸易解决的是其食物和相关农产品的供给不足问题，实质上它们则是通过进口农产品拓展了其国土利用边界。因此，虚拟耕地如虚拟水一样应引起人们的关注和重视（Wichelns，2001）。

作为拥有 13 亿人口的中国，近年在全球贸易中的比重和地位不断提高，开始发挥举足轻重的作用。我国是世界上最大的食用菌生产国，在当前我国食用菌出口规模不断增长的背景下，深入分析隐含在国际贸易背后的虚拟资源交易，这对制定正确合理的食用菌贸易政策具有重要的现实指导意义。

5.3.1　虚拟资源的量化方法

5.3.1.1　虚拟耕地的量化方法

虚拟耕地的量化是研究虚拟耕地的前提和基础。在量化单位重量某一农产品所含的虚拟耕地之前，必须清楚两点：第一，由于各地自然条件的差异和生产力发展水平的不同，使得生产单位农产品过程中实际占用的耕地面积会随产品的种类及生产区域的不同而有所差别；第二，对于某一农产品来讲，从生产者和消费者的各自角度对虚拟耕地进行量化也会有所不同。这是因为，一般生产者会将农产品虚拟耕地含量理解为其在当地（生产地）生产单位重量某一农产品实际占用的耕地面积；而消费者则会从在消费地生产这种农产品所需占用的耕地面积出发去理解虚拟耕地。必须指出的是，从消费者的角度出发量化某一农产品所含虚拟耕地面积的方法，可能忽略了现实状况下在消费地也许并不生产该农产品，甚至由于相关条件的限制根本无法生产。但这一量化方法具有非常重要的意义，因为，它直接反映出采用农产品进口替代政策所能节约的本国耕地资源及对平衡国内耕地资源赤字的作用程度。当然，当农产品的生产与消费处于同一地区时，不存在第二个问题。

一般来讲，单位重量农产品所含虚拟耕地面积可用下式计算

$$VL_i = \frac{L_i}{P_i} \tag{5-3}$$

式中：VL_i 为单位重量 i 类农产品所含虚拟耕地面积，也即某国（地区）生产单位重量 i 类农产品所必需占用的耕地面积；L_i 为某国（地区）种植 i 类农产品的耕地总面积；P_i 为某国（地区）i 类农产品的总产量。

而某国（地区）通过农产品国际贸易进（出）口的虚拟耕地总面积可通过式（5-4）计算

$$S_{vl} = \sum_{j=1}^{n} \left[\sum_{i=1}^{m} (\mathrm{NI}_i \times \mathrm{VL}_i) \right] \tag{5-4}$$

式中，S_{vl} 为某国（地区）进（出）口虚拟耕地总面积；NI_i 为某类农产品的进（出）口数量；m 为该国进（出）口农产品的全部种类；n 为与该国有农产品往来的国家数量。

5.3.1.2 虚拟林木的量化方法

食用菌栽培中，木腐菌的栽培往往需要消耗大量的林木资源，因此本书试图度量食用菌贸易中的虚拟林木资源流动量。现有文献中还未出现专门测量虚拟林木资源的方法，本书拟借鉴目前普遍使用的虚拟水的计算方法。根据联合国粮农组织的作物需水量和作物产量资料，计算在不同国家或地区每种作物的虚拟水含量。估算公式为

$$\mathrm{VWV}\ (n,\ c) = \frac{\mathrm{CWR}\ (n,\ c)}{\mathrm{CY}\ (n,\ c)} \tag{5-5}$$

式中，$\mathrm{VWV}\ (n,\ c)$ 为区域 n 作物 c 的虚拟水含量，用立方米/吨，即 $\mathrm{m^3/t}$ 表示；$\mathrm{CWR}\ (n,\ c)$ 为区域 n 作物 c 生长期内每公顷的需水量，用立方米/公顷，即 $\mathrm{m^3/hm^2}$ 表示；$\mathrm{CY}\ (n,\ c)$ 为区域 n 作物 c 的产量，用吨/公顷，即 $\mathrm{t/hm^2}$ 表示。

借鉴此公式，计算虚拟林木资源含量，设定为

$$\overline{\mathrm{VWV}(n,\ c)} = \frac{\sum \mathrm{CWR}(n,\ c)}{\sum \mathrm{CY}(n,\ c)} \tag{5-6}$$

式中，$\overline{\mathrm{VWV}\ (n,\ c)}$ 为区域 n 食用菌 c 的平均虚拟林木含量；$\mathrm{CWR}\ (n,\ c)$ 为区域 n 食用菌 c 生长期内的木屑使用量，kg；$\mathrm{CY}\ (n,\ c)$ 为区域 n 食用菌 c 的产量，kg。

而某国（地区）通过农产品国际贸易进（出）口的虚拟林木量可通过式（5-7）计算

$$\mathrm{TVWV} = \sum_{j=1}^{n} \left[\sum_{i=1}^{m} (\mathrm{NI}_i \times \mathrm{VWV}_i) \right] \tag{5-7}$$

式中，TVWV 为某国（地区）进（出）口虚拟林木资源量。NI_i 为某类食用菌的进（出）口数量；m 为该国进（出）口食用菌的全部种类；n 为与该国有食用菌往来的国家数量。

5.3.2　我国食用菌出口贸易总量分析

近年来，我国食用菌产业取得了长足的发展，已成为世界食用菌生产和出口大国，食用菌产品已成为我国出口创汇农产品中的重要一员。尤其是 2002 年以来，我国食用菌出口呈现出快速增长的势头，出口量从 2002 年的326 654吨增长至 2008 年的539 693吨，增长了 65%以上。出口金额从 2001 年的461 258千美元增长至 2008 年的1 203 161千美元，增长了 1.6 倍。2000～2008 年，我国食用菌出口量及出口金额变化如表5-9 所示。

表 5-9　2000～2008 年我国食用菌出口总量值一览表

年份	出口量/千克	比 2000 年变化/%	出口金额/万美元	比 2000 年变化/%
2000	362 441 457	—	50 828.8	—
2001	337 320 939	-6.93	46 125.8	-9.25
2002	326 653 695	-9.87	46 894.5	-7.74
2003	424 171 836	17.03	61 602.9	21.20
2004	456 013 116	25.82	75 819.0	49.17
2005	475 052 767	31.07	79 632.7	56.67
2006	432 178 889	19.24	92 328.5	81.65
2007	523 270 489	44.37	116 949.9	130.09
2008	539 693 108	48.90	120 316.1	136.71

资料来源：根据《中国海关统计年鉴》（2000～2008 年）相关数据得出。

从我国食用菌出口量值变化趋势图（图 5-5、图 5-6）中可以看出，2000～2008 年我国食用菌出口数量呈现出"蝙蝠"型波动变化的特点，总体上可分为四个变化阶段：第一阶段为 2000～2002 年，这一时期，食用菌出口逐年下降，出口量从 2000 年的362 441吨减少为 2002 年的326 654吨，出口额从 2000 年的508 288千美元下降至 2002 年的468 945千美元。导致此状况的一个重要原因是进口国设置了较高的技术性贸易壁垒，如日本出台的《食品卫生法规》，欧盟实施的新的《食品检验检疫标准》。第二阶段为 2002～2005 年，这一阶段我国食用菌出口贸易呈现出较快的增长势头，出口量从 2002 年的 326 654 吨增长至 2005 年的 475 053 吨，出口额从 2002 年的 468 945 千美元增长至 2005 年的 796 327 千美元，增长了 70%，这一时期也是我国食用菌各种标准出台较多的时期，这对提高我国食用菌产品品质起到了极大的推动作用。第三阶段为 2005～2006 年，一年内我国食用菌出口量出现大幅下降，仅一年出口量就下降了近 10%，其中一个主要原因是日本《肯定列表制度》的实施，对食用菌菌种、重金属含量、农药残留最低限量做出了更为严格甚至是苛刻的规定。第四阶段为 2006 ~ 2008 年，这一阶段食用菌出口快速增长，尤其是 2006 ~ 2007 年出口量增长了 21.1%，出口额增长了 26.7%，2006 ~ 2009 年这一时期也是我国食用菌行业标准制定最多的时期，这对进一步完善食用菌产业，促进食用菌出口起到了极大的推动作用。

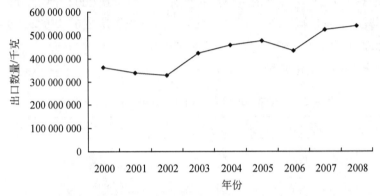

图 5-5　2000 ~ 2008 年我国食用菌出口数量变化

资料来源：根据《中国海关统计年鉴》（2000 ~ 2008 年）相关数据得出。

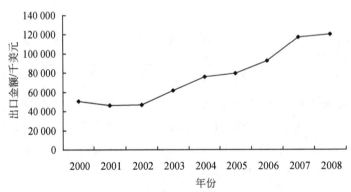

图 5-6　2000 ~ 2008 年我国食用菌出口金额变化

资料来源：根据《中国海关统计年鉴》（2000 ~ 2008 年）相关数据得出。

　　仅从 2000 ~ 2008 年食用菌出口金额的变化情况来看，出口额除 2000 ~ 2002 年有所下滑之外，其他各年份总体呈现稳定增长态势，从 2002 年的 46 894.5 万美元增长至 2008 年的 120 316.1 万美元，此期间以 2006 ~ 2007 年出口值增幅最大。

　　综合以上分析，2000 ~ 2008 年间我国食用菌出口无论是总量还是出口金额都有大幅度增长,但此期间,出口量出现了两次较大的波动,下降幅度较大,一次是 2001～2002 年,另一次是 2005～2006 年,这两次波动均与主要进口国实施技术性贸易壁垒有关。相比出口量而言,出口金额的波动较小,这说明食用菌产品品质在不断提高,产业的抗风险能力在逐渐增强。

5.3.3 食用菌出口贸易中虚拟资源的贡献分析

由于很难从现有官方统计数据中全面获取全国各地区的食用菌播栽培积和占用耕地面积,仅查阅到福建省的部分数据。因此,下文关于食用菌出口贸易中虚拟资源的计算,我们以食用菌产量、产值、出口创汇居全国首位的福建为例进行实证分析。

5.3.3.1 虚拟耕地的计算:以福建省为例

2003～2007 年,福建省食用菌的产量分别为 490 062 吨、520 137 吨、559 993 吨、587 296 吨、646 068 吨,增长了 31.8%,食用菌生产占用耕地面积同期分别为 171 484 亩[①]、83 047 亩、86 666 亩、93 018 亩、93 601 亩,生产用地规模下降了 45.4%。借助上文计算方法,可计算出单位重量食用菌所含虚拟耕地面积系数 VL 为 0.349、0.159、0.155、0.158、0.145,结合 2003～2007 年福建省出口的干食用菌数据 1987.7 吨、718 吨、1822 吨、14 726 吨、15 396 吨,可计算出同期福建省食用菌出口中所包含的虚拟耕地资源 S_{vl}[②],如表 5-10 所示。

表 5-10　福建省食用菌出口贸易中的虚拟耕地资源量

年份	2003	2004	2005	2006	2007
产量/吨	490 062	520 137	559 993	587 296	646 068
占用耕地/亩	171 484	83 047	86 666	93 018	93 601
出口量/吨	1 987.7	718	1 822	14 726	15 396
虚拟耕地/亩	69.55	11.46	28.20	233.24	223.05

资料来源:根据《中国农业年鉴》、《福建经济与社会统计年鉴》相关数据得出。

从 2003～2007 年福建省食用菌产量逐年增加,2003～2004 年蘑菇种植面积由

---

① 1 亩≈666.67 平方米。
② 食用菌产量统计数据的对象是鲜菌,出口贸易的统计对象是干食用菌,按照众多文献中约定的十比一的比例来折算。

3933.3万平方米增长到4019万平方米，而食用菌生产占用耕地面积却大幅下降，使得单位重量食用菌所含虚拟耕地面积系数 VL 锐减。然而，从2006年开始，随着福建省将食用菌产业定位为大宗种植业、出口创汇产业，食用菌出口数量大幅增长，增加了近10倍，使得福建省在食用菌世界市场中虚拟耕地资源的贡献剧增。

5.3.3.2 虚拟林木量的计算

课题组2010年暑期在随州、丽水、驻马店等地调研了香菇生产的投入产出数据，香菇生产使用的培养料中主要是木屑。根据公式（5-6），结合入户调研数据，代料香菇生产的主要原料为树木，投入产出比为1∶2，投入中木屑占比约为80%，折算出来，木屑与鲜菇产出比为1∶2.5。

利用食用菌产业经济研究室数据库中的数据汇总，2002~2009年，全国干香菇产量及出口数据如表5-11所示。

表 5-11 全国干香菇出口贸易中的虚拟林木资源量

年份	2001	2003	2004	2005	2006	2007	2008
产量/吨	207 219	222 762	246 894	242 485	24 701	288 477	309 112
出口量/吨	11 845	17 565	24 731	24 257	17.6	19 919	14 272
出口占比/%	5.7	7.9	10	10	0.07	6.9	4.6
虚拟木材/吨	47 380	70 260	98 924	97 028	70.4	79 676	57 088

从2001~2008年全国香菇产量逐年增加，6年间产量增长了49.2%，而香菇出口量占产量的比重波动很大，2004~2005年增长到顶峰，占比达10%左右，2006年由于产量减少，价格暴涨，为保证内销平稳，导致出口紧缩，下滑到近年来的最低水平0.07%，2007年开始，出口占比又开始快速攀升。我国香菇出口量在国内生产量上占有较大比重，在世界市场上也占有一定份额，带来必备投入木屑的虚拟出口量迅速增长，通过计划虚拟林木资源量（表5-11），2001~2008年，林木虚拟资源出口量最高达到98 924吨，除2006年非正常年份，最低水平约为47 380吨，出口创汇的同时也向世界市场输送了一定的虚拟林木资源。

5.3.4 小结

5.3.4.1 食用菌生产中注重高效利用空间

福建省食用菌生产中，从2004~2005年，产量增幅较大，而占用耕地面积却下降了接近一倍，使得出口量中虚拟耕地的面积急速下降。许多食用菌的品种使用代料栽培方式，如果可以有效地规划布局，可以在很大程度上提高空间利用率，减少耕地面积占用情况。

5.3.4.2 代料培养中循环利用废料来替代木屑

干香菇出口中，虚拟林木资源随出口量的波动较大，多出口干香菇意味着大量输出林木资源。一般代料生产中，如果大量使用木屑，木屑投入量与鲜菇产出量之比为1∶2.5，则可以调整配料比例，在配料中增加棉籽皮、豆秸、玉米芯等，将这些废弃物循环再利用，以减少木屑投入量，从而相对减少木材的出口。

（刘　渝）

5.4 基于资源禀赋约束下的我国食用菌产业可持续发展问题研究

5.4.1 问题的提出

"民以食为天"，食品是人类赖以生存与发展的基础。随着科技的进步和人们生活水平的不断提高，人们对食品的需求不再以温饱为首要条件，而是更多地考虑食品的安全性与营养要素的合理搭配。食用菌作为一种富含蛋白质、维生素类、生理活性物质等无污染的天然食品，被世界营养学家推荐为世界十大健康食品之一。联合国粮农组织倡导最科学的饮食营养搭配就是每天"一荤一素一菇"。随着食用菌日益成为人们餐桌上的首选，各国也对这被誉为21世纪新型的"白色农业"、"生物农业"的产业予以高度重视，我国也不例外。自20世纪90年代以来，食用菌栽培作为一项投资小、周期短、见效快的致富好项目在我国得以迅猛发展。到21世纪，我国将发展"营养、保健、益智、抗衰"菌类保健食品列为今后食品产业发展的重点。食用菌产业甚至成为许多地方的"再就业工程"、"奔小康工程"、"富民强县工程"首选项目。据统计，我国内陆食用菌产值超过1000万元的500个县中，60%为国家或省扶贫开发重点县（张勇和李宏锐，2009）。

然而，由于我国食用菌生产大多重数量轻质量，由此导致在大力发展食用菌生产的同时，也给区域内及其周边地区的资源环境特别是天然阔叶林等森林资源的数量与质量带来了巨大影响，这种以牺牲资源环境为代价的大规模发展是不可持续的。因此，如何正确处理好发展食用菌与保护资源环境之间的关系、实现区域经济与生态环境的协调发展成为食用菌产业可持续发展过程中急需解决的一个重要难题。为此，本书在分析总结我国近几年食用菌生产与贸易变化规律的基础上，重点探讨我国食用菌产业发展对资源环境所产生的影响，并提出相应的对策建议，为今后制定发展食用菌产业的相关政策提供一定参考。

5.4.2　我国食用菌生产与贸易状况分析

5.4.2.1　食用菌产业发展迅速，产量与出口量增长明显

我国是世界上认识和利用食用菌最早的国家之一，同时也是栽培食用菌最早的国家。据记载，人类最早栽培的食用菌——木耳大约于公元 600 年起源于中国，另外，金针菇、香菇、草菇等栽培也起源于中国。然而，我国虽是人工栽培食用菌最早的国家，但应用科学方法栽培起步较晚，直到 20 世纪 30 年代才从法国引进菌砖，开始用科学方法进行食用菌栽培。随着科学栽培方法的采用与推广，我国食用菌产业开始进入稳定发展阶段。到目前，我国已成为世界上最大的生产和出口国，其产量占全球总产量的 70% 以上，并走出一条有中国特色的食用菌产业发展道路。

据中国食用菌协会的统计数据显示，1978 年，我国食用菌产量还不足 10 万吨；1990 年，我国食用菌产量已达 108.3 万吨，占世界总产量的 28.8%；到 1994 年，我国食用菌产量快速增长到 264 万吨，占世界总产量的 52.8%；而到 2002 年全国食用菌总产量已达 865 万吨，占世界总产量的 70.6%；发展到 2007 年，全国食用菌总产量已达 1682 万吨（干品和鲜品的比例为 1:10），大约是 1978 年的 170 倍，年均增长 118.6%，占全世界总产量的 70% 以上。其中，出口数量为 71.47 万吨，占亚洲出口总量的 80%，占全球贸易的 40%，是我国 2000 年的 1.5 倍（图 5-7）。食用菌产业县发展到 500 多个，产值超亿元的县达 100 多个，从事食用菌生产、加工和营销的各类食用菌企业达 2000 多家，从业人员达 2500 万人。

5.4.2.2　经济效益明显，出口创汇能力较强

据中国食用菌协会的统计数据显示，1978 年我国食用菌产值不足 1 亿元，发展到 2007 年全国食用菌总产值已突破 600 亿元，年均增长 123.8%。而据中国海关统计，我国食用菌产品出口到 126 个国家和地区，干香菇已占据东南亚、欧美

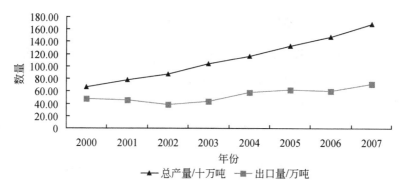

图 5-7　2000～2007 年我国食用菌总产量及出口量变化趋势

资料来源：根据《中国农产品加工业统计年鉴》、《国家海关总署统计资料》相关数据得出。

等 78 个主要消费国。2007 年全国食用菌产品出口创汇 14.24 亿美元，与 2006 年相比，同比增加了 27.1%，是 2000 年的 1.4 倍，年均增长率为 13.1%，如表 5-12 所示。从出口产地来看，主要集中在福建、黑龙江、河北、河南、山东、浙江、江苏、广东和四川等重要产区，2007 年这些主产区占中国食用菌出口总额 75% 以上，并呈现 "南菇北移" 的发展趋势（兰良程，2009）。例如，主要出口老产区有：出口银耳、香菇的福建古田，出口双孢蘑菇、毛木耳的福建漳州，出口香菇的浙江龙泉、庆元、景宁和磐安等。主要出口新产区有：出口香菇的河南西峡、湖北随州，出口滑子菇和反季节香菇的河北平泉，出口双孢蘑菇的山东莘县、邹城及四川大邑，出口姬菇的四川金堂等。

表 5-12　2001～2007 年我国食用菌出口创汇情况

年份	总产值/万元	出口创汇/万美元
2000	2 668 079	60 224.5
2001	3 147 000	56 483.7
2002	4 080 000	46 352
2003	4 378 381	62 193
2004	4 817 178	90 200
2005	5 854 788	96 381.5
2006	6 387 181	112 118
2007	7 966 025	142 500

资料来源：根据《中国农产品加工业统计年鉴》、《国家海关总署统计资料》相关数据整理得出。

5.4.2.3　品种结构呈多样化，但仍以木腐菌为主

从生产结构来看，我国食用菌品种众多，不仅有香菇、平菇、双孢蘑菇、金针菇、草菇、黑木耳、毛木耳、银耳、滑子菇、猴头菇、鸡腿菇、白灵菇、杏鲍菇、茶树菇、小平菇、姬菇、袖珍菇、灰树花、竹荪、姬松茸、凤尾菇、银丝草菇、皱环球盖菇、长根菇、鸡腿蘑、真姬菇等60多种人工栽培品种，还发展了以灵芝、天麻、冬虫夏草、茯苓等为代表的药用菌产业和以松茸、牛肝菌、块菌、羊肚菌等为代表的野生食用菌产业。在如此众多的品种中，又以平菇、香菇、双孢蘑菇、毛木耳、黑木耳、金针菇、姬菇、草菇、鸡腿菇、银耳、滑子菇、茶树菇等为主，其产量均位居前列，尤其是平菇、香菇、双孢蘑菇、木耳、金针菇一直位居前6强，且产量不断增长，如表5-13所示。

表5-13　2001～2007年我国产量位居前十强的主要食用菌品种

年份	1	2	3	4	5	6	7	8	9	10
2001	平菇	香菇	双孢蘑菇	黄背木耳	黑木耳	金针菇	姬菇	草菇	银耳	滑子菇
	2594398	2072194	743404	699409	424969	389262	119932	115988	114476	51516
2002	平菇	香菇	双孢蘑菇	毛木耳	黑木耳	金针菇	小平菇	鸡腿菇	草菇	银耳
	2646626	2214444	923058	715972	525552	505543	189647	156843	151002	138025
2003	平菇	香菇	双孢蘑菇	毛木耳	黑木耳	金针菇	小平菇	草菇	银耳	滑子菇
	2487708	2227623	1330407	984646	670165	557681	242546	197435	183345	171480
2004	平菇	香菇	双孢蘑菇	毛木耳	黑木耳	金针菇	草菇	鸡腿菇	姬菇	银耳
	2986407	2468941	1563987	909008	774226	727420	228318	226634	222909	174070
2005	平菇	香菇	双孢蘑菇	毛木耳	黑木耳	金针菇	姬菇	鸡腿菇	草菇	滑子菇
	3705937	2424845	1524669	1124845	975584	838517	346426	285100	274338	203746
2006	平菇	香菇	双孢蘑菇	毛木耳	黑木耳	金针菇	姬菇	鸡腿菇	草菇	茶树菇
	3975985	2477008	1686937	1290381	1076711	938059	406630	382525	361093	221980
2007	平菇	香菇	黑木耳	金针菇	毛木耳	鸡腿菇	姬菇	滑子菇	茶树菇	杏鲍菇
	4145662	2884769	1441047	1177962	1113012	441869	421406	259175	232868	202302

资料来源：根据《中国农产品加工业统计年鉴》（2002～2008年）相关数据整理得出。

然而，尽管我国食用菌品种众多，但到目前为止，仍以木腐菌生产为主，草腐菌所占比重较小，如我国产量最大的10种品种中，平菇、香菇、木耳、金针菇、银耳、姬菇、茶树菇、滑子菇等都属于木腐菌。这些木腐食用菌的生长必须依靠木质植物，并且大多是木质植物中的阔叶林树种，而阔叶林正好是维护生态

环境的最佳场所和生物物种多样性的摇篮（甘清华等，2001）。因此，如果未来一段时间内仍不改变这种以木腐食用菌为主的生产结构，势必要消耗大量的森林资源，并进一步危机到生态环境。

5.4.2.4 价格波动较大，产销矛盾日渐突出

目前，我国食用菌无论在产量上还是在栽培技术上，都已处于世界先进水平，同样在全球市场上也占有一定的竞争优势。但是由于生产成本的上升和生产规模扩大等因素的影响，我国食用菌的价格不稳定，波动起伏明显，如图5-8所示。从表面看，似乎价格稍有上升，但在生产资料等成本增加的情况下，单位食用菌的盈利水平则明显降低。

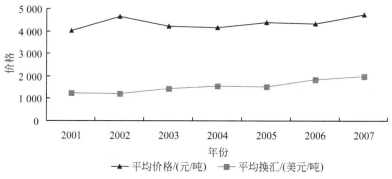

图5-8　2000~2007年我国食用菌销售价格与出口价格情况

5.4.3 我国食用菌产业对资源环境造成的影响分析

5.4.3.1 食用菌废弃物增多，加重了对环境的污染程度

我国食用菌产业的发展，有效地改善了国民的膳食结构，发展了农村经济。但是随着食用菌产业的快速发展，食用菌废弃物也随之增多，这些废弃物的随意排放，加重了生态环境的污染。一是"白色污染"较为严重（郁建强，1999）。目前，食用菌生产大多需要用塑料薄膜作为栽培袋或覆盖物。由于塑料薄膜大多是石油副产品，难以分解，因此食用菌生产中经常使用塑料薄膜，势必造成"白色污染"，污染土壤和环境，进而影响农业生产；二是甲醛污染较为严重。目前，在广大农村使用制种或接种时采用的消毒剂仍然以甲醛和高锰酸钾混合后产生的气体为主。但其中的甲醛有较大的毒性，吸入、吞入或接触皮肤均有较大伤害，

甚至有潜在的致癌危险性（李萍萍等，1998），对人体健康造成严重危害；三是废料污染较多。食用菌栽培后会产生菌棒、菌桶、菌糠等废料，这些遗弃的废料随地堆放，加重了自然环境的污染程度。例如，平均每生产 1 吨食用菌，在消耗 3.3 吨的农林业秸秆的同时，还会产生 1.65 吨的干菌糠（郑光敏，1999），按照我国 2000～2007 年食用菌产量的年均增长速度计算，我国平均每年将增加 21 万吨的干菌糠。这些菌糠如果不能得到很好地利用，将会造成严重的环境污染。再如菌棒，其外层是聚乙烯塑料袋，耐高温且很难腐烂，即使进入田里也只能堆积，因其不透气、不透水而破坏土壤结构，对植物生长产生不良影响，若动物误食则会发生肠梗阻而死亡；而其袋内的有机质废料大量流入河流产生降解过程，又会造成水体污染毒素积累，最终仍是伤害人畜；而危害性更大的是废料中的污染菌侵袭土壤，大量繁殖造成微生物污染，直接影响来年食用菌栽培的成活率，加剧病害，导致减产甚至绝收（王贺祥，2001）。

5.4.3.2　加速林木资源的消耗，造成森林植被的破坏

利用阔叶林栽培香菇等是利用农林资源进行生物化学加工成高级食品的过程，它所产生的经济效益显然要高于其他各种利用途径。从提高资源利用率的角度看，这是一种合理利用木材的途径之一。据调查，直接销售 1 立方米阔叶木材，其单价不足 1000 元。但利用林木制成的木屑培养食用菌，则可明显提高林木资源的经济效益。以消耗木质原料最多的香菇为例，每消耗 1 立方米阔叶树木材，约产干香菇 100 千克，平均按 30 元/千克计算，其产值达 3000 元，产出比为 3∶1，是直接销售木材的 3 倍，另外有些仅能作薪材用的枝丫材，其产出比能达 10∶1。

俗话说："靠山吃山，靠水吃水。"由于通过发展食用菌产业，能提高林木资源的经济产出，一旦监控不到位，食用菌生产者为了追求短期经济效益，将会大肆砍伐森林，破坏森林植被，加速林木资源的消耗速度。以全国最大的干香菇市场浙江庆元县为例（甘清华等，2001），每生产 1 万袋人造菇木，需消耗阔叶树原料约 9.75 立方米，加上烘干、搭棚、消毒等辅助用材约 2.69 立方米，合计约为 12.44 立方米，仅 1986～1996 年 10 年间，庆元全县香菇生产共消耗木材 68.57 万立方米。1993 年以来，庆元县阔叶林消耗速度更快，全县平均每年消耗阔叶林资源达 22.79 万立方米，其中香菇生产消耗就达 15.71 万立方米，约占总消耗量的 71%，减去全县年生长量 11.09 万立方米，庆元县每年净消耗阔叶林资源达 11.69 万立方米，其生长呈明显的负增长状态。

5.4.3.3 减少生物的多样性，加大自然灾害发生的频度

由于食用菌生产需要消耗大量的农林资源尤其是菌用林木资源。因此，一旦超规模发展，势必造成农林资源掠夺性开发与利用，导致其蓄积量快速减少，自然生态系统被打乱，生物多样性受到威胁。此外，林草植被的破坏还会加大自然灾害的频度，使区域可持续发展受到严重威胁。以我国香菇生产大县之一的福建古田县为例，由于近几年其鲜菇生产每年都在1亿袋左右，每年消耗阔叶林木材约10万立方米，造成县域内阔叶林资源数量与质量的急剧下降，生态环境不断恶化。据统计资料显示，全县水土流失面积达3.81万公顷，占土地总面积的15.96%，土壤流失量达47.7万吨，每年土壤养分损失价值达93.3万元。水土流失造成江河、水库、渠道淤积，全县有135处河道和160多条渠道严重淤积而失去了水利效益。原有615座山塘水库，因泥沙淤积现已报废563座。洪涝、泥石流等各种重大自然灾害次数由2次/10年增加到10次/10年，直接经济损失由20世纪50年代的200万元扩增到2.1亿元（钟全林等，2006）。

5.4.4 新时期我国食用菌产业实现可持续发展的对策建议

发展食用菌产业既是发展农村经济、促进农民增收与致富的一条好途径，又是提高农林资源利用率，增加资源附加值的一种好方法。但是，在农林资源尤其是林木资源供应有限的情况下，应以加强资源保护为立足点，以"稳定木腐菌、发展草腐菌、开发特色菌类"为指导思想，充分结合当地的资源禀赋，积极发展生态高效、资源节约型食用菌产业，以促进我国食用菌产业的可持续发展。

5.4.4.1 控制发展速度，实现适度规模经营

据有关专家预测，随着人们生活水平的提高，我国食用菌消费量以每年7%的速度持续增长，而且拥有3亿多个家庭，每个家庭每天消费300克，年消费量就达3285万吨的潜在市场，发展空间巨大（李玉，2008）。然而，据有关实际调查数据显示，我国人均年消费食用菌鲜品仅7.5千克，只相当于蔬菜消费量的五十分之一，远低于专家假设数据（李玉贞和吴金俞，2008）。食用菌产品的终端是消费，消费市场的畅通与否直接关系到食用菌行业的兴旺程度，只有消费市场与生产发展相匹配，食用菌产业才能稳步快速发展。因此，一方面需要调查市场信息，及时了解与掌握产品产量、品种等市场变化，按照市场需求变化趋势进行

品种生产；另一方面，必须结合当地经济发展和资源环境的实际情况，逐步有序地控制发展速度，寻找适度规模。因为，从市场来看，任何产品并非越多越好，多了必然使价格下降，导致经济受损。此外，可以通过加强协会或合作组织发展、建立价格预警系统、市场信息发布平台等措施，加强市场调查与预测，有效组织生产和调控市场，以保证价格稳定，确保产业的经济效益。

5.4.4.2 调整食用菌产业布局，促进食用菌生产的专业化

食用菌生产虽不像其他农作物一样具有明显的区域性，但是该产业发展必须依赖于农林生产的下作料。因此，应立足资源、气候、环境等比较优势，树立生态经济理念，按照科学发展观的要求，根据生态环境和资源分布，调整食用菌产业布局，促使该产业向优势生产区域集中，以利于集中相对优势投入，改善生产基础设施和装备水平，促进优势生产区域率先基本实现现代化，提高食用菌产品的国际竞争力。同时，在优化产业布局的同时，还应重视品种选择，以使最大限度地发挥当地自然资源和社会经济优势。例如，在稻草、麦秆、玉米芯、棉籽壳等农作物秸秆皮壳较为丰富的地区可选种草菇、双孢蘑菇等。这样既可以提高食用菌的整体效益，又可促进食用菌标准化、规模化、专业化生产，同时还可带动加工、运输、销售等相关产业的发展，拓展食用菌生产领域，延长产业链。

5.4.4.3 调整食用菌生产结构，扩大草腐食用菌生产规模

由于以木材为原料的木腐菌需要消耗大量的阔叶林等森林资源，因此在利用人工造林方法建设菌用原料林的同时，还应积极开展食用菌替代原料和草腐菌品种的技术研究，以减少对林木资源的依赖与损耗。例如，在替代原料上，可充分挖掘稻草、麦草、蔗渣、玉米秆（芯）、豆秆、豆壳、花生藤、番薯藤、油菜秆、烟秆、茅草及油茶壳、笋壳等农作物的茎秆、藤蔓以及各种作物果壳等农业秸秆；在品种选择上，可发展草菇、鸡腿菇、姬松茸、双孢蘑菇等以稻草为主要原料的品种，或杏孢菇、茶树菇、秀珍菇等以棉子壳为主要原料的品种。总之，在资源有限的条件下，各地应依据当地资源优势，就地或就近取材，发展不同食用菌品种。林木资源确实丰富的，可以发展一些传统优势品种，如蚕桑区利用桑枝条发展香菇、木耳等；相反，在农作物秸秆丰富的地区，则应大力发展草腐菌，从而实现由以香菇为主的品种结构向以草菇、双孢蘑菇为主的多菌并举的品种结构转变、由以木腐菌品种为主向以草腐等非木腐菌品种为主转变、由以单一种植向产业化转变。这样，不仅可以增加农民收入，也有利于实现资源的循环利

用，减少环境污染。

5.4.4.4 加强科学研究和技术改进，注重资源的集约开发与可持续利用

科学技术是第一生产力。降低现有资源消耗、培育新型原料资源，是我国食用菌可持续发展的必由之路。首先，应对如何提高当前食用菌栽培过程中林木与农作物秸秆等原料的利用效率进行研究，以降低耗材量、提高食用菌的生物转化率；其次，应对食用菌栽培后产生的废弃物再分解与再利用进行研究，帮助食用菌向"清洁生产"方式转变，减少生态环境污染；再次，应加强现有森林资源的保护，以"造用结合，动态平衡"为原则，建立确保资源增长的总量调控机制，严格按照新增林木保有量审批用材指标，以真正实现造林与用林挂钩；最后，还应实行封山育林，采用萌芽更新、尽量降低伐根，进行侧根萌芽，存优去劣，以培养优质产品，积极恢复、发展与改善森林生态环境，恢复提高森林的生态社会功能，为木腐食用菌的可持续发展提供充足的原料和良好的生态环境。

（张俊飚　黄文清）

6 典型调查

6.1 湖北省随州市食用菌产业发展调研分析

为促进湖北食用菌产业持续健康发展，产业经济研究室一行五人，于2011年8月3～5日对随州市湖北省食用菌产业的重要基地的食用菌产业发展情况进行了实地调研，对菇农的成本收益状况及技术需求情况进行了问卷调查，掌握了农户种植香菇的投入与产出等第一手资料。现将调研情况总结如下。

6.1.1 随州市食用菌产业发展状况

随州市地跨江淮，南耸大洪山，北靠桐柏山，位于北方黄河流域和南方长江流域的交接地带；版图面积为9636平方千米（1445万亩），其中山地和丘陵占90%。全市林地面积有750万亩，森林覆盖率达50%以上，活立木蓄积总量为1230万立方米，林业发展空间广阔。随州位属亚热带季风气候区，年均气温15.5℃左右，气候湿润，年降水量800～1200毫米，日照率46%。适宜的温光、林木资源，十分有利于食用菌生产。

6.1.1.1 随州市食用菌产业发展的基本情况

1978年，华中农业大学杨新美教授进驻三里岗镇杨家棚村，推广香菇种植技术，就此拉开了随州市食用菌产业发展的序幕；随后的罗信昌、吕作舟等专家又在三里岗试种段木香菇，为随州食用菌产业播下星星之火。1996年随州引进了袋料香菇种植技术，促成规模和产量成倍增加，推动了产业的较快发展。随着香菇市场的不断饱和，20世纪90年代末，黑木耳种植兴起，既促进了食用菌产业的多元化发展，又奠定了随州香菇、黑木耳为主打产品的优势地位。经过30多年的发展，随州市食用菌产业以随南、随北为重点，已建成以三里岗为中心的大洪山板块、以草店为中心的桐柏山板块、以吴店为中心的广北板块。三大板块内 80% 以上的农户利用得天独厚的自然资源，分散种养食用菌；并且，三大板块基地栽培面积占全市 70%，产量占 80%，出口量占 90%。

近年来，随州市积极利用地域优势，把食用菌"一村一品"、"一镇一业"工作作为农业产业化经营的重要抓手来抓，使食用菌产业得到迅猛发展。2009年新随县成立后，更是把食用菌产业纳入到各级党委、政府的重要议事日程，并集中扶持了裕国菇业、耀兴大海等重点龙头企业。目前随州市已建成食用菌无公害出口基地 1500 多亩，食用菌产业已经成为当地农民增收的主渠道。2010 年，全市食用菌产量达 2.9 万吨，总产值 12.5 亿元，占全市农业总产值的 23%；食用菌为农民人均增收 620 元，占全市农民人均种植业增收额的四成以上；食用菌生产、加工、销售及相关产业的从业人员达到 40 万，占全县农村劳动力的四成左右；食用菌产量、产值、出口创汇分别占全省的 30%、35%、70%，均为湖北省第一；截至 2010 年年底，随州市食用菌出口同比增幅达 48.1%，干香菇出口稳居全国第一。食用菌产业已成为随州市农村经济发展的增长点和全省创汇农业的新亮点，随州也成为中南地区最大的食用菌生产和出口基地。

6.1.1.2 随州市食用菌产业发展的主要措施

1）培植林木资源，种植多元品种

随州市"七山一水二分田"，宜林面积达 754 万亩。从 20 世纪 80 年代试种段木香菇开始，随州市便大力开展人工造林，累计造林面积 200 余万亩。90 年代以来曾两次封山育林，以增加森林蓄积量，缓解菇、林矛盾，保障食用菌产业的可持续发展。目前随州市森林面积 650 万亩，其中阔叶林 300 多万亩，菇耳林 150 万亩。为进一步提高资源利用率，随州市实施资源转换和品种转型战略，在保持香菇、黑木耳两大主导品种稳步增长的基础上，充分利用稻草、棉籽壳、秸秆、牛粪等资源，积极培育、引种、推广珍稀菇类，加快草腐菌发展，目前可种植包括白灵菇、双孢蘑菇、巴西菇、鸡腿菇等在内的 20 多个品种。并且同时建立基地，以典型示范带动农民栽培，如安居落户双孢蘑菇、巴西菇栽培基地；洛阳镇创办珍稀菇栽培基地；广水市先后引进白灵菇、双孢蘑菇、巴西菇等珍稀菇品。

2）以企业为载体，加强科技推广

一是开展科技攻关与开发。以大型食用菌工厂为依托，与高校和研究所合作。例如，三里岗镇长久菌种厂与华中农业大学合作，投资组建食用菌科研中心，主要从事食用菌的育种驯化、高产栽培技术研究、科技成果转化及新产品开发、食用菌信息处理及对外技术服务等工作，并且承担了国家"948"科技项目和农业部行业科技专项"香菇新品种选育"等课题，开展新型栽培模式的试验，为三里岗食用菌产业发展和无公害标准化基地建设起到极大的促进作用，现已成为国家食用菌产业技术体系随州试验示范基地。随州市草店海斌菌种厂也与华中农业大学开展合作，建立了食用菌研究生实习基地。二是加强食用菌技术普及。以龙头企业为载体，组织技术人员，结合生产实际，编写多种食用菌技术手册及生产、加工标准，并广泛印发到食用菌生产基地和加工企业。在重点乡镇邀请专家授课，使全市从事食用菌生产、加工、中介服务的农民普遍掌握技术。同时以企业辐射带动农户，推广新技术，如双套袋高温控菇种植模式，简易铁桶蒸气灭菌灶及钢筋焊接外套薄膜简易接种箱等，大大降低了生产成本。

3）实行标准化栽培，确保食用菌产品质量

20世纪90年代末，随州市出口的香菇在香港遭遇"甲醛超标"风波后，市委、市政府高度重视，迅速制定应对措施，改变加工方法，狠抓标准化生产，以确保食用菌产品质量安全达标，使食用菌产业走上了健康发展的轨道。早在2003年11月，随州市"万吨食用菌"就被列为全国第四批农业标准化示范一类项目区。以此为契机，当地政府相继发布了9项食用菌无公害标准化栽培规程。2010年，随州市又制定了食用菌标准化示范实施方案，积极实施食用菌无公害标准化科技入户工程，大力推广食用菌无公害标准化种植技术。在广水市建立了100万袋白灵菇标准化生产示范基地；在曾都区草店、三里岗建立了500万袋袋料香菇标准化示范基地；在曾都区安居镇、大洪山风景名胜区建立了20万平方米的巴西菇标准化生产基地。并确定了三友食品、神农生态、吉阳食品、裕国菇业、海斌菌种厂等10家龙头企业为标准化示范企业；筛选了100个生产规模1万袋以上的示范户，带动10万个种植专业户开展食用菌无公害标准化生产，促进了全市食用菌产品质量提高。

4）加强龙头企业和市场建设，壮大食用菌产业

对于扶持龙头企业，随州市一方面出台优惠政策，另一方面加大招商引资力度。市政府在财政上每年安排1000万元周转金和100万元扶持资金，支持食用菌重点龙头企业发展；并先后引进香港好来利、马来西亚福隆、新加坡福荣、泰国安帮等十多家外商，投资食用菌产业，极大地提高了随州市食用菌出口创汇能力。为进一步做大做强食用菌产业，随州市本地龙头企业实行强强联合，组建了如湖北神农生态食品股份有限公司和三友（随州）食品有限公司等大型企业，以上两个公司2010年出口额均达到1亿美元。对于食用菌市场建设，全市目前

已累计投资 4000 余万元，建立和完善食用菌交易市场。曾都区三里岗镇已投资 1500 万元，在原香菇街的基础上建成了香菇加工交易新区和香菇大市场，使香菇年交易量由 0.7 万吨增至 1.5 万吨，年交易额由 1.8 亿元增至 4 亿元；随北的殷店、草店、万和、吴店等镇也通过市场建设，成为随州市北部食用菌产业中心。

5) 拓展国际市场，强化品牌效应

随州市坚持开拓食用菌外销市场，在稳定日本、韩国以及东南亚主要市场的基础上，积极开拓南美、西欧和部分非洲市场，出口地增加到 20 多个国家和地区。食用菌出口也得以保持强势增长，每年有 85% 以上的食用菌产品外销他地，其中约 30% 出口，出口创汇占总产值的一半以上。从 2003 年开始，随州食用菌加工出口企业先后通过了国内国外出口食品生产企业卫生注册、认证。全市现有食用菌品牌 22 个，其中，"三里岗香菇"获得原产地保护；"三岗"等 5 个品牌通过 HACCP 体系认证；"吉阳食品"等 5 个品牌获得 ISO9000 认证，"财"牌香菇等 4 个品牌通过美国 FDA 认证，"大洪山"等 3 个品牌香菇被评为湖北省著名商标；"大洪山"牌香菇 2007 年还获得"湖北十大名牌农产品"。正是由于随州香菇品牌效应的提高，随州香菇在中国香港及东南亚、日本、韩国、欧美才能够占有较高的市场份额。

6.1.2 随州市三里岗镇食用菌生产的成本效益及技术需求分析

作为传统的主产区，三里岗镇有着 30 多年的食用菌生产历史。了解三里岗镇菇农的生产成本及技术需求，对全面掌握随州市食用菌发展状况，具有重要的支撑作用。为此，我们特别开展了面向菇农的问卷调查。

6.1.2.1 问卷内容设计与调查方式

本次问卷主要是针对农户在香菇生产过程中的成本收益状况以及技术需求情况而设计。问卷包括 3 大方面内容，第一是农户基本信息，如农户家庭成员的年龄、性别、文化程度以及农户主要收入来源等。第二是农户袋料香菇栽培投入产出情况，包含农户的种植品种和规模，食用菌收入，生产投入，细分为包括菌种费用、培养料费用等花费的生产费用及劳动用工费用和销售费用。第三是农户技术需求调查，主要包括农户可能需要的食用菌技术类别、食用菌技术推广状况及农户获取有关食用菌信息的渠道等。

调查方式是以三里岗镇香菇大市场为中心，对周边村落的农户进行随机访问调查。最终获得了 30 户农户问卷资料。

6.1.2.2　问卷数据统计结果

调查得知，三里岗镇每户菇农的袋料香菇生产规模大多为 2000～5000 袋，3000 袋为平均规模。因此，下面以 2010 年平均种植 3000 袋香菇的农户为例，分析核算其成本收益状况。

1）菌种和培养料费用

香菇生产首先涉及菌种，虽然品种和型号有所区别，但综合农户自制及购买菌种所需花费情况，平均每袋的菌种费用为 0.2 元。培养料则包括木屑、麸皮和石膏等。按当地菌袋规模和生产配方，所需花费如表 6-1 所示。

表 6-1　单袋培养料费用

培养料	数量/斤	单价/(元/斤)	金额/元
木屑	5	0.22	1.1
麸皮	0.8	0.8	0.64
石膏	0.03	0.3	0.009

小计：（0.2+1.1+0.64+0.009）元×3000＝5847 元。

2）薄膜费用

为避免重复计算，菇棚所用薄膜直接计入菇棚年折旧费，此处是统计其余薄膜花费。

内袋：20 千克/千袋×12.5 元/千克×3 千袋＝750 元；

外袋：0.05 元/袋×3000 袋＝150 元；

另外，接种箱所用薄膜、灭菌时的底膜和盖膜花费共需 300 元。

小计：750 元+150 元+300 元＝1200 元。

3）灭菌费用

农户使用的灭菌药物一般为气雾消毒盒、酒精和来苏水等。虽然根据各人生产习惯，以上药物的用量并不统一，但总体花费变化不大，大约为 50 元。接种之后，还需通过灭菌炉对菌袋进行 3～4 天的高温灭菌，此间消耗的木柴费用大约为 1000 元。

小计：50 元+1000 元＝1050 元。

4）设备投入

投入的设备包括灭菌炉、装袋机和筛子等，如表 6-2 所示。

表 6-2　投入设备价目表

设备	灭菌炉 1 台	装袋机 1 台	扎口机 1 台	烤菇炉 1 台	筛子若干
价格/元	2500	1500	1500	1200	500

以上设备总价为 7200 元，按 8 年摊销，每年折旧为 900 元。

5）菇棚费用

每个菇棚容量大约为 600 袋，因此共需 5 个菇棚。按材料费计算得出每个菇棚的造价为 600 元，按 10 年使用期摊销，年折旧费为 300 元。每年还需更换薄膜，可得修理费共计 200 元。

小计：300 元+200 元=500 元。

6）用工费用

三里岗镇的菇农在实际生产过程中，各家独立种植，自负盈亏，却又互相帮助，实行换工。所谓换工，即在香菇接种至装袋这一繁忙期，邻近农户相互合作，集中劳力，先做完一家的生产工序，再做另一家的，相互间不收取用工费用。鉴于此，用工费用采用估算。大约需要 50 个工日，劳动力价格为每个工日 60 元，因此共需 3000 元。此外，粉碎木屑时还需聘请专门租借粉碎机的人员，其收费标准为每袋 0.08 元。

小计：3000 元+0.08 元×3000=3240 元。

综上，费用总计为：5847+1200+1050+900+500+3240=12737（元），那么每袋的成本约为 4.25 元。

7）收益

根据三里岗镇农户生产情况，按正常年景计算一袋袋料香菇年产出干香菇 0.2 千克。农户的平均售价为每千克 55 元，于是每袋的年收益为 11 元。结合每袋 4.25 元的成本，可得投入产出比 1：2.6，每袋的纯利润为 6.75 元，进一步可以得出 2010 年种植 3000 袋香菇的农户当年食用菌纯收入为 20 250 元。

在实际调研中，被调查农户告知的每袋成本约为 3 元。但考虑到农户在生产中没有对劳动用工计价以及没有计算设备折旧等，本书计算得出的每袋成本为 4.25 元是比较合理的。例如，剔除劳动用工费用，则总费用为 9737 元，每袋的成本便锐减为 3.25 元。因此，调查结果基本反映了三里岗镇农户在香菇生产过程中的实际成本收益状况。

8）技术需求情况

在技术需求方面，大多数农户选择品种技术作为最需要的食用菌技术。菌种是食用菌生产的基础，也是决定食用菌品质的关键因素。农户普遍需要品种技术，一方面说明农户意识到良好的品种是增产增收的保障，另一方面则表明技术需求未得到满足，目前的技术服务还有待完善。在技术培训方面，大部分农户表示很少接受培训，一般都是通过亲戚朋友或邻居获取食用菌技术方面的信息。这说明政府的技术推广以及信息宣传等工作还不到位，扶持力度仍需进一步加大。

6.1.3　随州市食用菌产业发展中存在的主要问题

6.1.3.1　菌林矛盾日益突出，生产成本不断上升

虽然随州市食用菌产业呈品种多元化的发展趋势，但仍以香菇、黑木耳等木腐菌为主，需要消耗大量阔叶林资源。加之替代原料开发缓慢、新型培养基质仍待研发，使得当地食用菌产业发展在很大程度上更依赖于林木资源的供给。随州市现有阔叶林蓄积量不到 200 万立方米，而其食用菌生产所用木材绝大部分是从本地采伐。推算显示，以随州市目前的食用菌生产规模及相应耗材量，全市阔叶林存量资源的利用不到十年，香菇、木耳等生产就将面临资源危机。此外，林木资源的稀缺也导致其价格的上升。据三里岗镇菇农反映，近年来木料价格年年上涨，到 2011 年已经涨至每千克 0.5 元，导致生产成本大幅上升。由前文的成本明细可知，木料费用在培养料成本中所占比重最大，而且在蒸灶灭菌、炕菇及菇棚搭架等环节，也需消耗木材。木料价格的上升，无疑成为引起香菇生产成本增加的最主要因素。由此带来的对农户生产积极性的影响，最终将进一步影响食用菌产业的发展。

6.1.3.2　食用菌产品质量参差不齐，高低不一

在调研期间，我们观察到不乏龙头企业采用"公司＋基地＋农户"的模式，建设生产基地，组织农户生产食用菌。但农户仍以分散种植为主，根据个人经验生产管理。由于农户的技术水平及生产条件互有差异，其生产的食用菌产品质量往往参差不齐。对于这一现象，随州食用菌协会负责人告诉我们，主要是因为食用菌生产在农户层面暂时难以实现标准化。以香菇为例，其长势、出菇管理、采摘等都只能依靠人工，不能依靠机械。菇农的经验、技术甚至生产习惯不同，都会导致各自香菇质量的差异。这些质量参差不齐的食用菌，不但在面向市场时会有不同的风险（这也是三里岗镇菇农的单袋收益不尽相同的原因之一），还会影响食用菌产品的精深加工，削弱食用菌产业的整体竞争力，限制随州市食用菌的出口。

6.1.3.3 食用菌技术服务体系不完善

科学技术是第一生产力,食用菌技术如菌种技术与栽培技术等对食用菌的产量和质量有重大影响。然而,目前随州市食用菌技术服务体系尚不完善。调查发现,农户在分散种植过程中,基本是依靠自家的技术经验生产,一般是通过亲朋近邻交流技术信息。农户普遍反映没有接受技术培训、咨询或辅导,认为政府在技术宣传与推广方面是缺失的。以菌种技术为例,试验站在菌种研发过程中,并未对农户起到应有的服务作用,而是以赚取利润的企业经营行为为主,设置技术壁垒,提高菌种价格。不少农户不得已而采取自己制种,从而造成其食用菌产品产量质量难获保障。食用菌技术服务体系与农户生产的脱节,导致先进技术不能很快传到农户,更不能转化为生产力,大大降低了随州市食用菌产业的发展潜力。

6.1.4 随州市食用菌产业发展的对策建议

6.1.4.1 研发替代原料栽培技术,优化品种结构

随州市目前已全面实施封山育林,在一定程度上防止了食用菌生产过程中森林资源的过度采伐。在林木资源的培植方面,虽然政府采取了较大力度,但要将随州市食用菌产业由大变强,仅靠资源的再生和节约并非长远之计,必须研发替代原料,减少食用菌对森林资源的依赖。为此,要加强与科研机构的合作,在不影响食用菌产量与质量的基础上,对利用棉籽壳、秸秆等辅助资源的新品种进行试种。与此同时,不断优化品种结构,利用香菇和黑木耳的市场地位,带动全市白灵菇、双孢蘑菇、巴西菇、鸡腿菇等菌类的发展,建成多元品种产业集群,变"一菇独秀"为"百菌齐放",以此合理调整资源利用结构,促进随州市食用菌产业健康发展。

6.1.4.2 建立科技示范户,逐步实行标准化生产

鉴于随州市食用菌产业以农户分散种植为主的状况,为推进标准化生产,可以在各村确立科技示范户,以带动村镇的食用菌生产,提高食用菌产品质量。鉴于政府和公司等组织无法随时跟踪农户生产,及时将食用菌技术传到农户,可在每个村镇挑选食用菌种植能手,作为科技示范户,并给予一定奖励。示范户与邻近农户面临共同的生产环境,可以用丰富的经验和技术指导其他农户的生产,保

证食用菌产品的质量。同时，还可以科技示范户为中心，建立食用菌专业协会组织，提高菌农自身组织化程度，促进这一机制的运行。如此由村到镇，由镇乃至全市，层层辐射带动，发挥整个地区农户对食用菌产业的支撑作用，势必能在很大程度上推动随州市食用菌产业的持续健康发展。

6.1.4.3　加强食用菌技术服务体系建设

政府应充分发挥宏观调控作用，加强食用菌技术服务队伍建设，保障技术服务体系的正常运行。利用农业技术推广站和综合试验站，联系科技示范户，建立从上到下的技术服务体系。引导建立食用菌专业协会组织，建立从下往上的反馈机制，及时了解农户的技术需求。政府还应给予各方面的政策支持和重视，包括资金扶持等。同时设立监督机构，建立监管制度，杜绝形式主义，确保技术服务层层落实到位，特别是到农户层面，为随州市食用菌产业发展保驾护航。

（蒋　磊　张俊飚）

6.2　浙江省丽水市食用菌产业发展调研分析

为推进食用菌产业化建设，调动农户生产积极性，促进食用菌产业健康、快速、有序发展。国家食用菌产业技术体系产业经济研究室团队成员一行四人，于2011年8月4和5日，对浙江省丽水市食用菌产业展开了调研，与丽水市农科院食用菌研究所、云和县食用菌办公室进行了座谈会，全面了解丽水市食用菌产业发展的情况，并实地考察了云和县的食用菌产业，对当地菇农种植食用菌的投入产出以及技术需求状况进行了问卷调查。现将调研情况总结如下。

6.2.1　丽水市食用菌产业发展状况

6.2.1.1　丽水市基本情况

丽水市地处浙江省的西南部、浙闽两省的结合处，以中山、丘陵地貌为主，地势由西南向东北倾斜，西南部以中山为主，有低山、丘陵和山间谷地；东北部以低山为主，间有中山及河谷盆地。全市土地面积 17 298 平方公里，其中山地占 88.42%，耕地占 5.52%，溪流、道路、村庄等占 6.06%，是个"九山半水半分田"的地区。丽水是浙江的高地、浙西南山地生态区的主要组成部分，是浙闽六大水系干支流的源头地区，生态环境和自然条件优越，区内"青山、绿水、蓝天、净土"，是浙江省生态环境最好的地区。丽水市属中亚热带季风气候区，常年平均气温 16.9 ~ 18.5℃，≥10℃期间积温5301 ~ 5889℃，无霜期 180 ~ 280 天，年均降水 1400 ~ 2275 毫米，热量丰富，雨量充沛，冬暖春早，光、热、水既具有水平的地域性区别，又有显著的垂直差异，山地小气候丰富多彩，适宜各类食用菌的生长。

6.2.1.2 丽水市食用菌产业发展基本情况

丽水市的庆元、龙泉、景宁是世界香菇人工栽培的发源地，早在 800 多年前就开始用砍花法栽培香菇。1986 年起，丽水市组织实施国家"星火计划"进行袋料香菇栽培，推动了食用菌生产的迅速发展。近年来，丽水市食用菌产业规模稳步发展，产品结构不断优化，保持着全市最大的农业主导产业地位。2010 年全年，丽水市食用菌产业生产规模为 7.40 亿袋，产量52.7 万吨，总产值达到 26.54 亿元，占全市农业总产值的 27.37%。丽水市食用菌产品在国内外享有盛誉，为丽水市赢得了诸多殊荣。庆元、景宁、龙泉县（市）先后被命名为"中国香菇之乡"，龙泉市还被命名为"中国灵芝之乡"。龙宝牌香菇、百山祖牌香菇、山山牌黑木耳、庆元灰树花、缙云夏季鲜香菇等多次获中国农业博览会和浙江省农产品优质奖，庆元香菇被国家批准为原产地地域保护产品。

6.2.2 丽水市云和县菇农生产情况

为了了解丽水市菇农的生产情况，我们选取了较具代表性的云和县，并在云和镇和崇头镇随机筛选了 15 个食用菌生产农户，对其生产情况进行了问卷调查。

6.2.2.1 菇农基本情况

本次调研共涉及 15 户菇农 63 人，其中，适龄劳动人口（男子 16 ~ 60 岁、女子 16 ~ 55 岁）有 42 人，扣除在校生 5 人和常年外出务工人员 7 人，剩下从事农业劳动人口为 30 人，平均每户拥有农业劳动力 2 人；由于地处山区半山区，耕地资源紧张，15 户菇农共经营耕地 34.6 亩，人均仅 0.55 亩。

作为一家之主的户主在农业生产经营决策中起着决定性作用，因而，户主素质对农业生产具有重要影响。在调查的 15 户菇农中，从年龄来看，户主平均年龄为 46 岁，其中，40 岁以下有 2 人，占 13.33%；40 至 50 岁有 10 人，占 66.67%；50 至 60 岁有 2 人，占 13.33%；60 岁以上有 1 人，占 6.67%（表

6-3）；从受教育程度来看，户主的受教育程度普遍偏低，其中，小学及以下文化程度的有8人，占53.33%；初中文化程度的有6人，占40%；高中或中专文化程度的仅有1人，占6.67%，而大专及以上文化程度的人没有（表6-4）。

表6-3　户主年龄分布结构表

年龄段	40岁以下	40~50岁	50~60岁	60岁以上
人数/人	2	10	2	1
所占比例/%	13.33	66.67	13.33	6.67

表6-4　户主文化程度分布结构表

文化程度	小学及以下	初中	高中或中专	大专及以上
人数/人	8	6	1	0
所占比例/%	53.33	40	6.67	0

6.2.2.2　菇农食用菌产销情况

香菇和黑木耳是云和县种植的主要食用菌菇种，在调查的15户菇农中，种植香菇的菇农有13户，占86.67%；种植黑木耳的农户有9户，占60%；既种植香菇又种植黑木耳的农户有7户，占46.67%。

云和县食用菌种植采取的是袋料栽培方式，以小农分散经营为主，菇农在田间地头搭建菇棚，在菇棚里面进行生产作业。从栽培的品种来看，香菇栽培以135和9015为主，黑木耳以916为主。从栽培的规模来看，菇农种植规模较小。在调查的13户香菇种植户中，平均种植规模为15 569袋。其中，种植规模在1万袋以下的有1户，占7.7%；在1万~2万袋的有8户，占61.53%；2万袋以上的有4户，占30.77%（表6-5）。在调查的9户黑木耳种植户中，平均种植规模为1万袋。其中，种植规模在1万袋以下的有4户，占44.44%；在1万~2万袋的有4户，占44.44%；2万袋以上的有1户，占11.12%（表6-6）。

表6-5　香菇种植户规模分布结构表

种植规模/袋	10000以下	10000~20000	20000以上
户数/户	1	8	4
所占比例/%	7.7	61.53	30.77

表 6-6　黑木耳种植户规模分布结构表

种植规模/袋	10000 以下	10000~20000	20000 以上
户数/户	4	4	1
所占比例/%	44.44	44.44	11.12

从香菇的销售情况来看，菇农出售香菇以鲜菇为主，都是当天采收当天销售，而销售的主要地点则是在家门口或者镇上的集市，出售的对象是食用菌贩子。据菇农测算，种植一袋香菇，毛收入可以达到 3~5 元。从黑木耳的销售情况来看，黑木耳的销售方式同香菇大致相同，但是黑木耳以出售干品为主，在销售价格上，价格最低的时候是每年的 5 月份，低至 46 元/千克，价格最高的时候大多是每年的 1 月份，可达 80 元/千克。

6.2.2.3　食用菌种植成本收益分析

根据实际调查，我们以种植一万袋香菇为例说明食用菌种植的成本收益情况（表 6-7）。云和县采用的香菇培养基配方主要是：75% 的木屑、20% 的麸皮、3% 的丰优素或红糖和 2% 的石膏。菇农种植一万袋香菇的总成本为 16 516 元，包括了基料、设备年损费、菌袋、灭菌燃料、菌种及水电等支出。其中，基料费用占生产总成本的比重最大，高达 58.29%。因此，在基料费用中，木屑费用高达 6382 元，占总成本的 38.64%。木屑价格波动对于食用菌生产成本具有重要影响。云和县的木屑有两个来源，一是江西林场或木材加工企业的生产废料；二是当地木制玩具企业生产剩余的边角料。随着当地食用菌生产规模的不断扩大，对木屑的需求日益增加，木屑的价格上涨幅度较大，对当地菇农生产效益造成了较大影响。设备年损费为 3770 元，占生产总成本的 22.83%，是香菇生产的第二大支出。设备年损费主要包括菇棚、灭菌炉、装袋机、接种箱、水泵、三轮车、遮阳网等工具的年折旧费用。

表 6-7　2010 年云和县种植一万袋香菇的成本收益核算表

项目	成本额/元	成本占总成本比重/%
基料费用	9 627	58.29
木屑	6 382	38.64
麸皮	3 153	19.09
石膏	54	0.33

项目	成本额/元	成本占总成本比重/%
丰优素	38	0.23
设备年损费	3 770	22.83
菌袋费用	1 361	8.24
灭菌燃料费用	1 300	7.87
菌种费用	278	1.68
水电费用	160	0.97
成本合计	16 516	100

1万袋香菇年产量约为9480千克，平均售价为5元/千克，则1万袋香菇可实现销售收入47 400元，利润为30 884元，投入产出比约为1:1.87。同时，由于不同菇农的技术水平不同，菇农种植食用菌的收益差别显著。我们在调研中发现，同样种植1万袋香菇，利润高的菇农可以达到45 000元，而利润低的菇农仅仅只有20 000元。

6.2.2.4 菇农对食用菌技术需求及技术来源渠道

丽水市食用菌栽培历史悠久，菇农栽培经验丰富。从菇农最需要的食用菌技术来看，菇农对技术的需求选择分布比较均衡，一方面说明农户技术需求多样化，另一方面反映了菇农在生产过程中，面临着诸多困境，需要各方面的技术指导。从菇农参加技术培训的情况看，近年来大部分菇农都没有接受过专门的技术指导。菇农不参加技术培训，究其原因，一是农活繁忙，没有时间参加技术培训；二是菇农认为自己种植食用菌的经验丰富不需要专门的培训；三是当地农技部门人力有限，组织技术培训的力度较小，覆盖面较窄。从菇农获得食用菌技术信息的渠道来看，大多数菇农都是从亲戚朋友和邻居那里获得食用菌技术。同时，技术推广站也是非常重要的食用菌技术信息传播渠道。此外，受菇农文化水平限制，在被调查菇农中，较少有人经常阅读食用菌相关的书籍或报纸。

6.2.3 丽水市食用菌产业发展现状分析

6.2.3.1 丽水市食用菌产业发展优势分析

丽水市作为我国食用菌种植业的发源地之一，在我国食用菌产业中具有重要地位，尤其是改革开放以来，经过多年发展，全市食用菌产业已成为全国最重要的食用菌产区之一，同其他地区相比，丽水市食用菌生产具有明显的优势，主要表现在以下几个方面。

1）食用菌生产规模大，具有显著的规模效应

丽水市食用菌生产位居全国前茅。据统计，"十一五"期间，全市各类袋栽食用菌年均生产规模 6.90 亿袋，总产量 258.36 万吨，年均 51.67 万吨，同比增长46.40%。到"十一五"期末，袋栽食用菌生产规模 7.40 亿袋，产量 52.7 万吨，分别同比增长 48% 和 39.72%；食用菌总产值 26.54 亿元，占全市农业总产值 27.37%。

丽水市拥有完整的食用菌产业链，食用菌产品加工、菌种制造、机械及材料制造已步入产业化发展道路，食用菌从业者达到 25 万人左右。菌种业发展迅速，目前年生产菌种 5000 万～7000 万瓶（包、支），成为全国最大的香菇、木耳菌种产地。"十一五"期间全年加工食用菌产品 45 万吨，全行业产值约 70 亿元，五年间增长 50.0%。

2）食用菌产业集聚度高，区域性特征明显

食用菌产业内部主导产品突出，"十一五"期间，丽水市食用菌产品以香菇为主打品种，全市除青田县外，其他 8 个县（市、区）香菇生产栽培都在 3000万袋以上，其中龙泉市和庆元县生产已超亿袋。到"十一五"期末，香菇占食用菌产业总量的 72.4%。同时，食用菌生产区域布局十分明显，经过十几年的发展，丽水市食用菌产业已经形成了以龙、庆、景香菇传统生产区核心的优质花厚菇生产区域，以莲都、云和、缙云、松阳和遂昌等低海拔地区的内销鲜香菇生产区域，以龙泉、景宁、云和为核心的黑木耳产区，同时形成了龙泉段木灵芝、庆元县灰树花等特色版块。

3）食用菌科技发展成就显著，具有明显的技术优势

丽水市农业系统一直承担着全市食用菌生产指导和重大科技成果的推广工作，已形成了一支较强的科技队伍，其食用菌生产技术研究在全国处于先进水平，一大批食用菌新品种、新技术、新工艺得到推广。食用菌反季节栽培模式，生产工艺改进，创新层架式、低湿度等管理方式，推行标准化、工厂化栽培，提升了全市食用菌生产水平。庆元制订的香菇标准成为国家级行业标准。丽水菇农的生产技能在国内也处于领先水平，全市每年有 4 万多人带着技术到全国 200 多个县市开发食用菌产业，实现了技术输出和异地开发。

4）食用菌市场交易活跃，是我国著名的食用菌集散中心

丽水市是全国最具规模的食用菌销售集散地。始建于 1991 年的庆元香菇市

场经过二十多年的发展，香菇及其他食用菌销往国内 20 多个省份，出口世界 30 多个国家和地区，年均销售干菇 1 万多吨，年成交额超过 10 亿元，是全国最大的香菇集散地。2008 年 4 月，总投资达 1 亿元的浙闽赣食用菌交易中心在龙泉市正式落成开业，据统计，目前从事食用菌购销人员达 3000 余人。通过庞大的购销队伍和外地购销客户，龙泉的食用菌产品源源不断地销往国内外市场，平均每天的黑木耳交易量达 10 万千克以上，销售旺季一天的黑木耳交易量达到 15 万千克。浙闽赣食用菌交易中心食用菌产品年交易量达 1.6 万吨，年交易额达 10 亿多元，其中黑木耳交易额达 6 亿多元，香菇、灵芝等菌类年交易额达 4 亿多元，已成为全国黑木耳的集散中心。

6.2.3.2 丽水市食用菌产业发展存在的主要问题

1) 菇农组织化程度低，不利于食用菌产业进一步做大做强

丽水市的食用菌生产模式主要是一家一户分散种植，组织化程度低，这种千家万户的、无专业化分工的生产模式已不能适应千变万化的市场经济。菇农组织化程度低，导致对外缺乏统一的协调机制，盲目生产，无序竞争，产品停留在初级层面上，菇农利益得不到保障。在市场竞争日趋激烈，产品质量要求越来越高的今天，一家一户分散经营在产品质量安全、生产标准化、技术创新与应用等方面都存在一些难以克服的问题，日益成为制约丽水市食用菌产业发展和转型升级的瓶颈。

2) 机械化程度较低，基础设施薄弱

丽水市食用菌生产中整个生产过程除装袋实现半机械操作外，其他环节仍基本采用手工操作，人力搬运，生产效率低。由于缺乏统一的规划和资金投入，生产基地公共基本设施薄弱。绝大多数基地没有建设统一的水、电、路等最基本的基础设施，大多菇棚仍是竹木搭架、茅草覆盖，制棒发菌场所人、畜、菌混居。基础设施的薄弱，使生产过程的事故风险加大，产品质量难以得到切实保障。

3) 从业人员老龄化现象严重，技术推广率低

丽水是一个典型的山区、半山区，长期以来，由于受各种条件的限制，广大山区农民的文化水平和技术素质较低，虽然对于传统作物生产有相当高的栽培管理水平，但难以掌握、应用技术难度相对较高的食用菌栽培方式。另一方面，目前从事食用菌生产的劳动力年纪普遍较高，青壮年从事食用菌生产的屈指可数。劳动力的老龄化，使新技术的推广受到了限制，加上没有经常性的技术指导，出现较低的技术推广率、栽培效益不理想。而这种情况又反过来降低了青壮年从事

食用菌生产的意愿，从而形成了一种恶性循环。

4）管理、服务队伍发展滞后

近几年来，随着食用菌生产规模的扩大，食用菌生产形势和管理状况的变化，食用菌生产管理的工作量和内容也有了大幅度增加。但是丽水市食用菌管理部门在机构精简后，管理和服务人员不足的现象日趋严重，特别是由于人才的匮乏，导致在产业引导、生产管理、技术服务方面等存在缺位现象。

6.2.4 推进丽水市食用菌产业健康发展的对策建议

6.2.4.1 建立并培育农民专业合作经济组织，提高菇农组织化程度

加快培育和发展一批农民专业合作经济组织，引导专业合作经济组织通过产业链、利益链等形式，把农民与龙头企业进行有效联结，推广"龙头企业+合作经济组织+农户"的模式，形成专业协作的规模经济。鼓励产销联合，发展"订单农业"，推行产销合同制。鼓励龙头企业通过建立风险基金、保护价收购、吸收基地农户参股等形式，将加工、经销环节的利润适当反哺农业，提高农民的收益。引导农户在自愿合作的前提下，发展股份制和股份合作制经营，逐步加强龙头企业、基地、农户等利益主体的有机联系，形成目标一致、风险共担、利益均沾、合力参与市场竞争的经济利益共同体。

6.2.4.2 建设食用菌标准生产园区和专业机械菌棒生产中心，提高产业集约化水平

面对丽水市食用菌生产机械化程度低、基础设施薄弱的问题，丽水市应在食用菌生产重点村或乡镇开展食用菌标准化生产园区建设，政府在园区规划，园区道路、水、电、土地等设施建设方面给予扶持。以扶持建立大型机械化菌棒生产中心，为菇农菌棒制作提供专业化服务，解决一家一户生产菌棒劳动强度大、效率低、耗能高和易受污染等弊端。改变分散制棒栽培模式为集中装袋、集中灭菌、集中接种，分散培养，进园区出菇的模式，实现集约化、标准化。

6.2.4.3 重视科技成果推广应用，提高菇农科技素质

加速科技成果推广应用，为食用菌产业发展提供技术支撑。生产技术创新和推广应用是食用菌产业可持续发展的保障，应加强与农业科研院校及相关部门的合作，积极开展新技术新品种的引进推广工作，引进推广食用菌生产良种良法，

加速成果转化，为丽水食用菌产业发展提供技术支撑。提高菇农科技素质，第一，要广泛开展技术培训，组织农业科技人员进村入户，搞好各项技术模式的推广普及；第二，要开展信息服务，充分利用现代化信息手段，根据生产季节和生产发展情况，印发技术资料，为菇农提供及时准确的信息。

6.2.4.4　政府加强产业引导，规范管理和服务

政府应加强领导，组织人力、物力、财力，开展产业规划、产业发展政策、产业发展保障机制的研究，明确丽水食用菌产业发展的战略目标和实施路径，对产业的布局等作出科学合理的规划，为产业可持续发展提供依据；并要在产品质量安全、产业技术创新、品牌资源整合宣传、产业文化建设等方面做好组织协调和管理服务工作。

（江松颖）

6.3　福建省漳州市食用菌生产成本效益调研分析

为全面了解我国食用菌产业生产投入产出水平，破解食用菌产业发展中存在的问题，食用菌产业经济研究室团队成员一行 4 人于 2010 年 7 月 28 ~ 30 日，在漳州市农业科学所所长张金文同志及相关人员的陪同下，先后对漳州市下属的两县一区，10 个行政村的 30 个食用菌生产专业户进行了调研，并走访了当地农科所、食用菌协会等食用菌产业管理部门，围绕当地食用菌产业生产投入产出方面的问题进行了深入的调查与广泛的讨论。现将调研情况分析和总结如下。

6.3.1　漳州市食用菌产业发展状况

漳州市地处台湾海峡西岸、福建省南部，属南亚热带海洋性季风气候，温、光、水、气等诸条件非常适宜食用菌种植。该市食用菌种植历史悠久，技术力量雄厚，市委、市政府高度重视，立足本市气候、技术优势，引进台湾墙体式等栽培模式，坚持以绿色、生态、无公害生产为原则，积极稳妥发展双孢蘑菇、白背木耳以及珍稀菌类和反季节菇类生产，目前已有双孢蘑菇，白背木耳、草菇、秀珍菇、杏鲍菇、大杯蕈等 20 余种进行生产栽培，主要分布在龙海、南靖、长泰、芗城、龙文、诏安、平和、华安等县（市、区），其中双孢蘑菇产量及其罐头制品出口量居全国第一，白背木耳、大杯蕈产量世界第一，杏鲍菇等珍稀菇类的工

厂化栽培技术居世界领先水平。据统计，2009年全市食用菌鲜品总产量33.6万吨，产值15.2亿元，分别增长了3.09%和5.6%，其产量占世界的1.6%，占全国的5%，占全省的23%；全市食用菌罐头、盐渍蘑菇、速冻蘑菇总产量39.8万吨，产值33.83亿元，其中出口总量17.8万吨，创汇2.2亿美元。总体而言，全市食用菌产业总产值达50.03亿元，食用菌鲜品及其加工品总产量占全国同类总产值的20%，出口量占全国45%，其中白背木耳、双孢蘑菇及其罐头制品出口量占全国90%和80%，食用菌种植及加工从业人员达到36万人。食用菌工厂化栽培及其加工业，成为农民发家致富，推进社会主义新农村建设的好途径。

6.3.1.1 政府高度重视食用菌产业发展

漳州市委、市政府明确将食用菌作为一个独立产业来抓，依托漳州市食用菌产业协调工作小组（成员单位由农村工作办公室、农业局、发展和改革委员会组成）和以食用菌企业、菇农及加工业为主体的食用菌产业协会和罐头食品商会，强化推进食用菌的产业化发展工作；以漳州市农科所为主体，加快建设漳州市食用菌菌种研发中心，不断提升技术水平；理顺食用菌龙头企业与农业发展银行等金融机构的银企关系，支持漳州市食用菌产业发展担保公司开展业务活动；漳州还与中国食品土畜进出口商会、中国罐头工业协会、福建省食用菌学会共同主办中国蘑菇节，并使之成为富有国际影响力的农业专业博览会。

6.3.1.2 狠抓食用菌基地建设

漳州食用菌生产经历了从遍地开花到相对集中，从家庭种植到产业化生产的过程。从基地方面看，双孢蘑菇生产比较集中在龙海和长泰。龙海角美镇靠西部的14个行政村，双孢蘑菇和草菇种植面积达800万平方米，产量8.6万吨，产值3.2亿元，其产量约占全市食用菌总量的25%。而珍稀菇类主要集中在环市区半径10千米的龙海市九湖镇、南靖县靖城镇和龙文、芗城两区的城郊。从生产规模看，规模小的不断被淘汰，而规模种植的正处在上升阶段。以龙海为例，2009年双孢蘑菇种植面积在1000~2000平方米的有2030户，2000平方米以上的农户有129户。就珍稀菇类而言，2009年全市年产珍稀食用菌1000吨以上的企业有6家，500~1000吨的有12家，100~500吨的有35家。

6.3.1.3 积极开拓国内外市场

漳州已经形成世界性的蘑菇罐头、盐渍、烘干产品和白背木耳干品市场及物流集散地。此外，珍稀菇类菌包已经销往美国、日本，受到客户好评。韩国、新加坡等国的客商也来人或邀请漳州菇农到其国考察，甚至达成了菌包供销意向。在运销体系上，构建了汽车、火车和飞机的立体化发展格局，初步形成了食用菌"货销天下"的良好市场局面。在第三届中国蘑菇节期间，漳州食用菌及其罐头食品加工企业与国内外客商签订销售合同（含意向）共达到 20.1 亿元，达到了"既能走出去，也能请进来，不出家门也能做大生意"的效果。

6.3.1.4　积极打造食用菌品牌

在漳州珍稀食用菌和蘑菇罐头产品上，目前已有嘉田木耳开发公司的白背木耳、紫山集团和绿宝公司的蘑菇罐头被省政府授予名牌产品。嘉田公司的白背木耳、秀珍菇、杏鲍菇、大杯蕈、鲍鱼菇、大白口蘑等 6 个产品获得绿色食品和有机食品双认证，"吉田"牌白背木耳获漳州市知名商标。九湖食用菌研究所获得良好农业规范（good aquaculture practices，GAP），其"天珍"牌产品已经完成无公害农产品产地环境评价。其他食用菌生产企业现已处于前景看好的品牌萌芽阶段。

6.3.1.5　强化漳台菌业合作

经过多年发展，台湾菌业界人士也十分看好漳州食用菌资源和发展环境。从20 世纪 80 年代开始，台商带食用菌生产技术、资金、设备和市场订单到漳州投资办厂，进一步促进了漳州市食用菌产业的发展。据不完全统计，全市现有集倡、福源、申福、天绿、金兰、绿雅等台资食用菌生产企业 6 家，总投资近 2000万美元。依托产业发展和对台合作优势，当地政府着手规划漳州闽台农业合作食用菌产业园区，为漳州食用菌产业发展打造新的平台。

6.3.1.6　具有完善的产业链群

漳州食用菌加工能力大，有蘑菇罐头厂 52 家、速冻蘑菇厂 26 家、烘干厂 10家、盐渍厂 218 家。服务体系配套完善，所需原料有一批专门公司在营销，搭建菇房大棚有专门施工队伍，食用菌机械有专门厂家生产，产品销售有一支营销队伍。值得一提的是芗城区兴宝和黑宝两家食用菌机械厂所生产的搅拌机、装袋机、装瓶机、接种机、洗耳机、切丝机、切片机、菇床等机械设备，其产品40% 销往全国及欧美，是全国闻名的食用菌机械厂。

6.3.1.7　技术力量较为强大

经过 40 年的摸爬滚打，漳州市培养并锤炼出一批食用菌专家队伍。他们中既有吴淑珍、林光华等厦门大学生物系毕业和其他院校培养出来的专家，也有杨加金、涂改临等一批自学成才的专业人士，还有市农科所的技术骨干。40 年的食用菌产业历程，造就了数以千计熟练的技术员队伍。更值得一提的是，闽台菌业合作也为漳州培养造就了一批珍稀食用菌的技术员队伍。漳州市的技术力量，为我国南菇北移做出了杰出贡献，饮誉我国食用菌界，出现了哪里有蘑菇生产，哪里就有漳州技术员的身影。

6.3.2 对当地食用菌产业发展的调研认知

6.3.2.1 食用菌行业的从业者技能水平普遍较高

食用菌生产对技术具有较高要求，漳州市是全国食用菌产业的发源地，其种植历史悠久，经过数十年积累后农民的技术水平普遍较高。当地政府为了不断提高食用菌生产技术水平，在全省范围内组织食用菌技术资格考试，通过考试农户可得到农业局和食用菌协会颁发的技术资格证书。调查显示，被访农户皆精通食用菌生产各个环节的相关技术。鉴于此，漳州食用菌技术发展已进入了一个新的阶段——技术输出。技术人才成为专家到全国各地进行技术指导，行业内流传着的一句话可很好概括其技术水平之高：全国有种蘑菇的地方，就有漳州的技术人员。

6.3.2.2 生产规模较大，形成了大投入大产出的格局

以白背毛木耳为例，农户的种植规模 10 万 ~ 200 万袋，其中 30 万 ~ 60 万袋者居多；其毛收入大部分集中于 20 万 ~ 80 万元，最高者达到 220 万元；总投入成本集中于 20 万 ~ 70 万元，最高达到了 140 万元。据大致测算，其利润率为 30% ~ 40%。规模化程度较高，因此本地菌农的生产模式多为家庭成员从事经营管理，从外雇佣劳动力从事劳动生产。

6.3.2.3 食用菌产业技术协会发挥重要作用

农民技术协会和农民专业合作组织是促进当地食用菌产业不断发展的重要纽带，在产业建设和发展中发挥了积极作用。当地分散的食用菌生产户通过专业合作社或者技术协会紧密连接起来，增强了当地产业抗风险、联合发展的能力。调查发现，许多地方都有自己的产业组织形式，实现了对产业发展的引导。

6.3.3　推进漳州食用菌产业进一步发展的政策建议

为了进一步推进当地食用菌产业健康、可持续发展，特提出以下建议。

6.3.3.1　进一步加大对产业发展的引导工作

食用菌生产具有较高的经济、社会和生态效益，是适应当前循环农业发展要求的产业。在我国食用菌种植高潮一浪高过一浪，产量和产值快速增加的情况下，政府主管部门应高度重视食用菌产业的健康发展，积极规划产业发展的未来，使食用菌产业的发展更具科学性、规划性。

6.3.3.2　积极发挥当地政府的服务功能，做好服务保障工作，对产业发展提供帮助和扶持

相关基础设施的配套程度差、农业保险等保障机制的缺失、产业升级资金投入缺乏等问题已经成为摆在政府面前的现实问题，目前漳州一些食用菌主产区基础设施条件差的现状亟需得到改善，农户技术水平和工具设备的应用水平已受到很大限制，并且大规模的生产受到了资源的制约。政府必须下大力气，强化自身服务职能，为产业健康发展保驾护航。

6.3.3.3　不断加大食用菌产业新型专业合作组织的培育

农民专业合作组织是连接分散生产农户的纽带，是最能代表农民利益的组织。在食用菌产业发展过程中，分散的农户面临着巨大的自然风险、市场风险乃至技术风险，而通过建立专业合作组织，将农户有效地集合起来，增强其抵抗各类风险能力，增强产业发展的合力。政府要积极引导、扶持和培育这类组织的发展，不断增强其对产业发展的作用。

（李　鹏　关小亮　王宏杰）

6.4　甘肃省反季节食用菌发展的分析报告
——基于天祝县、永昌县的调研

6.4.1　天祝县、永昌县地理概况

天祝藏族自治县是甘肃省武威市下属的一个民族自治县，位于武威市东南

部，祁连山东端，东靠景泰县，南接永登县，北邻凉州区、古浪县，西北与肃南裕固族自治县接壤，西与青海省门源、互助、乐都县毗邻。境内兰新铁路、312国道纵贯南北。山脉与交通线交汇的乌鞘岭是地扼东西的通道，势控河西的咽喉，地势险要，素有"河西走廊门户"之称。全县辖域面积7149平方公里，居住着藏、土、汉等16个民族，共22.14万人。境内群山环抱，峰峦叠嶂，有郁郁葱葱的苍茫林海，终年积雪的雪山大川和碧草如茵的广阔草原及大小10多条河流。天祝县海拔最高4874米，最低2050米，属大陆性高原气候，空气清新，环境优美，素有"高原金盆"之称。就气候特点来看，属寒冷高原性气候。日照时数年均2500~2700小时，年均气温-8~4℃，相对无霜期90~145天，年均降雨量265~632毫米。

永昌县隶属于甘肃省金昌市，位于甘肃省西北部，境内地形以山地高原为主，自然资源丰富，交通便利，通讯发达，是河西走廊的主要产粮区，甘肃省粮油生产大县。全县总面积7439.27平方公里，总人口24.3万人。永昌县地形复杂，山峦起伏，河渠纵横，川原山峰相间，戈壁绿洲相连。境南祁连山层峦叠嶂，境北龙首山巍峨绵延，大黄山、武当山夹居其间，形成县境内3个隆起带、两个狭长走廊平原和一块残丘戈壁荒漠区。地势走向西南高东北低，西南部冷龙岭主峰海拔4442米，为县内最高峰；东部戈壁沙漠区的张家坑海拔1327米，为县内最低处。永昌县地处中纬度，深居内陆，高山环绕，属中温带大陆性干旱气候。常年干燥多风，光照充足，温差悬殊。四季中，春暖回缓，夏无酷暑，秋温骤降，冬季严寒。全年日照时数2884.2小时，年平均气温4.8℃，年平均降水量173.5毫米，年蒸发量2067.9毫米，全年无霜期一般为134天。由于境内地形复杂，在不同的地区气候也不尽相同。

6.4.2　食用菌生产基本概况及主要经验

6.4.2.1　天祝金针菇生长现状

由于缺乏长期规划，天祝县双孢蘑菇产业发展在2008年遭遇滑铁卢。受此冲击，双孢蘑菇栽培规模迅速萎缩，虽于2011年恢复至30万平方米，但相比2008年80多万平方米减少了60%。为避免重蹈覆辙，近两年来该县另辟蹊径，大力发展金针菇产业，成效显著。2011年，该县金针菇栽培超过700万袋，预计可实现销售收入8000万元。现以甘肃幸福专业合作社为例，就天祝县金针菇生产情况进行分析，具体内容如表6-8所示。

表6-8　甘肃幸福专业合作社金针菇生产情况

分类	备注
种植规模	20 万～30 万袋
菇棚	面积：480 平方米，其中，长 60 米，宽 8 米；拥有菇棚 13 间
菇袋	大小：长 22 厘米；直径 20～30 厘米；产菇：收 5～6 茬，第一茬 0.4 千克，合计 1～1.5 千克
生产周期	3 月制袋，5～11 月出菇
成品率	98%～99%
劳动力价格	零工：50～60 元/人·天；技术工：90～100 元/人·天
收购价格	8～10 元/千克
纯利润	4～5 元/袋；共计 90 余万元

　　甘肃幸福专业合作社覆盖菇农 30 多户，采用统一技术、分散种植、各自收菇的模式进行运作，取得了良好效果。由表 6-8 可知，每袋金针菇纯利润约为4～5 元，成本利润率维持在 40%～60%。投入方面，由于棉籽壳和劳动力价格的上升加大了金针菇生产成本，2011 年 8 月，棉籽壳价格已飙升至近 2000 元/吨；劳动力价格则达到了 50～60 元/人·天，其中技术工高达 90～100 元/人·天。产品销售方面，2011 年价格较为稳定，维持在 8～10 元/千克。由于气候适宜，该地金针菇生产具有生长周期长、出菇率高的特性，出菇期通常能持续近 7个月（5～11 月），菇子则能收获 5～6 茬。

6.4.2.2　永昌双孢蘑菇生产现状

　　2011 年，永昌双孢蘑菇栽培面积约为 40 多万平方米，拥有菇棚 100 多个，除少数菇棚由散户菇农经营外，绝大多数菇棚都被外地老板出资租用，并从事双孢蘑菇生产。近两年来，反季节双孢蘑菇生产效益总体令人欣喜，具体情况如表6-9 所示。

表6-9　永昌反季节双孢蘑菇生产情况

分类	备注
菇棚	面积：320 平方米，长 40 米，宽 8 米；下挖 1.5 米，以解决温差问题；造价：16 000 元/个
劳动力价格	女工：60 元/人·天；男工：80～100 元/人·天；技术工：150 元/人·天
原料	大麦草：680 元/吨；草炭土：400 元/立方米

分类	备注
采收期	2～3个月
投入	原料：16元/平方米；人工费：25～30元/平方米；采收：0.56元/千克
产出	出菇：10千克/平方米
收购价格	7～9元/千克
纯利润	30～40元/平方米

由表6-9可知，双孢蘑菇纯利润为30～40元/平方米，成本利润率维持在60%～80%。投入分为三部分：原料费、人工费和采收费。其中，原料主要包括大麦草、小麦草、玉米秆及牛羊粪等。就生产效益而言，以大麦草、小麦草作为原料，产量差别不大；以玉米秆作为原料，产量相对高一些，但鉴于玉米秆发酵难度大，实际生产中仍将大麦草、小麦草作为主要原料。相比原料支出，双孢蘑菇种植的人工费支出额度更大，每平方米高达25～30元，生产技术落后、工序繁琐、劳动力价格过高等是造成人工成本居高不下的重要原因。采收环节是双孢蘑菇生产的最后一道步骤，随着经济水平的提升及通货膨胀的加剧，近几年双孢蘑菇采收价格也水涨船高，2011年已攀升至0.56元/千克。

由于具有反季节特性，产品多于食用菌生产淡季上市，供不应求，市场行情较好。2011年，双孢蘑菇收购价总体维持在7～9元/千克，在经过一系列分类处理之后产品主要销往兰州和上海。其中，运往上海的双孢蘑菇还增加了洗泥、施放安全添加剂等细节处理，产品品质得到了一定改善提升，零售价格也得到了极大保障，通常保持在13～15元/千克。

6.4.2.3 甘肃食用菌生产的经验借鉴

（1）院地联合、科技下乡相结合，为菇农排忧解难。甘肃省农科院与主要食用菌产区地方政府之间形成了良好的合作关系，一方面，地方政府为农科院食用菌科技研发提供必要的资金支持，待新品种、新技术研发出来之后，则依托于农科院组织相关人员进行示范推广，将品种、技术转化为生产力，促进菇农增收。以永昌县为例，近些年来，该县政府非常重视与农科院的合作，每年拨付专项经费近20万予以支持；而为了更好地指导当地菇农从事食用菌（主要是双孢蘑菇）生产，农科院常年不间断地派遣科技人员到地方蹲点。在2011年永昌食用菌试验站成立之前，下乡科技人员甚至居无定所，但他们并未因此退缩，而是用实际行动诠释着一个科技工作者的神圣职责，竭诚为广大菇农排忧解难。正是得益于这些科技人员的辛勤工作，才有效促进了永昌县食用菌产业的持续健康发展。

（2）专业合作社的发展极大地增强了菇农抗击风险的能力。目前，农民合作组织在全国各地的发展如火如荼，其中又以专业合作社方式最为普遍。在此大背景下，食用菌专业合作社的出现无疑为当地食用菌发展注入了一剂强心针。"分散播种、各自收菇、技术指导"模式也与当前食用菌产业发展现状相适应，分散种植、各自收菇赋予了广大菇农栽培的自主选择权及自主经营权，而统一的技术指导则极大增强了菇农抗击风险的能力，摆脱了过去单个菇农面临风险过大的不利局面，对保障食用菌产业的产量无疑具有重要的促进作用。

（3）双孢蘑菇种植带动了农业废弃物利用，促进了两型农业发展。鉴于当地水热分布特征，耕地以旱地为主，农民主要种植小麦、大麦、玉米和土豆。在发展双孢蘑菇之前，大麦、小麦草及玉米秆除了部分用于牛、羊等牲畜的饲养外并未得到有效利用，而以就地焚烧为代表的落后处理方式在浪费资源的同时，还污染了周边环境。而近年来随着双孢蘑菇的大规模种植，小麦草、大麦草等作为培养料逐渐被菇农广泛利用。废弃物的重复利用有效促进了以资源节约型、环境友好型为特征的两型农业发展；与此同时，许多农民通过出售小麦、大麦草等，还获取了一定经济收益，成为农业增效、农民增收的重要途径。

（4）老板注资模式开始流行，为未来食用菌企业化经营奠定了基础。由于当地许多菇农放弃了食用菌栽培，空出来的菇棚越来越多，一种新型产业运行模式应运而生，即老板注资模式。具体操作如下：首先，老板出资从农民手中租用菇棚，按面积付给农民租金；然后，老板聘请专业技术人员进行技术指导，从事食用菌生产，至于雇工则仍以当地那些已放弃食用菌栽培的农民为主。该模式具有两方面优势：其一，农民可获取两份收入，租金收入和雇工收入，其收入水平并不比自己从事食用菌栽培少多少，但劳动更为自由；其二，借助于技术优势和规模优势，老板们也能获取理想收益。而更为重要的是，该模式的良好运行为今后食用菌企业化经营奠定了坚实基础。

6.4.3　食用菌产业发展中存在的主要问题

6.4.3.1　基础设施较为落后

调研中发现，在目前的食用菌栽培中，无论双孢蘑菇还是金针菇，其基础设施构造普遍较为落后，主要体现在以下三个方面：①土墙构造，通风效果较差。

当地菇棚以土墙结构为主，由于地处黄土高原，黄土资源丰富，可就地取材，有效降低了菇棚建造成本。但同时，土墙构造的菇棚也存在一些不足，其一，没有设置专门的风洞，导致棚内采光效果差，阴暗潮湿；其二，土墙做工一般，且年久失修，存在一定安全隐患，同时就美学角度而言也不甚美观。②排水设施不畅，导致棚内地表积水较多。为解决温差大的问题，双孢蘑菇菇棚通常由地面下挖 1~1.5 米，从而菇棚内部要低于周边，形成了一个低洼区，而通入菇棚里面的唯一入口简单的设计为斜坡沟状，遇到雨天，棚外雨水易由该入口流入棚内，导致棚内积水增多，异常潮湿，进而影响双孢蘑菇生长。③棚顶设计随意，防水性能差。多数菇棚棚顶在构建时由于所采用原材料较为普通，加之建造时随意性较强，能用即可，并未追求质量，使得其防水性能较差，漏雨现象较为突出。本次调查中还发现许多待收获的双孢蘑菇因为棚顶漏雨染上了黑斑病。

6.4.3.2　劳动力资源严重匮乏

近两年来，在全国食用菌产量屡创新高的大背景之下，两地区食用菌规模不但未出现增长，反而还大幅萎缩。以永昌县双孢蘑菇为例，2008 年栽培面积创历史最高，超过 80 万平方米，而 2011 年仅为 40 万平方米，面积减少超过 50%。2008 年双孢蘑菇价格遭遇寒流使农民种菇积极性受到影响固然是原因之一，但近几年农村劳动力严重短缺才是制约当地食用菌产业进一步发展的根本因素，越来越多的农民放弃务农，选择进城务工，导致农村劳动力，尤其是青壮年劳动力数量大幅减少。这种现象之所以出现，原因是多方面的，但年青一代厌农情绪较为突出是主因。借用当地科技人员的话可形容为"年青一代宁愿去城里刷盘子一个月拿一千元，也不愿为了一个月 3000 元钱去从事农业活动或者去从事蘑菇栽培"。当然，这种厌农情绪不仅局限于甘肃农村，在全国范围内也较为普遍，如何改变这种局面，这值得我们所有人深思。劳动力缺乏对当地食用菌生产影响巨大，规模上不去只是一个方面；因为缺少人手，鲜菇损耗严重才是更为突出的问题。调研中的两个场景也证实了这一点：一是许多双孢蘑菇已成熟但无人采收，二是晾晒在空地上的双孢蘑菇因雨水冲蚀而变质发霉。

6.4.3.3　食用菌相对收益下降

目前，当地食用菌价格平稳，供不应求，市场行情较好。但是，表面的繁荣并不能掩盖食用菌效益下降的现实，相对收益下降也是造成大量农民放弃食用菌栽培的重要原因。相对效益下降主要是由两方面原因造成的：①生产成本不断上涨。近年来，食用菌栽培原料诸如大麦草、小麦草价格不断上涨，由过去的无人问津到现在几百元甚至近千元每吨，大大加剧了菇农的物质投入成本；与此同时，劳动力价格也水涨船高，由前几年的40～50元/人·天迅速升至当前的80～100元/人·天，短短几年间劳动力成本翻了一番。②通货膨胀率居高不下导致食用菌实际收益水平下降。2008年金融危机以来，我国消费者物价指数（consumer price index，CPI）一直处于快速增长态势，环比增速屡创新高，而同一阶段当地食用菌价格并未出现大幅上升趋势，总体维持在一个较为稳定的水平。为此也不难理解，一旦扣除价格增长因素，会发现单位食用菌收益水平实际是下降的。由于效益下降，许多菇农放弃了食用菌栽培，选择了进城务工，调查中经常可以碰见废弃的菇棚。

6.4.3.4 发酵难题亟待破解

对原料（如大麦、小麦草）进行发酵是当地双孢蘑菇生产必不可少的环节，而当前较为落后的发酵水平及较为高昂的发酵成本极大制约了双孢蘑菇产业的进一步发展。例如，相比大麦、小麦草，玉米秆具有成本低、效益高的特性，但受制于当前的低发酵水平，玉米秆难以在双孢蘑菇栽培中广泛运用。除此之外，高昂的发酵成本也极大加剧了双孢蘑菇生产成本，据科技人员介绍，以1个菇棚为例，在发酵过程中仅将原料翻一下就需6个人工，以每个人工80元计算，需耗费成本480元。由此可见，原料发酵是困扰当地双孢蘑菇发展的一大重要因素，提高发酵水平、降低发酵成本将是当地食用菌试验站下一步工作的重点。为此，永昌食用菌试验站准备投资200万元，建造二次发酵隧道，一劳永逸地解决菇农发酵难题。

6.4.3.5 目标市场较为单一

由于饮食习惯差异及自身市场狭小，当地食用菌主要以外销为主，目标市场主要集中于兰州和上海。虽然就目前市场行情来看，由于拥有反季节优势，产品供不应求，但相对单一的目标市场构成却一定程度地制约了食用菌生产规模的进一步壮大。同时，销往海外的比重也相对偏低，如何进军国际市场也是今后产业面临的又一挑战。目标市场的单一也暴露了当地食用菌生产的劣势：①产品异质化较弱，单纯依靠金针菇和双孢蘑菇，未能形成多点开花格局；②产品出售以初级产品为主，食用菌加工产业发展严重滞后，产品附加值低；③未能打造出属于自己的食用菌品牌，形成国际竞争力，走向世界。

6.4.4 主要政策建议

由前文可知，虽然近些年天祝、永昌两个县在反季节金针菇、双孢蘑菇的生产方面积累了丰富的经验，探寻出了许多可借鉴的生产模式，但仍存在一些问题亟待改进。为此，应从以下 4 个方面着手。

（1）加强基础设施建设。菇棚由土墙结构向砖石结构转变，并构造风洞；棚顶则需采用更多防水材料，增加防水性能；棚内要加强防水设施构建，避免雨水流入。

（2）由农户分散经营逐步向企业化、公司化经营转变。现有的食用菌生产模式过分依靠劳动力资源，生产效率、生产能力均较为低下，为此，今后应逐步向公司化经营转变，通过机械化、标准化生产，弥补劳动力不足的缺陷，从而实现生产效率与生产能力的双重提升。

（3）整合资金，尽快建造二次发酵隧道。当地双孢蘑菇生产的发酵环节耗费了大量人力物力，极大影响了菇农收益，为此，建造二次发酵隧道势在必行，当地科技人员也意识到了这一点，而当前急需筹措资金，迅速落实二次发酵项目建设。

（4）扩大目标市场范围，打开国际市场大门。今后应在维持双孢蘑菇、金针菇优势地位的基础上，积极培育新品种，并大力发展食用菌加工产业，增加产品竞争力，从而扩大目标市场范围，尽力将产品打入到国际市场，增加出口创汇。

（田　云　张俊飚）

6.5 辽宁省食用菌产业发展情况的调研分析

为全面了解我国食用菌产业发展现状，破解食用菌产业发展中存在的主要问题，由国家现代食用菌产业技术体系岗位科学家李玉教授、张俊飚教授、胡清秀研究员及其团队成员等五人组成的调研小组于 2009 年 5 月 4～8 日，在辽宁省食用菌协会副会长刘喜杰同志、沈阳农业大学食用菌研究所所长刘在民同志、辽宁省农业学校食用菌技术开发公司邹经理等人员的陪同下，先后到庄河市、宽甸县、金州区、桓仁县等县（市、区）的食用菌生产基地和 12 个食用菌企业（生产企业、种业公司及贸易加工企业）进行了调研，走访了当地的农民协会、技术推广部门、农户及当地政府的农业管理部门，围绕食用菌生产过程中的技术、市场及管理等方面的问题进行了深入调查与广泛讨论。现将调研分析进行总结如下。

6.5.1 调研背景

本次调研，是在国家食用菌产业技术体系首席办公室的统一布置下进行的，是为了更好地了解食用菌产业发展基本现状而开展的一项基础性工作。主要任务是围绕食用菌产业的各个环节，尤其是实际生产中的企业与农户的技术需求、食用菌产业发展规模、结构特征及市场特点等来展开，分别选择较具有典型代表性和主要生产地区的主产县，与综合试验站一起，深入企业、农户来详细访问其生产过程中遇到的各类问题。

6.5.2 调研对象

本次调研的基本对象有五个类别：食用菌种植农户、食用菌企业（包括不同类型的企业，如加工企业、生产企业、贸易企业、菌种公司等）、农民技术协会、行业管理部门、技术推广机构等。调查期间，先后走访的企业有：大连和健食用菌种业公司、大连宝野农业发展公司、庄河市鹏震菌业有限公司、大连洪泽食品有限公司、大连迪利食品有限公司、大连乾峰有限公司、大世界菌业公司、宽甸北方神奇公司、桓仁志成食用菌有限公司等；在农户、协会、推广机构及政府行业管理部门等方面，主要在庄河市和宽甸县访问了相关单位，考察了生产基地，并与农户进行了座谈，最后对沈阳农业大学食用菌研究所进行了考察访问，与辽宁省食用菌科研与教学单位的主要专家进行了交谈和讨论。

6.5.3 调研方式

本次调研在问卷调查的基础上，与相关调研对象一起，通过小组会谈、单独访问、互动交流和现场考察等方式，详细了解了食用菌产业发展的实际情况，为分析食用菌产业发展中可能存在的各种问题，寻求解决问题的路径奠定了良好的基础。

6.5.4 调研认知

6.5.4.1 产业发展的基本经验

（1）地方政府对发展食用菌产业非常重视，采取了多种措施大力推进。如在宽甸、庄河市等县市，地方政府均采取了给予食用菌企业和农户以大力扶持的办法，来推动当地食用菌产业的快速发展。在庄河市，对新建食用菌温室的农户给予每栋1万元的补助，对新建的大型食用菌菌种企业给予25万元的资助；如鹏震菌业公司先后从庄河市科学技术局、农村发展局和科学技术协会等部门获得了近50万元的资助资金，使企业很快走上了快速发展的轨道；政府主管部门经常深入企业进行调研，积极为企业出谋划策，解决产业发展中的各种问题；在金州区，为了扶持和引导大型食用菌企业发展，地方政府不但投入近一亿元的巨额资金，进行"三通一平"的基础建设，而且出台优惠政策来鼓励企业发展。在宽甸，政府也给予企业和农户在大棚建设方面的资助与帮助。这些做法，极大程度的反映了地方政府对食用菌产业发展的高度重视和将食用菌产业打造成为富民产业的巨大决心。

（2）企业发展食用菌产业的积极性较强，也具有较强的社会意识。在调研过程中，通过与企业领导人的座谈发现，在主产区，处于食用菌产业不同环节的相关企业都具有较强的积极性。他们不但勇于投资，而且在产业规模扩张的过程中，也表现出较强的社会责任意识。如庄河市的鹏震菌业公司、洪泽食品公司、桓仁县的志成公司等，他们在发展的过程中，为了将食用菌产业推上规模化道路，企业不惜先期花费较大投入，甚至免费发放菌种、高价收购产品等，以推动产业的快速发展。同时，菌种企业还积极参与指导菇农种植和栽培食用菌，免费发放技术资料，帮助菇农尽快提高技术能力的公益性活动中，为当地食用菌生产技术水平的提高发挥了积极作用。

（3）当地农民技术协会在食用菌产业发展中发挥出了重要的推动作用。农民技术协会或者农民专业合作社是近年来兴起的一种新的经济合作组织，在现代农业建设和农业现代化进程中发挥出积极作用。食用菌产业发展是一种以市场为导向的产业，也是对技术要求极高的农业生产活动，对产业组织发育具有较高的要求。为此，许多地方通过松散的或者紧密的联结方式，将食用菌产业的相关主体联系起来，以增强产业发展的基本能力。在我们调查的庄河市和宽甸县的一些乡镇，就出现了农民技术协会或者农业专业合作社等这样的产业组织形式，实现了对产业发展的引导，也赢得了农民的欢迎。

（4）农民生产食用菌的基本技能初步具备。由于食用菌生产对技术具有较高的要求，而且在市场方面，也是具有明显的市场指向。因此，如果没有相关的政策引导和大户或者企业的带动，则较难实现规模化发展。这也是目前食用菌产业发展中具有明显的规模集中效应的重要原因。而长期以来，在庄河、宽甸等县市，许多农民就多年从事食用菌生产活动，通过相互影响、大户或者企业示范等作用，许多农民已初步掌握了食用菌生产的相关技术。这将是未来辽宁省实现食用菌产业进一步发展的重要基础。

（5）食用菌科研推广技术体系的技术力量较强。通过与相关专家的座谈发现，在辽宁省食用菌科研与教学方面，拥有一支以沈阳农业大学、辽宁省农科院等为主体的食用菌技术研发、推广的专业性人才队伍，尤其是沈阳农业大学食用菌研究所，其技术实力、生产推广能力和对外竞争力，都达到了较高的程度。这对推动辽宁食用菌产业发展走上高水平提供了重要的技术保障。

6.5.4.2　影响产业发展水平提升的主要因素

调查中，虽然感知到辽宁食用菌产业发展已经取得了很大成绩，也拥有未来发展的巨大潜力，但是也不难发现目前发展中所存在的影响产业健康、持续发展的一些问题。主要表现为以下几个方面。

（1）对市场的认知较为狭窄。市场的划分有大有小，但对市场潜力的开发却是没有止境的。小范围的空间也可以做出大的市场来。目前，人们更多的侧重于开发国外市场而忽视了国内市场。在对企业的调查中，尤其是加工和贸易型企业的调查中，他们的主导市场都将视野投放在国际市场。虽然这种做法有利于我们开拓国际市场，但是也容易受到来自于国外的相关因素制约。如标准问题、市场萎缩问题等，从而导致国内生产受到严重影响。如自 2008 年以来，受到金融危机的冲击，一些原来主要出口的食用菌品种，如滑子蘑等产品，就出现了出口需求严重萎缩的状况，产品价格持续下滑，菇农、企业的收入都受到了极大影响，引发了生产面积和产品产量的迅速减少，造成了产业发展的巨大波动。

（2）企业领导和管理人员的素质还相对较低。调查发现，许多企业领导人的文化素质以高中为主，大专为辅，大学程度学历的人员十分稀少。许多企业领导人都是从农民企业家做起，后来也没有采取有效提升个人能力的相关措施。与其他行业中的企业领导人相比，在文化素质上还存在较大的差距。一些企业虽然聘请了大学文化程度的管理人员，但由于专业等方面的原因，对食用菌产业的理解还不到位。如大连宝野农业发展公司，面对巨额的食用菌产业投资规模，其管理者与技术人员尚难以承担起企业发展的重任。在国际化和竞争日趋激烈的市场中，这种状况必然会制约企业的未来发展。

（3）企业的研发能力还不高。调查发现，许多企业虽然有自己的研发队伍，聘用了一些技术人员，但总体数量较少，研发人员的技术能力和业务素质也相对较低，大多以经验做法开展研发工作。这对企业的可持续发展必然造成一定的影响。

（4）产业组织化程度还有待加强。虽然农民专业技术协会在一些地方已经建立起来，但在作用发挥方面，还需要大力强化。尚未建立协会的一些地方，则发现农民具有较强烈的需求。如在宽甸县牛毛坞镇的调查中，当地农民对合作组织十分感兴趣，认为合作组织能够帮助解决食用菌产业发展的技术和产品市场问题，但目前尚缺乏对此类组织的建设与引导。

（5）食用菌安全问题还比较突出。通过与农民的座谈和生产现场考察，在食用菌病虫害防治方面，一些农民为了达到迅速防治食用菌生产中的病害，仍然使用已经被勒令停止使用的高效剧毒农药，如敌敌畏等，这种做法，无疑对人体健康安全和产业发展形成强大的负面影响。

（6）菌种质量的稳定性程度较低。据反映，每年大约有 15% 的生产由于菌种质量问题而不出菇，导致农民损失严重。究其原因主要是尚未建立较为完善的菌种质量的监管体系，缺乏菌种的检测机构，还有相当数量的菌种制种户没有菌种市场经营许可证，菌种市场的人员专业知识欠缺。

6.5.4.3 推进辽宁食用菌产业发展的对策与建议

为了实现辽宁食用菌产业尽快步入健康和可持续发展的轨道，面对产业发展中所存在的问题，特提出以下建议。

（1）进一步加大对产业发展的引导工作。食用菌生产具有较高的经济效益，又是当今循环农业发展的主要方向，广大农民也具有较高的积极性。为此，各级农业主管部门应该高度重视食用菌产业的发展，积极谋划产业发展的未来，解决产业发展中所存在的问题，自上而下地做好产业发展的管理工作，尤其是要将食用菌协会的力量充分整合起来，利用他们的网络，将各类相关主体（政府部门、食用菌企业、农户等）关联起来，形成一个能够发挥各自作用的，但又目标一致的食用菌产业发展的推动力量。政府部门应该赋予食用菌协会以必要的职能，并在工作方面给予强力支持，使之成为推动和引导辽宁食用菌产业发展跨上新台阶的重要力量。

（2）要切实树立食用菌安全工作不放松的理念。在食品安全日益引起人们广泛关注的背景下，食用菌生产安全将直接影响着产业的未来发展。一旦发生相关安全事件，可能会对产业发展形成毁灭性的打击。为此，必须高度重视。一方面要引导和教育菇农不用高残留的剧毒农药，推广使用生物农药或高效低毒农药，另一方面要致力于从源头杜绝剧毒农药的流入。要在取缔剧毒农药生产者资格和重罚乃至封查其设备的同时，还要积极辅导和引导农民运用低残留的生物农药，开展无公害乃至有机食用菌的生产，在提高食用菌质量的同时，不断增强食用菌的附加价值。

（3）要不断加大培育食用菌产业发展的新型农民组织。农民专业合作组织是与农民最为接近，也最能够代表农民利益的组织。在食用菌产业发展中，分散的农民生产面对着巨大的自然风险、市场风险乃至技术风险，很难经受得住打击。而当菇农遭受打击的时候，食用菌产业也就必然受到了影响。因此，要组织农民，通过建立合作社或者食用菌专业技术协会等方式，将其有效地凝结起来，以抵抗可能出现的各类风险，增强发展的合力。政府要引导和培育这类组织的发展，给予其必要的扶持，使之能够尽快地成长起来。

（4）鼓励企业大力引进技术人才。面对目前企业技术研发人员稀缺状况，应该采取多种措施，积极引进科技人才。如对进入食用菌企业工作的大学毕业生，地方政府可以与企业一起，给予其必要的人才引进奖励；对企业现有的职工，要采取类似于"科技入户"的做法，相关公益性的技术研发部门开展经常性的技术培训。在不增加企业负担的情况下，组织企业参加国内外食用菌产业发展的大型活动，利用各种平台，不断学习先进企业的生产管理经验，切实增强企业自身的发展实力。

（5）加大农民食用菌专业知识培训。各级农民技术协会及相关技术推广机构要努力将视角投放到对农民的培训之中，要通过技术培训，不断提高菇农的生产技术水平，为食用菌产业发展打下稳固的基础。

（6）切实加强菌种管理力度。菌种生产对食用菌产业发展具有至关重要的作用。要在加强菌种研发的同时，更应该针对食用菌菌种的特点，加强菌种的安全管理工作，建立健全监管体系，规范菌种市场，购置先进的检测设备，不断提高菌种市场的管理水平，为食用菌产业发展创造良好的环境。

（产业调研组成员：李　玉　张俊飚　胡清秀　李　晓　李海鹏）

（报告执笔人：张俊飚　胡清秀　李　玉）

7　他　山　之　石

7.1　食用菌消费状况的国际比较及经验借鉴

由于受到地域特征、气候环境、风俗习惯等因素的影响，西方国家在食品消费偏好等方面与我国存在较大差异。在食品消费中，西方国家的消费者更加理性，要求食品搭配简单，营养能够保证，对食物的色、香、味、形反而要求不高。他们在乎每日摄取热量、维生素、蛋白质等的多少，这也与其以个人为本位的西方文化取向是一致的。

不同的文化背景、经济发展状况、城市结构及宗教信仰等形成了各个国家独具特色的生活习惯，例如，美国人以科学为核心的饮食习惯，日本人认为饮食促长寿的观点，德国人对健康食品的钟爱，英国人注重清淡的饮食结构。食用菌的出现大大迎合了人们追求营养健康绿色的饮食观念。科学研究证明食用菌具有丰富的营养，富含人体所需的多种维生素、氨基酸、多糖、矿物质、抗生素等。值得一提的是，食用菌中氨基酸含量较为全面，包括人体不能自身合成的 8 种氨基酸。每日食用 25 克菌类鲜品，即可满足人体对营养的需求。正是由于这些因素，食用菌产品才能风靡全球。

各个国家在通过不同的形式来宣传食用菌的营养价值的同时，也进一步挖掘出了食用菌的商业价值。如今，人们对食用菌有了更多的认识，对食用菌的消费量也与日俱增，从而进一步促进了食用菌产业的发展。

7.1.1　美国

美国食用菌生产历史相对较短，但发展迅速，大致可分为三个阶段：第一阶段是 19 世纪末至 20 世纪初，美国从英、法等国引进了双孢蘑菇栽培技术，此时的双孢蘑菇栽培主要采用手工操作，产量很低，单产不足 2.44 千克/平方米；第二阶段是 20 世纪初至 20 世纪 40 年代，食用菌栽培已扩散到美国东部和北部的大城市郊区，此阶段的大型栽培场较少，单产已从最初的不足 2.44 千克/平方米增加到 4.89 千克/平方米；第三阶段是 20 世纪 40 年代至今，食用菌生产迅速发展，产量直线上升（表 7-1）。1987～1996 年，美国食用菌的总产量从287 582.40 吨增加到 357 164.64 吨，增加了 24.20%，1996～2009 年，食用菌总产量增长比率始终保持在 3.20%～8.50%，呈稳定增长态势，国内食用菌人均消费量也在逐年上升，至 2009 年，美国人均食用菌年消费量达到 1.68 千克。在1987～2009 年，美国食用菌的进口量占国内总产量的比重一直维持在 30% 左右，由此可见，美国在保护本国食用菌的生产、销售等各方面都取得了较大的成就。

表 7-1 美国 2003～2009 年食用菌产量 （单位：吨）

年份	国内食用菌总产量	食用菌进口量	食用菌出口量
2003	387 601.20	174 772.08	13 199.76
2004	387 011.52	176 541.12	8 436.96
2005	384 244.56	154 450.80	8 119.44
2006	375 580.80	183 798.72	10 160.64
2007	368 595.36	181 984.32	14 515.20
2008	370 591.20	146 694.24	15 603.84
2009	373 312.80	161 935.20	15 649.20

资料来源：根据美国农业部经济研究所相关数据得出。

7.1.1.1 美国国内食用菌消费状况

美国消费者喜好食用菌，不仅是因为其独特的烹调风味，还因为食用菌的丰富营养及其药用功能。美国消费的食用菌产品以双孢蘑菇为主，其中包括大褐菇和小褐菇，即双孢蘑菇的变种。随着消费者对食用菌营养与保健功能的认识加深，人们开始接受双孢蘑菇以外的菇类食品。目前，美国已开发出被称之为特种食用菌品种的平菇、香菇、杏鲍菇、金针菇等。这些品种在美国具有一定的消费市场，特别是在美国的太平洋西海岸和东北部；一些食用菌品种如鸡油菌、羊肚菌可以从野外森林中采集到，并在当地的农贸市场或零售店销售。但上述食用菌产品的销售量远低于双孢蘑菇。宾夕法尼亚州是美国食用菌产量最大的州，而双孢蘑菇又是该州产量最大的农作物。宾夕法尼亚州年食用菌产量为全美的 45%，其次是加利福尼亚州，产量占全国产量的 20%。在宾夕法尼亚州，约 60% 的食用菌以鲜品形式销售，食用菌生产农场主要集中在该州的东南部，并且实现了全年性生产。据美国农业部统计，2003～2009 年，该州的鲜菇产量由 3.57 亿磅① 上升到 4.20 亿磅。

7.1.1.2 美国食用菌产品消费的相关规定

随着文化多元性发展，以食用菌为原料的食品品种也越来越多，这进一步满足了消费者的需求。美国政府十分重视食用菌产品的安全卫生。在食用菌的生产上，美国政府做出了严格规定，要求食用菌生产场所选址须远离畜禽养殖场，水源要洁净，布局要规范合理；要求企业对操作工人进行卫生常识的培训，产品生产全过程必须严格按照标准化操作体系的规程进行；企业严禁使用未经注册登记及违禁的消毒剂、杀虫（菌）剂，以保证产品的安全卫生；政府及相关部门实行抽样检验监管。同时，美国政府出台了一系列关于食用菌制成品的管理规定，以确保消费者购买的安全性。例如，2007 年，美国食品药品管理局（Food and Druy Admistrator，FDA）发布了果蔬原料自愿标注营养成分规定的指南，重点修订了 20 种经常消费的果蔬原料（含食用菌）和鱼的营养成分表及标签规定，以双孢蘑菇为例，指南要求从 2008 年 1 月 1 日起，纳含量应由以前标注的 0 毫克/84 克改为 15 毫克/84 克，即以前包装上凡是注明"不含钠"的都应修改成"钠的含量非常低"。

综上所述，美国食用菌总产量逐年上升的趋势，充分说明了食用菌在消费市场上受欢迎程度之大，这与食用菌生产企业大力宣传、制定相关营销策略是必不可分的。美国农产品营销协会（Produce Marketing Association，PMA）作为美国最大的水果、蔬菜和花卉贸易机构，2008 年 11 月在休斯敦举办的农产品峰会（Fresh Summit）上向七家企业颁发了年度最佳包装创意奖，其中就有一家食用菌生产企业——Monterey Mushroom，Inc.，该公司的副总裁向观众展示了食用菌产品的包装设计，其中便有详细的营养成分表，如维生素的含量、是否含有抗氧化剂、是否含防腐剂等。该公司的创意也对引导消费者消费产生了积极的作用，使消费者更加清楚地了解食用菌产品的营养价值。

7.1.2 日本

作为最重要的林产品之一，日本食用菌产业自 20 世纪 60 年代以来取得了较

---

① 1 磅≈0.45 千克。

快的发展，生产模式不断优化，到 20 世纪 90 年代，食用菌栽培从过去完全依赖自然条件的传统模式转化成为目前的工厂化、专业化的生产体系，食用菌产量也大幅度增长，如图 7-1 所示。

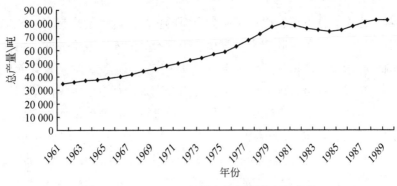

图 7-1　1961～1989 年日本食用菌总产量变化

7.1.2.1　日本食用菌产品的消费倾向

日本民众对食用菌产品的需求可以分为商业用途、家庭食用和馈赠礼品三大类，需求的主要品种为香菇、金针菇、灰树花、滑子菇等。香菇在日本食用菌中占有主导地位，是最主要的品种；金针菇在日本作为妇女和儿童必备的保健食品，被称为"增智菇"，当前，日本国内栽培的金针菇仅供本国消费，不对外出口；灰树花是日本最早于 1974 年人工驯化栽培成功的，虽然栽培历史不长，但发展很快，灰树花营养丰富，味道鲜美，可制作许多佳肴，同时该菇还可降低高血压，增强免疫力，并能抑制癌细胞生长。

近年来，与家庭食用和馈赠礼品这两种形式的需求相比，商业用途方面的需求增长更快，且主要集中在餐饮业和食品加工业。从具体产品来看，日本市场对香菇的需求全年都保持在一个较稳定的水平，一方面是由于香菇的生产是全年性的，另一方面则是由于香菇在日常烹饪中使用的广泛性。具体来说，新鲜香菇中，有 80% 用于家庭烹饪，20% 作为工业用途；而干制香菇中，大约有超过60% 用于家庭烹饪或用作馈赠礼品，作为工业用途的不足 30%。无论是新鲜香菇还是干制香菇，受天气变化的影响都比较小，因而在全年中的售价都比较稳定。

7.1.2.2　日本食用菌产品销售渠道

在日本，食用菌类产品主要通过两种途径进行销售。新鲜松口蘑和香菇的销售渠道通常与新鲜蔬菜水果的一致（图7-2）。而干制香菇及其他食用菌产品一般都是在运抵卸货码头后，通过农业合作社或林业合作社直接出售给食用菌类产品批发商。干制香菇属于干货，过去曾被当作一种名贵产品，因而形成了一套独特的销售渠道。对于进口产品来说，新鲜食用菌类产品一般先由进口商出售给农产品市场，然后与日本国产食用菌类产品一起通过同一渠道进行销售。而进口的干制食用菌类产品则先由进出口贸易公司供货给批发商，再由他们出售给零售商和加工食品制造商。约60%～70%的进口干制香菇是提供给包装商的（从事产品定级、包装和初步加工的批发商），其数量比单纯从事贸易的进口商使用的数量多一倍。

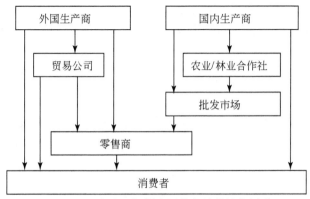

图 7-2　日本进口新鲜食用菌产品的销售渠道

7.1.2.3　日本食用菌产品的销售规定

同美国一样，日本政府也制定了规范严格的法规法令来维护食用菌消费者的权利和确保食用菌销售市场上的透明性。日本政府严格规定在销售食用菌类产品时，相关企业和单位必须遵守《食品卫生检疫法》、《JAS法令》、《称量法》、《包装器具与包装材料循环利用法》《资源有效利用促进法》及《药品法》中的相关条例。

（1）在出售加工过的食用菌类产品，如干制香菇和黑木耳时，包装上必须按照《食品卫生检疫法》中禁止销售包含有毒或有害物质的食品及对人体健康不安全的食品的条款进行标注。

（2）《JAS法令》即《关于农业及林业产品的标准化及其正确标注的法令》是面向普通消费者出售的食品和饮料产品建立了一套质量标注标准。根据《JAS法令》规定，新鲜食用菌类产品必须遵守《新鲜食品产品质量标注标准》，而干制食用菌类产品必须遵守《加工食品产品质量标注标准》。此外，对于香菇产品，还有专门的《干制香菇质量标注标准》，根据产品特征对标注项目做了具体规定。

(3)《称量法》规定，密封在包装袋或包装器具中的加工食用菌类产品必须标注精确到一定程度的产品净含量（误差范围在《日本内阁条例》中有明确规定）。

(4)《包装器具与包装材料循环利用法》的颁布明确了包装食用菌类产品的进口商必须承担回收利用包装器具利包装材料的义务（尽管有条文规定小规模进口商可以免于承担此项义务）。

(5)《资源有效利用促进法》从 2001 年 4 月起，除了原先就存在的铁罐、铝罐及 PET 瓶标注要求之外，又有了新的辨识标注要求开始对纸制（不包括不含钠成分的饮料包装盒）和塑料包装盒材料生效。

(6) 部分食用菌类产品，如茯苓、猪苓等是用来制作某些中草药的原材料，进口此类药用食用菌类产品时就应该遵守《药品法》中的相关条款。

7.1.3 德国食用菌消费状况

德国是世界上人均食用菌消费较多的国家之一。在德国的蔬菜市场上，各种食用菌产品琳琅满目，一年四季皆有供应。双孢蘑菇是德国市场上销量最大的菌种，棕色蘑菇的销售量位居第二，第三则是平菇和香菇。双孢蘑菇和平菇是欧洲传统的食用菌，香菇在德国的出现不过十多年的历史，价格却为双孢蘑菇的 5 倍。随着德国人对香菇认识的逐步加深，香菇已由酒店进入普通百姓家庭。德国专门出版了一本《香菇 200 种烹调法》的著作，书中每介绍一种烹调法都配以彩色照片，这在宣传推广香菇方面起了一定的作用。德国人对野生食用菌也是情有独钟，货源不足时还要从俄罗斯和东欧进口。另外，野生鸡油菌也是德国人喜爱的食用菌，由于本国没有生产，都来自东欧、加拿大，价格为美味牛肝菌的60% ~80%。块菌在德国市场上也是一种特殊供应的珍稀食用菌，均从法国和意大利进口，价格高昂，市场难得一见。羊肚菌来自东欧，供销较为有限。

德国食用菌种植者协会定期举办食用菌年会，探讨食用菌的生产、消费并提出相应的解决方案。2006 年 10 月，在德国食用菌种植者协会第 58 届年会正式会议开始前，主办者就向来宾展示了一张专门为珍稀菇设计的海报，种植者协会在经过一系列市场调研后充分认识到珍稀菇在欧洲市场上的潜力，并适时加以宣传，为种植者、消费者提供了大量的信息。据官方统计和 FAO 公布的数据，德国的蘑菇产量从 1985 ~ 2005 年呈逐年增长趋势，至 2005 年，德国蘑菇产量为6.5 万吨，如图 7-3 所示。

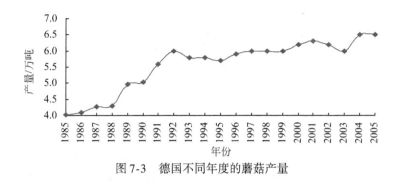

图 7-3 德国不同年度的蘑菇产量

7.1.4 国外食用菌消费现状对我国食用菌消费模式的经验借鉴

7.1.4.1 加大食用菌宣传力度，提升消费者消费意识

在消费文化的形成和渗透过程中，媒体宣传起着引导和推动作用。在宣传食用菌的消费上，各个国家的创意层出不穷，但其目的都是为了让消费者更多地了解食用菌的营养、美味和药用功能，从而挖掘市场潜力、刺激消费需求。可见，我国也应该充分利用现代舆论工具，做好宣传工作，引导消费，扩大内需。

7.1.4.2 改变传统包装设计，加强品牌意识

在市场经济体制下，企业以追求高经济效益为目的，没有品牌的产品就没有市场竞争力，没有市场竞争力也就没有高的经济效益，因此要把打造品牌产品作为推动食用菌消费的重要环节。我国食用菌生产企业在提高产品质量的同时，也要注重包装设计，加强各自企业的品牌意识，避免外观雷同，并利用包装特色来刺激消费者的购买欲望。

7.1.4.3 完善国内食用菌产品标准化体系，营造良好的消费环境

在国际上，食用菌的主要消费国家都制定了相应的标准来检验食用菌产品中农药残留、重金属等指标，保证产品的质量。由于我国是食用菌生产大国、出口大国并且国内食用菌的消费市场极具前景，因此，政府更应加快借鉴国外食用菌产品的检验标准，把握国外先进标准动向，建立食用菌生产中农药残量等有害物质的指标体系，对食用菌鲜品、制成品、干品和盐渍品制定统一的物流标准，保证在市面上流通的食用菌产品皆符合质量安全，让消费者能够毫无后顾之忧地购买。

（张　茜　张俊飚）

7.2　日本食用菌产业现状及其发展趋势的分析

食用菌产品具有独特的使用价格和药用价格，是天然绿色无公害食品，被联合国粮农组织誉为21世纪的健康食品。中国是世界食用菌生产大国，食用菌已经成为农业经济中的一项支柱产业。日本是中国主要农产品的进口国，其中中国香菇在日本市场上占有了很大份额，因此，研究日本食用菌产业生产动向及产业变化，了解日本食用菌产业发展的现状及其发展趋势，对提高我国食用菌产业效益和在国际市场上竞争力。

7.2.1　日本食用菌产业发展概况

日本食用菌种类之一香菇的人工栽培方面的纪录最早出现在1624～1634年。有记载显示，当时源兵卫（日本香菇人工栽培法的发明者）用Natameshiki栽培法在丰后（大分县）从事香菇人工栽培，其后该栽培方法在九州地区开始普及，1790年，鹿儿岛藩也有了香菇栽培的记录。

明治时期是日本香菇栽培技术变革的时期。日本政府注重产业振兴，将香菇作为富国强兵、出口换汇的农产品给予重视，并通过展览会等方式扩大香菇销售。同时随着欧美食用菌菌种生产知识的传入，日本研究者开始认识到孢子的存在，1895年开发了人工菌种，1936年开发出纯菌种，使香菇大规模生产得以实现。第二次世界大战结束之后，日本政府将香菇生产作为山区经济振兴的手段之一，通过各种政策加以扶持，香菇产地逐渐扩大。

日本居民的鲜香菇消费开始较早，但主要集中在产地附近，消费量及销售范围很小。直到20世纪50年代末，随着日本经济高速发展和居民生活节奏加快，鲜香菇消费量才逐年增加，1960年鲜香菇生产被正式列为日本国家统计，其地位得到认可。

7.2.2　日本食用菌产地的分布

日本主要香菇产地变迁如表7-2所示，20世纪60年代干香菇的主产地集中在九州地区的大分县、宫琦县、熊本县，其次是静冈县和群马县；70年代，四国地区的爱媛县异军突起，生产量突破500吨，进入干香菇生产前5名，到80

年代，爱媛县香菇生产量已经超过熊本县跃升为全国第 3 名；进入 90 年代，四国产区出现衰退，东北地区的岩手县及关东地区的产量开始增加，逐渐成为仅次于九州的第 2 大干香菇产地。

鲜香菇大规模产地如表 7-2 所示，主要集中在关东地区的群马县、茨城县、栃木县。进入 20 世纪 80 年代，鲜香菇产地出现变化，东北地区福岛县、岩手县香菇生产量增加，进入鲜香菇排名前 5 位。90 年代后期，历史上没有香菇栽培记录的北海道地区也开始栽培香菇且生产量激增，曾一度挤入日本全国鲜香菇生产第 2 位。目前，日本全国各县均有鲜香菇栽培，但主要产地仍然分布在关东、东北、四国 3 个地区，总体来看鲜香菇生产有北移的动向。

表 7-2 2007 年 都道府县（主要产区）食用菌的生产量 （单位：吨）

都道府县	新鲜香菇	滑子菇	金针菇	平菇	灰树花	杏鲍菇
秋田	2 668.60	358.8	74.2	85.3	269.9	244.4
大分	1 289.30	618.9	2 306.00	—	—	90.2
栃木	4 134.00	275.1	—	163.1	677.1	8.1
岩手	4 643.40	148.8	329.3	29.7	115.8	—
福岛	2 847.30	2 149.40	63.2	27.5	152.6	426.3
茨城	2 449.30	288.4	—	483.1	374.4	840
长崎	2 866.90	319.2	2 455.80	214	145.1	412.6
德岛	6 632.00	4	—	15.4	—	9
广岛	832.9	0.7	257.1	2.8	46.2	2 585.50
宫城	994	870.8	1 835.80	65.1	510.6	38
山形	1 188.70	3 126.10	1 783.80	173.6	179.6	16.1
香川	442.9	2.9	214	7.7	5.9	1 780.10
静冈	1 773.60	36.8	25.7	168.2	5 139.90	456.1
群马	5 039.80	1 894.70	989.7	152.6	2 780.20	3 452.60
北海道	4 405.00	1 638.90	3 951.40	45.6	2 299.50	742.1
福冈	623.5	31.3	6 501.30	4.2	3 662.50	1 641.00
新潟	2 583.60	4 084.70	20 748.10	455.1	26 075.60	13 264.60
长野	906.3	5 033.50	77 400.00	40	190	9 750.00
合计	67 154.80	25 817.80	129 770.00	3 023.70	43 606.60	38 265.10

资料来源：林野厅《特用林产基础资料》（2007 年）相关数据得出。

7.2.3　日本食用菌的供需动向：以新鲜香菇、干香菇和金针菇为例

7.2.3.1　新鲜香菇的生产动向

新鲜香菇的生产从 20 世纪 60 年代后期开始以每年数千吨的单位增长，1960 年 6600 吨，到 1980 年增加了 55 000 吨。特别是从 80 年代后期，随着高龄化的进展及干香菇价格的下跌，很多干香菇的生产者转移到新鲜香菇的生产领域，生产曾经达到最高点 82 000 吨。随着生产者的高龄化及干香菇单价下降引起的新鲜香菇价格下跌，导致生产者生产意愿降低，新鲜香菇的生产量逐渐降低，一度达到 65 186 吨。2008 年香菇的生产量达到 68 999 吨，比前一年增长了 1.2%，生产额达到 735 亿日元。新鲜香菇的生产自从 2001 年 4～11 月实施了紧急输入限制以后，国内的生产受到了很大的鼓舞（图 7-4）。

新鲜香菇的栽培方法逐步向适用于规模扩大，高效率经营，规模易扩大的菌床生产的比率逐渐增加。截至 2007 年，菌床形式生产的新鲜香菇达到 67 155 吨，达到总产量的 76.2%。政府在强调新鲜香菇的安全供给方面制定了原木形式香菇再生产的计划书，以强调原木形式生产香菇的重要性。

20 世纪 90 年代，由于新鲜香菇大量的进口导致了日本国产新鲜香菇价格暴跌，2001 年日本实施了紧急输入限制，国产香菇价格一时有所恢复。2005 年由

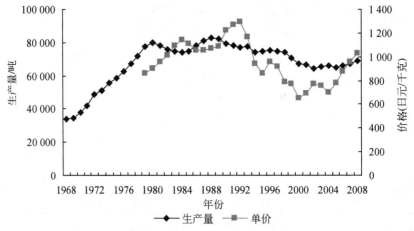

图 7-4　新鲜香菇的生产量及东京批发市场价格

资料来源：林野厅《业务资料》《特用林产物供需表》《特用林产物基础资料》相关数据得出。

于气候原因及中国农产品残留农药等问题，日本国产香菇的价格持续上涨，达到
1030 日元/千克，比上年增加 2.5%，4 年连续不断上升。新鲜香菇的总生产额达
到 753 亿日元。

7.2.3.2 干香菇的生产动向

由图 7-5 可知，干香菇的生产动向可以分为两个阶段：1980 年以前和 1980
年以后。干香菇的生产从 1950～1980 年，随着经济高度增长，国内生产技术的
不断提高及向以香港为中心的东南亚地区出口的快速增长，截至 1980 年达到
13 579 吨。1985 年由于日元坚挺，中国的干香菇开始进口。日本国产的干香菇价
格急剧下跌，干香菇的生产陷入低迷状态。从 1985 年的 4500 日元/千克降低到
1986 年的 3600 日元/千克，同时，生产者的生产意愿降低而且高龄化日趋严重，
导致生产量逐年减少。

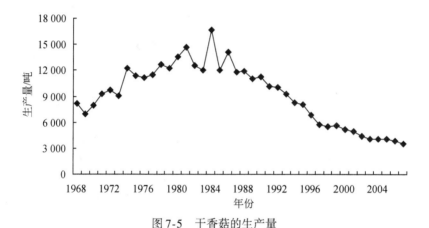

图 7-5　干香菇的生产量

资料来源：根据林野厅《业务资料》、《特用林产物供需表》、《特用林产物基础资料》相关数据得出。

自从 2000 年以来，由于中国产干香菇的残留农药及无登记农药使用等问题
引发了人们对食品安全的重视。中国产干香菇的需求大幅减少，日本产干香菇的
市况逐渐变好。同时，由于贩卖者对中国产干香菇的标示进行伪造及对将进口混
入国产香菇贩卖等问题，2004 年 9 月，日本修改了《JAS 法令》的加工食品标示
标准，使得正确标示原料原产地成为生产者的义务。这些事件，使得日本国内的
干香菇市场得到恢复，价格从 2000 日元/千克恢复到 4000 日元/千克。可是，由
于 2006 年实施的《肯定列表制度》及其农药残留限量标准，使得中国产的干香
菇进口大幅减少，日本国产干香菇的价格从 2007 年的 4500 日元/千克上升到

2008 年的 5500 日元/千克。

7.2.3.3　金针菇的生产动向

日本金针菇的人工栽培起始于 20 世纪 60 年代长野县，进入 80 年代，由于生产技术的更新及生产规模的扩大，使得生产效率提高，单产得到了长足进步。特别是近年来由于大型栽培中心的建设使得很多小规模生产者不断减少，最终导致生产过剩，价格降低。由图 7-6 可知 1968 年金针菇的生产量仅为 7217 吨，2007 年的生产量达到了 129 770 吨，比前一年大约增加 13.2%。在近几年的金针菇生产中，由于栽培技术的革新和经营规模的扩大，生产者虽然减少了，但是产量仍然在逐年增加。

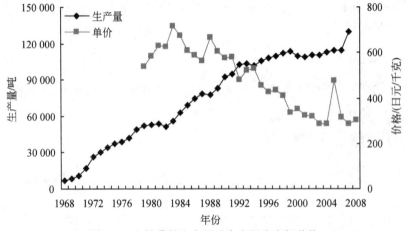

图 7-6　金针菇的生产量及东京批发市场价格

资料来源：林野厅根据《业务资料》《特用林产物供需表》《特用林产物基础资料》相关数据得出。

由于前一年度气候异常及 2005 年春季的低温，导致进入市场的新鲜蔬菜量供给不足，引起了金针菇价格的大幅上升，达到了近年来的最高水平，为 477 日元/千克，此后便又出现回落，到 2007 年价格降到 286 日元/千克，与正在大幅度的生产增加相比较，价格相对比较稳定。

7.2.4　食用菌输入动向

7.2.4.1　新鲜香菇的进口动向

2007 年，新鲜香菇的进口跌破 1 万吨，停留在了 9972 吨。这个数字和 2006

年 16 394 吨相比较，下降了 40% 左右。若与紧急进口限制措施启动的 2000 年的 42 057 吨相比较，大约下降到原来的 1/4 以下，如图 7-7 所示。

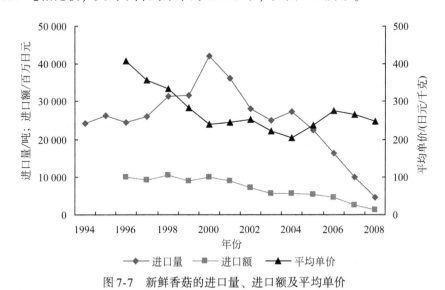

图 7-7 新鲜香菇的进口量、进口额及平均单价

资料来源：根据林野厅《业务资料》《特用林产物供需表》《特用林产物基础资料》相关数据得出。

从 1980 年开始了农业的自由化政策，日本从中国进口的干香菇数量逐渐扩大，从 20 世纪 90 年代到 2000 年，每年进口数量基本稳定在 3 万吨左右。2001 年日本实施了紧急输入限制，使得新鲜香菇的进口趋势逐渐缓和。2006 年，日本实施了《肯定列表制度》，查出了大量的农产品进口存在超越标准的残留农药事件，使得 2006 年新鲜香菇的进口比 2005 年减少了 27.4%，更进一步地，2007 年比 2006 年间减少了 39%，2008 年比 2007 年降低了 53%，达到 4689 吨。基于残留农药事件，中国政府也在香菇的出口方面对本国进行了严格的检验制度与限制性措施，以确保农产品的安全程度。

7.2.4.2 干香菇的进出口状况

1）日本干香菇出口状况

日本干香菇的出口以 1986 年为顶峰时期，出口量最高达到 3538 吨，出口地以中国香港为主。20 世纪 80 年代后期市场被中国的干香菇所夺取，随着干香菇生产量的不断减少，近几年，出口量下降到 2006 年的 76 吨。为此，日本政府出台了一系列向国外，如新加坡、中国香港、中国台湾等地输出农产品的政策，可是由于国内需求及生产量的减少，并未见到相应的成效，如图 7-8 所示。

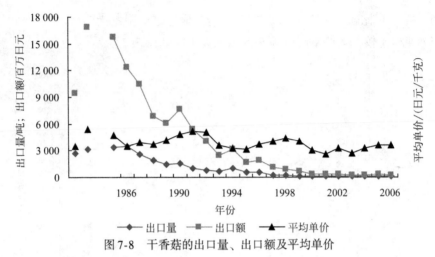

图 7-8 干香菇的出口量、出口额及平均单价

资料来源：根据林野厅《业务资料》《特用林产物供需表》《特用林产物基础资料》相关数据得出。

2）日本干香菇进口状况

2007 年，从中国进口的干香菇量减少到 7418 吨，可是来自韩国的进口量却从 96 吨急剧增加到 274 吨，来自中国香港的进口量增长了大约 5 倍。2006 年，日本实施了《肯定列表制度》以后，进口的新鲜香菇总量下降了 40% 左右，但相对于新鲜香菇进口的下降，干香菇进口量仅仅减少了小部分。为了满足其国内对香菇的消费需求，在减少从中国进口数量的同时，来自韩国、中国香港的进口量出现了大幅增长。由此，自 2000 年以来，干香菇的进口量虽有下降，但降幅较缓，且在总量上仍然保持在 8000 吨左右的水平，平均单价则还有所上升（图 7-9）。

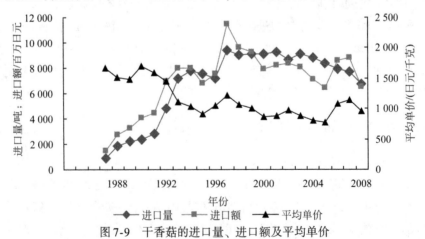

图 7-9 干香菇的进口量、进口额及平均单价

资料来源：根据林野厅《业务资料》《特用林产物供需表》《特用林产物基础资料》相关数据得出。

7.2.5 日本市场上的中国产食用菌市场占有率

7.2.5.1 鲜香菇市场占有率

由图 7-7 可知，新鲜香菇的进口量在 2000 年达到顶峰，同时，从中国进口的量也达到最高 42 000 吨，占日本需求总量的 38.5%，在日本的零售商店中几乎都可以看到中国产的袋装新鲜香菇，可是到 2007 年便下降到了 13% 的市场份额（图 7-10），近年来，在商店的货架上较难发现，仅仅在一些批发超市可以看到。

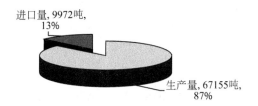

进口量，9972吨，13%

生产量，67155吨，87%

□ 生产量 ■ 进口量

图 7-10 新鲜香菇市场占有份额（2007 年）

资料来源：根据林野厅《业务资料》《特用林产物供需表》《特用林产物基础资料》相关数据得出。

7.2.5.2 中国干香菇的市场占有率

日本干香菇的年消费量基本保持在 1.2 万吨左右，可是，近年来，由于从中国进口干香菇量一直下降，导致其国内的消费量也下降到了 1.1 万吨。同时，由于日本国内关于中国食品安全问题的负面报道，使得消费者对其国产农产品的需求逐步增加。近年来，日本政府加强了对非法标示产地、产品非法包装等方面的打击力度，同时强化了农产品进口检测的规章制度及检测手段，这些措施使进口的食用菌逐渐减少，借此契机，日本国产香菇市场崛起，干香菇的单价最高达到了 5000 日元/千克。这些措施也导致了对中国生产干香菇进口量的减少，但同时价格却大幅度地提高了，最终使得进口量虽然减少，进口额却有所增加。

7.2.5.3 中国松蘑的市场占有率

松蘑是日本特有饮食文化的一部分，2007 年的生产量为 51 吨，仅仅为高峰时期 1947 年生产量 6484 吨的 0.08%，2007 年，市场需求的 97% 依靠进口。从中国进口量占总进口量的 62%。最近几年，由于农药残留等问题，从中国的进口量有所下降，从美国、加拿大的进口量增加，另外，从韩国的进口量也有显著增长，如图 7-11 所示。

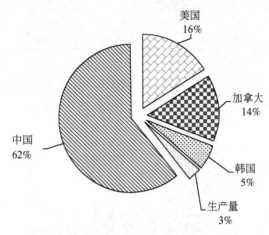

图 7-11　中国松蘑市场占有份额（2007 年）

资料来源：根据林野厅《业务资料》《特用林产物供需表》《特用林产物基础资料》相关数据得出。

7.2.5.4　日本从中国进口木耳的市场占有率

在以前的日本，几乎没有进行木耳的生产，其需求是百分之百依赖于从中国进口。中国黑木耳的市场占有率高达 97%，白木耳占有率为 3%。但是，近几年，日本国内开始生产木耳，而且生产的企业在逐年增加，相信在两三年后，日本自身的黑木耳生产量将会明显增加。

通过以上对日本食用菌产业现状的分析，我们可以看出日本的食用菌产业由于进口的冲击，使得其国内的生产一度陷入低迷，然而，近年来，由于农药残留问题及食品安全、保证消费者放心等问题导致日本消费具有国产倾向，这对其进口业产生巨大影响。但也因此极大地促进了其国内生产者的积极性，而且，为了振兴其国内的生产，日本政府也出台了一系列政策以鼓励农民生产，并尽可能地满足其国内的消费需求。为了在国际市场上更具有竞争力，生产成本和流通费用的降低成为日本食用菌生产在今后努力的重要方向。

日本是我国最大的食用菌产品输出国之一，日本的进口香菇中 90% 来源于中国。研究日本食用菌产业的变化对于我国进一步扩大出口，增加外汇，改善生产是非常必要的。同时，通过研究和了解发达国家的成功经验和不足之处，也有利于我国在发展食用菌产业上少走弯路。

（李学婷）

7.3 美国食用菌产销形势分析

7.3.1 美国食用菌产销概况

美国食用菌产量在2008-2009年为817百万磅，比2007-2008年上升了1%。2008-2009年食用菌产值为957百万美元，比上一年下降了1%。食用菌种植者的数量为285家，比上一年度多了6家。种植者获得的生产者平均价格为每磅1.17美元，比2007-2008年减少了1美分，如表7-3所示。

2008-2009年美国食用菌鲜菇市场销售量为679百万磅，与上一年相差无几。出售给加工企业用的食用菌为123百万磅，比上一年上升了4%。当年食用菌的总产值为909百万美元，比上一年度和2006-2007年产季下降了1%。

表7-3   近三年美国食用菌产销概况（2006-07-01~2009-06-30）

年份	种植者数量/个	全部销售		
		销售量/千磅	每磅价格/美元	销售总额/千美元
2006-2007	280	828 002	1.160	961 446
2007-2008	279	812 604	1.180	962 756
2008-2009	285	816 974	1.170	957 028

资料来源：根据美国农业部相关数据得出。

美国食用菌生产中，蘑菇生产占绝对优势，香菇、平菇及其他外来菇等特种菇仅为少量生产。

7.3.2 蘑菇产销情况

7.3.2.1 总量徘徊

2008-2009年美国蘑菇产量为802百万磅，比2007-2008年度略有上升，但比2006-2007年度低2%，如表7-4所示。

7.3.2.2 生产区域相对集中

美国各地均有蘑菇生产，但生产规模各有不同，同时具有生产区域相对集中的特点。宾夕法尼亚州是美国蘑菇的主要生产州，占到了美国蘑菇总产量的65%，而排在第二的加利福尼亚州贡献了15%的份额，如表7-4所示。

7.3.2.3　高质量蘑菇走俏

褐菇是质量上乘的食用菌种类。2008–2009年度，美国褐菇产量为111百万磅，比上一年度上升了5%，比2006–2007年度上升了12%。褐菇占食用菌总产量比例达到14%。2008–2009年褐菇的产值为155百万美元，占食用菌总销售额的16%。

表 7-4　近三年美国各地蘑菇产销状况（2006-07-01～2009-06-30）

州、区域[1] 和年份	生产面积		销售		
	可种植面积	实际种植面积	销售量	销售价格	销售额
	1000 平方尺		1000 磅	美元/磅	1000 美元
美国总计					
2006–2007	29 901	145 743	813 849	1.12	915 561
2007–2008	26 964	136 011	797 348	1.15	917 607
2008–2009	26 215	134 089	801 523	1.13	909 078
宾夕法尼亚					
2006–2007	16 761	83 587	496 566	0.891	442 292
2007–2008	16 364	78 083	496 721	0.912	453 013
2008–2009	16 635	80 869	524 587	0.881	461 936
加利福尼亚					
2006–2007	4 919	24 831	117 851	1.59	187 473
2007–2008	4 399	21 764	118 811	1.60	189 615
2008–2009	3 914	20 543	123 919	1.63	202 599
其他州					
2006–2007[2]	8 221	37 325	199 432	1.43	285 796
2007–2008[3]	6 201	36 164	181 816	1.51	274 979
2008–2009[4]	5 666	32 677	153 017	1.60	244 543
东部					
2006–2007	19 053	97 188	573 013	0.949	543 837
2007–2008	17 901	90 922	564 759	0.969	547 468
2008–2009	17 951	91 719	568 219	0.926	526 404

续表

州 、区域1) 和年份	生产面积		销售		
	可种植面积	实际种植面积	销售量	销售价格	销售额
	1000 平方尺		1000 磅	美元/磅	1000 美元
中部					
2006-2007	3 239	15 841	79 821	1.60	127 717
2007-2008	3 233	15 822	77 059	1.64	126 684
2008-2009	3 137	15 290	74 258	1.70	126 534
西部					
2006-2007	7 609	32 714	161 015	1.52	244 007
2007-2008	5 830	29 267	155 530	1.57	243 455
2008-2009	5 127	27 080	159 046	1.61	256 140

注：1）东部包括特拉华、佛罗里达、纽约、宾夕法尼亚、田纳西；中部包括伊利诺手、密执安、俄亥俄、得克萨斯、威斯康星；西部包括加利福尼亚、科罗拉多、北达科他、俄勒冈、尤他、华盛顿。

2）包括科罗拉多、康乃狄克、特拉华、佛罗里达、伊利诺、马里兰、蒙大拿、纽约、俄克拉何马、奥勒冈、田纳西、得克萨斯、犹他、威斯康星。

3）包括科罗拉多、特拉华、佛罗里达、伊利诺、马里兰、蒙大拿、纽约、俄克拉何马、奥勒冈、田纳西、得克萨斯、犹他、佛蒙特、华盛顿、威斯康星。

4）包括科罗拉多、特拉华、佛罗里达、伊利诺、马里兰、蒙大拿、纽约、俄克拉何马、奥勒冈、田纳西、得克萨斯、犹他、华盛顿、威斯康星。

资料来源：根据美国农业部相关数据得出。

7.3.2.4　复种指数高

2006-2007 年、2007-2008 年和 2008-2009 年，美国蘑菇的可种植面积被利用得越来越充分。其复种指数逐年提高，分别高达 4.87、5.04 和 5.11。

7.3.2.5　地区价格差异较大

蘑菇的地区差价也很明显。2006-2007 年、2007-2008 年和 2008-2009 年，美国的蘑菇地区差价始终保持中部>西部>东部的格局，如表 7-4 所示。

7.3.2.6　蘑菇销售形态以鲜菇为主

美国蘑菇销售的商品形态，逐步由以加工菇为主转变成以鲜菇为主。在美国开始进行蘑菇生产统计的 1967 年，蘑菇总销售量中，鲜菇销售量占 25%，加工菇占 75%；而到 2008-2009 年，鲜菇所占比例上升为 85%，加工菇下降为 15%。而且，鲜菇价格还在呈上升趋势，2008-2009 年的平均售价为每磅 1.24 美元，与上年度持平，比 2006–2007 年提高 3 美分；而加工菇价格呈下降趋势，平均售价为 0.562 美元，比上一年度降低 8.3 美分，如表 7-5 所示。

表 7-5　美国新鲜蘑菇与加工蘑菇产销状况（2006-07-01 ~ 2009-06-30）

年份和州 *	鲜菇市场			加工市场		
	销售量 /千镑	销售价格 /（美元/磅）	销售价值 /万美元	销售量 /千镑	销售价格 /（美元/磅）	销售价值 /万美元
2006–2007						
宾夕法尼亚	403 564	0.96	38 742.1	93 002	0.59	5 487.1
其他州	66 210	1.42	9 374.0	10 237	0.762	780.5
东部	469 774	1.02	48 116.1	103 239	0.607	6 267.6
中部	69 696	1.69	11 803.8	10 125	0.956	967.9
加利福尼亚	115 017	1.61	18 517.7	2 834	0.81	229.6
西部其他	42 222	1.33	5 598.4	942	0.372	35.0
西部 总计	157 239	1.53	24 116.1	3 776	0.701	264.6
美国	696 709	1.21	8 405.0	117 140	0.64	7 500.1
2007–2008						
宾夕法尼亚	404 971	0.987	39 970.6	91 750	0.581	5 330.7
其他州	59 134	1.49	8 837.8	8 904	0.683	607.7
东部	464 105	1.05	48 808.4	100 654	0.59	5 938.4
中部	67 111	1.76	11 778.1	9 948	0.895	890.3
加利福尼亚	115 366	1.62	18 689.3	3 445	0.79	272.2
西部其他	33 104	1.48	4 899.5	3 615	1.34	484.5
西部 总计	148 470	1.59	23 588.8	7 060	1.07	756.7
美国	679 686	1.24	84 175.3	117 662	0.645	7 585.4
2008–2009						
宾夕法尼亚	420 326	0.971	40 813.7	104 261	0.516	5 379.9
其他州	36 548	1.62	5 938.9	7 084	0.717	507.9
东部	456 874	1.02	46 752.6	111 345	0.529	5 887.8
中部	64 898	1.82	11 795.1	9 360	0.917	858.3
加利福尼亚	121 932	1.65	20 118.8	1 987	0.71	141.1
西部其他	35 006	1.53	5 343.0	121	0.917	11.1
西部 总计	156 938	1.62	25 461.8	2 108	0.722	152.2
美国	678 710	1.24	84 009.5	122 813	0.562	6 898.3

　*东部包括特拉华、佛罗里达、纽约、宾夕法尼亚、田纳西；中部包括伊利诺手、密执安、俄亥俄、得克萨斯、威斯康星；西部包括加利福尼亚、科罗拉多、北达科他、俄勒冈、尤他、华盛顿。

　资料来源：根据美国农业部国家农业统计服务中心相关数据得出。

7.3.2.7 生产种植者高度集中于少数大规模厂家

2008~2009 年度美国蘑菇的种植者为 116 家，比上一年度增加了 5 家，但比 2006~2007 年度减少了 1 家，如表7-6所示。

表7-6 美国蘑菇种植者数量、产销量及其地区分布（2006-07-01～2009-06-30）

年份	年份和区域*	种植者数量	所有销售		
			数量/千磅	每磅价格/美元	产值/万美元
2006~2007	宾夕法尼亚	73	496 566	0.891	44 229.2
	其他州	10	76 447	1.33	10 154.5
	东部	83	573 013	0.949	54 383.7
	中部	7	79 821	1.60	12 771.7
	加利福尼亚	20	117 851	1.59	18 747.3
	西部其他	7	43 164	1.31	5 633.4
	西部 总计	27	161 015	1.51	24 380.7
	美国	117	813 849	1.12	91 536.1
2007~2008	宾夕法尼亚	69	496 721	0.912	45 301.3
	其他州	7	68 038	1.39	9 445.5
	东部	76	564 759	0.969	54 746.8
	中部	7	77 050	1.64	12 661.6
	加利福尼亚	17	114 318	1.62	18 566.2
	西部其他	8	36 719	1.47	5 384.0
	西部 总计	26	155 530	1.57	24 345.5
	美国	111	797 348	1.15	91 760.7
2008~2009	宾夕法尼亚	71	524 587	0.881	46 193.6
	其他州	7	43 632	1.48	6 446.8
	东部	78	568 219	0.926	52 640.4
	中部	9	74 258	1.70	12 653.4
	加利福尼亚	23	123 919	1.63	20 259.9
	西部其他	6	35 127	1.52	5 354.1
	西部 总计	29	159 046	1.61	25 614.0
	美国	116	801 523	1.13	90 907.8

*东部包括特拉华、佛罗里达、纽约、宾夕法尼亚、田纳西；中部包括伊利诺手、密执安、俄亥俄、得克萨斯、威斯康星；西部包括加利福尼亚、科罗拉多、北达科他、俄勒冈、尤他、华盛顿。

资料来源：根据美国农业部国家统计服务中心相关数据得出。

其中，销售额超过 1000 万磅的种植者提供的产量占美国食用菌总产量的 71%，为 570 百万磅。其他的种植者群如下：

超过 20 百万磅的有 9 家；10 百万磅到 19.9 百万磅的有 19 家；在 5 ~ 9.9 百万磅的有 14 家；在 2.5 百万磅到 4.9 百万磅的有 23 家；在 1 ~ 2.4 百万磅的有 28 家；在 0.5 ~ 1 百万磅的有 3 家；少于 0.5 百万磅的有 20 家。

7.3.2.8 蘑菇的土地生产率和经济效益日益提高

2008-2009 年，美国蘑菇可种植面积 26.2 百万平方尺，比上一年下降了 3%，与 2006-2007 年相比下降了 12%。实际总种植面积为 134 百万平方尺，比上一年下降了 1%，比 2006-2007 年下降了 8%（表 7-4）。而每平方尺的平均产量为 5.98 磅，比上一年度增加了 2%。种植者获得的收益为每平方尺 6.78 美元，比上一年度高了 3 美分，比 2006-2007 年度高 50 美分，如表 7-7 所示。

表 7-7　美国蘑菇的土地生产率和单位面积经济效益（2006-07-01 ~ 2009-06-30）

州和区域*	生产率/（磅/平方米）		
	2006-2007	2007-2008	2008-2009
宾夕法尼亚	5.94	6.36	6.49
东部	5.90	6.21	6.20
中部	5.04	4.87	4.86
加利福尼亚	4.75	5.46	6.03
西部	4.92	5.31	5.87
美国	5.58	5.86	5.98
	每平方尺产值/（美元/平方尺）		
宾夕法尼亚	5.29	5.80	5.71
东部	5.60	6.02	5.74
中部	8.06	8.01	8.28
加利福尼亚	7.55	8.71	9.86
西部	7.46	8.32	9.46
美国	6.28	6.75	6.78

　*东部包括特拉华、佛罗里达 纽约、宾夕法尼亚、田纳西；中部包括伊利诺君、密执安、俄亥俄、得克萨斯、威斯康星；西部包括加利福尼亚、科罗拉多、北达科他、俄勒冈、尤他、华盛顿。

　资料来源：根据美国农业部相关数据得出。

7.3.3　特种菇产销状况

特种菇包括香菇、木耳和其他外来品种，其产销数量虽少，但因质量较高，售价也相对普通蘑菇成倍溢出。

在2008-2009年，美国商业性种植的特种菇（香菇、木耳和其他外来品种）的产值为48百万美元，比2007-2008年上升了6%。特种菇种植者获得的平均价格比上年度上升了14美分，每磅为3.10美元。

在2008-2009年香菇出售了9.42百万磅，比上年度减少了3%。香菇种植者获得的生产者平均价格为每磅3.19美元，比2007-2008年度增加了50美分。木耳产量为5.10百万磅，比上一年度增加了19%。木耳种植者获得的生产者平均价格为每磅2.46美元，比上一年下降了42美分。而且所有其他外来的菇种产量，除了香菇和木耳，为979 000磅，比上一年下降了26%；与此同时，种植者获得的生产者平均价格为每磅5.59美元，比2007-2008年增加了43美分。

7.3.4　获得有机认证的蘑菇和特种菇产销状况

随着消费者环保意识的逐步增强，有机食用菌消费在美国日渐上升。根据美国著名的ROSE RESEARCH调查，鲜菌因其特有的营养和药用价值被排在马铃薯和西兰花之后，成为美国第三大公众喜爱蔬菜种类。在2008-2009年度出售的经有机认证的蘑菇和特种菇类总量为41百万磅，比2007-2008年上升了3%。在出售的41百万磅的总量中，有12百万磅，即29%是作为有机蘑菇出售的。有机蘑菇销售在2007-2008年度则为13.2百万磅，占33%。经有机认证的食用菌中蘑菇占89%，其余的是特种菇类。在2008-2009年这种经认证的有机菇占美国食用菌总销售的1%。经有机认证的蘑菇种植者为42家，与上一年无变化，这些有机认证后的种植者已占285家蘑菇生产者的15%。

（邵　燕　曹明宏）

7.4　韩国食用菌生产及贸易研究

俗话说"民以食为天"，食品是人们赖以生存的基础。食用菌作为一种富含蛋白质、维生素和生理活性物质的天然食品，被众多营养学家所推崇。联合国粮农组织更是将"一荤、一素、一菇"倡导为最科学的饮食营养搭配方式。随着人们生活水平的不断提高，食用菌日益成为人们日常饮食中不可缺少的食物。与此同时，各国也对食用菌产业给予了高度关注，而了解这些国家食用菌的生产、贸易状况对于我国食用菌产业发展具有重要的借鉴意义。有鉴于此，本书将以世界十大食用菌出口国之一的韩国为对象，分析韩国食用菌的生产与贸易现状，并对中韩两国食用菌贸易进行对比分析，在此基础上，提出有利于我国食用菌产业发展的政策建议。

7.4.1 韩国食用菌生产现状

20世纪90年代以来，韩国食用菌生产得到了快速发展，特别是近几年，韩国通过实施工厂化栽培管理，使得生产效率得到较大幅度提高，生产能力得到相当程度增强，产业发展呈现出一些明显特征。

7.4.1.1 韩国食用菌生产规模

韩国食用菌的总产量在整体上呈现出上升趋势。由表7-8可知，1990年食用菌产量为10 281吨，2000年20 659吨，2007年28 764吨，2010年22 600吨，产量增势呈现出波浪式的特征。具体来说，1990~1995年，韩国食用菌产量增速较为缓慢，且波动较大，甚至于1995年其产量跌回至9582吨；1996~2005年则是韩国食用菌产量的快速增长期，由12 418吨上升到了28 375吨；2006年至今则是稳定期，食用菌产量波动不大。尽管食用菌产量在总体上呈现出上升态势，但食用菌总生产额和在农林业中的占比并没有明显变化，从1995年的4069亿元，所占比例1.2%，2000年的7112亿元，所占比例为1.5%，到2007年的7273亿元，占农林业总值的2.1%，产量增速明显高于产值增速。反映了韩国目前生产的主要食用菌品种出现了增产不增收的现象。

表7-8　韩国食用菌生产趋势

年份	规模/（kg/Ha）	产量/吨
1990	1 742 542. 37	10 281
1991	1 577 543. 86	8 992
1992	1 666 666. 67	10 000
1993	2 727 560. 98	11 183
1994	2 867 714. 29	10 037
1995	1 409 117. 65	9 582

续表

年份	规模/（kg/Ha）	产量/吨
1996	1 411 136. 36	12 418
1997	1 345 000	13 181
1998	1 523 809. 52	16 000
1999	1 392 535. 21	19 774
2000	1 267 423. 31	20 659
2001	1 445 646. 26	21 251
2002	1 394 802. 26	24 688
2003	1 386 500	24 957
2004	1 389 050	27 781
2005	1 612 215. 91	28 375
2006	1 370 200	27 404
2007	1 546 451. 61	28 764
2008	1 516 631. 02	28 361
2009	1 422 789. 47	27 033
2010	1 412 500	22 600

资料来源：根据联合国粮农组织统计数据库相关数据得出。

7.4.1.2 韩国食用菌生产投入

食用菌产业属于劳动密集型产业，在传统生产方式中，从制种、接种、栽培、管理到采收加工等各个环节，基本上都是人工操作。20 世纪 90 年代以后，韩国利用先进的生产技术，规模化生产，使得劳动力投入时间得到不同程度的减少。以双孢蘑菇为例，从 2003 年每平方米投入 1194 个小时到近年来的每平方米投入 740 个小时，减少了 38.0%。从经营成本来看，因原材料和电费等生产费用的上升，韩国食用菌主要品种的生产成本普遍上涨。平菇的经营成本从 2003 年的每 330 平方米花费 982.3 万元，上升至近年来的每 330 平方米的费用为 1507 万元，增长了 53.5%；双孢蘑菇则从 2003 年的每 330 平方米花费 1861.5 万元，增至 2925.4 万元。

7.4.1.3 韩国食用菌生产特点

目前，韩国食用菌种植正逐步推进工厂化栽培模式。工厂化生产是依据食用菌自身适宜的生长条件，在不同季节采取最优的环境控制模式，进行机械化操作，周年持续稳定地生产出质量好、产量高的食用菌。韩国食用菌的工厂化设施生产规模较大，在国际上处于领先水平，其最大的金针菇生产场日产量可达到10万瓶，栽培场除少量环节需要人工辅助外，其余均依靠计算机智能控制，整个生产过程按照程序规范运行。如今，韩国工厂化生产的菌种如小平菇、金针菇、杏鲍菇等大多实现液体菌种培养，每个菌场都采用自制的菌种（胡永光等2007）。正因为韩国采用这种先进的生产模式，加上生产环境的可控性，改变了靠天吃饭的局面，生产效率得到大大提高，才出现了食用菌种植人数、栽培面积和劳动投入时间均呈现出减少的趋势，生产量快速提高的状况，但由于受到市场环境、社会环境等因素的影响，产值并没有明显增长。

7.4.2 韩国食用菌贸易现状

2000年以来，随着韩国食用菌生产能力不断提高，金针菇、杏鲍菇、平菇的年产量均大幅度增加。虽然韩国国内食用菌的消费水平随生活质量的提高呈持续增加趋势，食用菌人年均消费量从2000年的2.67千克，上升至近年来的3.70千克，但由于人均食用菌消费量的增速低于食用菌产量的增速，仍出现了供过于求的状况。为了保证国内行情的稳定，促进菇农增收，韩国一方面刺激国内市场需求，另一方面也把目标瞄准了国际市场。

7.4.2.1 基于总量的食用菌出口贸易

韩国食用菌分为农产食用菌和林产食用菌。农产食用菌主要有双孢蘑菇、平菇、金针菇和灵芝等；林产食用菌主要包括香菇和松茸等。从贸易量来看，金针菇、杏鲍菇和平菇等大量出口到国际市场，而总进口额从2004年的33 726 205美元下降至2010年的14 123 257美元，且进口量减少趋势明显，如图7-12所示。

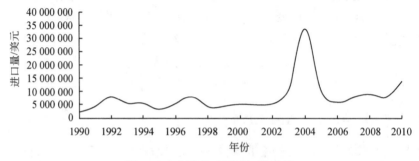

图7-12 食用菌（干品）进口量

资料来源：根据联合国统计司相关数据得出。

由图 7-12 可知，干品食用菌进口最多的一年是 2004 年，进口额达到 33 726 205美元，最少是在 1990 年，为 2 158 221 美元，2002 ~ 2006 年进口额波动最为强烈。这主要是源于韩国食用菌设施栽培模式的深入推广，整个生产过程电脑控制，程序化操作，规范、标准、效率高，双孢蘑菇和松茸的生产能力得到提升，对国际市场的需求减少，从而进口量减少。当然，食用菌的进口量除了受到自身生产效率影响外，还会受国际食用菌市场环境、贸易壁垒等因素的作用，因而在数量上会呈现一定的波动趋势。

从干品食用菌的出口情况来看，由图 7-13 可知，食用菌出口额在 1991 年达到最高值为 27 014 694 美元，而后出口额呈现出波浪式下降的趋势。进入 21 世纪以来，食用菌的出口额于 2006 年达到最低点，为 4 098 517 美元。2010 年的出口额则上升到 6 015 718 美元，但仍旧不及 20 世纪 90 年代。总体而言，出口额下降趋势显著突出。根据联合国统计司的相关数据统计，韩国鲜品食用菌的出口量同样呈现出下降的趋势，2010 年的出口额仅为 145 698 美元。韩国食用菌贸易出口量下降的主要原因在于目前双孢蘑菇引入工厂化栽培的技术条件还不成熟，自动化规模化生产还未实现，产量增速有限，加之香菇生产大国如中国、日本等对国际市场的控制，韩国香菇并没有竞争优势，因而出口额一直处于下降状态。

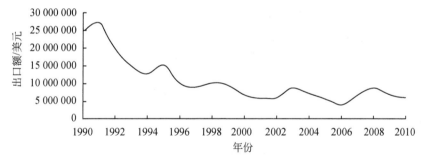

图 7-13　食用菌（干品）出口额

资料来源：根据联合国统计司相关数据得出。

7.4.2.2　韩国食用菌出口市场相对集中

一直以来，中国内地、美国、中国香港、日本和澳大利亚是韩国食用菌的主要输出市场。历年来，香菇是韩国食用菌出口的重要品种。2010 年韩国蘑菇和松露出口市场（表 7-9）分布并不均衡。

表 7-9　2010 年韩国食用菌主要出口输出地一览表

输出地	出口量/吨	出口金额/千美元
中国香港	5 213	8 994
美国	3 839	6 889
日本	676	6 889
中国内地	5 059	6 458
澳大利亚	1 180	2 741
荷兰	595	2 455
越南	1 379	2 099
加拿大	912	1 911
新加坡	688	1 248
马来西亚	613	1 174
德国	231	1 102
印度尼西亚	378	722
西班牙	100	439

资料来源：根据 UNdate 相关数据得出。

从香菇出口输出地分布一览表上清晰看出，香菇的输出地较为集中，且绝大多数在亚洲地区，这可能与亚洲国民和欧美国民的饮食消费习惯有关，亚洲人偏爱香菇的口感，而欧美人则对其没有很大兴趣。为了减少食用菌市场风险，韩国正努力扩展国际市场。近年来，韩国食用菌的出口国家不断增加，国际市场开发速度较快，已经逐步向德国、西班牙等欧洲国家的市场深入。

7.4.2.3　韩国食用菌出口企业内部竞争激烈

随着韩国食用菌产业快速成长，为确保竞争实力，企业走向兼并发展的道路，企业数量越来越少，规模越来越大。如韩国国内金针菇工厂由 2004 年的 173 个，减少至近年来的 49 个。但由于企业规模的扩大，企业间竞争力日益增强。食用菌的出口单价由于出口企业间的内耗而持续下降，农产食用菌价格由 1997 年的每千克 4.25 美元，2006 年的 2 美元，降至 2008 年的 1.97 美元；林产食用菌的价格也由 2007 年的每千克 66.06 美元，2006 年的 42.94 美元，降到 2008 年的 26.34 美元，两者降幅均超过 60%（崔哲浩　2004）。

7.4.3　中国与韩国食用菌贸易分析

中国是世界上最大的食用菌生产国，年产量占全球总产量的 70% 以上。进入 21 世纪以来，中国食用菌产业以年均超过 10% 的速度稳定持续发展。2001
年，食用菌产量约为 7 818 702 吨，总产值约为 3 147 491 万元；2005 年，食用菌
产量达到 13 345 994 吨，总产值约为 5 854 788 万元；2010 年，食用菌总产量达
到 22 011 620 吨，食用菌产值达到 14 132 153 万元。在贸易方面，进入 21 世纪
以来，中国食用菌出口呈现出快速增长的势头，已成为中国出口创汇农产品的重
要一员，出口量从 2000 年的 362 441 吨增长至 2010 年 491 154 吨，增长了 35%，
出口金额从 2000 年的 50 828 万美元增长至 2010 年的 175 238 万美元，增长了
2.4 倍，多年保持贸易顺差的局面。同时，韩国食用菌产业也发展迅速，总产量
在 1990 年世界排名第 10 位，2002 年排名第 17 位，2008 年进入前 10 位，国际贸
易形势良好，在世界食用菌贸易方面也占有重要的地位。虽然韩国出口的食用菌
品种主要为松茸和香菇，但近几年来金针菇和杏鲍菇的出口呈现出强劲的势头。

中韩自 1992 年建交以来，双边贸易取得了飞速发展。中国于 2001 年加入
WTO，更进一步促进了中韩双边各方面的贸易合作。目前，韩国已成为中国的第
六大贸易伙伴，我国成为韩国的第二大贸易伙伴。就食用菌贸易来说，在亚洲，
韩国已经成为仅次于日本的第二大贸易伙伴。根据国家海关信息网的相关统计数
据，2010 年，中国向韩国出口了小白蘑菇（洋蘑菇）罐头 8781.179 吨、干香菇
2201.227 吨、鲜或冷藏的香菇 2651.223 吨、鲜或冷藏的松茸 109.225 吨、其他
伞菌属蘑菇罐头 811.996 吨、鲜活冷藏的伞菌属蘑菇 6.7 吨、干银耳 5.3 吨。除
此之外，还出口了其他种类的食用菌。韩国政府对食用菌的出口也给予高度支
持，出口补贴分为三部分，农林水产部补贴 6%，流通公社补贴 8%，金针菇协
会补贴 4%。正因为如此高的补贴，韩中食用菌双边贸易市场开始发生变化，韩
国对中国出口的占比越来越大，特别是韩国极具竞争力的金针菇在 2009 年 1～7
月对我国的鲜品出口量达 3623 吨，出口额近 200 万美元，同比分别增长了
1410% 和 1315%，而且在 2010 年第一季度出口总额 238.6 万元，是 2009 年同期
（26 万元）的 90 倍以上，已达到 2009 年出口总额（405 万美元）的 60%，这使
得我国北方的金针菇市场价格始终高不起来，可见韩国对我国金针菇产业的冲击
力不可小觑，同样我国的杏鲍菇等产业也面临冲击。

7.4.4 韩国食用菌贸易的发展趋势及对我国的启示

随着人们对健康食品需求的增加，食用菌作为营养、健康、安全食品将日益
受到人们的欢迎。韩国食用菌产业面对国际市场这块大蛋糕也是整装待发。首

先，韩国出口企业为避免内耗，内部间加强合作，联合出口，这样可以有效避免韩国食用菌对外出口价格不断下降的格局。其次，食用菌作为一种易变质难保鲜的食品，为提高在国际市场上的竞争力，近年来韩国在开发长距离运输所需的保鲜技术上下了不少苦工，同时，也在考虑改变传统的食用菌运输方式，研究低运输成本的航空运输来保证成本上的竞争优势。最后，韩国为了扩展欧洲市场，一方面准备丰富食用菌产品种类，研发食用菌加工产品如添加剂等，另一方面逐步将灰树花、松菇等实施工厂化生产，并引导主要出口品种如金针菇、杏鲍菇和平菇等在海外建立工厂，提高产量，加之与美国和欧洲的自由贸易协定（free trade agreement，FTA）的生效，韩国食用菌产品对其出口的门槛将会大大降低，竞争力得到提高，在某些品种如金针菇等方面，将会成为中国强有力的竞争者。

鉴于以上分析，要继续彰显我国食用菌贸易的竞争优势，可以采用考虑如下建议：

首先，按照食用菌产业化发展的要求组织食用菌工厂化生产。由于我国现有采用食用菌工厂化栽培生产的企业大多规模偏小，无论是市场覆盖率还是产品影响力都很低，为了改变这种局面，我国食用菌生产企业需要按照食用菌产业发展制订的目标，依托农业技术，调节和控制食用菌生产的内外部环境，做到合理投入，高效产出，为我国的食用菌产品在国际市场上始终保持强大优势提供坚实的基础。

其次，研发和引进新技术，全面提升食用菌产品的质量和品质。目前，我国食用菌在国际市场上，初级产品较多，高附加值产品较少，为了进一步拓宽国际市场，我国需要利用科技开发新产品，由初级产品出口向附加值含量高、品质优良的深加工型产品转变。同时，还应该加大对食用菌保鲜技术的研究，为食用菌产品运输到欧美市场提供技术支持。

最后，调整食用菌出口战略，降低出口集中度，不把所有的鸡蛋放进一个篮子。目前我国食用菌出口市场有些相似，存在着出口国家较为单一的问题。对此我国应立足于现有的主要食用菌市场，积极开拓欧美市场。中国香港、韩国、日本、新加坡等，这些国家（地区）一直是我国食用菌及其加工品主要输出地，抓住这些市场，就抓住了亚洲的主要市场。近几年欧美市场对食用菌及其加工品的需求增加很快，因此欧美市场也有很大潜力，值得积极开发。

（肖　琪　　张俊飚　何　可）

参 考 文 献

包著勤.2004.食用菌废培养料再利用技术.食用菌,(6):20-21.

边淑娟,黄民生,李娟等.2010.基于能值生态足迹理论的福建省农业废弃物再利用方式评估.生态学报,30(10):2678-2686.

蔡昉.1994.汇率变动对我国农业和农村经济影响的研究.中国农村经济,10:33-41.

陈超,周宁.2007.农民文化素质的差异对农业生产和技术选择渠道的影响.中国农村经济,(9):33-38.

陈丽芬.2008.我国农村市场体系现状及发展趋势.农业展望,(1):36-39.

陈羚,赵立欣,董保成.2010.我国秸秆沼气工程发展现状与趋势.可再生能源,28(3):145-148.

陈仁.1985.棉花副产品的综合利用——棉籽壳的利用.中国农学通报,(2):11-12.

陈晓东,姜立峰,郭佳.2008.基于DEA方法的我国水稻生产效率研究//长沙第三届中国管理学年会论文集.

崔哲浩.2004.韩国食用菌生产情况和进出口情况.中国食用菌产业协调发展高峰论坛.

狄乾斌,刘东元.2010.辽宁省出口贸易的时空差异及演变特征分析.经济地理,(3):15-19.

丁建吾.2009.农产品流通存在问题分析.中国经贸导刊,(3):34-35.

丁钰明.2008.城市消费者超市购买生鲜农产品行为研究.杭州:浙江大学.

付江涛.2007.农资价格波动与小麦收益关系的研究.南京:南京农业大学.

傅碧忠.2009.我国食用菌出口面临的形势与对策.浙江食用菌,17:14-16.

盖尔·克拉默,克拉伦斯·詹森.1991.农业经济学和农业企业.北京:中国社会科学出版社.

甘炯城,赖思纯,邱桂根,等.2009.珠海地区茶树菇栽培料的配比试验.食用菌,(3):36.

甘连法.2008-09-10.台州食用菌产业发展历程及当前种植效益分析.台州日报,10版.

甘清华,端木斌,洪林.2001.浙西南食用菌可持续生产与生态环境研究.浙江林业科技,21(4):71-75.

高露华,刘大明,葛凤丽,等.2008.转型期中国大豆生产资源配置效率及其区域特征研究,大豆科学,27(2):334-338.

高铁梅.2006.计量经济分析方法与建模.北京:清华大学出版社.

古国奎.2007.浅析发展食用菌产业对农业循环经济的影响.广西农学报,22(4):79-80.

顾海,王艾敏.2007.基于Malmquist指数的河南苹果生产效率评价.农业技术经济,(02):

99-104.

关付新.2009.中国现代农业企业组织的形式及演进.农业现代化研究,(1):43-50.

关小亮,张俊飚.2010.对我国食用菌产业标准化建设的初步思考.浙江食用菌,(10):4-9.

郭静利,郭燕枝.2008.我国食用菌的技术创新与国际贸易.中国科技论坛,(6):109-111.

郭霞,董维春.2008.农户需求视角下的农技推广服务发展方向探析——基于江苏省农户的调查.农业经济,(5):73-75.

何维军,李庆云.1999.我国科技成果低转化率的原因及对策.科技导报,(9):22-24.

胡初枝,黄贤金.2007.农户土地经营规模对农业生产绩效的影响分析——基于江苏省铜山县的分析.农业技术经济,(6):81-84.

胡定寰,杨伟民,张瑜.2009."农超对接"与农民专业合作社发展.农村经营管理,(8):12-14.

胡锦涛.2007-04-25.中共中央政治局第四十一次集体学习.人民日报.01版.

胡求光.2008.中国水产品出口贸易研究——基于需求变动的实证分析.咸阳:西北农林科技大学.

胡瑞法,李立秋.2006.农户需求型技术推广机制示范研究.农业经济问题,(11):50-56.

胡永光,李萍萍,袁俊杰.2007.食用菌工厂化模式探讨.安徽农业科学,35(9):2606-2608.

黄文清,张俊飚.2010.基于资源禀赋约束下的我国食用菌产业可持续发展问题研究.湖湘论坛,(4):86-91.

霍尚一.2008.中国水果出口贸易影响因素的实证分析.杭州:浙江大学.

冀宏,赵黎明,汪虹.2007.食用菌产业在农业循环经济中的作用与实践.食用菌,(2):1-3.

金堂县农村发展局.2010.金堂县食用菌产业的现状及发展对策.金农发〔2010〕3号.

康森.我国农民专业合作社发展步入"快车道"(新闻稿).http://www.gov.cn.

孔祥智,方松海,庞晓鹏,等.2004.西部地区农民禀赋对农业技术采纳的影响分析.经济研究,(12):85-95.

寇荣,谭向勇.2008.论农产品流通效率的分析框架.中国流通经济,(5):12-14.

赖作卿,张忠海.2008.基于DEA方法的广东林业投入产出超效率分析.华南农业大学学报(社会科学版),7(4):43-48.

兰良程.2009.中国食用菌产业现状与发展.中国农学通报,25(5):205-208.

李德兴.2007.浅谈制约食用菌产业可持续发展因素与对策——对开化县等浙江省欠发达地区食用菌产业发展的一些思考.食用菌,(3):1-3.

李东.2008.基于城乡统筹视角下的农村市场流通体系建设——重庆例证.全国商情(经济理论研究),(19):84-86.

李冬梅,陈超,刘智,等.2009.乡镇农技人员推广效率影响因素分析——基于四川省水稻主产区238户农户调查.农业技术经济,(4):34-40.

李芬儒,桑银峰.2008.农村中小批发零售企业自由连锁发展研究.中国流通经济,(5):

44-47.

李红梅. 2008. 农业技术推广人员技术推广行为研究——以四川省为例. 雅安：四川农业大学.

李京. 2009. 2009年食用菌市场分析及预测. 农业知识，(10)：30-32.

李惊雷. 2009. 人民币汇率变动对中国农产品贸易条件效应的实证分析. 农业技术经济，5：106-112.

李浚，黄国祥. 2007. 我国农产品出口波动的影响因素及对策分析. 安徽农业科学，35（35）：11687-11688.

李立秋，胡瑞法，刘健，等. 2003. 建立国家公共农业技术推广服务体系. 中国科技论坛，(6)：125-128.

李明德，吴海勇，聂军，等. 2010. 稻草及其循环利用后的有机废弃物还田效用研究. 中国农业科学，43（17）：3572-3579.

李平，张俊飚. 2010. 农户市场流通认知的经济学分析. 中国农村观察，6：44-53.

李萍萍，毛罕平，王多辉，等. 1998. 苇末菇渣在蔬菜基质栽培中的应用效果. 中国蔬菜，(5)：12-13.

李勤志，冯中朝，李然. 2009. 我国马铃薯生产效率的DEA分析. 陕西农业科学，(4)：156-159.

李然，冯中朝. 2010. 中国各地区油菜生产率的增长及收敛性分析. 华中农业大学学报（社会科学版），(1)：28-32.

李荣春. 2007. 美国食用菌产业现状与发展趋势. 浙江食用菌，(1)：34-36.

李小云，李鹤. 2005. 人民币升值对农业经济的影响——以大豆为例的可能性研究. 农业经济问题，1：31-36.

李学梅. 2003. 食用菌菌渣的开发利用. 河南农业科学，(5)：40-42.

李用芳. 2001. 食用菌菌渣的再利用. 生物学通报，36（3）：44-45.

李玉. 2008. 中国食用菌产业现状及前瞻. 吉林农业大学学报，30（4）：446-450.

李玉. 2011. 中国食用菌产业的发展态势. 食药用菌，19（1）：1-5.

李玉贞，吴金俞. 2008. 食用菌食品国内消费市场的调查. 安徽农学通报，14（7）：65，99.

李争，冯中朝. 2009. 油菜种植户的技术偏好及影响因子研究. 中国科技论坛，(9)：117-122.

李宗才. 2009. 我国近年来农业循环经济问题研究述评. 学术界，5（138）：276-280.

丽水市食用菌产业"十二五"发展规划.

梁命宜，陈新民. 1996. 不同培养料对平菇生长发育及产量影响的研究. 中国食用菌，(5)：11-12.

林毅夫. 2005. 制度、技术与中国农业发展. 上海：上海三联书店、上海人民出版社.

刘冬梅. 2009. 我国农村专业技术协会的未来发展方向及政策需求分析. 中国科技论坛，(8)：105-111.

刘贵巧. 2006. 河北省食用菌产业的优势、问题与对策分析. 北京：中国农业大学.

刘桂娟，贾身茂 . 2007. 我国食用菌地理标志产品保护的现状和意义 . 中国食用菌，（6）：
    14-17.

刘景胜 . 2004. 北京绿富隆农业股份有限公司食用菌产品市场营销策略 . 北京：清华大学 .

刘龙庭 . 2002. 汇率变动对一国进出口贸易的影响—对 "J 曲线效应" 的实证分析 . 云南财贸
    学院学报（经济管理版），（3）：67-69.

刘士旺 . 2009. 我国食用菌产业发展与研究动态 . 中国食用菌，28（1）：60-61.

刘威 . 2008. 食用菌废弃培养料的合理利用 . 食用菌，（11）：32.

刘远 . 2009. 加快农村信息化进程，拓宽农产品市场流通渠道 . 商场现代化，（30）：1-2.

刘贞平，刘圣欢 . 2007. 基于 DEA 模型的中部六省农业效率差异分析 . 安徽农学通报，
    13（3）：21-22，140.

刘芝绅，朱海，黄辑 . 2008. 辽宁省农产品市场流通体系建设现状及对策 . 中国农业资源与区
    划，29（2）：62-65.

卢敏，李玉，张俊飚 . 2010. 农民视角的食用菌生产信息获取与相关决策行为分析 . 农业技术
    经济，（4）：107-113.

卢敏，李玉 . 2005. 吉林省食用菌产业发展现状和战略分析 . 吉林农业大学学报，27（2）：
    229-232，236.

路青梅 . 2009. 我国食用菌行业的网络销售研究 . 资源开发与市场，（6）：522-523.

吕炳斌 . 2009. 市场流通立法的基本原则探析 . 商业研究，（10）：185-188.

吕玉花 . 2008. 新农村建设中的农产品物流问题研究 . 中国流通经济，（3）：20-22.

曼昆 . 2003. 经济学原理 . 梁小民，译 . 北京：机械工业出版社 .

美国农业部 . 2009 年国家食用菌产业统计资料汇编 .

米青山，王尚堃，宋建华 . 2005. 食用菌废料的综合利用研究 . 中国农学通报，21（2）：
    284-287.

潘根兴，张阿凤，邹建文，等 . 2010. 农业废弃物生物黑炭转化还田作为低碳农业途径的探
    讨 . 生态与农村环境学报，26（4）：394-400.

潘慧锋，陈青 . 2010. 浙江省食用菌循环生产模式剖析 . 中国食用菌，29（3）：60-62.

彭靖 . 2009. 对我国农业废弃物资源化利用的思考 . 生态环境学报，18（2）：794-798.

齐文娥，唐雯珊 . 2009. 农户农产品销售渠道的选择与评价——以广东省荔枝种植者为例 . 中
    国农村观察，（6）：14-22.

钱永忠，王芳，可山 . 2008. 中国农产品质量安全政府管理研究 . 北京：中国农业出版社 .

阙树玉，王升 . 2010. 人民币汇率波动对中国农产品进口价格影响的研究 . 农业技术经济，
    （5）：15-23.

商务部流通产业促进中心 . 2009. 中国农产品流通发展报告（上）. 中国流通经济，（1）：
    13-17.

商务部流通产业促进中心 . 2009. 中国农产品流通发展报告（下）. 中国流通经济，（2）：
    12-15.

时悦，赵铁丰 . 2009. 中国农业全要素生产率影响因素分析 . 华中农业大学学报（社会科学版），（2）：13-16.

食用菌技术引进与创新培训会在福州举行 . 中国农业信息网 . 2009-12-01.

史雅娟，吕永龙 . 1999. 农业废弃物的资源化利用 . 环境科学进展，7（6）：32-37.

宋海英 . 2005. 人民币汇率变动影响中国农产品出口贸易的实证研究 . 农业经济问题，3：9-13.

宋军，胡瑞法，黄季焜 . 1998. 农民的农业技术选择行为分析 . 农业技术经济，（6）：36-40.

孙东升，周锦绣，杨秀平 . 2005. 我国农产品出口日本遭遇技术性贸易壁垒的影响研究 . 农业技术经济，（5）：6-12.

孙剑，李崇光 . 2003. 论农产品营销渠道创新与对策 . 商业时代 .

孙晓康 . 2009. 做好标准化工作，促进质量和安全 . http：//www. ce. cn/cysc/ztpd/09/sxk/index. shtml，2009-07-29.

孙振钧，袁振宏，张夫道 . 2004. 农业废弃物资源化与农村生物质资源战略研究报告 . 国家中长期科学和技术发展战略研究 .

谈峰 . 1997. 香菇生料栽培技术研究 . 中国食用菌，（6）：21-22.

谭伟，郭勇，周洁，等 . 2011. 毛木耳栽培基质替代原料初步筛选研究 . 西南农业学报，24（3）：1043-1049.

陶菁 . 2003. 西方消费文化对我国进口构成的影响 . 宁波大学学报（人文科学版），（4）：10-12.

田素妍，李玉清 . 2009. 试析我国农业技术推广主体行为及对策建议 . 农业经济，（4）：67-69.

田伟，谭朵朵 . 2009. 中国花生主产区的生产效率分析 . 农村经济与科技，（9）：39-42.

通占元，唐铁朝 . 2007. 食用菌周年生产栽培基料循环利用技术初探 . 食用菌，（2）：24-25.

万水霞，朱宏赋，李帆，等 . 2009. 利用秀珍菇菇渣栽培双孢蘑菇的试验 . 中国食用菌，28（3）：20-22.

汪红梅，余振华 . 2009. 提高我国农业技术需求的有效途径——基于社会资本视角的分析 . 农村经济，（10）：86-88.

王芳，王双进 . 2008. 河北省农产品流通体制研究 . 保定：河北农业大学硕士学位论文 . 5：44-51.

王贺祥 . 2001. 秸秆种食菌，一箭三雕——食用菌与环境保护及有机农业的关系 . 中国农村小康科技，（5）：41.

王静 . 2006. 技术性贸易壁垒对我国农产品出口的影响 . 北京：中国农业科学院 .

王开荣，徐广业 . 2009. DEA 弱有效决策单元判断及排序的新方法 . 北京工商大学学报（自然科学版），27（1）：75-78.

王磊，王志刚，李建，等 . 2009. 基于农民视角的农业科技推广行为：形式和内容孰轻孰重 . 中国科技论坛，（10）：115-120.

王守现，刘宇，耿小丽，等 . 2007. 白色金针菇不同配方品比试验研究 . 北方园艺，（9）：

228-229.

王伟平, 孙涛. 2002. 代料黑木耳栽培技术. 中国食用菌, (6): 35-36.

王新利. 2004. 我国农村现代物流模式展望. 中国流通经济, (12): 34-37.

王玄文, 胡瑞法. 2003. 农民对农业技术推广组织有偿服务需求分析——以棉花生产为例. 中国农村经济, (4): 63-68.

卫新, 毛小报, 王美清. 2003. 浙江省农户土地规模经营实证分析. 中国农村经济, (10): 31-36.

隗永青, 曹均, 曹庆昌. 2010. 北京郊区板栗林下栗蘑栽培技术及效益分析. 中国食用菌, 29 (2): 21-23.

魏权龄. 2003. 评价相对有效性的 DEA 方法. 上海: 上海财经大学出版社.

乌云花, 黄季焜. 2009. 水果销售渠道主要影响因素的实证研究. 系统工程理论与实践, 29 (4): 58-66.

吴明隆. 2003. SPSS 统计应用实务: 问卷分析与应用统计. 北京: 科学出版社.

武春友, 吴琦. 2009. 基于超效率 DEA 的能源效率评价模型研究. 管理学报, 6 (11): 1460-1465.

夏永祥. 2002. 农业效率与土地经营规模. 农业经济问题, (7): 43-47.

徐世艳, 李仕宝. 2009. 现阶段我国农民的农业技术需求影响因素分析. 农业技术经济, (4): 42-47.

徐卫涛, 张俊飚, 李树明, 等. 2010. 循环农业中的农户减量化投入行为分析. 资源科学, 32 (12): 1-6.

许志鸣, 顾新伟, 魏海龙, 等. 2004. 不同氮源对杏鲍菇菌丝体生长及子实体产量的影响. 浙江农业科学, (4): 196-197.

严立冬. 1998. 农业废弃物的资源化利用. 环境与开发, 13 (2): 21-23.

杨帆, 徐笑梅. 2009. 农民专业技术合作经济组织内部凝聚力分析. 中国科技论坛, (12): 109-113.

杨国良. 2003. 国内外蘑菇工厂化生产的模式及效益. 食用菌, (3): 29-30.

杨剑英. 2009. 生鲜农产品流通现状与对策探讨——以江苏省为例. 农业经济, (5): 82-84.

杨兴龙, 王凯. 2008. 中国玉米加工业生产率增长、技术进步与效率变化——以 4 个玉米主产省为例. 中国农村观察, (4): 53-62.

杨毅. 2007. 金堂县食用菌包废弃物燃烧发电可行性研究. 成都: 西南交通大学.

叶颜春. 2004. 鸡腿菇栽培试验初报. 广西热带农业, (3): 9-11.

应国华. 关于丽水市食用菌产业转型升级刍议. 浙江食用菌, 2009, 17 (4): 5-7.

郁建强, 殷戎. 1999. 略论食用菌产业在我国农业可持续发展中的作用. 上海农学院学报, 17 (2): 148-153.

郁维荣, 龚胜萍. 1997. 国内外食用菌生产和消费状况. 食用菌, (10): 2-3.

曾日秋, 卢川北. 2002. 不同培养料对姬菇产量和品质的影响. 食用菌学报, 9 (3): 31-34.

张丙春，张红，李慧冬，等.2008.我国食用菌标准现状研究.食品研究与开发，（10）：162-165.

张东风.2008.农户水稻良种购买意愿影响因素分析.南京：南京农业大学.

张冬平，冯继红.2005.我国小麦生产效率的DEA分析.农业技术经济，（3）：48-54.

张贵友.2009.我国农产品流通基础设施建设：问题与对策.中国社会科学院研究生院学报，（1）：12-16.

张吉国.2004.农产品质量管理与农业标准化.泰安：山东农业大学.

张金霞，黄晨阳，高巍，等.2009.中国食用菌产业的多功能性与展望.浙江食用菌，17（1）：8～11.

张金霞.2011.中国食用菌菌种学.北京：中国农业出版社.

张静，傅新红，杨锦秀.2006.蔬菜超市化经营及供应链参与者行为研究——以四川省成都市为例.农村经济，（1）：103-105.

张树庭，马海萍，林懿宁，等.2007.食用菌产业发展趋势及其对人类健康的作用.中国食用菌，26（6）：3-8.

张树庭.1988.1986年世界食用菌生产概况.中国食用菌，（6）：45-46.

张树庭.2010.中国蕈菌产业的发展.浙江食用菌，18（3）：1-3.

张勇，李宏锐.2009.发展食用菌产业 促进农村经济快速发展.山西农业（村委主任），（3）：49-50.

张越杰.2008.中国东北地区玉米生产效率的实证研究——以吉林省为例，吉林农业大学学报，（4）：632-639.

张忠根，史清华.2001.农地生产率变化及不同规模农户农地生产率比较研究——浙江省农村固定观察点农户农地经营状况分析.中国农村经济，（1）：67-73.

赵胜男，崔胜辉，吝涛，等.2010.福建省有机废弃物资源化利用碳减排潜力研究.中国人口·资源与环境，20（9）：30-35.

赵志强，胡培战.2009.技术标准战略、技术贸易壁垒与出口竞争力的关系——基于浙江出口美日欧的实证研究.国际贸易问题，（10）：79-86.

郑光敏.1999.香菇栽培后的废料资源化途径.福建环境，16（4）：33-34.

郑素月，黄晨阳，张金霞.2009.我国食用菌质量标准化体系建设及实施概况.浙江食用菌，（3）：6-9.

中国食品土畜进出口商会食用菌分会.2007.2007年1～10月食用菌进出口情况分析.

中国食品土畜进出口商会食用菌分会.2008.我国食用菌进出口贸易现状及产业发展的对策.浙江食用菌，16（5）：3-5.

中国食品土畜进出口商会食用菌分会.2008.我国食用菌进出口贸易现状及产业发展的对策.浙江食用菌，16（5）：3-5.

中国食用菌商务网市场部.2010.2009年度全国食用菌产业基本概况.中国食用菌，（4）：11.

中华人民共和国农业部.2009.新中国农业60年统计资料.北京：中国农业出版社.

钟全林，郑达贤，曾从盛．2006．食用菌产业发展对社会经济与资源环境的影响——以福建古田县为例．林业经济，(6)：71-73.

周海涛．2006．农户蔬菜销售方式及选择行为的影响因素分析．市场周刊（理论研究），(10)：10-11.

周力，王亚欣．2006．"十一五"时期加快我国农村市场流通体系构建的思考．农村经济，(2)：94-97.

周松林．2002．菌渣的利用——生产燃气．食用菌，24（1）：1.

周永哲．2009．韩国食用菌产业现状和发展方向．第三届中国蘑菇节论文集．

朱继先，朱克．2002．关于食用菌规模化生产的思考．食用菌，(4)：2-3.

朱建平．2009．应用多元统计分析．北京：科学出版社．

朱小梅，田贤亮，王红玲．2006．人民币汇率变动对中国农产品对外贸易影响的实证分析——以中国与日本农产品贸易为例．中国农村经济，9：51-62.

邹学忠，范玉峰．2000．赴日本食用菌技术交流考察报告．辽宁林业科技，(3)：30-34.

Allan J A. 1993. Fortunately there are substitutes for water otherwise our hydro-political futures would be impossible//Priorities for water resources allocation and management. London：Overeas Development Administration.

Banker R D, Charnes A, Cooper W W. 1984. Some models for estimating technical and scale inefficiencies in DEA. Management Science, 30：1078-1092.

Battese G E, Coelli T J. 1993. Stochastic frontier production function incorporating a model for technical inefficiency effects. Working Paper in Econometrics and Applied Statistics, No. 69, Department of Econometrics University of New England Armidale

Becker J. 2004. Making sustainable development evaluations work . Sustainable Development, 12：200-211.

Bell S, Morse S. Experiences with sustainability indicators and stakeholder participation：a case study relating to a 'Blue Plan' project in malt . Sustainable Development, 12：1-14.

Brockwell, Bottomley P J. 1995. Recent advances in inoculants technology and prospects for the future. Soil Biology and Biochemistry, 27：683-687.

B. Dubois, Les déchets en chiffres, French Environment and Energy Management Agency (2006) http：//www2. ademe. fr

Charnes A, Cooper W W, Phodes E. 1978. Measuring the efficiency of DMU. European Journal of Operational Research, 2：429-444.

Dilena G, vivantiv, quaglia GB. 1997. Amino acid composition of wheat milling by-productsfter bioconversion by edible fungi mycelia. Nahrung-Food, 41 (5)：285-288.

Farrell M J. 1957. The measurement of productive efficiency. Journal of the Royal Statistical Society, 120：125-281.

Guo X M, Trably E, Latrille E, et al. 2010. Hydrogen production from agricultural waste by dark fermentation: A review. International Journal of Hydrogen Energy, 19 (35): 10660-10673.

http: //www. cncrc. com. cn/152-665-2534. aspx. 棉副产品的综合利用.

Jones Jr H B, Thompson J C. 1982. Agricultural co-operatives in the United States: origin and current status . Agricultural Administration, 11 (1): 1-22.

Kaganzi E, Ferris S. 2009. Sustaining linkages to high value markets through collective action in Uganda . Food Policy, 34 (1): 23-30.

Marsh S P, Pannell D J, Lindner R K. 2004. Does agricultural extension pay?: A case study for a new crop, lupins, in Western Australia. Agricultural Economics, 30 (1): 17-30.

Mursec B, Cus F. 2003. Integral model of selection of optimal cutting conditions from different databases of tool makers . Journal of materials processing technology, 133: 158-165.

Rodriguez C S. 2008. Exploitation of biological wastes for the production of value-added products under solid-state fermentation conditions. Biotechnol Journal, 3 (7): 859-870.

Stephens J H G, Rask H M. 2000. Inoculant production and formulation. Field Crops Research, 65: 249-258.

Tinbergen J. 1962: Shaping the world economy: Suggestions for international economic policy. New York : The Twentieth Century Fund

Tripathi U, Sarada R, Rao S R, et al. 1999. Production of astaxanthin in Haematococcus pluvialis cultured in various media. Bioresource Technology, 68 (2): 197-199.

Ukaga O. 2001. Participatory evaluation of sustainable development. GMI 36 Winter, 27-36.

Waste generated and treated in Europe, European Communities (2003) ISBN 92-894-6355-4 http: // europa. eu. int

Weiland P. 2000. Anaerobic waste digestion in Germany-Status and recent developments. Biodegradation, 11: 415-421

Wichelns D. 2001. The role of "virtual water" in efforts to achieve food security and other national goals: An example from Egypt. Agricultural Water Management, 49 (2): 131-151.

Wurten B L, Koellner T, Binder C R. 2006. Virtual land use and agricultural trade: Estimating environmental and socio-economic impacts. Ecological Economics, 57 (4): 678-697.